LE FRANÇAIS CORRECT

DU MÊME AUTEUR

Le Bon Usage, Grammaire française, avec des Remarques sur la langue française d'aujourd'hui, 9e édition, 1228 pages ; des milliers de citations d'auteurs, avec références précises, 1969.

Précis de Grammaire française, 28e édition, 1969.

Problèmes de langage, 5 volumes : 1re série, 1961 ; 2e série, 1962 ; 3e série, 1964 ; 4e série, 1967 ; 5e série, 1970.

Cours de Dictées françaises, avec commentaire lexicologique et grammatical après chaque texte : Textes d'auteurs ; — Dictées grammaticales ; — Dictées récapitulatives (faciles ; de difficulté moyenne ; plus difficiles) ; — Dictées faites à divers concours et examens. — 9e édition, 1973.

MAURICE GREVISSE

LE FRANÇAIS CORRECT

GUIDE PRATIQUE

Préface d'ANDRÉ CHAMSON
de l'Académie française

ÉDITIONS J. DUCULOT, S.A., GEMBLOUX
1973

(Imprimé en Belgique sur les presses Duculot)
D. 1973, 0035.17

PRÉFACE

Si, depuis plus d'un demi-siècle, je me sers quotidiennement de notre langue, comme un potier de l'argile ou comme un peintre des couleurs, je n'ai pas encore épuisé l'attrait que suscite en moi un ouvrage comme ce Guide pratique du français correct que publie, aujourd'hui, Maurice Grevisse.

Dans ce petit livre, avec une sorte de trésor du bon usage, qui vient de loin, et plonge au plus profond d'une expérience collective ou, pour mieux dire, d'une expérience commune, au sens premier de ce mot, il y a comme un engagement, ou un jugement sur toutes les nouvelles aventures de notre langue, et sur tous les problèmes que pose sa vie, qu'ils soient de continuité ou de novation. Chaque jugement est appuyé et déterminé par des citations empruntées à quelques-uns des bons ouvriers de notre langue, et chaque arrêt a, derrière lui, une longue jurisprudence.

Que ce soit dans le vocabulaire ou dans les catégories grammaticales, je n'oserais pas prétendre que je suis comme un poisson dans l'eau mais, au contraire, comme un pêcheur au bord d'une mer poissonneuse, un pêcheur qui, jamais, ne jette sa ligne en vain.

André Chamson

de l'Académie française.

PREMIÈRE PARTIE

DANS LE VOCABULAIRE

DANS LE VOCABULAIRE

1 ABASOURDIR (de *basourdir,* tuer ; altération argotique de *basir,* même sens). Prononcez : *a-ba-zour-dir.*

2 ACCAPARER ne peut pas s'employer à la forme pronominale. Ne dites pas : *Il s'est accaparé de toute la production ;* dites : *Il a accaparé toute la production.*

3 ACCENTS

a) **Sans accent** (aigu, grave, circonflexe, selon les cas) sur la voyelle en ***italique gras :***

app***as***
axi***o***me
b***ai***ller (donner)
b***a***teau
Beno***i***t (Pierre ~)
b***e***sicles
bo***i***ter
bo***i***teux
Br***e***mond (abbé ~)
br***o***me
bucr***a***ne
cel***a***
ch***a***let
Ch***a***lon-sur-Saône
chap***i***tre
Ch***a***teaubriand
ch***a***toyer
ch***e***chia
chen***e***t
chr***o***me
c***i***me
Cl***e***menceau
comp***a***tir
comp***a***tissant
c***o***nifère
c***o***te (de coter)
c***o***teau
cr***a***niologie
crit***e***rium
cr***u*** (vin)
cycl***o***ne
déb***u***cher
déga***i***ner
déje***u***ner
desso***u***ler
dév***o***t
dipl***o***matique
disgr***a***cier
disgr***a***cieux
dr***o***latique
égo***u***t
égr***e***ner
fant***o***matique
fé***e***rie, -ique
fibr***o***me
f***u***té
ga***i***ne
gn***o***me
go***i***tre
gr***a***cier
h***a***ler (tirer)
h***a***vre, Le H***a***vre
H***e***r***e***dia
h***o***me
inf***a***mant
inf***a***mie
invers***e***ment
m***a***ter (dominer)
M***e***gève
mis***e***r***e***r***e***
m***o***merie
otage
pr***e***tentaine
pup***i***tre
r***a***clée
r***a***tisser
rec***e***ler
rec***e***per
r***e***fréner
r***e***gistre
renga***i***ner
r***e***partie (réponse)

r***e***table
remb***u***cher
r***e***volver
r***o***der (user)
s***e***crétaire
s***e***neçon
s***e***nior
sorb***e***tière
s***u***r (aigre)
sympt***o***matique
t***a***tillon
Val***e***ry (Larbaud)
Vendry***e***s
V***e***n***e***zu***e***la
z***o***ne

b) **Avec accent** (aigu, grave, circonflexe, selon les cas) sur la voyelle en ***gras italique :***

abr***é***gement
aim***é***-je
al***ê***ne
all***é***gement
all***é***grement
ant***é***christ
ar***è***ne
ar***ô***me
b***â***iller
b***â***illon
bar***è***me
boh***è***me (vagabond)
ç***à*** (interj.)
cha***î***ne
ch***â***lit
Ch***â***lons-sur-Marne
ch***â***ssis
ch***â***timent
il cl***ô***t
c***ô***lon (intestin)
cr***è***me
cr***é***merie
cr***é***mier
deç***à***
d***é***ficit
déj***à***
del***à***
d***é***tritus
dipl***ô***me
duss***é***-je
écr***é***mer
embl***è***me
embo***î***ter
empi***é***tement
év***é***nement
fa***î***te
il g***î***t
gr***ê***lon
h***â***ler (brunir)
hol***à***
ic***ô***ne
inf***â***me
Li***è***ge
lis***é***ré
m***é***mento
p***è***lerin
p***è***lerine
il pla***î***t
p***ê***ne (de serrure)
piq***û***re
po***è***me
po***è***te
po***ê***le
puiss***é***-je
r***é***bellion
s***é***créter
s***é***crétion
so***û***l
sp***é***cimen
surcro***î***t
sympt***ô***me
temp***é***tueux
t***é***nacité
thé***â***tre
tr***ê***ve
voil***à***

4 N.B. 1. Littré, le Dictionnaire général, Robert écrivent : *assener ;* — le Grand Larousse encyclopédique et le Grand Larousse de la Langue française : *assener* ou *asséner.*

2. Littré, le Dictionnaire général, le Grand Larousse encyclopédique écrivent : *bélître ;* — l'Académie : *belître ;* — le Grand Larousse de la Langue française : *bélître* ou *belître.*

3. L'Académie et le Grand Larousse encyclopédique écrivent : *faine* (fruit du hêtre) ; — Littré et Robert : *faîne ;* — le Dictionnaire général : *faine* ou *faîne.*

4. L'Académie écrit : *referendum ;* — le Grand Larousse encyclopédique : *référendum ;* — Robert : *referendum* ou *référendum.* — Prononciation : *ré-fé-rin-dom'.*

5. À l'élément grec *genesis,* production, engendrement, Littré, le Grand Larousse encyclopédique, J. Rostand, font correspondre, dans des composés savants, l'élément français *-genèse* (sans accent aigu sur la 1re syllabe) : *Parthénogenèse, glycogenèse, ovogenèse,* etc. — Certains mettent là un accent aigu (qui ne se justifie pas) : *Parthénogénèse* (Ac. ; Robert), *glycogénèse* (Robert), *ovogénèse* (A. Chamson).

6. L'Académie écrit : *reviser, revision ;* — Littré : *reviser,* mais *révision ;* — le Dictionnaire général, le Grand Larousse encyclopédique et Robert : *reviser* ou *réviser ; revision* ou *révision.*

7. Dans les mots savants en *-iatre* (grec *iatros,* médecin) ou en *-iatrie,* il ne faut pas de circonflexe sur l'*a : pédiatre, pédiatrie, psychiatre, psychiatrie,* etc.

8. L'Académie écrit : *assidûment, congrûment, continûment, crûment, dûment, goulûment, incongrûment, indûment, nûment.*

Elle écrit sans circonflexe : *absolument, éperdument, ingénument, résolument,* etc. (elle ignore : *prétendument*) ; — avec l'accent aigu : *exquisément ;* — sans accent aigu : *intimement, opiniâtrement.* — L'usage, pour plusieurs de ces adverbes, est flottant ; on rencontre : *éperdûment, exquisement, ingénûment, opiniâtrément, prétendûment.* — Conseil : s'en tenir à l'orthographe de l'Académie.

9. L'Académie écrit : *senescence ;* — Robert et les divers Larousse : *sénescence.*

5 ACCEPTATION : le fait d'accepter. Ne pas employer ce mot pour *acception,* sens particulier d'un mot. On ne dira pas : *dans toute l'acceptation du terme;* on dira : *dans toute l'*ACCEPTION *du terme. — Ce mot a plusieurs* ACCEPTIONS (Ac.).

6 ACCIDENTÉ. Sens traditionnel : « présentant des inégalités, des accidents (de terrain), mouvementé » : *Région* ACCIDENTÉE. *Vie* ACCIDENTÉE.

Sens néologique : « qui a subi un accident » : *Une voiture* ACCIDENTÉE (J. Orieux). — *Devant l'*ACCIDENTÉ *à panser, à recoudre* (É. Henriot).

L'Académie ignore *accidenter.* Au sens de « blesser par accident » ou de « endommager », il appartient surtout à la langue familière : *En roulant trop à droite, il a* ACCIDENTÉ *un cycliste* (Grand Larousse de la Langue française).

7 ACCOUTUMÉ. *Avoir accoutumé de* + infin., c'est « avoir pour habitude de (faire qq.ch.) » ; ce tour a un peu vieilli : *Ce qu'on* A ACCOUTUMÉ *d'appeler le théâtre du boulevard* (Fr. Mauriac).

8 ACHALANDER. Selon l'opinion stricte, *achalander,* c'est « fournir de chalands, c'est-à-dire de clients » : *Ce marchand est fort* ACHALANDÉ (Ac.). — Dans l'usage d'aujourd'hui, *achalander* (surtout au participe passé) s'emploie non seulement au sens de « procurer de nombreux clients », mais aussi au sens de « approvisionner en marchandises » ; ce glissement de sens, condamné par l'Académie (mise en garde du 18 février 1965), paraît bien irréversible : *Boutique bien* ACHALANDÉE (Petit Robert). — *L'épicerie Borange (...) mieux* ACHALANDÉE *comme papeterie et librairie* (M. Proust, dans Robert, Suppl.).

9 ACHEVÉ DE, COMMENCÉ DE + infinitif. — Les tournures dans lesquelles un verbe exprime, avec l'infinitif qui suit, l'idée d'achèvement ou de commencement d'une action (par ex. : *achever, finir, commencer de bâtir*) admettent la tournure passive : l'idée passive, qui concerne logiquement chacun des deux éléments du bloc verbal, ne se trouve exprimée qu'avec le premier : *Il n'est pas encore* ACHEVÉ D'HABILLER (Ac.). — *Le petit volume (...)* ACHEVÉ D'IMPRIMER *le 2 janvier 1670, parut dans le mois* (Sainte-Beuve). — *Les lettres* FINIES DE LIRE (P. Loti). — *Une nouvelle petite Fiat qui est juste* FINIE DE RODER (J.-L. Vaudoyer). — *Ma robe est* COMMENCÉE DE GARNIR (F. Brunot).

10 ACOMPTE / ARRHES. Un *acompte* est un paiement partiel à valoir sur une somme due ; — « donner des *arrhes* », c'est donner une somme d'argent au moment de la conclusion d'un contrat, d'un marché, et que l'on perd si le contrat ou le marché vient à être rompu.

11 ACQUIS / ACQUIT. Bien distinguer entre : *avoir de l'*ACQUIS [= avoir un capital de connaissances acquises] — et *par* ACQUIT *de conscience* ou *pour* l'ACQUIT *de sa conscience, faire qq.ch. par manière d'*ACQUIT. [cf. *acquitter.*]

12 **ACTER,** mot d'ancien français, est mentionné comme terme de pratique dans Bescherelle (faire des actes), dans La Châtre (faire, rédiger, signer des actes), dans le Supplément de Littré (prendre acte), dans le Larousse du XXe s. (prendre acte). On le rencontre parfois dans l'usage des journalistes et dans la langue juridique, notamment en Belgique.

13 **ACTIVER,** à la forme pronominale *s'activer,* est rebuté par les puristes : « Je sais bien que l'on dit couramment *s'activer* ou *s'affairer ;* mais le premier est détestable et ne signifie proprement rien ; car on active un travail ou le feu, on ne s'active pas soi-même » (A. Hermant, *Chroniques de Lancelot,* t. I, p. 294). — Cependant *s'activer* est courant aujourd'hui : *Elle admirait les fondrières où* S'ACTIVAIENT *les ouvriers* (R. Dorgelès).

De même *s'affairer* (que ni Littré, ni le Dictionnaire général, ni l'Académie ne mentionnent) : *Tandis que certains* S'AFFAIRAIENT *auprès de la présidente* (A. Gide, cit. Le Gal).

14 **AFFABULATION,** au sens strict et étymologique, désigne la moralité d'une fable, d'un apologue. En cet emploi, il est vieilli, et le mot signifie aujourd'hui « trame d'un récit, intrigue d'une pièce ». — On ne constate pas, dans l'usage moderne, de différence de sens bien nette entre *affabulation* et *fabulation* (ce dernier mot, beaucoup moins fréquent que l'autre, est ignoré par Littré, par le Dictionnaire général et par l'Académie) : *À mesure que j'avançais dans le travail de* FABULATION, *je voyais croître mon embarras* (R. Martin du Gard). — *L'*AFFABULATION *de ce roman est dramatique* (É. Henriot).

15 **AFFAIRES** s'emploie bien dans le sens de « objets, vêtements, effets personnels » : *Ranger ses* AFFAIRES (Robert). — *Elle eut vite fait de préparer ses valises en les bourrant à grands coups de poings sans même plier ses* AFFAIRES (A. Chamson).

16 AGONIR / AGONISER. Ne pas confondre : *agonir,* c'est « accabler (de reproches, d'injures, etc.) » : *Elle m'a presque* AGONIE *de sottises* (Balzac, dans le Petit Robert).

Ce verbe se conjugue comme *finir : J'agonis, il agonit, nous agonissons, j'agonissais, que j'agonisse,* etc. — C'est abusivement que certains auteurs le conjuguent comme *agoniser ;* exemples cités par A. Goosse : *Vos publicistes* AGONISENT *le néophyte de propos vertueux* (M. Barrès). — *Il y avait là deux mégères et un garçon en manches de chemise qui me frictionnaient, m'*AGONISAIENT... (M. Jouhandeau).

Agoniser, c'est « être à l'agonie » : *L'abbé se meurt : il* AGONISE (Sévigné).

17 AGRESSER, « néologisme fâcheux et inutile » selon Dauzat, est un vieux mot, repris à la fin du XIXe siècle ; il a été reçu par le Grand Larousse encyclopédique, par le Grand Larousse de la Langue française ; de même par Robert (Suppl.), qui donne ces exemples : *Deux individus l'ont* AGRESSÉ *la nuit dernière. — Passant* AGRESSÉ *dans une rue déserte.*

18 AJOUTE, RAJOUTE ne sont pas reçus dans le bon usage; quoique *ajoute* figure dans les Additions du Littré (ce qu'on ajoute à un engin) et qu'il se rencontre sporadiquement en France (*C'est donc une* AJOUTE *toute gratuite* se lit chez Gabriel Marcel), il n'appartient pas au français normal.

On a le choix entre : *ajout, rajout, ajouté, addition, adjonction, allonge, rallonge, supplément, surcharge, annexe, complément,* etc. : *Il chargea les épreuves de repentirs et d'*AJOUTS (A. Maurois). — *Quand il y avait un* RAJOUT *au bout de l'article* (M. Cohen). — *Mettre une* RALLONGE *à une table* (Ac.).

19 ALLONGER. Avec Littré, les puristes condamnent *les jours allongent* et veulent qu'on dise : *les jours s'allongent ;* cependant le tour incriminé est attesté par d'excellents auteurs : *Les jours* ALLONGEAIENT (Hugo). — *Comme les jours* AVAIENT ALLONGÉ... (Fr. Mauriac).

Allonger, intransitif, s'emploie parfois aussi au sens concret de « prendre plus de longueur » : *Ses cheveux* ALLONGÈRENT (Fr. Mallet-Joris).

20 ALLUMER. Puisqu'on dit bien *éteindre la lumière* (Ac.), on peut dire aussi *allumer la lumière,* parallèlement à *faire la lumière : Elle referma la porte et alluma la lumière électrique* (J. Green).

À comparer : *Je vais allumer l'éclairage au néon* (G. Duhamel). — *J'allumai l'électricité* (P. Guth).

Allumer s'emploie aussi absolument : *Il* ALLUMA *et tenta de lire* (A. Maurois).

21 ALTERNATIVE, au sens strict, signifie « succession de deux choses qui reviennent tour à tour » ou « option entre deux issues, deux partis à prendre » : ALTERNATIVE *continuelle d'espérance et d'alarme* (Hugo). — *C'est un fumiste ou un fou, nulle autre* ALTERNATIVE (M. Proust).

Le mot est souvent employé abusivement, même par d'excellents auteurs, au sens de « l'un de deux ou plusieurs termes d'un choix ». Cet emploi, condamné par Littré et par l'Académie (mise en garde du 19 nov. 1964), se répand : *Entre ces deux* ALTERNATIVES : *les vivres coupés ou bien un départ immédiat pour Paris* (M. Prévost). — *En lui montrant deux* ALTERNATIVES : *ou se laisser traîner dans les prisons de la terre ou porter le fer et le feu dans le palais d'Ialdabaoth* (A. France). — *De là enfin la conclusion qu'il y a trois* ALTERNATIVES (...). *Mais la vérité est qu'il y en a une quatrième* (H. Bergson).

Dans des phrases de cette sorte, au lieu d'*alternative,* la langue « soignée » emploie par exemple : *éventualité,* ou *parti,* ou *solution,* ou *issue,* ou *possibilité.*

Conseil : n'employer *alternative* qu'au sens strict, indiqué plus haut.

22 ALUNIR, ALUNISSAGE. Ces néologismes ont été l'objet de beaucoup de discussions : deux *l* ou un seul ? *alunir* ou *atterrir sur la Lune* ? L'Académie (communiqué du 17 févr. 1966) a rejeté *alunir* et a recommandé *atterrir sur la Lune.* Mais, dans l'usage d'aujourd'hui, *alunir* et *alunissage* paraissent bien l'emporter et figurent dans le Grand Larousse encyclopédique, dans le Grand Larousse de la Langue française, dans Robert (Suppl.) et dans le Petit Robert.

Exemples : *Mais* ALUNIR *signifiera pour lui* [pour l'homme] *freiner les deux ou trois kilomètres-seconde qui ont anéanti Lounik* (Charles-Noël Martin). — *Il y aura peut-être des expériences manquées, des* ALUNISSAGES *pénibles, mais la réussite n'est qu'une question d'années* (A. Maurois).

23 AMBIANCE : « atmosphère matérielle ou morale qui environne une personne, une réunion de personnes » (Petit Robert) : *Telle ou telle* AMBIANCE *peut améliorer ou déformer un caractère* (Ac.). — *La tante disait qu'une* AMBIANCE *familiale est plus efficace qu'un repas d'affaires* (R. Sabatier). — Le sens général est donc celui de « milieu, climat, atmosphère », dans leur emploi figuré.

Ambiance se dit, dans la langue familière, pour « atmosphère de gaieté, d'entrain » : *Il y a de l'*AMBIANCE, *ce soir* (Robert, Suppl.).

24 AMENER, RAMENER. Employés dans leur sens propre, ces verbes, selon l'Académie (mise en garde du 18 nov. 1965), ne doivent être utilisés que dans le sens de « conduire en menant », et l'on ne dira pas : *J'ai* RAMENÉ *une montre de Suisse.*

Plus d'un bon auteur emploie ces verbes dans le sens de « *apporter (rapporter)* qq.ch. avec soi, en revenant au lieu qu'on avait quitté » : Robert Le Bidois cite (mais en les condamnant) ces exemples : *Les vêtements (...) qu'il n'avait pas voulu* AMENER *à la maison* (J. Giraudoux). — *Mon père* RAMENA *le panneau à la maison* (A. Chamson). — *La bibliothèque* RAMENÉE *d'Argelouse* (Fr. Mauriac). — Ajoutons : *Il s'agit d'un hareng qu'un vieux Juif* RAMENAIT *chez lui pour nourrir sa famille...* (H. Troyat).

Conseil : observer la mise en garde de l'Académie.

25 **AMERRIR / AMÉRIR.** L'orthographe *amérir* serait conforme aux règles de la dérivation, le radical étant *mer*, et le suffixe *-ir*. « Ce néologisme, écrivait Thérive, est fort discuté. De toute façon, on doit l'écrire *amérir :* la double lettre serait absurde, mais tel quel, il est déjà si usité qu'il faut, je crois, le sanctionner. »

On rencontre parfois *amérir : Il décolla,* AMÉRIT, *décolla,* AMÉRIT *sans répit* (J. Kessel). — Mais *amerrir* a été adopté par l'Académie, et se justifie par l'analogie, d'après *atterrir*. — À noter qu'il signifie non seulement « reprendre contact avec la mer », mais aussi, par extension, « se poser à la surface de l'eau » [d'un lac, par exemple] : *L'hydravion* AMERRISSAIT *difficilement* (Ac.).

26 **AMIDONNER, EMPESER.** Des grammairiens font une distinction entre *amidonner :* « enduire d'amidon », et *empeser,* plus précis selon eux : « raidir par l'amidon, par l'empois ». — En fait, on dit sans différence de sens appréciable : « du linge *amidonné* » ou « du linge *empesé* » *: Une blouse blanche bien* AMIDONNÉE (J. Green). — *Toutes les femmes (...) étaient ainsi vêtues de blanc, de lingeries fines* AMIDONNÉES (M. Genevoix). — *Étranglé par son col* AMIDONNÉ (M. Pagnol). — *Les grands cols* EMPESÉS *que lui seul n'avait pas abandonnés* (P. Morand). — *Ma chemise* EMPESÉE (J. Giono).

27 **ANNOTER** *(un texte)*, c'est « l'accompagner de notes, de remarques, d'annotations critiques » : *Il a* ANNOTÉ *les ouvrages de Pline, de Tacite* (Ac.). — Bien distinguer de *noter ;* on ne dira pas : *Annoter une adresse dans son agenda,* mais : *noter* une adresse...

28 **ANNUAIRE** : recueil donnant annuellement les renseignements nécessaires sur un organisme administratif ou autre : *L'*ANNUAIRE *des Téléphones.*

On dit aussi : *le bottin des Téléphones ; Chercher un numéro dans le* BOTTIN (Robert, Suppl.).

29 **ANOBLIR / ENNOBLIR.** Distinguez : *anoblir :* conférer un titre de noblesse ; — *ennoblir :* donner un caractère de grandeur morale.

30 **ANTAN** *(d'~).* Cette expression (qui ne s'emploie que comme complément d'un nom) se dit proprement de l'année précédant celle qui court (seule signification donnée par l'Académie) : *Elle parlait d'une arche de Noé qu'elle m'avait donnée le premier janvier d'*ANTAN (A. France, cité par Deharveng). — Mais cette valeur est à peu près oubliée et, dans l'usage moderne *d'antan* se prend au sens de « d'autrefois, de jadis » : *Je paie aujourd'hui mes dénis d'*ANTAN, *de ce long temps où me paraissait indigne de réelle attention tout ce que je savais transitoire* (A. Gide, dans le Grand Larousse de la Langue fr.).

31 **ANTICIPATIF, ANTICIPATIVEMENT.** On trouve *anticipatif* dans le Larousse du XXe siècle, mais ni les autres Larousse ni aucun autre dictionnaire ne le signalent. *Anticipativement* est ignoré de tous les lexicographes. — Au lieu de ***versement anticipatif, payer anticipativement*** on dira : ***versement anticipé, payer par anticipation.***

32 **AOÛT.** « On prononce *Oû* plutôt que *Aou* », selon l'Académie. Opinion complaisante ! « La prononciation *a-ou,* écrit Martinon, est aussi surannée et devrait paraître aussi ridicule que *pa-on.* » Le *t* « ne doit pas plus sonner dans (a)*oû*(t), dit le même Martinon, que dans *debou*(t), malgré l'usage de quelques provinces ». — En fait, beaucoup font sonner le *t*, en France, même dans l'usage « distingué ».

33 **APAISEMENT.** On dit bien : « avoir, donner tout apaisement, des apaisements, (tous) ses apaisements » ; le sens général est « être rassuré » ou « rassurer » : *Le spécialiste ne peut manquer de vous donner toute lumière et tout* APAISEMENT (G. Duhamel). — *Il me faut apporter des* APAISEMENTS *aux esprits que le sous-titre pourrait étonner* (Id.). — *Vous pouvez*

donner tous les APAISEMENTS *à M. le Supérieur* (Fr. Mauriac). — *Vous avez vos* APAISEMENTS (J. Romains).

34 **ARBORÉ,** au sens de « planté d'arbres, couvert d'arbres » se lit chez M. Bedel : « la savane *arborée* du Katanga ». — Mais, dans le français normal, *arboré* signifie : « élevé, dressé droit comme un arbre » ou « porté, montré ostensiblement » : *Drapeaux* ARBORÉS *le 14 juillet, décorations fièrement* ARBORÉES, etc.

35 **ARCHELLE** désigne, dans le français régional de Belgique et dans diverses régions en France (Picardie, Manche, Champagne, etc.), une sorte d'étagère servant à exposer des assiettes et à accrocher des pots et différents ustensiles. Selon Hanse (voir détails : *Revue belge de Philol. et d'Hist.*, t. XXVIII, n° 2, 1950), le mot se rattache à *ais* (= planche) et a peut-être été attiré dans l'orbite de *arche ;* en Artois et en Picardie, il a pour équivalents *potière, barre à pots ;* les techniciens et les antiquaires disent aussi *potière-corniche, archelle potière.*

36 **ARDOISIER** : celui qui exploite une carrière d'ardoise ou y travaille. Bien distinguer de *couvreur :* ouvrier qui fait ou répare les couvertures des maisons (ardoises, tuiles, zinc, etc.).

N.B. On observera, à ce propos, que dans *le vivre et le couvert,* le mot *couvert* signifie « logis où l'on est à couvert, c'est-à-dire à l'abri, des intempéries ».

37 **ARÉOPAGE** (grec *Areios pagos,* colline d'Arès). Ne pas dire : *aéropage.*

38 **ARIA,** ignoré par l'Académie, s'emploie familièrement au sens de « souci, embarras, ennui, tracas »; *À quelque temps de là il assiste à la libération de Paris, à laquelle il participe allégrement sans perdre de vue son journal, dont les feuillets heureusement conservés au milieu de tant d'*ARIAS, *nous valent*

un des plus vivants récits de témoin sur ces pathétiques et confuses journées (É. Henriot).

39 ASSEOIR *(s'~)*. On dit, pour prier qqn de s'asseoir : *Asseyez-vous,* ou : *Prenez place,* ou : *Mettez-vous là,* ou (avec une politesse un peu guindée) : *Donnez-vous la peine, prenez la peine de vous asseoir.* — Ne dites ni : *Mettez-vous,* ni (usage méridional) : *Remettez-vous.*

40 ATTENDRE UN ENFANT. En parlant d'une femme qui attend un « heureux événement », on dit ordinairement : *être enceinte* ou *attendre un enfant.* — Locution familière (plutôt vieillie) : *être dans une position intéressante.* — Vieilli : *une femme grosse.*

Ne dites pas : « Elle a eu une *portée* pénible », dites : « une *grossesse* pénible » — ou, en termes médicaux : « une *gestation* pénible ». — *Portée* se dit de la « totalité des petits que les femelles des animaux quadrupèdes portent et mettent bas en une fois » (Ac.).

41 AUBETTE (moy. haut allem. *hûba,* vieux franç. *hobe,* abri, cabane) est un mot du français régional; courant en Belgique, connu aussi dans l'ouest de la France (Nantes, Rennes, Brest, Saint-Malo), il désigne un kiosque à journaux ou un abri pour ceux qui attendent un tramway, un autobus, etc. *Aubette* remplacerait avantageusement, comme l'a noté M. Piron, la périphrase *kiosque à journaux* et mériterait d'être admis dans le français universel, mais ce joli mot restera sans doute cantonné dans le français marginal.

42 AUTARCHIE / AUTARCIE. Le mot *autarchie* (= autonomie) a connu, depuis la fin de l'autre siècle, un certain usage : *Dans une société où l'*AUTARCHIE *économique conduit logiquement à l'*AUTARCHIE *intellectuelle* (G. Bernanos). — Mais pour désigner l'état d'un pays qui se suffit à lui-même et vit en économie fermée, c'est aujourd'hui *autarcie* qu'on emploie : *Une ère d'*AUTARCIE *et de misère s'est ouverte* (R. Kemp). — *L'économie sans débouchés, l'*AUTARCIE *semi-*

villageoise qui s'était établie aux temps carolingiens, a duré un peu plus d'un siècle (P. Gaxotte).

43 **AU TEMPS !** se dit, en termes de gymnastique ou d'exercices militaires, pour commander de revenir à la position précédente en vue de recommencer le mouvement. Selon Thérive, *au temps !* « pourrait bien n'être qu'une orthographe pédantesque [pour *autant*], dont l'origine serait assez récente ». Cependant c'est bien l'orthographe *au temps !* qui s'est imposée : AU TEMPS ! *cria Brague. Tu l'as encore raté ton mouvement !* (Colette.)

44 **AUTOMATION.** À proscrire, selon l'Académie (communiqué du 20 avr. 1967); on le remplacera, suivant le cas, par *automatisation* ou par *automatique.*

45 **AUTOROUTE** (fémin.) a supplanté *autostrade.*

46 **AVANT-PLAN** est fort peu employé en France. Ni Littré ni le Dictionnaire général, ni l'Académie, ni Robert ne le mentionnent. Il figure bien dans le Grand Larousse encyclopédique, mais l'usage normal est de dire *premier plan.*

47 **AVATAR** désigne, dans la religion hindoue, chacune des dix incarnations de Vichnou. Il s'emploie proprement au sens de « métamorphose, transformation » : *Thénardier, à qui les* AVATARS *étaient aisés, saisit cette occasion de devenir Jondrette* (Hugo). — *Les* AVATARS *d'un politicien.*

Dans l'usage moderne, *avatar,* en dépit des puristes, se prend fréquemment au sens d'*aventure,* de *mésaventure,* de *tracas,* d'*ennui,* etc., et il faudra bien sans doute se résigner à accepter le glissement de sens : *Il m'arrive, notamment après une série d'*AVATARS, *d'avoir envie de me défaire de ma voiture* (P. Daninos). — *À cause de ce retard, il n'arriva à Rio que le lendemain vers midi. Malgré cet* AVATAR (...), *Mermoz souriait...* (J. Kessel). — *Ils (...) riaient volontiers de ses* AVATARS *de fortune* (A. Chamson). — *Et comment* *évaluer l'effet produit sur l'état matériel et moral de toutes les autres unités allemandes par les* AVATARS *des convois, du ravitaillement, des liaisons ?* (Ch. de Gaulle.)

48 AVÉRER s'emploie surtout à la forme pronominale *s'avérer* (= être vraiment, se révéler, se manifester) et au participe-adjectif *avéré : La soif s'*AVÉRAIT *redoutable* (M. Genevoix). — *C'est un fait* AVÉRÉ (Ac.).

Certains auteurs n'ont pas craint (mais des grammairiens protestent) de joindre à *s'avérer* ou à *avéré* l'adjectif *faux ;* si l'on veut les justifier, on dira que, dans l'usage moderne, on n'a plus conscience de l'étymologie de *s'avérer* (cf. lat. *verus*, vrai) et que *cela s'avère faux* ne paraît pas plus choquant que *cela est vraiment faux : Bien que ses calculs* S'AVÉRASSENT *faux* (Montherlant). — *Jusqu'au jour où il est* AVÉRÉ *qu'il* [un objet d'art] *est faux* (Id.). — *Quand tous les calculs compliqués* S'AVÈRENT *faux* (M. Yourcenar). — *Les vues de l'homme s'*AVÈRENT *toujours fausses* (Fr. Mauriac, cité par Georgin).

49 AVEU. Ne dites pas: *être en aveu(x), entrer en aveu(x).* Le bon usage français veut qu'on dise: *avouer, faire des aveux, passer aux aveux, entrer dans la voie des aveux: Crainquebille eût* FAIT DES AVEUX *s'il avait su ce qu'il fallait* AVOUER (A. France). — *Le coupable est* ENTRÉ DANS LA VOIE DES AVEUX ? (H. Bernstein.)

50 AVOIR AFFAIRE, AVOIR À FAIRE : les deux façons d'écrire sont bonnes, mais la première est sans doute la plus fréquente : *Il a eu* AFFAIRE *à moi pour une question de passeport* (J. Romains). — *Il faut que l'on ait* À FAIRE *à quelque vainqueur* (Sainte-Beuve). — *Qu'ai-je* À FAIRE *avec le génie ?* (J. Cocteau.)

51 AVOIR FACILE. La construction de *avoir* avec un adjectif n'est pas inusitée en France : *Il a eu* FACILE *de me reprendre les bibelots* [dit une copine de music-hall] (Colette). — *Les médecins ont bien* FACILE (G. Lenôtre, cit. Deharveng). — *Saint Gorgon ne l'a pas eu si* AISÉ (Bossuet, cit. Hanse). — *J'aurais plus* COURT *de rester à Paris* (A. Dumas, cit. Deharveng).

Dans le français normal, au lieu de « Il a facile de le faire », on dit : *Il lui est facile de le faire* ou : *Il le fait facilement,* ou : *Il n'a aucune difficulté à le faire.*

52 **AVOIR GARDE.** Tour ordinaire : *n'avoir garde de* + infin. = n'avoir pas la volonté ou le pouvoir de, être bien éloigné de : *Il n'a garde de tromper, il est trop honnête homme* (Ac.). — *Il n'avait garde de contredire sa fille* (Mérimée). — Se dit aussi des choses : *Cette permission n'avait garde de lui être refusée* (Ac.).

On emploie parfois, dans le même sens, le tour affirmatif *avoir garde de* + infin. [= faire en sorte de ne pas...], mais ce tour n'est pas recommandable : il engendre de la confusion : *Nous avions garde de l'aborder brusquement* (Th. Gautier). — *J'ai garde surtout de m'aveugler sur les tares du régime capitaliste* (Fr. Mauriac).

53 **AVOIR LIEU DE.** « Je n'admets, écrivait Gide, l'emploi de cette locution qu'au neutre. *J'ai lieu de...* me choque, encore que Littré semble l'admettre. »

Cette opinion de Gide n'est pas fondée : *Vos prêtres, je veux bien, Abner, vous l'avouer / Des bontés d'Athalie* ONT LIEU *de se louer* (Racine). — *Tout ce que j'*AI LIEU *d'écrire aujourd'hui* (A. Hermant).

54 **AVOIR SOIN DE.** « Je *soignerai* pour vous, pour cette affaire » : germanisme. — Dites : *J'aurai soin, je prendrai soin de vous, de cette affaire, je m'en occuperai, j'y veillerai.*

55 **AZIMUT.** En astronomie : « angle formé par le méridien d'un lieu et un cercle vertical quelconque ou Ce cercle vertical même » (Ac.). — Dans l'usage général, *tous azimuts* s'emploie familièrement comme épithète avec la valeur de « pouvant convenir à tous les cas, s'appliquer dans toutes les éventualités ».

56 **BACCHANAL, BACCHANALE(S).** Le premier de ces mots est masculin et signifie « grand bruit, tapage » : *Faire du*

BACCHANAL (Ac.). — *Au milieu de ce* BACCHANAL, *la belle Marco restait muette* (Musset).

Les *bacchanales* étaient, chez les anciens, les fêtes célébrées en l'honneur de Bacchus. — *Bacchanale,* au féminin, se dit soit d'une danse bruyante et tumultueuse, soit d'une débauche faite avec grand bruit : *J'ai connu aussi un écrivain à la mode qui passait pour présider chaque nuit de fameuses* BACCHANALES (A. Camus). — *Mais huit ans aussi de* BACCHANALE *organisée, et de* BACCHANALE *qu'on savait qui était couverte par le fric paternel* (Montherlant).

57 **BAGOU(T).** Littré, le Dictionnaire général, l'Académie écrivent *bagou.* L'orthographe *bagout* est assez fréquente : *Il avait ce qu'on appelle à Paris du* BAGOUT (A. Hermant). — *Papa se mit à parler d'abondance, forçant son maigre* BAGOUT *à occuper le silence* (H. Bazin).

58 **BALADE / BALLADE.** Distinguez : *balade* (ignoré par l'Académie) = mot familier signifiant « promenade faite sans but précis » ; — *ballade :* petit poème à forme fixe ; récit en vers reproduisant des traditions historiques ou légendaires.

59 **BARON,** pièce de viande. Telle est l'orthographe ordinaire : *Baron d'agneau :* les deux gigots et les deux filets (Robert).

Quelques-uns écrivent : *bas-rond : Le* BAS-ROND *d'agneau proposé à l'admiration des convives* (G. Duhamel).

60 **BASER, SE BASER** (= fonder, se fonder) sont ignorés de l'Académie; il est hors de doute qu'ils ont reçu la sanction de l'usage: *Dès que les dramaturges ont* BASÉ *leurs ouvrages sur ce qui était* (G. Duhamel). — *Que cet ensemble auguste où l'insensé* SE BASE... (Hugo). — *Le marché des jeux,* BASÉ *sur la tolérance policière, était le champ ouvert aux compensations faciles* (Aragon). — *Il serait plus sérieux de tenter une classification des peuples en* SE BASANT *sur leur façon de s'interpeller* (A. Chamson).

61 **BEC DANS L'EAU.** Le vrai sens de *tenir qqn le bec dans l'eau,* c'est « le laisser dans l'attente de qq.ch. qu'on lui fait espérer,

le tenir dans l'incertitude, en ne lui donnant pas de réponse positive » (Ac.). L'idée essentielle est donc celle d'*attente vaine : C'est que si je veux, moi aussi, libérer de jeunes esprits, dès octobre, je ne peux pas rester* LE BEC DANS L'EAU. *Mon dévouement doit être utilisé* (R. Benjamin). — *On ne lésine pas en boucherie; tuer ce qu'on aime, tuer ce qu'on hait, on s'y précipite: on ne craint pas de rester ensuite* LE BEC DANS L'EAU (J. Giono).

62 **BÉER** est une variante de *bayer* (prononc. : *ba-yer*) ; il peut s'employer dans toute sa conjugaison : *On a l'impression que l'enfer s'ouvre tout à coup et* BÉE (J. Green). — *Les narines* BÉAIENT *sous l'arête du nez décharné* (M. Genevoix). — BAYER *aux corneilles.* — *La servante vint nous annoncer qu'Auguste* [un jeune canard] BAYAIT *du bec* (J. Duché).

63 **BÉNÉFICIER.** Ne dites pas : *Cette mesure vous bénéficie ;* dites : *Vous bénéficiez de cette mesure.* — *Bénéficier* ne peut avoir pour sujet que la personne ou la chose qui bénéficie (mise en garde de l'Académie du 18 févr. 1965).

64 **BÉNÉFIQUE.** Littré, le Dictionnaire général, l'Académie ignorent ce mot. Il s'est employé au XVIe siècle comme terme d'astrologie. De nos jours, il est courant : *Le retour aux sources est parfois* BÉNÉFIQUE (A. Maurois). — *Renoncer à ce « farniente »* BÉNÉFIQUE (P.-H. Simon). — *Quel événement,* BÉNÉFIQUE *ou funeste, pourrait-il affecter les hommes sans déclencher à la fois cette joie et ce désespoir ?* (A. Chamson.)

65 **BESOGNEUX** (l'orthographe *besoigneux* est désuète) : « qui est dans la gêne, dans le besoin » (Ac.) : *Femmes portant des paquets, hommes au col relevé, au nez soucieux, toute une humanité* BESOGNEUSE, *pressée, mécontente de vivre* (H. Troyat). — Le mot, abusivement rattaché à *besogne,* se prend souvent aujourd'hui au sens de « qui fait une médiocre besogne, mal rétribuée » : *Gratte-papier* BESOGNEUX (Petit Robert).

66 BESOIN *(avoir ~ de)*. Ne dites pas : « Ce *que* nous avons besoin » ; « Il n'a plus *rien* besoin » : un objet direct est là incorrect. Dites : « Ce *dont* nous avons besoin » (Littré) ; « Il n'a plus besoin *de* rien » (Ac.). — [On relève chez Mme de Sévigné : *Tout ce que vous aurez besoin* (19 janv. 1674) et : *On me demande ce que j'ai besoin* (8 avr. 1676); il n'empêche que cette construction transitive directe reste cantonnée dans l'usage populaire.]

Avoir besoin se construit bien avec *que* et le subjonctif : *Il n'a pas besoin qu'on lui dise deux fois la même chose* (Ac.).

Avec *être besoin,* impersonnel, on dit, dans des phrases interrogatives ou négatives : « Est-il besoin *de* le dire ? » ou : « ... *que* je le dise ? » — « Il n'est pas besoin *de* le dire. » — « Il n'y eut pas besoin *qu'*on excitât Paris » (J. Bainville, cité par Deharveng).

67 BÉTONNIÈRE. On dit : « une *bétonnière* » : *Il y a une* BÉTONNIÈRE *aussi* (F. Marceau); — et aussi (usage critiqué) : « une *bétonneuse* » : *On découvrait des tracteurs, des* BÉTONNEUSES (J. Kessel).

68 BI-, TRI-. Ces préfixes, dans les adjectifs marquant la périodicité, expriment : *a)* tantôt une idée de division d'un laps de temps : *biquotidien* (qui a lieu ou paraît deux fois par jour), *bihebdomadaire* (deux fois par semaine), *trihebdomadaire* (trois fois par semaine), *bimensuel* (deux fois par mois), *trimensuel* (trois fois par mois) ; — *b)* tantôt une idée de multiplication d'un laps de temps : *bimestriel* (tous les deux mois ou d'une durée de deux mois), *trimestriel* (tous les trois mois), *bisannuel* (tous les deux ans), *trisannuel* (tous les trois ans).

L'usage s'est écarté de l'opinion de Littré, pour qui *bihebdomadaire, bimensuel* signifient respectivement « qui se fait ou paraît toutes les deux semaines », « tous les deux mois ». Pour Littré, l'idée de « paraissant deux fois par semaine ou par mois » s'exprime par *semi-hebdomadaire* ou par *semi-mensuel.*

69 BILLE (de chemin de fer). *Bille,* en termes d'arts, désigne une « pièce de bois de toute la grosseur de l'arbre, séparée du tronc par deux traits de scie et destinée à être équarrie et mise en planches, etc. » (Ac.). Pour désigner chacune des pièces de bois (ou de fer, ou de béton) placées en travers d'une voie de chemin de fer et sur lesquelles sont fixés les rails, on emploie *traverse : Les* TRAVERSES *d'un chemin de fer* (Ac.).

Pour Thérive (cf. Englebert / Thérive, *Ne dites pas... Dites...*, p. 59), *bille*, en ce sens, est correct. Mais cette opinion demanderait à être appuyée par l'usage.

70 BILLET (de chemin de fer, de métro, etc.) : *Prendre un* BILLET *d'aller et retour.* BILLET *de métro, de quai.* Ne dites pas: « un *coupon* de chemin de fer ». — À noter : *ticket* de chemin de fer, de métro, d'autobus, de quai, d'entrée, etc.

71 BISTRO ou **BISTROT** : marchand de vin tenant café ; petit café, restaurant modeste. Mot populaire ou familier. Les deux orthographes se rencontrent : *La petite salle de* BISTRO *s'emplit de monde* (H. Troyat). — *Tu as eu envie de t'asseoir à la terrasse du petit* BISTROT *pour manger des huîtres?* (Colette.) — *Aller manger ensemble dans un* BISTROT (A. Chamson).

72 BOUGER, au sens intransitif : *Il ne* BOUGE *pas plus qu'une statue* (Ac.). — *Il ne* BOUGE *pas du cabaret* (Id.). — *C'est une bête égarée, dit-il, ou morte, car elle ne* BOUGE (G. Sand).

Au sens transitif (surtout dans l'usage familier) : BOUGER *la main, le pied* (Grand Larousse de la Langue fr.). — *Sans* BOUGER *le visage* (A. Malraux, cité par Baiwir).

Le pronominal *se bouger* est plutôt archaïque : *Et personne, Monsieur, qui* SE *veuille* BOUGER (Molière).

Ne dites pas : *bouger à qq.ch. ;* — dites : *toucher à qq.ch.*

73 BRAS DE CHEMISE. On dit : *en bras de chemise* aussi bien qu'*en manches de chemise : Il était assis* EN BRAS DE CHEMISE *à côté de moi* (Colette). — *D'un bout à l'autre de l'année, il restait* EN BRAS DE CHEMISE (A. Chamson). — *Justin,* EN MANCHES DE CHEMISE, *emportait un plat* (Flaubert). — On dit aussi *en corps de chemise : De braves types en espadrilles et* EN CORPS DE CHEMISE, *jouant à la pétanque* (A. Billy).

74 BROUILLAMINI, EMBROUILLAMINI. Les deux mots sont bons, mais le premier est plutôt vieilli : *Il y a bien du* BROUILLAMINI *dans cette affaire* (Ac.). — *Quel* BROUILLAMINI ! (A. Hermant.) — *Un* EMBROUILLAMINI *dans lequel il n'était plus nécessaire que j'aille mettre le nez* (J. Giono).

75 BUT *(poursuivre un ~, remplir un ~).* Les puristes, alléguant qu'un but est généralement fixe, condamnent *poursuivre un but.* Mais si *but* est pris métaphoriquement au sens de « fin qu'on se propose », *poursuivre un but* n'est pas plus étrange que *poursuivre une fin.* — L'expression est parfaitement reçue par l'usage : *Poursuivre un but* (Ac.). — *On passe sa vie à poursuivre un but* (Renan).

Remplir un but est, lui aussi, rejeté par les puristes. Cependant, tout illogique qu'elle peut paraître, cette expression a des répondants considérables : *J'ai toujours rempli mon but* (Stendhal). — *Il a pensé que nulle troupe mieux que la vôtre ne remplirait ce but* (Th. Gautier).

Réaliser un but est plutôt rare: *Cet esprit (...) réalise le but qu'il se propose...* (Pasteur Vallery-Radot).
Pour *dans le but,* voir n° 1055.

76 BUTTE *(être en ~ à).* Attention à l'orthographe : « en *butte* ». — Pour le sens : *être en butte à,* c'est « être exposé à » : *Être en butte à la raillerie* (Ac.). — *Mettre en butte à,* c'est « exposer à ».

77 CADRES. Ce mot s'emploie au pluriel pour désigner l'ensemble du personnel d'encadrement ou dirigeant d'une entreprise, d'une administration: *Le représentant des* CADRES *au comité d'entreprise* (Grand Larousse de la Langue fr.). — Il se dit assez couramment au singulier pour désigner un membre de ce personnel: *C'est un* CADRE *moyen, il est passé* CADRE

(Robert, Suppl.). — L'Académie (communiqué du 20 mai 1965) déclare abusif cet emploi de *cadre* au singulier.

78 CAFETERIA : lieu public où l'on sert du café ou d'autres boissons (non alcoolisées), ou des plats sommaires. L'usage hésite entre *cafeteria, caféteria, cafétéria, cafetaria : Après un lunch à trente cents dans une* CAFETERIA (J. Romains).

On dit aussi *caféterie* (forme très recommandable) : *Françoise (probablement en visite à la* CAFÉTERIE...*)* (M. Proust, cit. A. Goosse).

79 CALCAIRE (= qui contient de la chaux). Ne dites pas : *Terrain calcareux, zone calcareuse.* Dites : ... *calcaire : Terrain* CALCAIRE (Ac.). — *Roche* CALCAIRE (Robert). — *Comme l'eau de Megève était très* CALCAIRE... (H. Troyat).

80 CANULAR : autrefois : *brimade,* dans les usages de l'École normale supérieure ; aujourd'hui : « mystification, farce cocasse, blague » : *Romains s'était rendu célèbre à l'École normale par de ces mystifications que l'on appelle* CANULARS (G. Duhamel).

Quelques-uns ont écrit *canulard* (mais cette orthographe est tout à fait abandonnée) : *Le* CANULARD *n'avait pas tenu très longtemps* (A. Chamson).

81 CARITATIF : « qui concerne la charité, qui est dit ou fait par bonté de cœur » : *Œuvres* CARITATIVES, *institutions* CARITATIVES. Mot « dans le vent », ne figurant dans aucun dictionnaire.

82 CARROUSEL. Prononcez : *ka-rou-zel.*

83 CARTABLE. Pour désigner ce sac, cette sacoche où les écoliers mettent leurs livres, leurs cahiers, etc., on dit généralement : *cartable,* ou *serviette,* ou encore *portefeuille,* ou *sacoche,* ou *sac : Un enfant qui revient de l'école, son* CARTABLE *dans les jambes* (Fr.-R. Bastide). — SERVIETTE *d'avocat, de professeur d'écolier* (Ac.). — SACOCHE *d'écolier* (Robert).

Anatole France emploie *gibecière : C'est un petit bonhomme qui, les mains dans les poches et sa* GIBECIÈRE *au dos, s'en va au collège en sautillant comme un moineau.* — Et François Mauriac, *giberne : Ma* GIBERNE *gonflée de livres était moins lourde que mon cœur.*

84 CARTE POSTALE / CARTE-VUE. Une carte dont l'une des faces est réservée à la correspondance et à l'adresse, et dont l'autre représente la photographie d'un lieu, d'un paysage, d'un monument, etc., c'est, dans l'usage ordinaire, une *carte postale;* parfois: une *carte postale illustrée* ou simplement: une *carte : Sa chambre était tapissée de* CARTES POSTALES *représentant l'Elbrouz* (H. Troyat). — CARTE POSTALE OU CARTE (Petit Robert). — On lit chez Simenon: *Comment se fait-il que vous avez eu sous la main une* CARTE-VUE *de Paris?* — Mais *carte-vue* n'est pas d'usage dans le français normal.

85 CASUEL, pour « fragile, cassant » est de la langue populaire. Dans la langue soignée, on se gardera de dire, par exemple: *Attention ! ce vase est casuel !*

86 CATASTROPHÉ. Dans l'usage familier: « abattu, annihilé par une catastrophe ou par quelque incident considéré hyperboliquement comme catastrophique : *Ces soirs-là il revenait plus* CATASTROPHÉ *que d'habitude* (P. Daninos). — *Il n'a pas piloté un avion lourd depuis son procès, ni un avion de chasse depuis son départ de l'armée italienne. Il est...* CATASTROPHÉ (A. Malraux).

87 CAUSER s'emploie bien au sens de « s'entretenir familièrement avec qqn » : *Ils ont été une heure à* CAUSER *ensemble* (Ac.). — CAUSER *de littérature, de voyages* (Id.). — Ne dites pas : « causer *à* qqn » ; dites : « causer *avec* qqn » (voir n° 1036). *Causer* (l')allemand, (l')anglais, etc. se rencontre parfois dans la littérature : *Ainsi l'on peut demeurer dans ce magnifique hôtel,* CAUSER ANGLAIS *avec Madame votre épouse, allemand avec Monsieur votre fils, français avec vous, moyennant sept francs par jour ?* (L. Veuillot.) — *Je* CAUSE FRANÇAIS *à la Vierge* (P. Claudel).

Mais, dans la langue surveillée, on dit : PARLER *(l')allemand, (le) français,* etc.

88 CENSÉ / SENSÉ. Ne pas confondre. *Censé* = qui est supposé, réputé, présumé : *Celui qui est trouvé avec les coupables est* CENSÉ *complice* (Ac.). — *Il est* CENSÉ *être à Paris* (Robert).

Sensé (contraire de *insensé*) = qui a du bon sens, de la raison, du jugement, — ou qui est conforme au bon sens, à la raison : *C'est un homme* SENSÉ (Ac.). — *Ce projet n'est pas* SENSÉ (Id.).

Même distinction à faire entre *censément* = par supposition, en apparence, — et *sensément* (peu usité) = d'une manière sensée.

89 CERVICAL. On lit chez A. Billy : *À dix-huit mois, il a eu des convulsions ; il lui en reste (...) une irritation de l'écorce cervicale...* — Il y a là une fâcheuse confusion (influence de *cerveau*) : c'est « écorce *cérébrale* » qu'il fallait écrire.

Cervical (lat. *cervix, -icis,* cou, nuque) = qui appartient à la nuque, à la région du cou : *Muscle* CERVICAL (Ac.). — *Cérébral* (lat. *cerebrum,* cerveau) = qui a rapport au cerveau : *Congestion* CÉRÉBRALE.

90 CHANCE / RISQUE. *Chance* se dit de tout effet, favorable ou défavorable, résultant d'un ordre de choses donné : CHANCE *de succès* (Ac.). — *Il n'a pas de* CHANCE (Id.). — *Il y a moins de* CHANCES *de se faire tuer là-bas que d'avoir ici un accident de voiture* (R. Ikor).

Risque, risquer se disent en parlant d'un danger éventuel, d'un hasard dangereux : RISQUE *de guerre, d'incendie.* — *Au* RISQUE *d'être tué.* — *N'allez pas vous* RISQUER *dans cette entreprise* (Ac.).

Ne dites pas : *Prenez un billet ! vous risquez de gagner le gros lot !*

91 CHANGER, SE CHANGER (en parlant des vêtements ou du linge qu'on remplace par d'autres). Les deux tours sont bons : *Je suis rentré chez moi pour* CHANGER (Ac.). — *Elle se retira dans sa chambre pour* SE CHANGER (H. Troyat).

On dit bien : *changer qqn : Il faut* CHANGER *cet enfant* (Ac.).

92 **CHARRUER,** labourer avec la charrue, mener la charrue, n'est ni dans Littré ni dans le Dictionnaire de l'Académie. Le mot est vieux ou littéraire : *Les rats, les mères, les enfants, les chats pêle-mêle, tout le tas se fond encore vivant dans la terre* CHARRUÉE (R. Ikor).

93 **CHASSE AUX SORCIÈRES.** Cette locution, empruntée de l'américain, désigne les poursuites exercées contre certaines personnes professant des opinions politiques considérées comme subversives.

94 **CHAUD-FROID,** mets préparé avec de la volaille, du gibier, entouré de gelée ou de mayonnaise : CHAUD-FROID *de mauviettes* (Ac.). — *Le plateau chargé de* CHAUDS-FROIDS (H. de Régnier). — Quelques-uns écrivent *chaufroid* ou encore, avec Bescherelle, *chaufroix* (du nom propre *Chaufroix,* chef des cuisiniers de Versailles, en 1774) : *Aimera-t-elle le* CHAUFROID *de pintades ?* (R. Dorgelès.) — CHAUFROIX *de poularde en bordure* (dans un menu de la Cour de Belgique, 22 juill. 1919, cité par Deharveng).

95 **CHAUSSER.** On dit couramment : *mettre ses lunettes* (Ac.). — Dans le style familier, on peut dire *chausser ses lunettes : Elle avait* CHAUSSÉ *des lunettes à branches de fer* (M. Arland).

96 **CHAUSSE-TRAP(P)E.** Ce mot est une altération (d'après *chausser* et *trappe*) de l'ancien *chauchetrepe,* composé de *chaucher,* fouler aux pieds, et de *treper,* trépigner. — Orthographe traditionnelle : *chausse-trape.* La commission du Dictionnaire de l'Académie a décidé (30 nov. 1961) que, dans la prochaine édition du Dictionnaire, le mot s'écrirait : *chausse-trappe,* avec deux *p.*

Au pluriel : *des chausse-trap(p)es.*

97 **CHEMISE** se dit d'une couverture en papier, en carton, etc. dans laquelle on insère divers documents, les pièces d'un dossier, etc. : *Mettez une* CHEMISE *à cette liasse, à ce dossier* (Ac.). — *Les pièces étaient classées et réunies sous une* CHEMISE *blanche* (H. Bordeaux). — *Tout cela repose dans une* CHEMISE (R. Benjamin).

98 **CHOCOLAT.** Pour désigner ces morceaux de chocolat plus ou moins gros, de forme rectangulaire, tels qu'ils se présentent dans le commerce, il y a les mots *tablette, table, barre, plaque, plaquette, bille, rai(s), raie, bâton, cran : Il m'a donné encore une* TABLETTE *de chocolat* (G. Duhamel). — *Il me passe la moitié d'une grosse* TABLE *de chocolat* (J. Schlumberger). — *Je glissai dans ma musette (...) deux* BARRES *de chocolat...* (M. Pagnol). — *Il daigna accepter (...) quelques* PLAQUES *de chocolat* (M. Bordeaux). — *De la* PLAQUE *de chocolat, le popotier (...) détache une* BARRE... (R. Ikor). — *Xavier avait repris une* BILLE *de chocolat* (G.-E. Clancier). — *Les papiers argentés qui enveloppent les* RAIS *de chocolat* (Fr. Mauriac).

Quand il s'agit de « bonbons au chocolat », on dit : « des *crottes de chocolat* », « des *bonbons de chocolat* », « des *bouchées de chocolat* », ou simplement: « des *chocolats* », « des *bouchées* » : *Volodia (...) lui offrait des* CHOCOLATS (H. Troyat). — *Une boîte de* CROTTES DE CHOCOLAT (A. Billy). — *Un jour, après avoir croqué un* CHOCOLAT *à la liqueur, il fut ivre* (Béatrix Beck). — *Il lui mit dans la bouche des* CHOCOLATS (M. Van der Meersch).

À noter, à ce propos, que *praline* désigne une « amande rissolée dans du sucre » (Ac.). — *Des* PRALINES *bouillonnant dans un chaudron de cuivre* (R. Sabatier).

99 **CLENCHE.** La *clenche* ou *clenchette,* c'est le petit levier prenant appui sur le mentonnet et sur lequel on appuie pour lever le loquet d'une porte. — À distinguer d'avec la *poignée* de la porte : *Il avait posé la main sur la* POIGNÉE *de la porte* (H. Troyat).

Le *bouton* d'une porte est la pièce (de fer, de cuivre, etc.) ordinairement ronde ou ovale servant à tirer cette porte à soi ou à l'ouvrir.

100 CLIMATÉRIQUE signifie, au sens strict (le seul admis par Littré), « qui appartient à un des âges de la vie (années multiples de 7 ou de 9) regardés comme critiques » : *La 63e année est la grande* CLIMATÉRIQUE. — *L'année 1836 fut* CLIMATÉRIQUE *pour Gogol. En plein succès, sa vie s'empoisonne* (E.-M. de Vogüé).

Un glissement de sens s'est produit, et *climatérique* signifie aussi « qui a rapport au climat » ; ce mot est ainsi devenu synonyme de *climatique : Les conditions* CLIMATÉRIQUES *d'un pays* (Ac.).

Climatologique, proprement « qui se rapporte à la climatologie », se prend, par extension, au sens de « qui dépend du climat » : *Influences* CLIMATOLOGIQUES (Ac.).

101 CLOCHE peut désigner, selon Bescherelle et selon l'Académie, une petite poche de sérosité se formant sur la première peau : *Il lui est venu des* CLOCHES *aux mains à force de travailler* (Bescherelle). — L'Académie note qu'on dit plutôt aujourd'hui *cloque : Les pieds pleins de* CLOQUES (Verlaine). — Autre mot synonyme : *ampoule.* — En langage médical : *phlyctène.*

102 CLORE, CLÔTURER. Les deux verbes peuvent signifier « déclarer clos, terminé » : CLORE *une discussion,* CLORE *le débat dans une assemblée délibérante* (Ac.). — *La retraite pascale qui fut* CLÔTURÉE *par leur archevêque* (Fr. Mauriac). — *Parce qu'il* CLÔTURAIT *sur une note funèbre une manifestation...* (P.-H. Simon). — À noter que l'Académie ne mentionne pas *clôturer,* ni au sens de « entourer d'une clôture », ni au sens de « terminer ». Elle rejette « *clôturer* un débat, une séance, un congrès » (mise en garde du 5 nov. 1964).

103 CLOU peut s'employer au sens de « furoncle » : *Je m'aperçois que j'ai un autre petit* CLOU *qui commence* (J. Cocteau).

104 **COBAYE.** Prononcez la seconde syllabe par *a : ko-ba-y'* [et non par *è*].

105 **COLLE DE FARINE.** Cette préparation molle et visqueuse obtenue en délayant de la farine dans de l'eau et en faisant chauffer le tout jusqu'à épaississement s'appelle *colle de farine* ou *colle de pâte.*

106 **COLLÈGUE / CONFRÈRE.** La distinction faite par H. Bénac *(Dict. des synonymes)* est assez claire: « Les *collègues* sont nommés officiellement pour exercer une charge ou remplir une mission en commun (ministres, députés, fonctionnaires de même rang, militaires) ; les *confrères* font partie du même corps ou ont la même profession sans être fonctionnaires, sans agir au nom d'une même administration (académiciens, avocats, médecins, artistes, prêtres, religieux du même ordre). »

Dans le Midi, *collègue* se dit pour « camarade » : *Ça va,* COLLÈGUE ?

107 **COLLOQUER.** En termes de droit : « ranger (des créanciers) dans l'ordre prescrit pour leur paiement ». — Par extension : « placer (une personne, une chose) dont on veut se débarrasser » : *Il m'a* COLLOQUÉ *un objet sans valeur* (Ac.). — Se dit aussi au sens de « placer tant bien que mal » : COLLOQUER *un ami sous les combles* (Robert). — *Provisoirement on les* COLLOQUA *dans l'auberge* (Flaubert). — C'est incorrectement qu'on prend, en Belgique, *colloquer* dans l'acception de « interner, séquestrer, emprisonner ».

108 **COLLUSION / COLLISION.** Bien distinguer : *collusion :* entente secrète entre deux ou plusieurs parties au préjudice d'un tiers ; — *collision :* choc de deux corps, rencontre violente de deux partis, lutte, combat.

109 **COLMATER,** au sens premier, c'est exhausser un bas-fond en y faisant séjourner des eaux chargées de limon, qui s'y dépose.

— Le mot a pris, par extension, le sens de « boucher, fermer » : *Un trou de purin qu'il fallait* COLMATER (M. Genevoix). — *Si nous n'arrivons pas à* COLMATER *cette brèche, nous risquons de perdre la guerre* (A. Maurois).

110 COMMÉMORER signifie « rappeler par une cérémonie le souvenir d'une personne ou d'un fait ». — Ne pas dire : « commémorer un anniversaire », qui est pléonastique : *commémorer* ne s'applique pas à un anniversaire, mais à l'événement lui-même, que l'on commémore en en *célébrant* ou *fêtant* l'anniversaire (mise en garde de l'Acad., 18 févr. 1965).

Commémoraison : cérémonie rappelant le souvenir d'une personne, d'un événement. La *commémoration des morts* est la fête que l'Église célèbre le jour des Morts — ou la mention que le prêtre fait des trépassés à la messe des morts.

Commémoraison s'est dit autrefois pour *commémoration.*

111 COMMOTIONNER : néologisme : *La décharge électrique, cette émotion l'a fortement* COMMOTIONNÉ (Petit Robert). — *Le vieux avait l'air simplement* COMMOTIONNÉ (H. Troyat).

112 COMPENDIEUSEMENT (lat. *compendium,* abrégé) ne signifie pas « abondamment, prolixement », mais : « en abrégé, succinctement » : *Pour quelques-uns qui savent exposer clairement et* COMPENDIEUSEMENT *l'objet de leur visite, combien d'autres qui se perdent dans d'interminables détails oiseux* (Henri-Robert).

Ce mot s'emploie assez souvent au sens néologique de « longuement, avec tous les détails » (admis par le Dictionnaire général), mais on fera bien de se garder de cet emploi.

113 COMPLICITÉ = « participation au délit ou au crime d'un autre » (Ac.). — Le sens défavorable s'efface parfois, et le mot prend, par extension, le sens de « entente profonde, spontanée et souvent inexprimée, entre personnes » (Petit Robert) ; il devient alors à peu près synonyme de « concours, collaboration, coopération, accord »: *Pour bien réussir une* *convalescence, il y faut la* COMPLICITÉ *du printemps* (A. Gide, dans le Grand Larousse encycl.). — *Avec mes proches, je vis dans une transparente* COMPLICITÉ (S. de Beauvoir).

114 **COMPRESSER** : vieux mot, qui tente de rentrer dans l'usage : *La scène en cellulose pure,* COMPRESSÉE *à 250 atmosphères* (G. Duhamel). — *En pénétrant dans l'ascenseur, elle crut étouffer entre tant de chairs* COMPRESSÉES (H. Troyat).

115 **CONCERNÉ,** participe passif, a été contesté. Il a la caution de Littré et celle de l'usage : *Votre ami est* CONCERNÉ *dans cette affaire* (Littré). — *Les intérêts* CONCERNÉS *par cette mesure* (Id.). — *Un Grec était* CONCERNÉ *par ses héros historiquement* (A. Maurois).

116 **CONCRÉTER, CONCRÉTISER.** L'Académie ne donne que *se concréter,* terme de chimie. — *Concréter* est assez rare : *Qui pouvait mieux sculpter et peindre les idoles, mieux* CONCRÉTER *ce rêve ?* (G. Duhamel.) — On dit plutôt : *concrétiser :* CONCRÉTISER *magnifiquement l'indicible* (É. Henriot).

117 **CONDITION** *(être en ~).* En parlant d'une personne qui sert en qualité de domestique, on dit bien : *être (mettre, se mettre, entrer, rester,* etc.) *en condition,* ou *en place,* ou *en service.*

118 **CONDOLÉANCE(S).** On écrit : *lettre de* CONDOLÉANCE ou *de* CONDOLÉANCES (Ac.).

119 **CONFÉRENCE.** On dit : « *faire, donner, prononcer* une conférence » : *Hier, j'ai* FAIT *une conférence non loin d'ici* (J. Green). — *Raymond Lefebvre me demanda de* DONNER *une conférence* (G. Duhamel). — *Douze conférences que M. André Maurois* PRONONÇA *en Amérique* (R. Kemp).

120 **CONFIANCE** *(faire ~ à).* Cette locution, en dépit des puristes, s'est, depuis le début du XXe siècle, très largement implantée dans le bon usage : *Faisons confiance au choix des*

siècles (A. Maurois). — *Je lui fais confiance* (J. de Lacretelle). — *Faites confiance au sommeil* (Alain).

121 **CONGÉ** *(donner ~)*. On dit : *donner congé* (d'un appartement, pour le terme, etc.) : DONNER CONGÉ *à un locataire* (Robert). — *J'avais* DONNÉ CONGÉ *de mon appartement* (H. Bordeaux). — *L'appartement du deuxième étage pour lequel on m'a* DONNÉ CONGÉ (G. Beaumont).

On peut dire : *renoncer à son appartement,* mais non : *renoncer son appartement.*

122 **CONJECTURE / CONJONCTURE.** Distinguez : *Conjecture* = jugement probable, opinion fondée sur des apparences : *Se perdre en* CONJECTURES (Ac.). — *Conjoncture* = situation résultant d'une rencontre de circonstances : *Se trouver dans des* CONJONCTURES *difficiles* (Ac.).

123 **CONSÉQUENT** signifie proprement : « qui raisonne ou agit logiquement, avec un esprit de suite » ou « qui est la suite de qq.ch. » : *Cet homme est* CONSÉQUENT *dans ses discours* (Ac.). — *Sa conduite est* CONSÉQUENTE *à ses principes* (Id.).

Opinion large : *conséquent,* dans l'usage populaire, mais parfois aussi dans l'usage littéraire, se prend, en dépit de Littré et de beaucoup de grammairiens, au sens d'*important,* de *considérable : Envoyez-moi le fauteuil couvert de cuir noir et pour un derrière aussi* CONSÉQUENT *que le vôtre* (Stendhal). — *Il n'y avait pas dans les environs de Combray de ferme si* CONSÉQUENTE *que Françoise ne supposât qu'Eulalie eût pu facilement l'acheter* (M. Proust). — *C'est une des plus belles pages de la biographie des deux chefs, et pour Foch, (...) l'une des plus* CONSÉQUENTES (L. Madelin).

Ceux qui aiment la langue « soignée » se garderont de cet emploi (rejeté par l'Académie : mise en garde du 19 nov. 1964).

124 **CONSIDÉRER,** au sens de *juger, réputer,* demande régulièrement que l'attribut et l'objet direct soient introduits par

comme : Ses soldats le considéraient COMME *un père* (Ac.). — *Je considère cette promesse* COMME *sacrée* (A. Maurois).

Cependant la construction de *considérer* avec un attribut, sans *comme,* toute condamnée qu'elle soit par l'Académie (24 févr. 1965), se rencontre dans la littérature : *Je ne pus me considérer dégagé d'un grand poids* (É. Henriot). — *Attitude spécifiquement française que je ne considère certes pas élégante* (G. Duhamel). — La langue « surveillée » se garde d'une telle construction.

125 **CONSTELLÉ.** Certains auteurs, oubliant l'étymologie du mot (lat. *cum,* avec ; *stella,* étoile), ont joint à *constellé* le complément *d'étoiles : Un plafond bleu* CONSTELLÉ D'ÉTOILES *comme le ciel* (Th. Gautier). — *Un manteau d'azur* CONSTELLÉ D'ÉTOILES (A. France). — *Les vastes cieux de sombre azur,* CONSTELLÉS D'ÉTOILES *par myriades* (É. Henriot).

126 **CONTACTER,** anglicisme « hideux et infirme », dit R. Kemp, a été condamné par l'Académie (mise en garde du 20 mai 1965), qui recommande : *se mettre en rapport, prendre contact avec, rencontrer, toucher, s'entretenir avec.* — Le mot cherche à s'introduire : *C'est toujours « Chez Dupont » qu'on* CONTACTAIT *les gars...* (P. Vialar).

127 **CONTROUVER** signifie proprement « inventer de toutes pièces ou mensongèrement » : *Certains chansonniers ont* CONTROUVÉ *un peuple imaginaire* (A. Thérive). — C'est abusivement que certains auteurs lui donnent le sens de « démentir » ou de « contester »: *Hypothèse aujourd'hui* CONTROUVÉE (A. Dauzat). — *La sagesse des vieillards est sans doute aujourd'hui une des notions les plus* CONTROUVÉES (R. Kanters). — *Ce point a été souvent* CONTROUVÉ (S. de Beauvoir).

128 **CONVOLER,** pour l'Académie, c'est « contracter un nouveau mariage, en parlant d'une femme ». Définition qui n'est conforme ni à l'étymologie ni à l'usage réel ; *convoler,* c'est

simplement « se marier » ou « se remarier » et s'applique à un homme aussi bien qu'à une femme : *Enlever par force de la maison des pères les filles qu'on menait marier, afin qu'il ne semblât pas que ce fût de leur consentement qu'elles* CONVOLAIENT *dans les bras d'un homme* (Molière). — *En dix ans, neuf cent soixante et une « filles du Roi » gagnent la colonie et y* CONVOLENT (J. Chastenet). — *Cette grande dame avait déjà* CONVOLÉ *à l'âge de quinze ans* (J.-P. Chabrol). — *Il est probable qu'il* [Hannibal] *ne consentit à se marier qu'après son élévation au poste suprême. Alors il* CONVOLA *en justes noces avec une Espagnole...* (J. Carcopino). — *Le gros Luther* CONVOLANT *au sortir du cloître entre les bras d'une nonne* (M. Yourcenar).

129 COTER peut se dire en parlant d'un devoir, d'une copie d'élève ; de même « la *cote* d'un devoir » : [Alain] *pouvait le moins étant capable du plus ; mais il eût dû se garder — comme on voudrait lire ses copies de concours ! — de le laisser voir trop tôt ! Les meilleures pages des « Dieux » eussent été mal* COTÉES (R. Kemp). — *La composition française a été* COTÉE *19* (Cl. Farrère). — *La* COTE *d'un devoir* (Robert). — Le plus souvent, en France, c'est *noter, note* qu'on emploie: *Il avait tenu à me* NOTER *20 sur 20* (Cl. Farrère). — *J'eus la* NOTE *20* (Id.).

130 COU(P) *(monter le ~)*. Théoriquement il serait souhaitable de distinguer ici *monter* d'avec *se monter* et d'écrire *monter le coup à qqn* quand le sens est « lui en faire accroire, l'abuser », — mais *se monter le cou* quand on veut exprimer à peu près l'idée de « se monter la tête » (= s'exalter, se faire des illusions) ou de « se hausser du col » (= afficher de l'orgueil, des prétentions, parfois contre qqn, se mettre en colère » ; — [cf. : *Les maisons collées contre le rocher avaient l'air de se monter le col* (J. Giono)].

Mais il y a, dans l'usage, une grande confusion et les auteurs ne prennent guère garde à faire la distinction : *Vous vous laisseriez monter le* COU *par ces gens qui ne cherchent qu'une chose, c'est à vendre* (M. Proust). — *L'homme se monte le* COUP. *Il idéalise la femme* (Aragon). — *Cela roule. Mais il ne faut pas trop se monter le* COUP *pourtant* (M. Barrès). — *Je ne me suis jamais monté le* COU *sur cette famille* (A. Chamson).

131 COUPE SOMBRE : « opération qui consiste à diminuer seulement l'épaisseur de la forêt » (Ac.), donc à n'abattre qu'une partie des arbres. D'après cela, au figuré, *faire une coupe sombre dans un écrit* devrait logiquement signifier « en ôter *quelques* phrases, *quelques* passages ». — Mais l'usage en a décidé autrement et l'Académie note que *coupe sombre* s'applique surtout figurément à des coupures, à des suppressions *importantes* pratiquées dans un écrit. Il se dit semblablement en parlant d'autres choses que des écrits : *Peu de mois après notre séparation de juillet 1914, d'affreuses* COUPES SOMBRES *avaient clairsemé nos rangs* (M. Genevoix). — *On a fait une* COUPE SOMBRE *dans le personnel de l'entreprise* [= on a licencié beaucoup d'employés] (Robert).

132 COUPER, DÉCOUPER *un livre.* On dit : *couper* ou *découper* les pages, les feuillets d'un livre (pour les séparer) : *On lui apporta l'ouvrage sans être* COUPÉ (Chateaubriand). — *Il aimait à* COUPER *les feuillets des livres* (A. France). — *Il suffit de lire les cinquante premières pages et de* DÉCOUPER *le reste* (J. Renard). — *Nous* DÉCOUPIONS *les premières livraisons de la « Nouvelle Revue Française »* (P.-H. Simon). — *Sarrazin prit le volume (...). Je ne le* DÉCOUPERAI *pas, si vous voulez, dit Frayssinous en riant* (L. Martin-Chauffier).

Quand il s'agit d'un fragment détaché d'un journal, d'un livre, etc., on emploie *couper* ou *découper, coupure* ou *découpure : Je* COUPE *le dernier article du journal* (Stendhal). — *Un quatrième correspondant* DÉCOUPE *dans un journal et m'envoie ce titre...* (A. Hermant). — *La concierge, en passant, lui remit une* COUPURE *de revue* (R. Rolland). — *Nous ne croyons pas inutile de copier ici, sans commentaires, ces* DÉCOUPURES (A. Gide).

133 COUPER *qqn.* De *couper la parole à qqn,* on a pu, dans la langue familière, passer à *couper qqn : Il me* COUPA *brusquement pour me faire cette objection.* — Cet emploi de *couper* est critiqué par l'Académie (communiqué du 13 nov. 1969).

134 COURBATU, COURBATURÉ. Les deux mots sont bons (l'Académie ignore le second) : *Je me couchais le soir, heureux,* COURBATU (G. Duhamel). — *Le jour suivant, je me réveillai* COURBATURÉ (A. Gide). — *Il était tout* COURBATURÉ (A. Chamson).

135 COURS, CLASSE, LEÇON. On dit : *faire,* ou *donner,* ou *professer un cours, avoir cours, avoir un cours, il y a cours : Hier, j'ai* FAIT *mon premier cours à des officiers* (J. Green). — *Charles Richet* DONNAIT *son cours* (G. Duhamel). — PROFESSER *un cours* (Ac.). — *Dans l'après-midi, je n'*AVAIS *pas cours* (P. Guth). — *Nous* AVONS *un cours de littérature anglaise ici même* (J. Green). — IL Y A *cours de droit canon* (A. Billy).

Pour *classe* ou *leçon,* on a les expressions : *faire la classe, faire classe, il y a classe, avoir classe, avoir une classe, faire une leçon, donner leçon, donner une leçon, prononcer une leçon : C'est la dernière fois que je vous* FAIS LA CLASSE (A. Daudet). — *Il n'est pas habitué à* FAIRE CLASSE (Littré). — IL Y A CLASSE *aujourd'hui* (J. Renard). — *Pourvu qu'on* AIT *lecture et pas* CLASSE ! (G. Cesbron.) — *Il a* FAIT *aujourd'hui une* LEÇON *sur Spinoza* (Ac.). — *Il (...)* FAISAIT *cette* LEÇON *sans prononcer un seul mot* (A. Chamson). — *Il ne pourra lui* DONNER LEÇON *comme il faut* (Molière). — *Il me souvient d'avoir* PRONONCÉ (...) *une* LEÇON *sur la médecine et l'étatisme* (G. Duhamel).

Ne pas dire : *donner classe, donner la classe.*

Un *interclasse* = le court intervalle entre deux classes : *Au lycée, pendant les* INTERCLASSES... (R. Ikor).

136 COURT. « Aller par le chemin le plus court » peut s'exprimer par *couper* (ou *prendre*) *au court, au plus court, par le plus court, prendre le plus court : Pour couper* AU COURT *à travers* *les bois* (Nerval). — *Le fameux Drouet (...) prit* AU COURT *par les bois* (M. Barrès). — *Pour couper* AU PLUS COURT *dans le taillis* (G. Bernanos). — *Elle prendra* PAR LE PLUS COURT (J. Schlumberger).

137 COURTISER, FRÉQUENTER. *Courtiser* une femme, une jeune fille, c'est « être assidu auprès d'elle, chercher à lui plaire, lui faire la cour » : *Il a épousé cette jeune fille qu'il* COURTISAIT *depuis longtemps* (Ac.).

On dit, dans le même sens (c'est un provincialisme) : « *fréquenter* une femme, une jeune fille » : *Je suis fâché que tu n'aies pas eu le courage de renoncer à la* FRÉQUENTER (G. Sand, dans le Petit Robert).

C'est aussi un provincialisme que l'emploi sans complément d'objet direct de *courtiser* ou de *fréquenter* dans le sens qui vient d'être indiqué : *Si jeune encore, il* COURTISE *déjà ; il* (ou *elle*) FRÉQUENTE *déjà.* — *Elle est trop jeune cette petite, je ne veux pas qu'elle* FRÉQUENTE ! (Robert.)

S'il ne s'agit que de relations amoureuses, généralement sans sentiments profonds, on emploie *flirter, avoir un flirt* (une *amourette,* un *béguin*) avec tel ou telle.

138 CRESSON. Prononciation : *kré-son.* La prononciation par *e* muet (qui, selon Martinon, se maintient, au moins à Paris et dans une partie du nord de la France) — ou par *è* ouvert, est moins fréquente.

139 CROCHE-PIED n'est ni dans Littré ni dans le Dictionnaire de l'Académie. Il est, de nos jours, assez courant : *L'art difficile du* CROCHE-PIED (M. Pagnol). — *Qu'on lui épargne les* CROCHE-PIEDS *et les pinçons !* (H. Troyat.)

140 CRU pour « froid et humide » (en parlant du temps) est un provincialisme (Belgique, nord de la France, Canada).

141 CULBUTE : tour qu'on fait sur soi-même en se renversant en avant ou en arrière. — Il y a, selon les régions, des formes nombreuses et variées pour désigner ce tour : *cumulet* (tout à fait courant en Belgique), *coupèrou* (Liège), *cutourniau* ou *cutrumiau* (Mons, Tournai, etc.), *cud'boûré* (Gaume), *cumariot* (Champagne), *faire la cupesse* (Suisse), etc.

À noter aussi en bon français : *faire des cabrioles, des galipettes* (famil.). — Un *roulé-boulé* est une culbute qu'on fait en se roulant en boule pour amortir le choc.

142 **DÉCADE, DÉCENNIE.** Étymologiquement une *décade* (lat. *decas, -adis,* du grec *dekas, -ados,* dizaine), c'est une « dizaine ». — Le mot s'emploie pour désigner une période de dix ans : *Pendant la* DÉCADE *1860-1870* (A. Maurois). — *La dernière* DÉCADE *du XIXe siècle* (G. Duhamel).

Mais *décennie* est entré en concurrence avec *décade* pour désigner une période de dix ans : *La* DÉCENNIE *1920-1930* (A. Maurois). — *La* DÉCENNIE *tragique 1940-1950* (P.-H. Simon).

Il serait souhaitable de faire la distinction entre *décade,* période de dix jours et *décennie,* période de dix ans, mais, dans l'usage actuel, les deux mots sont encore en concurrence quand il s'agit d'une période de dix ans. — À observer que l'Académie (mise en garde du 18 nov. 1965) a déclaré que pour « période de dix ans », c'est *décennie* qu'il faut employer.

143 **DÉDOUBLER** : « ramener à l'unité ce qui était double » (Ac.). — Le mot est plutôt rare en ce sens. Dans l'emploi courant, il signifie « partager en deux, faire deux touts d'un seul » : DÉDOUBLER *une classe, dans un lycée* (Ac.). — *Dédoubler un train :* faire partir successivement deux trains au lieu d'un.

144 **DÉFICIENCE** n'est ni dans Littré ni dans le Dictionnaire de l'Académie. Venu de l'anglais au début du XXe siècle, il est aujourd'hui courant : *Il est étrange qu'un écrivain bénéficie quelquefois de ses manques, de ses* DÉFICIENCES (Fr. Mauriac).

145 **DÉFINITIVE** *(en ~)*. On a pu dire autrefois *en définitif : En* DÉFINITIF, *je dois prévenir Votre Excellence que...* (Stendhal). — Mais cette forme est tombée en désuétude et l'usage ne connaît plus aujourd'hui que *en définitive : En* DÉFINITIVE, *que voulez-vous ? que prétendez-vous ?* (Ac.)

146 **DÉGUSTER** se dit non seulement au sens de *boire,* mais aussi au sens de « *manger* avec grand plaisir » : DÉGUSTER *de l'eau-de-vie* (Ac.). — *Un certain civet à l'ancienne qu'il était impatient de* DÉGUSTER (J.-L. Vaudoyer).

147 **DÉMYSTIFIER, DÉMYTHIFIER.** Il y a lieu de distinguer (mise en garde de l'Académie, 21 oct. 1965) : *démystifier :* « détromper la victime d'une mystification, dissiper l'erreur, la tromperie », — d'avec *démythifier :* « ôter [à un mot, à une idée, etc.] sa valeur trompeuse de mythe » : DÉMYTHIFIER *une notion, un personnage* (Robert, Suppl.). — Comme les deux mots impliquent une certaine idée de tromperie, d'erreur, ils sont, dans l'usage, souvent confondus, et c'est fâcheux. Le Supplément de Robert note que *démythifier* s'emploie au sens de *démystifier.*

Mêmes observations à faire sur *démystification* et *démythification.*

148 **DENTITION, DENTURE.** Strictement parlant, on distingue *dentition,* formation des dents à diverses époques de la vie, — d'avec *denture,* ensemble des dents. — Mais dans l'usage moderne, *dentition* s'emploie couramment (l'Académie l'a admis) comme synonyme de *denture : La bouche profite d'une forte* DENTITION (Colette). — *Ses épaisses lèvres de Bambara découvraient une* DENTITION *canine* (Fr. Mauriac).

149 **DÉODORANT,** anglicisme, est, pour l'Académie, un mot mal formé (mise en garde du 17 févr. 1966) — et l'on doit dire *désodorisant.* — Il n'empêche que *déodorant* est aujourd'hui très courant : *Ils faisaient une consommation régulière de crèmes pour la peau, lotions astringentes, fonds de teint,*

DÉODORANTS *et même poudre* (J.-L. Curtis). — Toutefois, on distingue *déodorant,* pour les soins corporels, d'avec *désodorisant,* pour un usage plus général (pour chasser de quelque endroit les mauvaises odeurs).

150 **DESIGN.** Ce mot anglais, qui signifie à peu près « projet ou création de formes nouvelles », s'impatronise notamment dans le domaine de l'esthétique industrielle, de l'ameublement, des ensembles décoratifs, de la mode.

151 **DÉSUET, -ÈTE.** Cet adjectif (que Thérive rangeait dans les mots du style « symbolard ») est entré dans la 8e édition du Dictionnaire de l'Académie (1935). — Il est aujourd'hui tout à fait courant : *Deux poèmes médiocres du symbolisme le plus* DÉSUET (J. Romains, dans Robert). — *La grâce* DÉSUÈTE *qui émanait de ce lieu* (É. Estaunié).

On entend parfois prononcer *dé-zuet,* mais ce n'est pas là l'usage général : l'Académie signale que, dans ce mot, l'*s* se prononce dur (comme dans *penser*). Telle est aussi l'opinion du Grand Larousse encyclopédique et de Warnant.

152 **DÉTONER / DÉTONNER.** Distinguez : *détoner* = exploser avec bruit, en produisant une détonation ; — *détonner* = sortir du ton, ne pas se trouver en harmonie : *Il y a dans ce livre des choses qui* DÉTONNENT (Ac.). — *Cet individu* DÉTONNE *dans un tel milieu* (Id.).

153 **DÉTRITUS.** On prononce l'*s*.

154 **DÉVIATION.** On voit parfois des panneaux qui indiquent par le mot *détournement* qu'il faut suivre une route détournée. En France, c'est *déviation* qu'on emploie : *M. Édouard Bonnefous a inauguré hier (...) la* « DÉVIATION » *de Rambouillet sur la route nationale nº 10* (dans le *Figaro,* 3 juill. 1957).

Évitement se dit en termes de chemins de fer : une voie d'*évitement* est une voie où l'on gare les trains, les wagons, pour laisser libre la voie principale.

155 **DIFFÉRENT / DIFFÉREND.** Distinguer : *différent* (adj.) = qui diffère, qui n'est pas le même ; — *différend* (nom) = débat, désaccord, dispute : *Ils ont eu* DIFFÉREND *ensemble* (Ac.).

156 **DIFFICULTUEUX** : « enclin à élever ou à faire des difficultés à tout propos, non accommodant » : *C'est un homme fort* DIFFICULTUEUX (Ac.). — Ne pas employer ce mot au sens de « comportant des difficultés » (par ex. : *opération difficultueuse*).

157 **DIGESTE,** au sens de « qui se digère facilement », n'est signalé ni par Littré ni par l'Académie ; l'un et l'autre ne donnent, pour cette acception, que *digestible.* Robert (Suppl.) admet *digeste ;* le Grand Larousse encyclopédique aussi : *La chair de poisson est* DIGESTE.

158 **DILEMME,** au sens strict, signifie « argument partant de deux ou plusieurs propositions différentes ou contradictoires d'où l'on tire contre l'adversaire la même conclusion » : *Tu étais à ton poste ou tu n'y étais pas ; si tu y étais, tu n'as pas donné l'alarme qu'il fallait donner ; si tu n'y étais pas, tu as manqué à ton devoir ; dans les deux cas, tu mérites la mort.*

Tel est le seul sens donné par l'Académie. Mais dans l'usage courant, *dilemme* se prend souvent au sens d'« alternative contenant deux propositions contraires ou contradictoires, entre lesquelles il faut nécessairement choisir » : le mot devient alors synonyme d'*alternative : Il refuse de résoudre le* DILEMME : « *Détruire Notre-Dame de Paris ou la petite fille qui joue au cerceau sur le parvis* » (R. Kemp). — *La guerre ou la paix ? Une question de jours, une question d'heures — et le* DILEMME *terrible sera résolu...* (J. Kessel).

Conseil : n'employer *dilemme* que dans le sens donné par l'Académie.

159 **DOUBLER, REDOUBLER** *une classe.* Les deux verbes sont bons : *M. le Procureur (...) l'envoya à Paris pour qu'il* DOU-

BLÂT *sa rhétorique au collège d'Harcourt* (A. France). — *Au lycée il avait dû* REDOUBLER *successivement deux classes* (J. de Lacretelle).

160 **DOUILLE.** Cette pièce fixée à l'extrémité d'un fil électrique, et où s'adapte le culot d'une ampoule est couramment appelée, en Belgique et au Canada, *socket*. — En bon français : *douille.*

161 **ÉCRITURE** s'emploie couramment aujourd'hui dans l'acception de « manière d'écrire », comme synonyme de *style : L'*ÉCRITURE *artiste des Goncourt. — L'étrange roman ! (...) L'*ÉCRITURE *en est excellente. Elle serait meilleure encore sans de menues fautes de grammaire* (A. Billy). — *C'est une pièce bien faite, d'une* ÉCRITURE *assez ferme* (P. Gaxotte).

162 **EFFICIENCE** (de l'angl. *efficiency*) : « efficacité, capacité de rendement ». Néologisme, courant aujourd'hui : *Le monde moderne ne reconnaît d'autre règle que l'*EFFICIENCE (G. Bernanos).

163 **ÉGAILLER** *(s'~)* : « se disperser ». Ce verbe, venu des dialectes de l'Ouest, est courant (il se dit parfois d'une seule personne au sens de *s'écarter*) : *Ces soldats* S'ÉGAILLÈRENT (Ac.). — *Volontiers elle* S'ÉGAILLAIT *dans les prés voisins* (H. Bordeaux).

Pour l'orthographe, bien distinguer d'avec *égayer.*

164 **ÉLANCER, ÉLANCEMENT** s'emploient en parlant d'une douleur vive, aiguë : *Une douleur lui* ÉLANÇA *dans une molaire* (H. Queffélec). — *Il attendait que ses* ÉLANCEMENTS *à la tête fussent un peu calmés* (M. Proust).

Ne dites pas, en ce sens : *lancer, lancement.*

165 **ÉMÉRITE** s'est dit au sens de « retraité, honoraire » ; en cet emploi, il est vieilli : *Professeur* ÉMÉRITE (Ac.). Dans l'usage ordinaire d'aujourd'hui, il signifie « remarquable dans quelque

science ou dans la pratique de quelque chose »: *Philologue* ÉMÉRITE, *buveur* ÉMÉRITE (Ac.). — *Nous ne devons pas oublier que Jean Rostand est aussi un moraliste* ÉMÉRITE (G. Duhamel).

La qualité, le privilège, l'honneur de celui qui, selon certaines règles, conserve le titre d'une fonction après avoir cessé de l'exercer, s'appelle *honorariat: Conférer l'*HONORARIAT *à un ancien notaire, à un ancien professeur* (Ac.). — *Éméritat,* usité en Belgique (mais fort peu en France?) est dans Littré: « état, prérogatives d'un professeur émérite ».

166 **ÉMOTIONNER,** que Littré trouvait « d'un assez mauvais style », mais « régulièrement fait » (tout comme *affectionner, illusionner,* etc.), est devenu courant et a pris, dans l'usage, parallèlement à *émouvoir,* une place d'autant plus large que sa conjugaison est plus facile. — *Émouvoir,* comme le note Littré, s'applique à ce qui est touchant, triste, etc. ; *émotionner* se dit des petites perturbations de la vie habituelle : *Ton arrivée m'a tant* ÉMOTIONNÉE (A. Daudet).

167 **EMPRISE** désigne, en termes d'administration, l'action de prendre du terrain par expropriation. Il a pris, dans l'usage courant, le sens d'« ascendant, influence, autorité, empire » : *L'*EMPRISE *de cet écrivain sur la jeunesse* (Ac.). — *Quelle* EMPRISE *Père exerce encore sur nous !* (R. Martin du Gard.)

168 **ENGINEERING.** Anglicisme, que l'Académie (communiqué du 20 avr. 1967) propose de remplacer par *génie industriel.*

169 **ENNUYANT / ENNUYEUX.** Dans l'usage ordinaire, les deux mots se confondent ; *ennuyeux* est le plus usité des deux. — Strictement parlant, *ennuyant* signifie « qui ennuie par occasion », — et *ennuyeux* « qui cause de l'ennui d'une manière constante ». Comme dit Littré, un homme *ennuyant* peut n'être aucunement *ennuyeux.*

170 **ENTIÈRETÉ** : vieux mot français, qui se disait encore au début du XVIIe siècle [il est dans Cotgrave (1611), dans Oudin

(1640), dans Richelet (1680)]. — Inusité en France, il a survécu en Belgique. Pour les substituts, on a le choix : on emploiera, selon le cas : la *totalité* (de ses biens), l'*intégrité* (d'une œuvre, du territoire), l'*intégralité* (d'un revenu), l'*ensemble* (d'une législation), (composer un) *tout,* (rapporter un passage) *dans son entier,* la *plénitude* (d'un droit).

171 ENTRAIDE, S'ENTRAIDER. Ne pas compléter ces mots par *mutuelle, mutuellement,* qui feraient pléonasme : *Les hommes doivent* S'ENTRAIDER (Ac.).

172 ENTRE (élision). L'Académie a soudé les éléments composants dans : *s'entraccorder, s'entraccuser, entracte, s'entradmirer, entraide, s'entraider, entrouverture, entrouvrir.*

On ne voit pas pourquoi elle n'a pas fait de même pour les cinq verbes : *s'entr'aimer, entr'apercevoir, s'entr'appeler, s'entr'avertir, s'entr'égorger.*

Sans apostrophe : *entre eux, entre amis, entre autres,* etc.

173 ÉPINGLE. On dit : « épingle de sûreté » ou « épingle de nourrice », parfois : « épingle à nourrice », moins souvent : « épingle anglaise » ou « épingle double » : *Rafistoler* [une jaquette] *avec des* ÉPINGLES DE SÛRETÉ (Aragon). — [Ils] *avaient fixé la doublure des manches de son pardessus avec des* ÉPINGLES DE NOURRICE (Daniel-Rops). — *Un brassard fixé par une énorme* ÉPINGLE À NOURRICE (A. Lanoux).

Pour un tout autre usage : « *épingle* à linge » ou : « *pince* à linge ».

174 ÉPOUX, ÉPOUSE sont d'usage surtout dans la langue administrative : *Consentez-vous à prendre pour* ÉPOUX... ? ... *pour* ÉPOUSE... ? — Ailleurs, ils sont plutôt guindés, et manquent de simplicité, de naturel (à moins qu'ils ne soient employés par plaisanterie ou par ironie). — Dans l'usage ordinaire, on dit : *mon mari, ma femme.*

Ne dites pas : « J'ai rencontré un tel avec son *épouse,* avec sa *dame,* avec sa *demoiselle* » ; dites : « ... avec sa *femme,* avec sa *fille*». — En parlant à monsieur Durand, ne dites pas : « Comment va votre *épouse ?* », ni : « Comment va *madame ?* » Dites, selon le degré d'intimité : « Comment va votre *femme ?* Comment va *madame Durand ?* »

Un mari, en parlant de sa femme ne dira pas : « *Madame* m'accompagnera » ; il dira : « ma *femme* m'accompagnera ». — Mais, s'il s'adresse à un domestique, à une servante : « *Madame* vous appelle. »

175 ERREMENTS signifie proprement « marche habituellement suivie » : *Suivre les anciens* ERREMENTS (Littré). — Il se prend très souvent, dans l'usage moderne, au sens de « façon d'agir blâmable, comportement déraisonnable, erreur » (emploi rejeté par l'Académie : mise en garde du 20 mai 1965) : *Le retour aux* ERREMENTS *qui ont failli jeter la République aux abîmes* (Ch. de Gaulle). — *Quand je pense à tout le temps que j'ai gâché, à tout le temps que j'ai perdu en* ERREMENTS, *en fautes, en futilités* (H. Troyat).

Rare au singulier : *Les prêtres du Parc connaissaient cet* ERREMENT (Montherlant).

176 ESCABEAU, ESCABELLE : siège de bois sans bras ni dossier ; les deux mots, pour l'Académie, sont synonymes, mais le second, au sens d'*escabeau,* est peu employé.

De nos jours, *escabeau*, outre le sens indiqué, a pris celui de « sorte de marchepied à quelques degrés dont on se sert comme d'une échelle » (Robert).

Le meuble d'appartement, avec deux montants convergents, souvent coulissants, et marches assez larges s'appelle un *marchepied.*

177 ESCALIER. Littré déclare que « dans quelques provinces, on dit *escalier* pour *degré :* monter les escaliers quatre à quatre. C'est une faute. » La « faute » dont parle Littré résulte d'une confusion entre *escalier* et *degré* ou *marche.* En fait, dans l'usage général, cette « faute » n'en est pas une : *Il est tombé en descendant* L'ESCALIER OU LES ESCALIERS (Robert). — *Les domestiques que, dans ce récit, (...) on* *n'aperçoit jamais qu'en fuite et redescendant* LES ESCALIERS *quatre à quatre* (M. Proust). — *Cinq enfants bondissaient dans* LES ESCALIERS *à sa rencontre* (A. Maurois, dans le Petit Robert).

Bien entendu, quand il s'agit de plusieurs escaliers partiels, on met le pluriel : *Les différents* ESCALIERS *d'une maison* (Littré).

178 ESSUYER *ses pieds.* On dit fort logiquement : *essuyer ses chaussures* (sur un paillasson) : *Personne n'essuie plus ses* CHAUSSURES *à la porte des maisons* (M. Jouhandeau). — Mais on dit aussi : *essuyer ses pieds : Essuyez en entrant vos* PIEDS *au paillasson* (Hugo). — *Joseph, après s'être essuyé les* PIEDS *sur un confortable tapis brosse, heurta le battant de la porte* (G. Duhamel).

179 ESTIVANT s'emploie couramment pour désigner une personne qui passe les vacances d'été dans une station de villégiature : *Hivernant ou* ESTIVANT, *le touriste arrivait en train* (A. Siegfried). — *Quelques* ESTIVANTS *débouchaient sur la Promenade des Planches* (H. Troyat).

On dit aussi : *vacancier* (sens plus large : personne qui prend ses vacances en qque endroit) : *Les habitants de Saint-Tropez se plaignent de l'afflux des* VACANCIERS (Robert).

Villégiateur (déjà dans le *Supplément* de Littré) est moins employé. — Pour le verbe qui y correspond, on a *villégiaturer :* VILLÉGIATURER *à Biarritz* (Robert) ; Thérive trouve ce verbe « ridicule », et, selon lui, on dit normalement : *être* (ou *aller*) *en villégiature.*

180 ESTUDIANTIN. On emploie bien *étudiant* adjectivement (relatif aux étudiants) : *Parce que la révolte* ÉTUDIANTE *confondait le meilleur et le pire* (Fr. Mauriac). — *La mentalité* ÉTUDIANTE *actuelle* (A. Billy). — Mais on dit aussi couramment *estudiantin : L'horreur du genre* ESTUDIANTIN (Montherlant). — *La contestation* ESTUDIANTINE (J. Mistler).

181 ETC., abréviation du latin *et cetera* = « et les autres choses ». Prononcez bien *èt'-sé-té-ra* (et non *ek'-sé-té-ra*, ni *èk-sé-tra*, ni *èt-sé-tra*).

Quoique étymologiquement *etc.* soit neutre et ait rapport à des choses, il peut venir après des noms de personnes : *Dans Montluc, Brantôme, d'Aubigné, Tavannes, La Noue, etc.* (Mérimée).

182 EXACTION signifie proprement « action d'exiger ce qui n'est pas dû ou plus qu'il n'est dû » (spécialement en parlant d'un agent public) : *Ce gouverneur a commis d'horribles* EXACTIONS (Ac.).

Le mot, par un fâcheux glissement de sens, s'emploie assez souvent aujourd'hui au sens de « action mauvaise, sortant de l'ordre moral : assassinat, meurtre, viol, massacre, etc. » : *Que l'amitié de deux communautés, de deux races qui s'entre-tuent depuis tant d'années ait chance de survivre aux* EXACTIONS *de toutes sortes, aux assassinats, aux ratonnades, aux tortures, il m'arrive d'en douter* (Fr. Mauriac). — *En 1957, il y avait en Algérie en moyenne tous les mois 2 000* EXACTIONS *de toutes sortes* (Ch. de Gaulle).

L'Académie, dans une mise en garde du 18 nov. 1965, a déclaré inadmissible ce glissement de sens.

183 EXCUSER. Dans le sens strict, *s'excuser de faire une chose*, c'est « donner des raisons pour s'en dispenser » : *On m'a prié de solliciter pour lui, je m'en* SUIS EXCUSÉ (Ac.).

Quand on veut dire « je vous demande pardon de faire telle chose, je vous présente mes excuses, je vous exprime mes regrets de la faire ou de l'avoir faite », on dit bien : *Excusez-moi* ou *veuillez m'excuser*. — Mais on dit aussi : « je m'excuse » [usage accepté par Thérive, *Clinique du langage*, p. 26, et, bien à tort, réputé incorrect par Paul Léautaud (dans le *Mercure de France*, nov. 1955, p. 387 ; de même par le Petit Robert)] : *Je* M'EXCUSE, *Messieurs, d'un si long abus de votre courtoise patience* (P. Valéry). — *Je me suis jeté sur vous, Monsieur, comme sur une proie:*

je M'*en* EXCUSE (A. Hermant). — *Claude* S'EXCUSE *de ne pas descendre* (A. Chamson).

Faire excuse (= contredire poliment) est plutôt vieilli : *Je vous* FAIS EXCUSE (Ac.). — *Pour vous, je ne veux point, monsieur, vous* FAIRE EXCUSE (Molière). — FAITES EXCUSE, *mon bourgeois, disait le marchand d'eau* (M. Druon).

Demander excuse (= demander pardon), locution ancienne, ne survit guère que comme provincialisme : *Je vous* DEMANDE EXCUSE, *a-t-il dit, et j'ai tort* (La Font.). — *Je vous* DEMANDE EXCUSE *de mon impertinence* (Sévigné). — *Je dois vous* DEMANDER EXCUSE *de mon indignation de l'autre jour* (Stendhal).

184 EXEMPLATIF ne figure dans aucun dictionnaire. Ce néologisme, qui s'emploie surtout dans « à titre exemplatif », est plutôt pédant. Disons: « à titre d'exemple ».

185 EXERGUE signifie « petit espace réservé dans une médaille pour y mettre une date, une inscription » ou « l'inscription même ». — Le mot s'emploie aussi, par extension, au sens de « ce qui présente, explique le sujet d'un tableau, le contenu d'un texte » ; il prend ainsi le sens d'*épigraphe : Il eût été sage d'inscrire « Libre Opinion » en* EXERGUE *de l'article* (Fr. Mauriac).

Pour l'Académie, il faut, dans l'usage, garder la distinction entre *exergue* et *épigraphe* (cf. *Défense de la Langue franç.*, nov. 1969, p. 5).

186 EXHAUSTIF. Quelques-uns prennent ce mot au sens d'*épuisant* (= ôtant les forces) : *Quand elle* [la soif immatérielle] *se fit jour avec la violence la plus* EXHAUSTIVE (J. Kessel). — *Une fatigue* EXHAUSTIVE (G. Duhamel). — Mais, dans l'emploi ordinaire, il signifie « qui épuise un sujet en n'oubliant aucun détail » : *Une analyse qu'on peut qualifier d'*EXHAUSTIVE (A. Billy).

187 EXPRÈS. On dit : *lettre portée* PAR UN EXPRÈS [c.-à-d. par un courrier, par un messager], *une lettre* PAR EXPRÈS : *Cette lettre a été portée* PAR EXPRÈS (Ac.). — On dit aussi, en prenant *exprès* comme adjectif invariable : *Lettre* EXPRÈS (Robert). — Ne pas dire : *lettre express, lettre par express ;* un *express* ou un *train express* est un train rapide.

À noter, par parenthèse, qu'à « un *train express* » (ou *rapide,* ou *direct*) s'oppose « un *train omnibus* » (par ellipse : un *omnibus*) = un train qui dessert toutes les stations.

Un *train de banlieue,* c'est un train qui dessert la banlieue d'une ville.

188 FAIBLE *(tomber ~).* Cette expression, courante en Belgique, dans diverses régions de la France et au Canada (avec ses différentes formes dialectales : *toumer flawe* en liégeois, *cair flaive* en picard, *cherre fiauve* dans les Vosges, *tomber feube* dans le centre de la France, etc.), n'est pas reçue dans le bon usage français. Pour les bonnes expressions françaises, on a le choix ; il y a : *tomber en faiblesse, en défaillance, en syncope, en pâmoison ; avoir une faiblesse, une défaillance, un évanouissement; s'évanouir, faiblir, défaillir; tomber sans connaissance, se trouver mal.* — Très famil.: *tomber dans les pommes, tourner de l'œil.*

189 FAUTE *d'(in)attention.* « En parlant d'une erreur commise par quelqu'un, on ne dira pas : *C'est une faute d'attention ;* il faudra dire : *C'est une faute d'inattention* ou plutôt : *C'est une faute commise par inattention* » (Littré). — *Armand Lanoux a fait cependant deux fautes d'*INATTENTION (H. Bazin). — *On y trouve beaucoup trop de ces fautes d'*INATTENTION *qu'il appartient à un éditeur de gommer* (Fr. Nourissier).

Ne pas confondre avec *faute d'attention,* signifiant « par manque d'attention » : *Faute d'attention, il a employé trois fois le même mot dans cette phrase.*

190 FAUTER. Selon Bloch-Wartburg, ce verbe, déjà attesté au XVIe siècle, au sens général de « commettre une faute », a été repris au XIXe siècle au sens particulier de « se laisser séduire », en parlant d'une femme. Il est de la langue familière.

191 FAUTIF, au sens de « qui a failli », est rejeté par Littré. Le mot est courant, en ce sens : *Il se sentait* FAUTIF (Ac.). — *Je me sentais rougir et me troubler comme un enfant* FAUTIF (A. Gide).

192 FESTIVITÉ(S) s'emploie surtout au pluriel. L'Académie ignore ce mot. Littré (Suppl.) le signale en le définissant « caractère de fête » [mais il aurait dû ajouter : « fête(s), réjouissances »].

Au XVIe siècle, *festivité* a signifié « fête, jour de fête » ou « allégresse, gaieté » ; après une éclipse à l'époque classique, il est rentré dans l'usage à partir du début du XIXe siècle, surtout depuis le milieu du XIXe siècle.

Hanse a bien étudié l'histoire et les emplois de *festivité(s) :* dans l'acception de « fête(s), réjouissances », le mot est d'un usage courant, non seulement en Belgique, mais aussi en France : *Cette* FESTIVITÉ *avait lieu dans un vaste hémicycle* (A. Gide). — *Jusqu'à l'instant où sonnerait l'heure des* FESTIVITÉS *d'Asterabad* (P. Benoit). — *Sa curiosité sympathique pour les* FESTIVITÉS *de saint Roch, à Bingen* (R. Kemp). — FESTIVITÉS *sur* FESTIVITÉS. *Avant-hier, visite de la Reine à Québec. Hier, la Saint-Jean...* (H. Bazin).

193 FEU *(faire long ~)*. Au propre, *faire long feu* se dit d'une arme dont le coup est lent à partir : *L'amorce était mouillée, le fusil* FIT LONG FEU (H. Pourrat).

Au figuré, cette locution exprime soit une idée de longue durée : *Un petit miracle en somme et qui devait* FAIRE LONG FEU *dans les saints propos de la famille* (H. Bazin), — soit une idée d'échec, de ratage : *Persuadés que tout ce qu'ils entreprendront* FERA LONG FEU (A. Hermant).

L'expression négative *ne pas faire long feu* exprime à peu près exclusivement l'idée de « ne pas durer longtemps » : *Que Pierre ait à se battre quinze jours avec la vie, et les balivernes de M. Menuise* NE FERONT PAS LONG FEU (J. Romains).

194 FIABLE, FIABILITÉ. *Fiable* est un mot de l'ancienne langue signifiant : « digne de foi, à qui l'on peut se fier ». —

Le mot a été repris, dans la langue technique moderne, pour qualifier un matériel dans lequel on peut avoir confiance et dont la probabilité de panne est très faible. — De là : *fiabilité :* qualité d'un matériel fiable.

195 FIXER, au sens de « regarder fixement » est condamné par Littré. L'Académie ne signale pas cette acception, qui a cependant la caution des meilleurs auteurs : *Oh ! cette porte, je la* FIXAIS *maintenant de mes pleins yeux* (P. Loti). — *Thérèse sourit, puis le* FIXA *d'un air grave* (Fr. Mauriac). — *Je me mettais alors à* FIXER *le vieux notaire* (A. Chamson).

196 FLEUR(S) *(en ~).* Singulier ou pluriel, au choix : *Un arbre en* FLEUR (Ac.). — *Les marronniers en* FLEUR (A. Arnoux). — *La Vie en* FLEUR (A. France). — *Plantes en* FLEURS (Ac.). — *À l'ombre des jeunes filles en* FLEURS (M. Proust). — *Les orangers en* FLEURS (A. Suarès).

197 FLOCHE. Littré définit ainsi ce nom : « petit lambeau qui s'effile » — et donne cet exemple : *Prenant du vêtement de chacun une* FLOCHE *imbibée de leur sang, il en frotte sept pierres* (P.-L. Courier).

Pour le Larousse du XXe siècle, une *floche,* c'est une « petite houppe qui sert d'ornement dans le costume, comme celle que l'on attache à la partie supérieure des bottines » — ou le « gland du bonnet de police des soldats belges ».

Ce que les Belges appellent *floche,* on le désigne en France par *gland : Des* GLANDS *de rideaux, de draperies* (Ac.). — *Les* GLANDS *d'un coussin* (Id.).

198 FOND, FONDS. On remarquera l'orthographe *fonds* dans : *bâtir sur son* FONDS, *un* FONDS *de commerce, prêter à* FONDS *perdu,* etc. — Le mot est toujours au pluriel quand on parle de quelque avoir en argent : *Être en* FONDS, *manier des* FONDS *considérables,* etc.

Quand il s'agit de ressources propres à qq.ch. ou personnelles à qqn, on écrit normalement *fonds : Cela prouve un grand* FONDS *de savoir* (Ac.). — *Un excellent* FONDS *de santé* (Id.). — *Cela part d'un* FONDS *de probité* (Id.). — *Un* FONDS *de candeur* (J. Schlumberger). — On rencontre parfois l'orthographe *fond : Un* FOND *de sympathie* (A. Sorel). — *Ce* FOND *de lucidité, de santé* (J. Kessel). — Mais cette orthographe n'est pas recommandable.

199 FORMULE, FORMULAIRE. Pour désigner une « feuille de papier imprimée à de nombreux exemplaires, contenant quelques indications et destinée à recevoir de brèves annotations, un texte court » (Robert), on emploie bien *formule : Il remplissait une* FORMULE *de dépêche pour moi* (M. Proust). — *En fouillant dans mon bureau pour y trouver une* FORMULE *imprimée...* (G. Bernanos).

Un *formulaire,* c'est proprement un recueil, un répertoire de formules : FORMULAIRE *des notaires,* FORMULAIRE *pharmaceutique.* — Mais, dans l'usage actuel, *formulaire* s'emploie couramment aussi au sens de *formule* indiqué plus haut : *Tandis que je remplissais le* FORMULAIRE *qu'on m'avait tendu* (Vercors). — *Comment remplir un* FORMULAIRE *fiscal* (A. Dauzat). — *Remplir en triple exemplaire un* FORMULAIRE *de quatre pages* (P. Daninos).

200 FORTUNÉ peut signifier « qui est favorisé par le sort, qui est au comble du bonheur » : *Amants* FORTUNÉS (Ac.). — *Siècle* FORTUNÉ (Id.).

Il se prend aussi dans l'acception de « riche, possédant de la fortune » : *Nous passions pour* FORTUNÉS, *parce que nous avions (...) de belles terres et pierres au soleil* (H. Bordeaux). — *Pas très* FORTUNÉS, *cette maman et ce grand-père : ne possédant guère qu'une maisonnette en ville et un petit bien de campagne* (P. Loti). — *C'est la famille la plus* FORTUNÉE *du pays* (Ac.).

201 FOULTITUDE, formé par télescopage de *foule* et de *multitude,* est de la langue familière ou plaisante : *Une* FOULTITUDE *de raisons* (cité par Hugo, comme exemple de l'« argot des duchesses »). — *Dans l'église assombrie, j'imaginais (...) les ombres, noircissant de leur* FOULTITUDE *empressée ce vaisseau...* (La Varende).

202 FOURCHETTE. Dans la langue des statisticiens et des économistes, ce néologisme désigne l'écart entre deux valeurs extrêmes dans une prévision, une estimation.

203 FRANQUETTE. On dit familièrement : « à la bonne *franquette* » (= sans façon, sans cérémonie) : *Recevoir des amis à la bonne* FRANQUETTE. — La langue populaire dit : « à la bonne FLANQUETTE ».

204 FRAPPER *à la porte.* On dit ordinairement : « *frapper* à la porte », ou, absolument : *frapper : J'entendis donc* FRAPPER *à la porte de ma chambre* (G. Duhamel). — On dit aussi : *heurter,* ou (surtout dans l'usage familier) : *toquer,* parfois : *cogner : Elle (...)* TOQUA *de l'index à la porte vitrée* (Fr. Mauriac). — *On* COGNA *à la porte* (H. Troyat).

205 FRISELIS, FRISSELIS, = « faible frémissement ». L'Académie ignore ces mots. On rencontre les deux orthographes (influence de *friser,* d'une part ; de *frisson,* d'autre part) : *Le* FRISELIS *clapotant du flot* (M. Genevoix). — *Le* FRISELIS *de la brise* (R. Ikor). || — *Un* FRISSELIS *à travers les feuilles* (É. Henriot). — *Des* FRISSELIS *d'eaux et de feuilles remuées* (P. Benoit, cit. Le Gal).

206 FRITERIE, FRITURE. La *friture* est, selon l'Académie, soit l'action de frire, soit le beurre, l'huile, la graisse servant à frire, soit un mets qu'on fait frire. — Pour désigner une installation, une baraque de marchand de pommes de terre frites, on emploie couramment en Belgique *friture.* Ce mot se rencontre chez Taine : *Une* FRITURE *de pommes de terre sous des colonnes antiques.* — Mais on dit en France : *friterie,* parfois *friturerie* (l'Académie ignore ces mots) : *Les*

FRITERIES *sont campées sous toutes les portes cochères* (G. Duhamel, cit. Robert). — *Des cafés, des débits de vin, des* FRITUREURIES (E. et J. de Goncourt).

Théoriquement, FRITURE, sur une enseigne, pourrait se justifier aussi bien que VINS ET LIQUEURS, ou CHAUSSURES (raccourcis de « Ici on vend de la friture, ... des vins et des liqueurs, ... des chaussures »). Mais les Belges n'interprètent pas ainsi l'enseigne FRITURE ; dans leur esprit, elle est le raccourci de « Ici on vend des *frites* ». — À noter, d'autre part, que FRITERIE, comme enseigne, n'est guère, semble-t-il, usité en France.

207 FRUSTE signifie proprement « dont le relief a été effacé par l'usure, par le frottement, par le temps » ou encore, selon Robert, « dont le relief est rude, grossier » : *Médaille* FRUSTE.

Pour l'Académie, *fruste* employé dans le sens de « rude, inculte, grossier » est tout à fait incorrect, et *manières frustes, un homme fruste* exprimeraient le contraire de ce qu'on veut dire. — Il n'empêche que l'usage courant (sous l'influence de *rustre*) a admis *fruste* au sens condamné par l'Académie : *La vie* FRUSTE *et mal dégrossie des hommes* (M. Proust). — *Villèle avait un frère siamois, Corbière, homme* FRUSTE (A. Maurois). — [Hérésie] *à la portée des esprits* FRUSTES (P. Gaxotte). — *Ces personnages* FRUSTES *et puants n'en étaient pas moins admirables* (H. Troyat).

Ne pas dire : *frustre* (influence de *rustre* et de *frustrer*).

208 GADGET (le *t* se prononce). Cet américanisme désigne familièrement, comme synonyme de « machin, truc, bidule », une petite invention pratique, un objet amusant, ingénieux, destiné notamment à des usages domestiques.

209 GAGEURE se prononce *ga-jûr*. Semblablement : *mangeure, rongeure, vergeure* se prononcent *man-jûr, ron-jûr, ver-jûr.*

210 GAGNER *une maladie*. On dit bien : *La gangrène a gagné rapidement* (Ac.). — *La scarlatine se gagne* (Id.). — On peut aussi, sans incorrection, employer *gagner* en parlant d'une maladie, de coups, etc., que l'on contracte, que l'on attrape, que l'on prend : *Une fièvre qu'elle* GAGNA *en traversant un pont chargé de cadavres* (Nerval). — [Un père qui] *a* GAGNÉ *une maladie naguère encore sans remède* (R. Kemp). — *J'ai* GAGNÉ *un rhumatisme dans le bras droit* (J. Green).

211 GALOCHE : « espèce de chaussure dont le dessus est de cuir, la semelle de bois et qui se met par-dessus les chaussons ou les souliers » (Ac.). — Les chaussures en caoutchouc qu'on met par-dessus les souliers, généralement par temps de neige, s'appellent des *caoutchoucs* (ou : des *snow-boots*). — On lit chez Duhamel : *Chacun doit remettre, avant de sortir, ses lainages, ses fourrures, son bonnet, ses bottes ou ses* GALOCHES DE CAOUTCHOUC.

212 GOULET / GOULOT. Distinguez : *goulet :* « passage étroit dans les montagnes, entrée étroite d'un port », — d'avec *goulot :* « col étroit d'un récipient ». (On a pu dire autrefois, en ce sens : *goulet.*)

213 GOÛTER d'un plat, d'un vin, à un plat, à un vin, c'est en apprécier la saveur. Ne pas dire: *Ce plat me goûte, est-ce que ça goûte?* Il faut dire: *Ce plat est à mon goût; est-ce que vous le goûtez? est-ce qu'il vous plaît? est-ce que vous le trouvez bon?* etc.

Ne pas dire non plus : *Ce vin goûte le bouchon, ce pain goûte le moisi.* Il faut dire : *Ce vin a un goût de bouchon,* ou : *sent le bouchon ; ce pain a un goût de moisi, sent le moisi.* — *Le vin* SENTAIT *le bouchon* (A. Daudet). — *Ce plat* A LE GOÛT *d'épinards* (Stendhal).

214 GOUTTER, « laisser couler goutte à goutte », n'est pas signalé par l'Académie. Ce verbe est d'un emploi courant : *Les toits* GOUTTENT (Littré). — *Mouchez-vous, votre nez* GOUTTE (Id.). — *Des larmes* GOUTTAIENT *une à une le long de ses joues* (M. Prévost). — *Tiens ! le robinet* GOUTTE *toujours* (J.-J. Gautier).

215 GRAVE *(blessé ~), blessé léger* sont rejetés par les puristes ; ce n'est pas, allèguent-ils, le blessé qui est grave ou léger, c'est sa blessure.

Il n'empêche que le transfert d'épithète n'a rien de vraiment antifrançais (comparez : *malade imaginaire, instituteur primaire, critique littéraire,* etc.) : *C'étaient des mutilés* GRAVES (G. Bernanos). — *Un mort, deux blessés* GRAVES, *tous les autres blessés* LÉGERS (A. Malraux). — *Une trentaine de blessés* GRAVES (H. Troyat).

216 H aspiré. L'*h* aspiré empêche la liaison et l'élision ; ainsi on ne peut pas admettre : *l'hareng, cet hareng, les-z-harengs.*

Ont l'*h* aspiré les mots suivants et leurs dérivés :

ha !
habanera
hâbler
Habsbourg
hache
hagard
haie
haïe
haillon
Hainaut
haine
haïr
haire
halage
halbran
hâle
haler
haleter
hall
halle
hallebarde
hallier
halo
haloir
halot
halotechnie
halte
halurgie
hamac
hameau
hampe
hamster
han
hanap
hanche
hand-ball
handicap
hangar
hanneton
Hanovre
hanse
hanter
happe
happelourde
happer
haquenée
haquet
hara-kiri
harangue
haras
harasser
harceler
harde
hardes
hardi
harem
hareng
hargneux
haricot
haridelle
harnais
haro
harpe
harper
harpie
harpon
hart
hasard
haschich
hase
haste
hâte
hâtelet
hâtier
hauban
haubert
hausse
haut
hautain
hautbois
Hautesse
havane
hâve
havir
havre
havresac
hayer
hé !

heaume
hein
héler
hem
henné
hennir
Henriade
héraut
hercher
hère
hérisser
hernie
héron
héros
herse
hêtre
heurt
hi !
hibou
hic
hideux
hie
hiérarchie
hile
hisser
ho !
hobereau
hoc
hoca
hocco
hoche
hocher
hockey
holà !
Hollande
hom !
homard
home
honchets
hongre
Hongrie
honnir
honte
hop !
hoquet
hoqueton
horde
horion
hors
hospodar
hotte
Hottentot
hou !
houblon
houe
houille
houle
houlette
houlque
houp !
houper
houppe
houppelande
hourailler
hourd
houret
houri
hourque
hourra
hourvari
houseaux
houspiller
houssaie
housse
housser
houssine
houssoir
houx
hoyau
huard
hublot
huche
hucher
hue !
huer
huette
huguenot
huhau !
huis clos
huit
hulan
hulotte
humer
Hun
hune
huppe
hure
hurler
Huron
hussard
hutin
hutte

217 N.B. 1. Ont l'*h* muet : *hanséatique ; héraldique, héraldiste ; héroïde, héroï-comique, héroïne, héroïque, héroïquement, héroïsme ; huis, huissier.*

2. C'est suivre un mauvais usage que de traiter *handicapé* comme si son *h* était muet, et de dire : *l'handicapé, un* -n- *handicapé, les-z-handicapés.*

218 HABITAT signifie proprement « milieu géographique qui réunit les conditions nécessaires à l'existence d'une espèce animale ou végétale » : *L'*HABITAT *d'une plante, d'un animal.* Telle est, pour ce mot, la seule acception signalée par l'Académie. — Cependant *habitat* a pris, par extension, des sens plus larges : « mode d'organisation et de peuplement par l'homme du milieu où il vit » (Robert) : *Habitat rural, urbain ; habitat sédentaire, nomade ;* — « ensemble des conditions d'habitation, de logement » (Robert) : *Amélioration de l'habitat.*

Dans une mise en garde du 18 févr. 1965, l'Académie déclare que *habitat* « ne veut pas dire *habitation* ».

219 HACHER, HACHURER (= couvrir, sillonner de hachures): HACHER *avec le burin, avec le crayon, avec la plume* (Ac.). — HACHER *une estampe* (Robert). — Ni Littré, ni l'Académie ne donnent *hachurer ;* cependant ce verbe est courant aujourd'hui : *Le plancher était déjà tout* HACHURÉ *à l'endroit où il frappait* (R. Dorgelès). — *La brèche aux bords* HACHURÉS *s'ouvrait devant lui* (H. Troyat).

220 HAUT-DE-FORME, HAUTE-FORME. On dit : *un chapeau haut de forme,* ou *un haut de forme,* ou un *haute-forme* (avec ou sans traits d'union: l'usage est indécis), ou un *gibus,* ou un *huit-reflets: Sous le chapeau* HAUT-DE-FORME *de tel ou tel* (R. Martin du Gard). — *Il a mis son chapeau* HAUTE FORME (J. Renard). — *Il tenait son* HAUT DE FORME *à la main* (Fr. Mauriac). — *Le vieux Mérivet, en* HAUTE-FORME *et longue blouse grise* (A. Daudet). — En Belgique : *chapeau buse.*

221 HINDOU / INDIEN. Il y a lieu de distinguer : Un *Hindou* est celui qui appartient au système social brahmanique, à la religion brahmanique (l'hindouisme), à la civilisation brahmanique. — Un *Indien* est un habitant de l'Inde ; ce mot est donc plus général, et, comme dit Deharveng, un Indien qui pratique l'hindouisme est un Hindou.

222 IL N'EST QUE DE, suivi d'un infinitif, s'emploie au sens de « le mieux est de » (usage classique) — et aussi au sens de « il suffit de, il n'y a qu'à » : *Il n'est que de jouer d'adresse* *en ce monde* (Molière). — *Quelques vers restaient à composer : il n'était que de s'y mettre* (G. Duhamel).

223 **IMPASSIBLE / IMPAVIDE.** Ne pas confondre : *impassible* (lat. *pati,* souffrir) = qui n'est pas susceptible de souffrance ou qui est assez maître de lui pour ne pas laisser paraître ses souffrances physiques ou ses émotions (Ac.) ; — *impavide* (lat. *pavor,* peur) = qui n'éprouve ou ne trahit aucune peur.

224 **IMPECCABLE** signifie étymologiquement « qui ne peut pécher » (lat. *peccare,* pécher). Pour Abel Hermant et pour les puristes, le mot ne convient qu'aux personnes. — Opinion démentie par l'usage : *impeccable,* en effet, s'applique couramment à des choses sans défaut : *Tenue* IMPECCABLE, *toilette* IMPECCABLE (Ac.). — *Elle me rapporta un texte* IMPECCABLE (A. Maurois). — *Demeure* IMPECCABLE (J. Green).

225 **IMPENSABLE** est rejeté par les puristes : ce qu'on dit *impensable,* prétendent-ils, ne peut pas être pensé, et conséquemment comment pourrait-on le déclarer non pensable ? — Raison captieuse, dont l'usage ne tient aucun compte ; le mot se prend couramment au sens d'*inconcevable,* d'*incroyable : Il y a là pour moi, de l'inadmissible, de l'*IMPENSABLE (A. Gide). — *Cette* IMPENSABLE *folie* (Fr. Mauriac). — *Cela nous paraît* IMPENSABLE (Ph. Erlanger).

226 **INCLINAISON, INCLINATION.** On peut, avec Littré, avec l'Académie, etc., faire la distinction suivante : *inclinaison* = état de ce qui est incliné : *L'*INCLINAISON *d'un toit, d'un mur,* etc. ; — *inclination* = action d'incliner, et particulièrement action de pencher la tête ou le corps en signe d'acquiescement ou de déférence ; ou : mouvement affectif vers qqn ou qq.ch. : *Elle répondit par une* INCLINATION *de tête* (H. Troyat). — *Gêner, combattre les* INCLINATIONS *d'une personne* (Ac.). — *Mariage d'*INCLINATION.

Mais la distinction est précaire : dans l'usage moderne, on dit couramment : une *inclinaison* de tête ou de corps :

En faisant une légère INCLINAISON *de tête* (A. Billy). — *Barois approuve d'une simple* INCLINAISON *de tête* (J. Romains).

227 **INDEMNITÉ, INDEMNISER.** Prononciation : par *è*. La prononciation par *a* s'entend encore, mais elle vieillit.

228 **INDIFFÉRER.** Par dérivation régressive, le français avancé, ou plaisant, ou baroque, a tiré abusivement de certains adjectifs comme *indifférent, insupportable, urgent, insouciant,* les verbes *indifférer* (condamné par l'Académie ; mise en garde du 20 mai 1965), *insupporter, urger, insoucier : Le mécanisme de l'enseignement m'*INDIFFÈRE (R. Kemp). — *Je crois qu'Albertine eût* INSUPPORTÉ *maman* (M. Proust). — *Les littérateurs, race qui l'*INSUPPORTE (Montherlant). — *Rien n'*URGEAIT (É. Henriot, cit. Le Bidois). — *Les plus sincères d'entre nous ne peuvent tout à fait* S'INSOUCIER *de ce qu'on pense d'eux* (La Varende).

229 **INFARCTUS** [irrégulièrement formé ; il devrait s'écrire *infartus*] se rattache, étymologiquement, au latin *farcire,* remplir ; *fartus,* ce qui remplit. Ce mot n'a rien de commun avec ceux de la famille de *fracture* (lat. *frangĕre,* briser). — Ne pas prononcer : *infractus.*

230 **INGAMBE** (de l'ital. *in gamba,* en jambe) signifie « alerte, qui a les jambes lestes, qui peut marcher allégrement » : *Ce vieillard est encore* INGAMBE (Ac.).

231 **INGRÉDIENT.** Prononcez : *in-gré-dyan* (et non : *in-gré-dyin*).

232 **INLASSABLE.** « Dire *inlassable,* déclarait Faguet, est très *inlogique : inlassable* n'est pas français ; je serai *illassable* à le dire. » — En dépit des puristes, *inlassable* et *inlassablement* se sont implantés dans l'usage : *L'*INLASSABLE *dévouement* (G. Clemenceau). — *Pareils à des insectes* INLASSABLES (G. Duhamel). — *Dans cette fuite* INLASSABLE *du temps* (J. Guitton). — *Contemplant* INLASSABLEMENT *le lent travail rotatoire d'un oursin* (A. Gide).

233 INSTANCE. Du sens originel de « demande pressante », le mot a pu passer au sens juridique de « poursuite en justice », puis au sens néologique de « autorité détenant un pouvoir de décision ».

Instance, dans cette dernière acception (le plus souvent au pluriel), est rebuté par les puristes, mais, comme dit Thérive, « on ne saurait s'étonner ni se scandaliser que le sens se soit élargi jusqu'à des « compétences » non judiciaires ».

Quoi qu'il en soit, *instances,* au sens critiqué par les puristes, est aujourd'hui fréquent : *La Tunisie se tourne aujourd'hui vers les* INSTANCES *internationales* (A. François-Poncet). — *Les plus hautes* INSTANCES *de l'Église* (L. Leprince-Ringuet). — *Les* INSTANCES *officielles se refusèrent à tout changement* (Ch. de Gaulle).

234 INTÉRESSER ne peut pas s'employer au sens de *concerner* (communiqué de l'Académie du 19 nov. 1964). On ne dira pas, par exemple : *Les régions* INTÉRESSÉES *par la grêle.*

235 JUGULER. Pour Littré, *juguler* c'est « égorger », ou « causer une perte considérable, une ruine », ou « ennuyer excessivement, tourmenter, importuner » ; — pour l'Académie, c'est « serrer à la gorge ». — Dans ces divers sens, *juguler* est, de nos jours, à peu près inusité.

Pour Thérive, *juguler* ne saurait recevoir d'autre sens que celui d'« assassiner ». Opinion fausse : le sens vraiment vivant de *juguler,* c'est, aujourd'hui « dompter, enrayer, interrompre le développement de » : *Un fou que nous n'avons pas su* JUGULER (Fr. Mauriac). — *Afin que le plaisir qu'il se donnait ainsi* JUGULÂT *sa mauvaise humeur* (Montherlant). — *Laisser un Tzar sur le trône de Russie, quitte à* JUGULER *son pouvoir par une constitution* (H. Troyat).

236 KLAXON. On rencontre des orthographes variées : *Leur impertinent* KLAKSON (R. Boylesve). — *Une camionnette (...) faisait retentir son* CLAKSON (É. Estaunié). — *Un énorme*

coup de CLAXON (G. Duhamel). — *La troupe des* CLACKSONS (J.-J. Gautier). — [Il] *enfonça le* KLACKSON (H. Bazin).
L'orthographe qui prévaut est *klaxon.*

237 LAC. « Tomber ou être dans le *lac* », en dépit de certains puristes (qui veulent qu'on dise et qu'on écrive « dans le *lacs* » = dans le lacet, dans le piège : ancienne expression, aujourd'hui hors d'usage) s'emploie familièrement au sens de « échouer »: *Tomber dans le* LAC (Robert). — *Son projet est dans le* LAC (Id.).

238 LETTRE CLOSE / LETTRE MORTE. On distinguera : *Lettre close :* se dit d'un ordre d'idées ou de sentiments auquel on est étranger, de qq.ch. dont le sens vous échappe : *Je ne comprends rien à ce que vous m'écrivez : c'est pour moi* LETTRE CLOSE (Ac.).
Lettre morte : se dit d'un titre, d'une convention, d'un traité, d'un testament, etc., qui a perdu toute valeur juridique, toute autorité officielle, — ou, par extension, de qq.ch. qui n'a pas d'utilité, qui reste sans effet : *Les recommandations qu'on lui fait sont pour lui* LETTRE MORTE (Ac.). — *Tous les commandements de la politesse, de la charité, sont* LETTRE MORTE *pour cet homme pressé* [l'automobiliste] (G. Duhamel).

239 LEVER, SOULEVER *un lièvre.* En termes de chasse, *lever un lièvre,* c'est le faire partir, — et au figuré, soulever à l'improviste une question embarrassante ou compromettante pour autrui : *Il ne fallait pas* LEVER *ce lièvre-là* (Ac.).
Comme on dit *soulever une question, une difficulté,* etc. (c'est-à-dire : faire qu'elle se pose), on pourrait, semble-t-il, en raison de l'analogie, admettre, pour le sens figuré, *soulever un lièvre* parallèlement à *lever un lièvre.* Exemples de cet emploi : *Sartre a* SOULEVÉ *là un gros lièvre* (J. Cocteau). — *Cette petite question — qui* SOULÈVE, *comme on dit, un lièvre énorme* (M. Chapelan). — *Le mari en question ne devait pas être bien reluisant, pour que la jeune femme mît autant de soin à le cacher et elle s'était gardée de* SOULEVER *ce lièvre* (J.-J. Gautier).

Cet emploi, néanmoins, reste généralement critiqué par les théoriciens du bon langage.

240 **LIMITE D'ÂGE.** Tout illogique qu'elle est, l'expression passive *atteint* (ou *touché*) *par la limite d'âge* est courante dans la langue de l'administration ; elle se rencontre aussi dans l'usage ordinaire : *Atteint par la limite d'âge, il toucherait sa retraite à partir de l'année suivante* (M. Van der Meersch). — *Il ne quitta son haut poste qu'en 1955, atteint par la limite d'âge* (H. Torrès). — *C'était un bon officier, destiné normalement à être touché par la limite d'âge comme chef de bataillon* (Montherlant).

241 **LINCEUL.** Prononcez : *lin-seul* (non : *lin-seuil*).

242 **LOQUACE, LOQUACITÉ.** Prononciation traditionnelle : *lo-kwas'*, *lo-kwa-si-té.* — Prononciation assez courante aujourd'hui : *lo-kas', lo-ka-si-té.*

243 **MACHINE** s'emploie couramment pour désigner une locomotive : *Les wagons sont tout petits, la* MACHINE *grosse comme celle d'un tramway* (Maupassant). — *La* MACHINE *avec son sifflement, sa fumée et le grand bruit qui accompagne le train* (Taine). — *Jeanne (...) vit fulgurer les cuivres jaunes de la* MACHINE ; *l'ombre des wagons glissa sur ses épaules* (M. Genevoix).

244 **MACHINISTE.** Ce mot désigne, selon l'Académie, « celui qui place ou déplace des décors, des machines de théâtre ». Pour Robert, il est peu usité au sens de « celui qui conduit une machine, un véhicule de transport en commun »: *Il courut à l'avant du tramway et s'entretint, pendant quatre ou cinq minutes, avec le* MACHINISTE (G. Duhamel). — C'est généralement *mécanicien* qui s'emploie : *Depuis plus de quinze ans, le nommé Marc Lefort / Est* MÉCANICIEN *sur la ligne du Nord* (Fr. Coppée). — On dit aussi : le *conducteur :*

CONDUCTEUR *d'autorail, de locomotive électrique* (Petit Robert).

245 MAGISTER / MAGISTÈRE. Distinguez : *magister* = cuistre, pédant : *Les leçons d'un* MAGISTER *ridicule ;* — *magistère* = autorité doctrinale, morale ou intellectuelle s'imposant de façon absolue : *Exercer un* MAGISTÈRE (Ac.). — *J'ai cessé de croire au* MAGISTÈRE *spirituel des pays les plus développés* (P. Emmanuel).

246 EN MAIN(S) *(en ~)*. Singulier ou pluriel, au choix, dans : *en main(s) propre(s), prendre en main(s)* [= en charge] : *Je lui ai remis cette lettre en* MAIN PROPRE (Ac.). — *Remettre une letttre en* MAIN(S) PROPRE(S) (Robert). — *Prendre en* MAIN *les intérêts, la cause de qqn* (Ac.). — *Prendre en* MAIN(S) *l'éducation d'un enfant.*

Ordinairement le pluriel dans *en bonnes mains, en mauvaises mains, en mains sûres.* Singulier dans *poignée de main: Il lui donna une cordiale poignée de* MAIN (Ac.). — *Se séparer avec force poignées de* MAIN (Robert).

247 MAJUSCULES.

a) On met la majuscule :

1° Aux noms désignant la Divinité, ou Jésus-Christ, — aux noms des divinités mythologiques, — aux noms des étoiles, des planètes, — aux noms des fêtes : *Le Créateur, la Providence, le Seigneur, le Tout-Puissant, le Messie ;* — *Jupiter, Sirius, Uranus ;* — *la Toussaint, à Noël.*

N.B. 1. Pour *ciel* désignant la Divinité, l'usage est indécis.

2. Dans l'usage courant, on écrit : *le soleil, la lune, la terre ;* — mais quand il s'agit de cosmographie : *le Soleil, la Lune, la Terre.*

2° Aux noms propres de peuples, de familles, de dynasties : *Les Français, les Bourbons, les Capétiens.*

Mais la minuscule aux adjectifs qui y correspondent : *Les auteurs français, la monarchie capétienne.*

3° Aux noms propres des sociétés religieuses, savantes ou politiques, des ordres de chevalerie : *L'Église, l'État, la Chambre des députés, le Sénat, l'Académie française, la Légion d'honneur.*

N.B. Pour les noms des ordres religieux, l'usage est indécis : *les jésuites* ou *les Jésuites, les franciscains* ou *les Franciscains, les carmélites* ou *les Carmélites.*

Indécision aussi pour : *Le révérend père un tel* (Ac.). — *L'élixir du Père Gaucher* (A. Daudet). — *La vie de l'abbé de Rancé* (A. Maurois). — *L'Abbé de Mondésir* (Id.).

4° Aux noms des points cardinaux quand ils désignent des régions géographiques bien particulières : *Les plus belles fourrures viennent du Nord* (Ac.). — *Les départements de l'Ouest. Les gens du Midi.*

Indécision de l'usage pour des cas comme les suivants : *Le vent souffle du nord* (Ac.). — *Le vent soufflant du Nord* (A. France). — *L'ouest de la France* (Dictionn. général). — *Faire une tournée dans l'Ouest de la France* (Ac.).

5° Aux noms propres de rues, de monuments, de vaisseaux, etc. ; aux titres d'ouvrages, d'œuvres d'art, etc. : *La rue du Bac, le Parthénon, le Titanic, les Misérables de Hugo, les Glaneuses de Millet.*

6° Aux noms des titres et dignités : *Sa Majesté.* — Bien mettre la majuscule quand on s'adresse à la personne même : *Il est tard, Monsieur Coûture* (Fr. Mauriac). — *J'ai l'honneur, Monsieur le Président, de...* — *Daignez agréer, Monsieur le Ministre...*

b) **Quelques cas particuliers :**

1. Symboles d'unités : la majuscule quand le symbole provient d'un nom propre, la minuscule quand il provient d'un nom commun : *10 h* [heures], *6 A* [ampères], *60 W* [watts], *10 kW* [kilowatts].

2. *Saint :* la minuscule s'il s'agit du saint lui-même : *Le supplice de saint Sébastien ;* — la majuscule dans tout autre cas : *La rue Saint-Paul, la Saint-Nicolas, né à Saint-Cloud.*

3. On écrit : *le bon Dieu, la Sainte Vierge, l'École polytechnique, l'École militaire, la mer Méditerranée, l'océan Atlantique, le mont Blanc, le golfe Persique.*

4. Pour *le moyen âge* (Ac.), il y a du flottement ; certains auteurs écrivent : *le Moyen-Âge,* ou *le Moyen Âge,* ou *le moyen-âge.*

248 MANAGEMENT. Anglicisme, qui se prend au sens de « direction, conduite [d'une affaire, d'une usine, etc.] » (Robert, Suppl., qui juge inutile ce mot à la mode). — Prononcer à la française.

De la même famille : *manager* (prononc. : *ma-na-djèr* ou : *ma-na-djeur*) = celui qui veille à l'organisation d'un spectacle, d'un match, etc. ou qui gère les intérêts d'un artiste, d'un sportif.

249 MAPPEMONDE. Au sens strict et étymologique (cf. lat. médiéval : *mappa mundi* = plan, carte du monde), une *mappemonde* est une carte plane « représentant toutes les parties du globe terrestre divisé en deux hémisphères enfermés chacun dans un grand cercle » (Ac.). — Mais un glissement de sens s'est produit, et *mappemonde* s'emploie assez couramment aujourd'hui pour *globe terrestre* (sphère représentant le globe terrestre) ou, figurément, pour « grosse boule » : *C'est comme si Hector Servadac et Ben Zouf (...), enlevés par une comète, regardaient de loin leur planète, de nouveau, comme une* MAPPEMONDE *illuminée* (R. Kemp). — *À mes pieds s'arrondit une* MAPPEMONDE (A. Billy). — *Au milieu de la pièce, une* MAPPEMONDE *de verre* (H. Bosco). — [Les chevaux] *tournaient, dociles et calmes, sous la main qui leur claquait la croupe,* MAPPEMONDE *de chair rebondie* (M. Genevoix).

Dans une mise en garde du 18 févr. 1965, l'Académie a condamné ce glissement de sens.

250 MARIER, c'est « unir un homme et une femme par le lien conjugal » : *Le maire, le curé de la paroisse les a mariés,* — ou encore : « faire ou arranger un mariage, soit par autorité paternelle, soit par office d'amitié » : *Son père l'a* MARIÉ *avantageusement* (Ac.). — *Il a fort bien* MARIÉ *sa nièce* (Id.).

Ne dites pas : *Pierre a marié Nicole,* si vous voulez dire que Pierre s'est uni à Nicole par le mariage ; dites : *Pierre a* ÉPOUSÉ *Nicole.*

251 **MARIOL, MARIOLLE, MARIOLE** : les trois orthographes se rencontrent. Ce terme de la langue très familière viendrait, selon André Castelot, du nom du soldat Mariole « qui présenta un jour les armes à l'empereur non avec son fusil, mais avec une *pièce de quatre,* d'où l'expression *Ne fais pas le mariole...* » (dans le *Figaro litt.*, 13-19 janv. 1969). — *Voici un galopin qui vient jouer les* MARIOLES (J. Perret). — *Il aurait bien pu attendre huit jours avant de faire le* MARIOL (Aragon). — *Mon petit pote, fais pas le* MARIOLLE (R. Ikor).

252 **MARKETING** : technique et méthodes des études du marché. Cet anglicisme est courant dans les milieux du commerce et de l'industrie. L'Académie (communiqué du 20 avr. 1967) propose de le remplacer par *commercialisation.*

253 **MARTYR / MARTYRE.** Distinguez : *Saint Étienne est le premier* MARTYR ; *sainte Cécile, vierge et* MARTYRE ; — d'avec : *souffrir le* MARTYRE ; *le* MARTYRE *de saint Étienne, de sainte Cécile.*

254 **MASSACRER** peut se dire non seulement de *plusieurs* personnes (qu'on tue, qu'on égorge sans qu'elles se défendent), mais aussi d'*une seule* personne (qu'on extermine, ou qui se détruit) : *Si tu dis un seul mot, mon roi, je me* MASSACRE (Hugo). — *Si les Maures demain ne me* MASSACRAIENT *pas* (Saint-Exupéry). — *Vous seriez* MASSACRÉ *sur-le-champ* (Montherlant).

255 **MASS MEDIA** (= moyens de masse ; en abrégé : *media*). Expression à la mode, venue naguère d'Amérique, et qui désigne les communications et informations conçues comme

un système de diffusion très large, par des moyens techniques variés, audio-visuels et autres (grande presse, radio, télévision, publicité massive).

256 MATINAL / MATINEUX. L'Académie donne ces définitions : *matinal* : « qui s'est levé de bonne heure, ou qui a coutume de se lever de bonne heure »; — *matineux* : « qui a l'habitude de se lever matin ». — Dans l'usage d'aujourd'hui, *matineux* est vieilli, et *matinal* a pris les deux sens ; il signifie aussi : « qui a lieu, qui se produit le matin »: *Vous êtes bien* MATINAL *aujourd'hui* (Ac.). — *La brise* MATINALE (Id.). — *Gymnastique* MATINALE.

Matinier n'est guère usité que dans l'expression *l'étoile matinière* (= Vénus).

Matutinal, « qui appartient au matin », est plutôt poétique et peu usité.

257 MÉCONDUIRE *(se ~) :* verbe donné comme vieux par le Larousse du XXe siècle. Il est à peu près inusité en France [cf. pourtant: *Comme s'il la rendait responsable de la* MÉCONDUITE *de sa fille* (J.-L. Curtis)]. — L'expression normale est *se mal conduire,* ou *se conduire mal.*

258 MEILLEUR *(prendre le ~ sur).* On dit parfois familièrement: *avoir le meilleur sur,* et fréquemment, dans le langage des sports : *prendre le meilleur sur ;* le sens est « l'emporter sur »: *Il entrera en concurrence (...) avec André Bardot, sur lequel, pense-t-il, il* AURA LE MEILLEUR (Tr. Bernard). — *L'Ajax a* PRIS LE MEILLEUR *sur l'Inter.*

259 MELON *(chapeau ~).* Un *chapeau melon* ou un *melon* est un chapeau de feutre rond et bombé. On dit parfois, en France, *chapeau cape* ou *cape : Le clerc, maigre singe en combinaison, mais en* CHAPEAU CAPE (A. Malraux, cit. Baiwir). — *Coiffé du haut de forme ou de la* CAPE (J. et J. Tharaud, cit. Baiwir). — En Belgique : *chapeau boule* (cf. anglais : *bowler*).

260 MENTALITÉ était rebuté par Thérive (qui recommandait *humeur, caractère, tour d'esprit, nature*). — Le mot est d'un emploi tout à fait courant : *La* MENTALITÉ *de la génération nouvelle* (Ac.). — *Parce que nous ne nous représentons pas une différence de* MENTALITÉ *si profonde entre les Allemands et nous* (J. et J. Tharaud).

261 MESDAMES ET MESSIEURS. On dit : *Bonjour, Madame et Monsieur,* ou : *Mesdames et Messieurs,* ou : *Madame, Monsieur,* ou : *Mesdames, Messieurs.* — Dire : ... *Messieurs, dames (m'sieu dames)* ou : ... *Messieurs et dames* est de l'usage populaire.

262 MESSE. On dit : *servir la messe* (= dire les réponses, présenter le vin et l'eau, etc.) : *L'aumônier, dont il* SERVAIT *tous les matins la messe* (R. Vercel). — On dit aussi : *répondre la messe : J'étais consciencieux à* RÉPONDRE *la messe* (Alain). — *J'ai* RÉPONDU *la messe comme un autre* (G. Bernanos).

Ne dites ni : *aller à messe,* ni : *faire la messe,* ni : *une messe d'année,* ni : *une basse messe ;* — dites : *aller à la messe, dire* ou *célébrer la messe, une messe de bout de l'an, une messe basse.*

263 MESURE(S). Pluriel ou singulier dans « un costume fait sur *mesure(s)* ». — Mais comme le tailleur prend *les* mesures du client, le pluriel « sur *mesures* » est plus logique que le singulier « sur *mesure* ».

264 METTRE AU NET, ~ AU PROPRE. Les deux expressions sont bonnes : *Une petite fille silencieuse mettait ses devoirs* AU NET *près du comptoir* (Colette). — *Votre fils (...) me confia même le soin de mettre* AU PROPRE *pour lui les copies elles-mêmes* (J. Giraudoux). — *Il fallut recopier le texte* AU PROPRE (H. Troyat).

265 MINÉRALOGIQUE *(numéro* ou *plaque ~) :* ensemble des lettres ou des chiffres constituant le numéro d'immatriculation, le numéro d'ordre d'un véhicule à moteur. Cette expression curieuse s'explique par le fait que les autos étaient, à l'origine, en France, rattachées au service des Mines.

266 MŒURS. Prononciation : *meurs'* ou, moins couramment : *meur* (prononciation vieillie). — Dans *bonne vie et mœurs,* l'*s* se prononce.

267 MONTRE *(faire ~ de).* Cette expression signifie, au sens strict (souvent péjoratif) : « faire parade de, montrer avec ostentation » : *Le père Léonard aimait à* FAIRE MONTRE *de sa richesse* (G. Sand).

Mais elle peut signifier aussi, sans idée d'ostentation : « montrer, faire preuve de » : *Aussi voit-on maint pauvre curé de campagne* FAIRE MONTRE *d'un savoir bien supérieur aux besoins journaliers de ses ouailles* (A. Billy). — *Je souhaiterais (...) que nous* FASSIONS MONTRE *d'autant de prévisions que les circonstances l'exigent* (Fr. Mauriac). — FAIRE MONTRE *de patience.*

268 MOYEN-ORIENT. Expression impropre, dit l'Académie (communiqué du 2 oct. 1969) pour désigner les pays riverains ou voisins de la partie orientale de la Méditerranée. Il faut dire: *Proche-Orient.*

269 NATIF. On dit : *Il est* NATIF *de Paris, de Lyon* (Ac.). — *Le bonhomme Piédeleu était Beauceron, c'est-à-dire* NATIF *de la Beauce* (Musset).

Né natif est de la langue populaire.

270 NÉGOCIER *un virage.* L'expression n'est pas, selon Sauvageot, le calque de l'anglais *to negociate a curve ;* elle procède d'un emploi métaphorique de *négocier* (cf. *négocier* un traité, un arrangement, etc.). — On peut dire, sans incorrection, « négocier un virage » : NÉGOCIER *montées et descentes infernales* (J. Kessel).

Toutefois l'expression reste critiquée. Robert Le Bidois la rejette et recommande de s'en tenir à *prendre un virage.*

271 **NOM** *(petit ~).* Dans l'usage familier, *petit nom* se dit pour « prénom » : *Quel est votre* PETIT NOM ? (M. Achard.)

272 **NOTABLE / NOTOIRE.** Distinguez : *notable :* digne d'être signalé : *Parole* NOTABLE. *Dommage* NOTABLE. *Différence* NOTABLE. *Les* NOTABLES *de la ville.*

Notoire : connu généralement, manifeste : *C'est une vérité* NOTOIRE (Ac.). — *Voilà une preuve* NOTOIRE *et convaincante* (Id.).

273 N.B. Dans le même ordre d'idées, on distingue *notabilité* = caractère de ce qui est notable : *Sa* NOTABILITÉ *est incontestable* (Ac.) — ou : personnage notable : *Les* NOTABILITÉS *de la ville* (Id.), — d'avec *notoriété* = connaissance générale, publique d'un fait : *Cela est de toute* NOTORIÉTÉ, *de* NOTORIÉTÉ *publique* (Id.).

274 **NUISANCE :** « Ce mot, disait Littré, très anciennement français, nous le reprenons maintenant aux Anglais, qui l'ont retenu des Normands. » — *Nuisance* (ignoré de l'Académie), « caractère de ce qui est nuisible, chose nuisible », assez peu employé depuis le milieu du XIXe siècle, a repris aujourd'hui une grande vigueur, notamment dans les textes où il s'agit de l'« environnement » ou de la « pollution ».

275 **OBSERVANCE / OBSERVATION.** On emploie *observance,* pour désigner la pratique d'une règle ou d'une loi, en matière religieuse : *L'*OBSERVANCE *de la règle dans les maisons religieuses* (Ac.). — *L'*OBSERVANCE *du jeûne* (Id.). — Parfois aussi, en parlant d'une règle non religieuse : *J'avoue avoir attaché à cette condition* [l'euphonie des vers] *une importance première, et avoir sacrifié beaucoup à son* OBSERVANCE (P. Valéry).

Dans cette dernière acception (règle non religieuse), *observance* est généralement remplacé par *observation : Une stricte* OBSERVATION *de tel règlement.*

276 **Œ-** se prononce *é* (et non *eu*) dans : *Œcolampade, Œdipe, Œnone, Œta, Mœris, Pœcile, fœtus, œcuménique, œdème,*

œnologie, œsophage ; — *eu* (l'*eu* de *feu*) dans des noms allemands ou scandinaves, comme : *Bjœrnson, Gœthe, Gœring, Jœnkœping, Kœnig, Malmœ, Œrsted, Tromsœ,* etc.

277 ŒUVRER, verbe ancien, est fréquemment employé de nos jours, là où l'on veut colorer l'idée de « travailler » d'une teinte noble et évoquer des efforts courageux, une tâche haute, la poursuite d'un idéal, etc. : *Souhaitant une victoire et* ŒUVRANT *pour y aider* (P.-H. Simon). — *Les biologistes soviétiques de l'école mitchourinienne ont* ŒUVRÉ *dans la bonne route* (J. Rostand).

278 OLYMPIADE. Ce mot désigne, en termes d'antiquité grecque, l'espace de quatre ans compris entre deux célébrations des fêtes olympiques. Tel est le seul sens donné par l'Académie. — Cependant *olympiade,* en dépit des puristes, peut désigner aussi les jeux olympiques eux-mêmes (en grec *olympias* avait la double valeur de « célébration des jeux olympiques » et de « période de quatre ans »). — Toutefois, de nos jours, pour désigner les jeux eux-mêmes, c'est presque toujours *jeux olympiques* qu'on emploie.

279 OPTION. Mot « dans le vent », que beaucoup, notamment dans le monde des hommes politiques et des journalistes, estiment plus élégant que le bon vieux mot *choix : La meilleure des* OPTIONS *proposées au pays.*

280 ORTHOGRAPHE. Veillez à la bien mettre dans les mots suivants :

N.B. L'orthographe indiquée ici est, en général, celle que donne la dernière édition du Dictionnaire de l'Académie (1935).

aba*tt*age	a*b*réviation	acco*mm*oder
aba*tt*ant	absin*th*e	accou*r*ir
aba*tt*is	acan*th*e	a*cc*ro*c*
a*bb*aye	a*cc*almie	acc*u*eil
ab*h*orrer	accessi*t*	acol*yt*e
aboi*e*ment	acco*l*er	a*c*quies*c*er

- a*ff*oler
- a*gg*lomérer
- a*gg*raver
- agra*f*e
- a*g*randir
- a*g*réger
- a*g*resseur, -ssion
- a*g*ripper
- air*e* (nid)
- ai*s* (planche)
- a*l*igner
- ali*z*és (vents ~)
- a*ll*onger
- a*l*ourdir
- am*a*nde (fruit)
- am*e*nde (taxe)
- amé*thy*ste
- amphi*t*r*y*on
- anana*s*
- a*n*oblir
- anon*y*me
- antécéd*e*nt
- an*th*ologie
- an*th*rax
- an*th*ropophage
- antipa*th*ie
- a*p*ercevoir
- a*p*lanir
- a*p*lomb
- apocr*y*phe
- a*p*oster
- appa*s* (charmes)
- appâ*t* (pâture)
- appe*l*er
- a*pp*endice
- aqui*l*on
- a*r*aignée
- a*r*ête
- ari*th*métique
- ar*ô*me
- a*rrh*es
- a*sc*en*s*ion
- a*sc*ète
- asphal*t*e
- asph*y*xie
- ass*e*oir
- asso*n*ance
- assuje*tt*ir
- as*th*me
- a*th*ée
- a*th*lète
- a*t*mosphère
- a*tt*ra*p*er
- au*l*ne, aune (arbre)
- au*th*entique
- auxi*li*aire
- av*e*nture

- *b*abi*l*
- ba*cc*alauréat
- ba*cc*ar*a* (jeu)
- badig*e*on
- ba*f*ouer
- bahu*t*
- bal*ai*
- ballo*tt*er
- ba*ll*uchon ou ba*l*uchon
- b*an* (publication)
- bandero*l*e
- bandou*li*ère
- banlieu*e*
- ba*nn*ière
- barbo*t*er
- barcaro*ll*e
- baro*nn*ie
- ba*rr*age
- ba*rr*ette
- ba*rr*icade
- ba*rr*ique
- bari*l*
- bar*y*ton
- baza*r*
- beffr*oi*
- b*e*sicles (sans accent)
- bett*e*rave
- biai*s*
- biblio*th*èque
- bi*cy*clette
- bi*f*teck
- bien-aimé ou bienaimé
- biza*rr*e
- bo*î*te
- bo*n*a*ss*e
- bona*c*e (t. de marine)
- bonho*m*ie
- bo*n*ifier
- boug*e*oir
- boul*e*dogue
- boul*e*vard
- boul*e*verser
- bour*gm*estre
- boursou*f*ler
- bousso*l*e
- boute-en-train
- brocar*d* (raillerie)

brocar***d*** (t. de chasse)
brocar***t*** (étoffe)
broui***ll***on
bud***g***et
bu***ff***le
bu***t***er (~ contre)
bu***t***é (obstiné)

cacho***tt***ier
cahot (secousse)
cahu***t***e
calembou***r***
cal***e***pin
ca***l***o***tt***e
campani***l***e
cam***ph***re
ç***o***u***rr***ier
ca***n***nelle
cano***nn***ade
cano***nn***ier
ca***p*** (de pied en ~)
cap***e*** (de ~ et d'épée)
cara***f***e
ca***r***otte
ca***rr***efour
ca***rr***osse
ca***rr***ou***s***el
ca***rr***ure
catacl***y***sme
ca***t***afalque
cata***rrh***e
ca***t***échisme
ca***t***é***ch***umène
ca***t***égorie
céans (ici)
cellu***l***e

cène (repas)
censé (supposé)
cerc***u***eil
cerf***e***uil
certe***s***
chair***e*** (d'église)
ch***ant*** (brique posée de ~)
chaos (confusion)
cha***r***iot
cha***rr***ette
cha***s*** (d'aiguille)
chère (bonne ~)
chloroforme
chœur (d'église)
choléra
chrême (saint ~)
chréti***en***té
chromoli***th***ographie
chr***y***salide
chr***y***san***th***ème
cigu***ë***
cilice (chemise)
circonstan***c***iel
circ***u***mnavigation
circ***u***mpolaire
ci***th***are
cla***pp***er
clapo***t***er
cle***f*** ou clé
cler***c***
clo***w***n
coin***g*** (fruit)
colo***n***el
col***z***a
comba***t***if
compar***u***tion

concu***rr***ence
confiden***t***iel
conne***x***ion
conso***n***ance
con***tr***avis
contrecoup
cont***ro***rdre
à co***r*** et à cr***i*** (sing.)
cor***e***ligionnaire
co***r***o***ll***e
co***rr***idor
cou***r***ir
crava***t***e
cr***y***pte
c***u***eillir
{ cuill***er*** ou cuill***ère*** }
cuiss***ot*** (venaison)
cuiss***eau*** (de veau)
c***y***clone
c***y***gne
c***y***lindre
c***y***près

da***h***lia
da***m***
da***mn***er
da***tt***e (fruit)
davantage
déba***rr***asser
débri***s***
décl***e***ncher
décrép***i*** (mur ~)
décrépi***t*** (vieillard ~)

dégou*tt*er (de *goutte*)
dé*gin*gandé
délét*è*re
dénou*e*ment ou
dén*oû*ment
dénu*e*ment
dépen*s* (aux ~ de)
désa*rr*oi
dess*ein* (projet)
de*ss*iller
déto*n*er (faire explos.)
déto*nn*er (sortir du ton)
d*eu*il
déve*l*o*pp*er
diè*s*e
différen*d* (contestation)
dile*mme*
diph*t*ongue
d*i*pt*y*que
distin*c*t
dolla*r*
dorlo*t*er
dortoi*r*
dou*ceâ*tre
dou*ai*rière
ductil*e*
d*y*senterie

e*cchy*mose
e*c*clésiastique
écha*f*aud
échalo*t*e
échau*ff*ou*r*ée
écho
écho*pp*e
écot (quote-part)
éc*u*eil
ec*z*éma
égou*tt*er
égr*e*ner ou égr*ai*ner
él*y*tre
emba*rr*asser
e*m*bo*n*point
emmitou*f*ler
emph*y*sème
enc*oi*gnure
enc*y*clopédie
enli*s*er (s'~)
e*n*org*u*eillir
en*t*érite
ent*ra*ccorder (s'~)
ent*ra*ccuser (s'~)
ent*r*acte
ent*ra*dmirer (s'~)
ent*rai*de
ent*rai*der (s'~)
entr'aimer (s'~)
entr'apercevoir
entr'appeler (s'~)
entr'avertir (s'~)
entr'égorger (s'~)
ent*ro*uvrir
entr*e* autre*s*
entr*e* eux
entregen*t*
env*i* (à l'~)
épi*th*ète
époumo*n*er
ère (époque)
erro*né*
ér*y*sipèle ou
ér*é*sipèle
Ér*i*nn*y*es
esbrou*f*e
essai*m*
esso*r*
essou*ff*lé
essuie-mai*n*
es*th*étique
éta*l*er
état civil (sans trait d'union)
état-major
*ê*tres (dispos. des lieux)
étud*e* (salle d'~, maître d'~)
ét*y*mologie
e*xa*ucer
ex*c*édent
ex*c*eller
ex*c*eption
ex*c*iter
excl*u*
ex*h*aler
ex*h*ausser
ex*h*iber
ex*h*orter
ex*h*umer
exig*ea*nt
exig*en*ce
e*xo*rbitant
exp*a*nsion
ex*s*angue
ext*en*sion
e*xu*bérant

fai*x* (fardeau)
fami*li*er

fanfaro*nn*ade
f*ao*n
*f*aramineux (*ph*a-)
farniente
fati*g*ant (adj.)
fati*gu*ant (part. pr.)
fa*s*cicule
fer-blanc
févero*le*
filigra*ne*
flo*tt*ille
flu*x*
folklore (folk-lore)
fondé de pouvoi*r*
fon*ts* (baptismaux)
football
fo*r* (~ intérieur)
for*c*ené
fourmi*li*ère
fou*rr*ure
fusi*li*er (~ marin)

gag*eu*re
gai*e*ment
gai*e*té
gargo*t*e
gau*f*re
ga*z*e (étoffe)
gentlem*a*n
ge*ô*lier
gi*f*le
gl*y*cérine
gou*ff*re
grâc*e* ou grâce*s* (rendre ~)
grand-mère
grele*tt*or

griffo*nn*er
grigno*t*er
gr*oo*m
groseill*i*er

h*ai*re (cilice)
ham*e*çon
ha*r*assé
ha*s*ard
ha*sch*i*ch* ou ha*ch*i*sch*
*h*éca*t*ombe
hémic*y*cle
hémo*rr*agie
hér*aut* (messager)
h*è*re (pauvre ~)
heur*t* (coup)
hiérogl*y*phe
H*i*ppol*y*te
homéopa*th*ie
homon*y*me
hôtel de ville
hourr*a*
h*y*drop*i*sie
h*y*dro*th*érapie
h*y*giène
h*y*perbole
h*y*pnotisme
h*y*pocrisie
h*y*po*t*énuse
h*y*po*th*èque
h*y*stérie

id*y*lle
i*m*aginer
imbéci*ll*ité
imbroglio

inclu*s*
ind*e*mniser
inno*mm*able
inno*m*é
i*n*onder
inté*r*esser
i*r*ascible
is*th*me

ja*q*uemart
ja*q*uette
jave*l* (eau de ~) ; abusivement : de jave*lle*
joa*ill*ier
jo*c*key
journ*a*ux
juvénil*e*

k*y*rielle
k*y*ste

lab*y*rin*th*e
lac*s* (lacet)
la*i* (frère ~)
lan*ga*ge
La Palic*e* ou La Paliss*e*
la*p*er
la pl*u*part
lar*y*nx
le*gs* (don fait par testament)
lé*th*argie
leu*rr*e
levr*aut*

L*i*b*y*e
lieu*e* (mesure itin.).
ligo*t*er
l*i*s ou l*y*s
lourd*aud*
l*y*cée
l*y*nx

mar*aud*
margu*ill*ier
mario*nn*ette
marque*t*erie
marro*nn*ier
Méditerra*n*ée
mélè*z*e
me*ss* (table des offic.)
métemps*yc*ose
mill*i*ard
millio*nn*aire
millio*n*ième
m*i*lord
m*i*san*th*rope
m*i*sog*y*ne
m*i*te (insecte)
m*oe*lle (sans tréma)
m*oe*llon (id.)
m*œ*urs
monoli*th*e
moric*aud*
mor*s* (du cheval)
mou*r*ir
mu*f*le
m*û*rir
m*y*ope
m*y*osotis
m*y*riade
m*y*rmidon
m*yth*e (récit)

néa*n*moins
nénu*ph*ar
néoph*yt*e
ni*ck*el

o*cc*ulte
o*cc*uper
occu*rr*ence
od*y*ssée
*œ*cuménique
*œ*sophage
*œ*uvre
*oi*gnon
ol*y*mpiade
opi*ni*on
opi*ni*âtre
or*es* (d'~ et déjà)
org*u*eil
or*th*odoxe
or*th*ographe
ox*y*gène

pa*i*ement ou
pa*y*ement
pam*ph*let
panari*s*
panég*y*rique
pan*th*ère
pantomi*me*
pantou*f*le
p*ao*n
papi*li*onacé
papillo*nn*er
papillo*t*e
papillo*t*er
pap*y*rus
para*f*e (-*ph*e)
parallél*i*pipède
pa*rc*imonie
parlo*t*e
parm*i*
parox*y*sme
pa*th*étique
patro*n*age
patro*n*al
patro*nn*er
péniten*t*iaire
p*é*pin
périst*y*le
persi*f*ler
perv*e*nche
*ph*antasme (*f*an-)
philan*th*rope
*ph*iltre (breuvage)
ph*t*isie
ph*y*lloxera
ph*y*sique
piloti*s*
plaid*oi*rie
pl*ai*n-chant
pl*ai*n-pied (de ~)
plébi*s*cite
plé*th*ore
pl*i*
plin*th*e
pol*y*chr*o*me
pol*y*pt*y*que
pon*ey*
por*e* (de la peau)
porph*y*re
pos*th*ume

poulai*ller*
pou*ls* (battement des artères)
presb*y*te
printa*n*ier
pro*f*esseur
prosél*y*te
pseudon*y*me
ps*ych*ologie
puit*s*
pullu*l*er
p*un*ch
p*y*gmée
p*y*ramide

quan*t* à
quin*c*once
quinca*illi*er
quinte*ss*ence

racco*mm*oder
ra*cc*ourcir
raffi*n*er
raffo*l*er
rall*ie*ment
ramo*n*er
ranc*œ*ur
rastaq*uou*ère
ra*t*iociner
rec*u*eil
réd*h*ibitoire
réfle*x*ion
reflu*x*
ré*h*abiliter
rembl*ai*
{ remerc*ie*ment
parfois : -*î*ment }
remord*s*
remou*s*
relai*s*
r*ê*ne (courroie)
rep*è*re (point de ~)
ré*s*ipi*s*cence
réso*n*ance
re*ss*u*sc*iter
retor*s*
ret*s* (filet)
{ révei*lle*-matin ou
rév*eil* }
*rh*apsodie
*rh*étorique
*rh*inocéros
*rh*ubarbe
*rh*um
*rh*umatisme
rit*e*
roug*e*ole
r*yth*me

sa*bb*at
salam*i*
salmi*s*
s*aou*l ou so*û*l
sarco*ph*age
sat*i*re (attaque)
sat*y*re (mythol.)
s*aynète*
sc*hah* (de Perse)
sceau (cachet)
scène (de théâtre)
scission
sciure
*s*éance
*s*eau (récipient)
sébi*l*e
sein*g* (signature)
servil*e*
s*i*b*y*lle
si*ff*ler
si*lh*ouette
*s*ite
{ si*x*ain ou
si*z*ain }
so*f*a ou so*ph*a
soi-disant
sou*ff*ler
souffle*t*er
sou*f*re
s*ou*pente
s*ous*-pied
sp*eech*
sph*i*nx
spl*ee*n
st*ea*mer
substan*t*iel
succin*c*t
sura*nn*é
surs*e*oir
sursi*s*
s*y*barite
s*y*métrie
s*y*mpa*th*ie
s*y*mptôme
s*y*ncope
s*y*non*y*me
s*y*nthèse

taffeta*s*
{ ta*nn*in ou
ta*n*in }

t***ao***n (insecte)
télé***ph***érique ou -***f***érique
térében***th***ine
thauma***t***urge
théologie
thérapeutique
thésauriser
thon (poisson)
th***y***m
ti***ll***eul
timo***n***ier
tintama***rr***e
tiss***u***
t***oa***st
to***cs***in
torticoli***s***
traditio***n***alisme
trafi***qu***ant
tranqui***ll***ité
transcend***a***ntal
tran***s***ept
transfer***t***
tra***pp***e
tra***p***u
tremblo***t***er
tr***icy***cle
tri***p***t***y***que
trombo***ne***
trompe***t***er
tru***qu***age
t***ym***pan
t***y***phoïde
t***y***phus
t***y***pographie
t***y***ra***nn***ie

u***k***ase
va***c***iller
vaisse***l***ier
vérand***a***
vergla***s***
verni***s*** (nom)
vern***i*** (adj. ou partic.)
versatil***e***
vif-argent
vi***sc***ère
v***oi***rie
voisi***n***er
volontier***s***

w***h***isk***y***
w***h***ist

zéph***yr***
zoologie

281 PAGAILLE, grand désordre. L'Académie donne les trois orthographes *pagaïe, pagaille, pagaye*. Dans l'usage, c'est *pagaille* qui prévaut.

282 PAIN D'ÉPICE(S). L'Académie écrit : *pain d'épice*, mais on écrit souvent aussi *pain d'épices : Lorsque je me suis vu représenté en* PAIN D'ÉPICE (H. Bordeaux). — *Les boutiques de* PAIN D'ÉPICES (A. Maurois).

283 PANACÉE (du grec *pan*, tout, et *akeia*, remède). — Théoriquement *panacée universelle* est un pléonasme, mais si l'on considère que peu d'usagers ont vraiment conscience de la valeur étymologique de *panacée*, on peut, avec une certaine complaisance, admettre qu'on joigne à ce mot l'épithète *universelle*. On y est d'ailleurs incité par un usage assez fréquent : *Chimie du moyen âge, qui (...) cherchait la* PANACÉE UNIVERSELLE (Littré, au mot *alchimie*). — *Ne croirait-*

on pas que j'ai dans ma boutique la PANACÉE UNIVERSELLE ? (Musset.) — *Cette* PANACÉE UNIVERSELLE *gardée dans les magasins du Gouvernement* (A. Daudet).

284 PAPIER. Le papier employé pour tapisser les murs s'appelle *papier peint* ou *papier-tenture* ou *papier de tenture* ou *tenture de papier,* ou simplement *papier : Manufacture de* PAPIERS PEINTS (Ac.). — *Le* PAPIER DE TENTURE *était lie de vin* (Fr. Mauriac). — *Je me retrouve dans cette petite chambre aux* TENTURES DE PAPIER *blanc et rose* (É. Henriot). — *Il a renouvelé les* PAPIERS *de son appartement* (Ac.).

Ne dites pas : *du beau tapis* pour *du beau papier peint.*

285 PARENTAL (qui a cherché à s'introduire au XVIe siècle) n'est entré dans l'usage général que depuis six ou sept décennies. Avec André Goosse (qui en donne, dans la *Libre Belgique* du 20 avr. 1970, des exemples d'Aragon, de Montherlant, de J. Leclercq, de J. Rostand, de Th. Maulnier, de Ph. Hériat), on constatera que *parental* est aujourd'hui de plein usage.

286 PARTITION, employé en parlant d'un pays, d'un territoire, est, comme l'Académie le fait observer (communiqué du 20 mai 1965), un doublet inutile de *partage.*

287 PARUTION. Le mot est ignoré par l'Académie et rebuté par les puristes, qui ne veulent connaître que *publication, mise en vente, apparition* pour désigner l'action de paraître en librairie.

Le mot est courant dans l'usage actuel : *Dès sa* PARUTION [d'une revue] (G. Bernanos). — *La* PARUTION *d'un ouvrage illisible* (M. Aymé). — *Depuis la* PARUTION *du tome X* (A. Billy).

288 PASSAGER. L'adjectif *passager* peut se dire en parlant d'une rue, d'un lieu très fréquenté, où il passe beaucoup de monde : *Dans les rues* PASSAGÈRES *et marchandes* (A. Vandal). — *Au Jardin public, dans le coin le moins* PASSAGER (É. Henriot).

— Pour Thérive, *passager*, en ce sens, se justifie aussi bien que *passant*. — Mais c'est ce dernier adjectif qui s'emploie ordinairement : *Chemin* PASSANT (Ac.). — *Rue* PASSANTE (Id.).

289 **PASSATION**, au sens strict, désigne l'action de passer un contrat, un acte, une écriture comptable. Dans un sens néologique (XXe s.), il s'emploie aussi en parlant de la transmission des pouvoirs : *Lors de la* PASSATION *des pouvoirs* (L. Treich). — Emploi condamné par l'Académie (cf. *Défense de la Langue franç.*, nov. 1969, p. 5).

290 **PEAU DE POULE**. On dit parfois : *cela me fait venir, me donne la peau de poule* (= me fait frissonner) : *M. Thomas accepte, sans enthousiasme, « affectionner » qui me donne la* PEAU *de poule... Que ceux qui préfèrent « chair de poule » relisent Anatole France... et Jean-Jacques Brousson* (R. Kemp).

Mais l'expression ordinaire, c'est « chair de poule » : *Cela fait venir la* CHAIR *de poule* (Ac.). — *J'en ai la* CHAIR *de poule* (Id.).

291 **PECCAMINEUX** (de l'ital. *peccaminoso*, lat. ecclés. *peccamen*, péché) s'applique, en théologie morale, à ce qui a le caractère du péché. Il est rare dans l'usage ordinaire : *Une tendance* PECCAMINEUSE *qui va vers la destruction de soi* (G. Bernanos). — *N'y prend-il pas une délectation* PECCAMINEUSE ? (P.-H. Simon.)

292 **PÉCUNIER**. Le mot est signalé (et non condamné) par Littré, qui note (au mot *pécuniaire*) : « On dit quelquefois *pécunier* ». Il se rencontre parfois dans la littérature : *La chose* PECUNIERE (D'Aubigné). — *Des indemnités* PÉCUNIÈRES (Stendhal). — *Des difficultés* PÉCUNIÈRES (Lévis-Mirepoix).

On ne tirera pas argument cependant des rares exemples qu'on en trouve, et l'on emploiera *pécuniaire*, qui est des deux genres : *Des embarras, des difficultés* PÉCUNIAIRES.

293 **PEINTURER** : « enduire d'une couleur ou de plusieurs, sans autre dessein que d'ôter à l'objet sa couleur naturelle : PEINTURER *un treillage, un lambris.* » (Littré). — En cet emploi, le mot est vieux. Dans l'usage courant, il signifie « peindre d'une façon grossière » ; c'est à peu près le synonyme de *peinturlurer.*

294 **PERDURER** = durer indéfiniment. Vieux verbe ne figurant pas dans les dictionnaires (excepté Bescherelle, qui le déclare « inusité »). Rare en France, mais non en Belgique, où il signifie « continuer, persister ». Pour Deharveng, il est « inutile ».

Perdurable (= éternel, qui doit durer toujours) est, selon Littré, un « mot vieilli, mais qui pourrait être repris ».

295 **PÉRIL EN LA DEMEURE.** Dans « Il y a (ou : il n'y a pas) péril en la demeure », *demeure* signifie « retard, retardement, délai », et le sens est : « le moindre retard peut (ou : ne peut pas) causer un grand préjudice ».

296 **PÉRIPÉTIE.** Ce mot signifie : « changement subit et imprévu d'un état dans un autre » ou, par extension : « événement imprévu »: *Toutes les* PÉRIPÉTIES *de cette agonie* (R. Martin du Gard, dans Robert). — L'Académie (communiqué du 2 oct. 1969) fait observer que *péripétie* ne peut pas se prendre au sens d'« événement *mineur* ».

297 **PÉRIPLE** (grec *periploûs,* de *peri,* autour, et *ploûs,* navigation). Sens étymologique : « navigation autour d'une mer ou des côtes d'un pays, d'une partie du monde, etc. » — Avec l'Académie (voir sa mise en garde dans *Défense de la Langue française,* juin 1972, p. 59), les puristes s'en tiennent à la signification originelle du mot. À tort : par extension, *périple* a pris, dans l'usage moderne, les valeurs de « grand voyage, randonnée, tour, tournée, longue excursion, etc. », par voie quelconque (mer, terre, air), et que le déplacement soit circulaire ou non : [La Terre] *dans son* PÉRIPLE *autour*

du Soleil (A. Billy). — *Au terme d'un* PÉRIPLE *qui les eût menés de Mende à Draguignan, de Draguignan à Digne...* (P. Guth). — *On s'était passionné pour le* PÉRIPLE *atlantique de Lindbergh et de sa femme* (J.-P. Chabrol). — *Le* PÉRIPLE [un voyage de Turin à Lyon] *fut à la fois magnifique et joyeux* (Ph. Erlanger).

Dans sa mise en garde, l'Académie admet que *périple* « peut signifier extensivement *voyage circulaire* ».

298 **PISTOLET.** S'emploie tout à fait couramment en Belgique pour désigner un petit pain de forme à peu près ronde, ou ovale, ou un peu allongée selon les régions, fendue au milieu, et qu'on garnit souvent, comme les sandwichs, de jambon, de fromage, de charcuterie. — Le mot, en ce sens, est signalé par le Dictionnaire général, par le Grand Larousse encyclopédique et par Robert ; il est d'usage, en particulier dans le Midi, notamment dans le Sud-Ouest. Deharveng en note l'emploi dans un roman de F. Fabre (*Ma Vocation*, p. 143), dont l'action se passe à Montpellier : *Quantité de* PISTOLETS, *petits pains longs à croûte vive.* — Autre emploi dans un roman d'É. Henriot (*Les Temps innocents*, p. 159), dont l'action se passe près de Bordeaux : *Aller chercher le pain chez Escartefigue, ce pain tout brûlant encore, et fleurant la farine honnête, façonné en couronne mince, nommée coque ou bien en petits pains, dits* PISTOLETS.

299 **PLAINTE.** En parlant d'un grief exposé en justice, on dit : *porter plainte, déposer une plainte contre qqn.* L'Académie (communiqué du 2 oct. 1969) condamne *déposer plainte.*

300 **PLAN(T)** *(rester* ou *laisser en ~).* Littré estime que ces locutions sont de la famille de *planter* (cf. : *planter là*), et écrit : *en plant.* — Quelques-uns adoptent cette orthographe : [Poèmes] *qu'elle laissait en* PLANT (J. Maritain). — *Joseph (...) me laissa en* PLANT (M. Blancpain).

Mais l'usage est nettement établi d'écrire *en plan : Rester en* PLAN (Ac.). — *Laisser en* PLAN (Id.). — *Je ne peux pas laisser tout en* PLAN *comme ça* (H. Troyat).

301 PLANTER, SEMER *des pommes de terre.* On dit : « *planter* des pommes de terre » ; *Je* PLANTE *des pommes de terre* (G. Duhamel). — *Leur faire* PLANTER *des pommes de terre* (É. Henriot). — Moins ordinairement : « *semer* des pommes de terre » : *Le gardien (...) a profité du terrain vide pour y* SEMER *des pommes de terre* (Flaubert).

302 PLASTIC / PLASTIQUE. Distinguez : le *plastic* (emprunté de l'anglais), masse d'explosif : *Attentat au* PLASTIC, — d'avec le *plastique,* mélange contenant une matière de base susceptible d'être moulée : *Il déteste les fermetures-éclair, le nylon, le* PLASTIQUE *sous toutes ses formes* (É. Henriot).

303 PLAT DE CÔTES, en termes de boucherie : partie plate des côtes de bœuf : *J'ai demandé du* PLAT DE CÔTES (Ac.). — L'Académie note qu'on dit aussi *plates côtes.*

304 POIGNER. Ce verbe, hasardeusement formé à la faveur de *poignant* (du verbe *poindre,* piquer) et attiré dans l'orbite de *poigne* et de *empoigner,* a été employé par quelques écrivains au sens de « serrer, étreindre » : *Un sentiment profond de regret a* POIGNÉ *mon cœur* (Chateaubriand). — *Un nouveau malaise le* POIGNA *au ventre* (H. Troyat).

Opinion de Littré : « il n'y a point de verbe *poigner* » ; — de l'Académie (mise en garde du 13 nov. 1969) : « *poigner* est un barbarisme ».

305 POIL DE LA BÊTE *(reprendre du ~).* On a pu croire anciennement que la morsure d'un chien se guérissait par un poil de la queue de la bête ; de là, le sens : « chercher le remède d'un mal dans la chose même qui l'a causé » : *Quand on est fatigué pour avoir trop couru à la chasse, il faut reprendre du poil de la bête* (Bescherelle). — Sens actuel : « se ressaisir, reprendre le dessus, regagner de l'énergie, recommencer »: *Après une période de découragement, il a repris du poil de la bête* (Ac.). — *Loin de sa femme, ce petit quadragénaire gras reprenait du poil de la bête* (Fr. Mauriac, dans Robert).

306 POINT DE VUE, si l'on en croyait certains puristes, ne pourrait pas s'employer au sens de « opinion particulière, appréciation ». — Il ne faut pas les croire ; on dit très bien : *Je ne puis partager le* POINT DE VUE *optimiste de Schlumberger* (Fr. Mauriac). — *La délégation française expose alors son* POINT DE VUE (A. Maurois). — *Vous m'avez fait connaître votre* POINT DE VUE (Ch. de Gaulle).

Au sens de « point de vue, manière de voir », on emploie fréquemment, dans l'usage actuel, *optique : Considérer les choses dans une nouvelle* OPTIQUE.

307 POLICLINIQUE, POLYCLINIQUE. Si l'on tient compte de l'étymologie, on distinguera : *polyclinique* (grec *polus,* nombreux) = clinique générale, où se donnent toutes sortes de soins, — d'avec *policlinique* (grec *polis,* ville) = « établissement où l'on donne un enseignement et des soins médicaux, mais où les malades ne sont pas hospitalisés ; clinique établie ou fonctionnant aux frais d'une commune » (Robert).

Mais, dans la pratique, à cause de l'idée commune de « où se donnent des soins », les deux mots sont souvent confondus, et cela est assez excusable. — D'autre part, comme l'élément grec *poly-* (= nombreux) se trouve dans nombre de termes techniques (*polygone, polyèdre, polyvalent,* etc.), il paraît probable que l'orthographe *polyclinique* supplantera l'autre.

308 POLITICIEN : personne qui, soit dans le gouvernement, soit dans l'opposition, exerce une action politique.

Selon l'Académie, « il se prend en mauvaise part ». Non pas nécessairement cependant : *Elle excelle (...) à débrouiller en* POLITICIENNE *accomplie le dessous compliqué des affaires* (É. Henriot, dans Robert).

Mais, en fait, le mot se prend le plus souvent dans un sens péjoratif : *Tous les* POLITICIENS *retors qui se partagent le pouvoir en Europe* (R. Martin du Gard, dans Robert). —

Alfred Capus se présenta contre Léon Bourgeois et triompha de ce POLITICIEN *banal et fastidieux* (H. Bordeaux).

Sans nuance péjorative : *un homme politique.*

309 PORT D'ARMES se dit du « droit de porter des armes pour chasser » ou d'une « pièce administrative constatant qu'on a le droit de chasser » (Ac.) : *Il lui venait l'idée d'aller en Amérique pour être libre, (...) chasser en terre vierge et sans* PORT D'ARMES (E. et J. de Goncourt). — On dit aussi, en ce sens, *permis de chasse : Sans le certificat du curé, (...) point de* PERMIS DE CHASSE (Taine).

310 PORTE. 1. On dit bien : « la porte de la rue » : *On frappa rudement à la* PORTE DE LA RUE (Mérimée).

2. On dit parfois « trouver porte de bois » = ne trouver personne, ou n'être pas reçu dans la maison où l'on va : *C'est un plaisir que tu aurais eu plus tôt si je n'avais pas trouvé cinq ou six fois* PORTE DE BOIS (M. Pagnol). — Mais les expressions normales sont : *trouver visage de bois, trouver porte close.*

311 POSE / PAUSE. On lit, dans le Dictionnaire de l'Académie : « *Pause :* suspension, interruption momentanée d'une action : *Dans un long travail, il faut des* PAUSES » — et « *Pose :* action de poser, de mettre en place. »

Une petite difficulté d'orthographe : quand il s'agit de la durée de travail d'une équipe ou de cette équipe elle-même, faut-il écrire *pause* ou *pose* ? On peut hésiter, d'autant que *pause* et *pose* viennent tous deux du latin *pausa.* Comme André Goosse le note, la forme *pose* peut être préférée « si l'on considère (...) que *pose,* dans cette circonstance, désigne l'équipe qui est *posée,* mise en place, et le temps pendant lequel elle est *posée* ».

En fait, des confusions se produisent assez souvent ; dans les exemples suivants, au lieu de *pose* on pourrait écrire *pause : Élie de Nacre fit une* POSE *tandis qu'un express sans doute, semblait traverser le tunnel de sa cervelle. Il reprit :...*

(Fr. Jammes). — *Il fit une* POSE (...) *et enchaîna :...* (Vercors). — *En attendant que le rideau se relève sur la nouvelle troupe, je fais une* POSE (Fr. Mauriac).

312 POSER UN ACTE. Cette expression est fréquente, non seulement en Belgique, mais aussi en France, dans le langage des ecclésiastiques (cf. lat. ecclésiastique *ponĕre actum*). Elle se rencontre également dans la littérature générale : [Le docteur Ramsey] *rendait visite à Paul VI (...)* POSANT *ainsi l'acte le plus important accompli depuis la Réforme dans le sens d'un rapprochement de l'Église anglicane et de l'Église romaine* (J. Daniélou). — *Je n'avais pas l'intention de* POSER *un acte universel* (P. Boulogne). — *Il* POSE *librement des actes bons et méritoires* (J. Maritain). — *L'acte qu'il va* POSER (H. Guillemin). — POSER *des actes méthodiques* (P.-H. Simon).

Dans l'usage traditionnel, on dit : *faire* ou *accomplir un acte,* — et si l'acte est blâmable : *commettre un acte* (s'il s'agit d'un acte criminel : *perpétrer*).

313 POSTER. On dit, en parlant d'une lettre qu'on confie à la poste : *la mettre à la poste, la jeter à la poste, la mettre* ou *la jeter à la boîte, dans la boîte.*

Mais le verbe *poster,* dans ce sens, s'est solidement implanté depuis la fin du XIXe siècle : *En allant* POSTER *une lettre affolée* (R. Kemp). — *Une lettre (...)* POSTÉE *à Odessa* (A. Maurois). — *Il avait* POSTÉ *à la gare les deux lettres* (Montherlant).

314 POUSSIÈRES. L'ustensile servant à ramasser les poussières, les balayures, les ordures, etc., c'est une *pelle à poussière* ou *pelle à ordures : Il attendait, une* PELLE À ORDURES *à la main, que Mme Alexandre fût sortie de la cour pour y lancer ses balayures* (M. Druon). — *Ramasse-poussière, ramassette* sont des provincialismes (Belgique, nord de la France).

Ne dites pas : « *prendre* les poussières »; dites : « *épousseter, ôter,* ou *enlever,* ou *essuyer,* ou *aspirer* la poussière, les poussières ».

Dans l'usage familier, ces petits amas de poussière qui se forment en flocons sous les meubles s'appellent *moutons* ou *chatons* (en Suisse : *minons* ou *mougnons*).

315 PRÉMICES / PRÉMISSES. Distinguez : *prémices* (lat. *primitiae,* premiers fruits), nom pluriel signifiant « premiers fruits, premiers produits (de la terre ou du bétail) qu'on offrait à la Divinité ; au figuré : « début » : *Abel offrit à Dieu les* PRÉMICES *de ses troupeaux* (Ac.).

Prémisse (lat. scolastique *praemissa,* sous-ent. *sententia,* proposition mise en avant) : dans un raisonnement (syllogisme), chacune des deux propositions d'où se tire la conclusion.

316 PRENDRE À PARTI(E). On a pu dire autrefois *prendre qqn à parti* (= lui faire un procès, lui imputer le mal qui est arrivé, s'en prendre à lui) ; cela ne se rencontre plus que rarement : *Il n'ose prendre à* PARTI *saint Jean de la Croix* (R. Kemp). — L'expression moderne est *prendre à partie :* [Il] *n'attendait plus que l'occasion de prendre à* PARTIE *le camarade mal inspiré qui l'avait pistonné pour ce poste de choix* (R. Dorgelès, dans Robert).

317 PRÉSENTER *(un examen)*. Dans une mise en garde du 5 nov. 1964, l'Académie rappelle que *présenter un examen* ne doit pas se dire pour *se présenter à un examen.*

318 PRÉSENTER, REPRÉSENTER. On dit bien, en usant de la forme pronominale : *Cette personne* SE PRÉSENTE *bien* = elle fait bonne impression par son physique, son maintien, sa tenue, ses manières.

On dit aussi, en se servant de la forme intransitive, non seulement *Cette personne* REPRÉSENTE *bien,* mais encore *Cette personne* PRÉSENTE *bien : Ce général a un air martial, il* REPRÉSENTE *bien* (Littré). — *Un grand seigneur qui est un homme du royaume qui* REPRÉSENTE *le mieux* (Montesquieu). — *J'avoue qu'il ne* PRÉSENTE *pas mal* (J. Cocteau). — *Vous avez fait une grande impression sur un jeune homme* PRÉSENTANT *bien* (H. Troyat).

319 **PRÉTEXTE.** Un *prétexte* est une raison qu'on allègue pour dissimuler le vrai motif d'un dessein, d'une action ; le mot implique une idée de « fausseté », et *faux prétexte* est pléonastique.

320 **PROMENER** *(aller se ~)*. On dit, en employant la forme pronominale : *Allons* NOUS *promener* (et non : *allons promener*). — *Aller* SE *promener* (Ac.). — *Allons, dit-il,* NOUS *promener un peu sous bois* (G. Duhamel).

À quelqu'un dont on est mécontent ou dont on veut se débarrasser, on dit, par humeur : *Va te promener, allez vous promener.* — Semblablement : *C'est un sot, un importun, qu'il aille se promener* (Ac.).

On dit, avec *envoyer : envoyer qqn promener* (= l'envoyer au diable) : *Je l'ai envoyé promener* (Ac.) ; — *envoyer qq.ch. promener* (= le rejeter, le renverser violemment).

321 **PSYCHÉDÉLIQUE.** Cet adjectif néologique, venu d'Outre-Atlantique (étymol. selon le Suppl. de Robert : du grec *psukhê,* âme, et *dêlos,* visible, manifeste ; proprement : « qui manifeste la *psyché* »), est un mot à la mode, qui se dit de l'état psychique résultant de l'absorption de drogues hallucinogènes, ou de drogues provoquant cet état. — Il s'applique aussi à ce qui évoque les visions de l'état psychique qui vient d'être défini (par exemple à des dessins, à un éclairage, à un spectacle, etc.).

322 **PYLÔNE.** Abel Hermant soutenait que *pylône* ne peut signifier rien d'autre que « avant-corps en forme de pyramide quadrangulaire et percée d'une porte » ou, par extension, « porte monumentale, portail ». Il n'y a, prétendait-il, aucun rapport entre un *pylône* et un *pilier.* — Opinion de puriste étroit.

Pylône se dit bien, non seulement de « chacun des piliers quadrangulaires ornant l'entrée d'une avenue, d'un pont » : *Les* PYLÔNES *du pont Alexandre III, à Paris* (Robert), — mais encore d'une construction destinée à supporter un échafaudage, des câbles, etc. : *Là-bas, une armature de*

PYLÔNES *géants (...). C'est une station de T.S.F.* (J. de Lacretelle). — *Quand les vents d'hiver ou les orages déclenchaient les disjoncteurs des* PYLÔNES *de la vallée* (A. Chamson). — *La voiture avait heurté un* PYLÔNE *de béton* (H. Troyat).

323 QUASI. Prononcez : *ka-zi* (non : *kwa-zi*). — Associé à un nom qui suit, il s'y joint par un trait d'union : QUASI-*contrat,* QUASI-*délit,* QUASI-*totalité.* — Pas de trait d'union dans les autres cas : *Il est arrivé* QUASI *mort* (Ac.). — *Des poires* QUASI *mûres.* — *Il ne vient* QUASI *jamais.* — *J'aime ceci* QUASI *autant que cela.* — Le mot vieillit ; on le remplace généralement par *presque* ou par *pour ainsi dire.*

Quasiment est familier et vieillit : *Je suis* QUASIMENT *tombé* (Ac.). — QUASIMENT *dépouillé du produit de son labeur* (P. Gaxotte).

324 RAI, RAIE, RAIS *(de lumière).* De ces trois formes, l'Académie ne mentionne que la première : *Un* RAI *de lumière entrait dans la chambre par les volets mal clos.*

Mais on écrit aussi : un *rais* ou (moins souvent) : une *raie : Le* RAIS *lumineux d'une lampe* (J. Renard). — *De la poussière de sciure (...) dansait dans un* RAIS *de soleil* (M. Genevoix). — *Elle eut la surprise de voir une* RAIE *de lumière sous la porte* (J. Green).

325 -RAMA, élément venu par aphérèse du grec *orama* (= spectacle, vue), foisonne dans la langue de la publicité : *discorama, cinérama, chaussurama,* etc., etc. — Son emploi est dénoncé par l'Académie (communiqué du 17 févr. 1966).

326 REBATTRE *(les oreilles).* On dit : *Il m'en a* REBATTU *les oreilles* (Ac.). — Ne dites pas : « *rabattre* les oreilles ». Exemple à ne pas suivre : *La musique et les chœurs d'Évolution-progrès, dont on nous rabattait les oreilles* (L. Daudet, *Le Stupide XIX*[e] *siècle,* p. 262). [Cf. la mise en garde de l'Académie (21 oct. 1965).]

327 **RÉCIPIENDAIRE.** Ce mot (masc. ou fém.) désigne la personne reçue dans quelque compagnie, dans quelque corps, avec un certain cérémonial : *À l'Académie française, le* RÉCIPIENDAIRE *prononce un remerciement* (Ac.). — *Le Roi vint féliciter la* RÉCIPIENDAIRE (G. Bauër, cit. Robert, Suppl.).

Le mot se dit aussi de « celui qui reçoit un diplôme universitaire, qui est bénéficiaire d'une nomination, etc. » (Robert). — Pour désigner celui (ou celle) qui se présente à un examen, c'est *candidat(e)* qu'on emploie : *Les* CANDIDATS *au baccalauréat* (Ac.). — *Le* CANDIDAT *a fort bien répondu à son examinateur* (Id.). — CANDIDAT *admissible, reçu ; refusé, retoqué, ajourné* (Robert).

328 **RÉCIPROQUER.** C'est là un vieux verbe français, employé dès le XVIe siècle, au sens de « rendre la pareille », mais tout à fait sorti de l'usage en France. Il est resté d'un emploi assez courant en Belgique, où l'on s'en sert, notamment à l'occasion de vœux ou de souhaits que l'on « réciproque » à l'époque du jour de l'an. — Abel Hermant déclarait : « Quelque autorité que l'on invoque en sa faveur, je lui refuse impitoyablement le droit de vivre sa vie. »

329 **RECONDUIRE.** Dans la langue de la jurisprudence, *reconduire* (lat. juridique *reconducĕre* = reprendre à bail) s'emploie au sens de « renouveler par *reconduction* », en parlant d'un contrat, d'un bail.

Reconduire et *reconduction* se disent couramment aujourd'hui, dans la langue de l'administration ou de la politique, où ils expriment les idées de « renouveler (renouvellement) », de « continuer (continuation) », de « proroger (prorogation) » : *M. Pinay décidé à ne plus* RECONDUIRE *la taxe civique* (Le Figaro). — *La taxe civique ne sera pas* RECONDUITE (...) ; ... *beaucoup de contribuables craignent une* RECONDUCTION (Id.). — *J'étais sûr que son projet,* RECONDUIT *par la Métropole, n'y aurait même pas un commencement d'application* (Ch. de Gaulle). — *Il semble toutefois que le gouvernement soit décidé à* RECONDUIRE *une nouvelle fois ce délai* (Le Monde).

330 **REÇU** *(au ~ de)*. Des théoriciens du bon langage condamnent « au *reçu* de votre lettre » et veulent qu'on dise « à la *réception* de... ». — Opinion démentie par l'usage : *Soyez donc assez bon pour me répondre sur ce point au* REÇU *de ma lettre* (Nerval). — *Au* REÇU *de la nouvelle* (É. Estaunié). — *Au* REÇU *de cette lettre* (A. Billy). — *Au* REÇU *de la lettre, il dit à sa femme...* (M. Druon). — *Au* REÇU *donc de cette bonne lettre* (Montherlant).

331 **RÉGRESSER.** Verbe néologique, venu en usage au XXe siècle: *La douleur est en train de* RÉGRESSER (N. Sarraute, dans le Petit Robert). — *Art qui progresse, fleurit et* RÉGRESSE (Robert). — *Pourquoi elle a* RÉGRESSÉ *pendant les premières années de son mariage, elle l'a compris* (S. de Beauvoir). — *La consommation du vin a* RÉGRESSÉ *en janvier* (Le Monde).

332 **REGRET** *(être au ~ de)*. On dit bien : *Je suis* AU REGRET *d'avoir dit, d'avoir fait cela, j'en suis* AU REGRET (Ac.). — *Je suis bien* AU REGRET *d'avoir dû tailler et couper à travers la magnifique dissertation...* (H. Bremond).

Être aux regrets [pluriel] encore dans le Dictionnaire de l'Acamie, en 1878, est vieux.

333 **RELANCE, RELANCER.** Ces mots s'emploient fréquemment aujourd'hui, surtout dans la langue des journalistes, à propos de la reprise d'un projet, du réveil d'une idée, d'une activité en sommeil : *La* RELANCE *du pacte de Bagdad* (Le Monde). — RELANCER *un écrivain* (M. Chapelan). — *Pour (...)* RELANCER *l'économie* (Génér. Béthouart).

334 **RELAXER, RELAXATION.** Sens traditionnels : ces deux mots se disent en parlant d'un prisonnier qu'on remet en liberté. — *Relaxation* se dit aussi, spécialement en termes de médecine, au sens de « relâchement, suppression d'une tension » : RELAXATION *des muscles.*

Dans un sens néologique, *se relaxer, relaxation* (anglicismes) s'emploient couramment dans l'acception de « se détendre, se reposer », « détente, repos » : *Alors chacun peinera pour* SE RELAXER *dans les règles* (P. Gaxotte). — *Vient cet âge où il est bon de s'asseoir toutes les fois qu'on le peut, de* SE RELAXER, *comme disent les Anglais* (É. Henriot).

335 **REMBARRER** *quelqu'un,* c'est le repousser rudement par un refus, une réponse désobligeante (familièrement : *l'envoyer promener ; l'envoyer au diable ;* populairement : *l'envoyer dinguer,* ou *bouler,* ou *paître,* ou *coucher,* ou *valser*...).

Par confusion, la langue populaire dit *remballer* pour *rembarrer.*

336 **REMETTRE.** 1. Les classiques disaient: « *se remettre* qqn » = s'en rappeler le souvenir, le visage... : *Vous ne* VOUS REMETTEZ *point mon visage ?* (Molière.) — De là, par ellipse du pronom réfléchi : *remettre qqn* = le reconnaître : *Vous ne me* REMETTEZ *pas, monsieur Auguste ?* (Flaubert.) — *Vous ne me* REMETTEZ *pas ? — Que si, que si, je te reconnais* (M. Arland).

2. Ne dites pas : « Commerce à *remettre* » *;* dites : « Commerce à *céder* ».

3. Ne dites pas : « Il a *remis* tout son déjeuner » ; « j'ai envie de *remettre* ». — En bon français: *Il a* RENDU *tout son déjeuner. J'ai envie de* RENDRE (ou : ... *de* VOMIR, — ou : *j'ai des* NAUSÉES).

337 **RÉMUNÉRER** (lat. *remunerare,* de *munus, -eris,* faveur, récompense) : *Il a été justement* RÉMUNÉRÉ *de son travail* (Ac.).

Se garder de dire, en intervertissant l'*m* et l'*n :* « rénumérer » (influence de *énumérer*).

338 **RENSEIGNER,** c'est « donner des renseignements » : *Il me* RENSEIGNA *fort mal* (Ac.).

En Belgique, *renseigner* s'emploie couramment, mais incorrectement, dans l'acception de « signaler », « indiquer », « faire connaître » ; par exemple : *Pouvez-vous me renseigner un bon chirurgien ? — Ce livre renseigne les meilleurs moyens de placer son argent. — Renseignez-moi l'adresse de ce libraire. — Ce lexique renseigne beaucoup de canadianismes.*

Il est probable que cet emploi de *renseigner* s'explique par une survivance d'un renforcement (au moyen du préfixe *re-*, élidé) du verbe, aujourd'hui plutôt vieilli, *enseigner* = « indiquer, faire connaître » : ENSEIGNANT *un logis à Paris* (Vaugelas). — *On m'*ENSEIGNE *la demeure* (Le Sage). — [Le portier] ENSEIGNE *volontiers aux profanes des adresses de cafés-concerts et de tripots* (J. Bainville). — Le wallon a peut-être aussi exercé son influence : liégeois : *ac'sègnîz-m' li pus coûte dès vôyes* = enseignez-moi le plus court des chemins ; — *s'fé rac'sègnî* = se faire « renseigner » (son chemin).

339 RENTRER. Le sens foncier de ce verbe, c'est « entrer de nouveau » : on entre dans une maison, on y *rentre* après en être sorti.

Sens seconds, où n'intervient pas l'idée de retour ou d'action itérative : « s'emboîter, pénétrer, être enfoncé dans, être contenu dans » : *Les tubes de cette lunette d'approche* RENTRENT *les uns dans les autres* (Ac.). — *Le cou lui* RENTRE *dans les épaules* (Id.). — *Un nombre suffisant de fables étant composé par un La Fontaine, tout ce qu'on y ajoute* RENTRE *dans la même morale* (Voltaire). — [Certaines attitudes] *qu'il n'est pas facile de faire* RENTRER *dans les cadres du système* (Daniel-Rops). — RENTRER *le ventre.*

On constate une forte tendance (qui est très ancienne) à employer, dans des cas où il ne s'agit pas des sens seconds qui viennent d'être indiqués, le préfixe *re-* marquant l'action instantanée par opposition à l'action durative, et à dire *rentrer* au lieu d'*entrer : C'est tout à fait comme au bal, quand les lumières vous* RENTRENT *dans les yeux* (Taine). — *Tout l'hiver va* RENTRER *dans mon être* (Baudelaire). — *On peut très bien se suicider pour deux raisons. Non ça ne leur* RENTRE *pas dans la tête* (A. Camus). — *Et ce métro qui passe tout le temps que le bruit vous en* RENTRE *dans le corps* (P. Vialar). — *C'était fou cette idée de vouloir* RENTRER *dans les musées* [pour s'y faire une situation] (A. Chamson).

Cet emploi se trouve bien expliqué (et non condamné) par Vendryes (*Le Langage,* p. 130).

340 REPARTIR / RÉPARTIR. Distinguez: *repartir* = soit « partir de nouveau », soit « répondre vivement » — d'avec *répartir* = partager.

341 REPOUSSER. Ce verbe peut s'employer au sens néologique de « remettre à plus tard, différer » : *Je vais téléphoner au bureau de* REPOUSSER *le rendez-vous de quarante-huit heures* (H. Troyat). — *Certains de ceux-ci préférèrent disparaître subrepticement par le fond de la tente,* REPOUSSANT *à plus tard de s'expliquer* (M. Druon).

342 REPRENDRE. Ne dites pas : « Ces noms sont *repris* dans la liste ci-dessus ». — « Les cas *repris* dans tel article du Code ». — *Reprendre,* employé comme il est là, pour « mentionner » ou « indiquer », est un provincialisme (Belgique, nord de la France).

343 RESSEMBLER. On dit bien : *Ces deux personnes se ressemblent comme deux gouttes d'eau* (Ac.).

Les puristes condamnent le tour *Il lui ressemble comme deux gouttes d'eau :* « deux gouttes d'eau, dit Martinon, ne peuvent pas *lui ressembler* ».

Il y a là, bien sûr, une ellipse, mais il ne faut pas l'interpréter comme fait Martinon : ... *comme deux gouttes d'eau* [*lui* ressemblent] ; il faut comprendre : ... *comme deux gouttes d'eau* [*se* ressemblent].

Tour attesté par d'excellents auteurs : *Il me ressemble comme deux gouttes d'eau* (Molière). — *Il ressemblait comme deux gouttes d'eau à un petit homme qui se portait parfaitement bien* (Sévigné). — *Cela ressemble à un tailleur comme deux gouttes d'eau* (Diderot).

344 RESSOURCER *(se ~)*. Néologisme (= retourner aux sources) courant surtout dans la langue des théologiens et des gens d'Église : *Ainsi le présent et l'avenir* SE RESSOURCENT *au passé* (P. Riquet). — *Les théologiens* SE RESSOURCENT *en saint Paul et en saint Jean* (J. Guitton). — *Tout au long de* *ce XVIe siècle où nous la voyons* [notre ancienne langue] (...) *se rajeunir tout en* SE RESSOURÇANT *à la fontaine antique* (J. Duron).

On a, parallèlement : *ressourcement : Un peuple qui se relève par un* RESSOURCEMENT *profond de son antique orgueil* (Ch. Péguy, dans Robert). — *Le protestantisme est obligé, par cette nécessité de regroupement, à une nécessité de* RESSOURCEMENT (J. Guitton).

345 **RESTER.** Employé dans l'acception de « demeurer, loger, habiter », *rester* appartient au français populaire ou provincial : *C'est ainsi que Françoise* [une servante] *disait que quelqu'un « restait » dans ma rue pour dire qu'il y demeurait* (Proust). — *Mme Toullier* RESTE *au troisième* (J. Vallès). — *Elle vient encore de m'acheter un brin de cresson pas plus tard qu'hier, raconte le verdurier à Mme Grosjean. Elle* RESTE *là-bas, vers la fontaine* (B. Beck).

346 **RÉTICENT, RÉTICENCE.** Si l'on s'en tient à leur valeur étymologique (cf. lat. *reticēre,* de *tacēre,* (se) taire, *reticentia,* silence obstiné), ces deux mots impliquent proprement l'idée de « se taire », de « silence », et *réticence* signifie « omission volontaire d'une chose qu'on pourrait ou qu'on devrait dire », ou « la chose omise », ou : « silence » : *Dans le récit qu'il m'a fait, il a mis beaucoup de* RÉTICENCE (Ac.). — *Dans cet acte, il y a une* RÉTICENCE *frauduleuse* (Id.). — *Il* [un pendu] *s'ajoutait à toutes les farouches* RÉTICENCES *de la nuit* (Hugo). — *Des phrases atténuées et* RÉTICENTES (Robert).

Comme celui qui se montre *réticent* (idée de « silence ») le fait généralement parce qu'il est hésitant, réservé, — et que *réticent* subit l'attraction paronymique de « résistant » et de « rétif », un glissement de sens s'est produit ; ainsi *réticence* et *réticent* impliquent souvent, dans l'usage actuel, en dépit des puristes, les idées de « réserve », d'« hésitation », de « résistance » : *Ce n'est pas sans* RÉTICENCE *qu'ils ont, au début, consenti à « faire un papier »* (J. de Lacretelle). —

Nul d'entre eux n'acceptait son lot sans RÉTICENCE (G. Duhamel). — *Ma mère était plus* RÉTICENTE *pour me laisser sortir le soir* (H. Bazin).

347 **RETRAITÉ.** Un *retraité,* c'est celui qui est *à la retraite* (on dit aussi : *en retraite*). Quand le retraité touche une pension de retraite, il peut s'appeler *pensionné : Les* PENSIONNÉS *de guerre* (R. Martin du Gard). — *Les* PENSIONNÉS *du gouvernement.* — *Homme de lettres* PENSIONNÉ (Robert).

En disant *retraité,* on exprime essentiellement l'idée de « qui a cessé d'exercer ses fonctions, son activité » ; en disant *pensionné,* l'idée de « qui bénéficie d'une pension ».

Pensionnaire peut désigner celui ou celle qui reçoit une pension d'un État, d'un particulier, etc. : *Il est* PENSIONNAIRE *de l'État, du gouvernement* (Ac.). — Mais, dans cette acception, le mot est vieilli, et l'on dit généralement *pensionné.*

348 **ROBE DE CHAMBRE** *(pommes de terre en ~).* Certains théoriciens du bon langage estiment qu'il faut dire « pommes de terre en *robe des champs* » pour désigner des pommes de terre cuites dans leur peau. Cette manière de dire semble, comme le note Robert, une déformation (ou une correction voulue) de « pommes de terre en robe de chambre », car elle n'est attestée que plus tard.

Littré, le Dictionnaire général, le Larousse du XXe siècle, le Grand Larousse encyclopédique écrivent « pommes de terre *en robe de chambre* » ; Robert signale les deux expressions, mais il n'est pas douteux que l'usage général ne soit de dire : ... *en robe de chambre* et qu'il ne faille laisser « ... *en robe des champs* » aux chicaniers : *Une petite tête d'enfant chaude comme une pomme de terre* EN ROBE DE CHAMBRE (J. Renard).

349 **RUTILER, RUTILANT.** Ces mots se disent bien en parlant soit de choses d'un *rouge* ardent, éclatant (seul sens signalé par l'Académie) — soit de choses brillantes comme l'or. — Quoi qu'en pensent certains puristes, ils s'emploient

bien aussi en parlant de choses *brillantes,* quelle qu'en soit la couleur (et cela s'observait déjà en latin) : *Cet uniforme* RUTILANT *passé aux couleurs nationales* (J. Giraudoux). — *Il lui prête* [à un fleuve] *des beautés* RUTILANTES (A. Maurois). — [Deux brillants] RUTILAIENT *sur sa main sèche de ménagère* (Fr. Mauriac). — *La mer bleu sardine* RUTILAIT *au soleil* (H. Queffélec). — *Rouges, jaunes, verts* [des fruits confits], *comme des pierres précieuses. Leurs chaudes couleurs* RUTILAIENT *sous le givre du sucre* (P. Guth). — *En un dîner* RUTILANT *de clarté* (M. Proust). — *Ma voiture (...),* RUTILANTE, *rechromée, pimpante...* (P. Daninos).

350 SAC À MAIN. Ce petit sac que les femmes portent à la main et où elles mettent leur argent, leurs clés, leurs papiers, leurs fards, etc., s'appelle *sac à main* ou *sac* tout court : [Elle] *tira un mouchoir de son* SAC À MAIN (J. Green). — *Elle sortit une glace de son* SAC (M. Druon). — Ne pas l'appeler : *sacoche.* — Ce dernier mot désigne un sac de cuir ou de toile forte, muni d'une courroie permettant de le porter au côté ou dans le dos : SACOCHE *d'encaisseur, de livreur.* On dit aussi : *sacoche de cycliste, de motocycliste* (contenant divers outils).

Réticule, pour « sac à main » (et déformé parfois en « ridicule ») est aujourd'hui vieilli : *Dans le* RÉTICULE *de l'une d'elles on a retiré une lettre d'amour* (H. Bordeaux). — *Amélie ouvrit son* RÉTICULE (H. Troyat).

Notons, par parenthèse : *sac à dos* = sac de toile porté sur le dos à l'aide de bretelles et où les sportifs, les alpinistes, etc., mettent leurs affaires personnelles, leurs provisions, etc. — On dit aussi : *havresac.*

351 SALAUD, SALOP. Ces deux mots appartiennent à la langue populaire et vulgaire. Le féminin *salaude* est peu usité. Le masculin *salop* (dans Robert, comme variante orthographique de *salaud*) est ignoré par l'Académie, qui ne donne que le féminin *salope.*

352 SANCTIONNER, c'est confirmer par une sanction, approuver légalement ou officiellement : SANCTIONNER *une loi.* — *L'usage a* SANCTIONNÉ *telle expression.* — L'Académie (communiqué du 2 oct. 1969) a déclaré abusif l'emploi de *sanctionner* au sens de *punir.*

353 SAVEZ-VOUS. On a souvent brocardé les Belges, au sujet de ce *savez-vous* dont ils usent et abusent dans la conversation pour exprimer à peu près l'idée de « n'est-ce pas ? » ou de « n'est-il pas vrai? » ou simplement pour étoffer la pensée.

L'expression est d'un français irréprochable : *C'était une belle émeute,* SAVEZ-VOUS ! (Hugo.) — *Je chanterai dans les chœurs,* SAVEZ-VOUS ! (Musset.) — *Il est plus de midi,* SAVEZ-VOUS ? (Mérimée.) — *C'est une forte tête,* SAVEZ-VOUS, *le Docteur* (P. Valéry).

Conseil aux Belges : en user, mais ne pas en abuser, ne pas en faire un tic.

354 SAVOIR / POUVOIR. Il faut faire une distinction entre *savoir* et *pouvoir,* construits avec un infinitif :

a) Savoir faire qq.ch., c'est en avoir la science, être habile, ou accoutumé, ou apte à le faire, avoir le moyen de le faire : SAVOIR *jouer du violon* (Ac.). — *Je* SUS *bientôt lire couramment* (Ch. Péguy). — *Cette sublime figure de songeur n'a jamais* SU *s'accommoder du quotidien* (E. Jaloux).

Savoir n'admet pas pour sujet un nom de chose ; on ne peut pas dire, par exemple : *Ma voiture sait faire du deux cents à l'heure.*

b) Pouvoir faire qq.ch., c'est avoir la faculté ou la permission de le faire, ou être en état de le faire : *Il n'a* PU *réussir dans cette affaire* (Ac.). — *Vous* POUVEZ *partir, je vous y autorise.* — *Des visages que je reconnaissais sans* POUVOIR *les nommer* (A. Camus).

N.B. 1 .La distinction est perceptible dans l'exemple suivant : *Ceux qui ne* SAVENT [les illettrés] *ou ne* PEUVENT [par ex. les aveugles] *lire ne pourront faire de dispositions dans la forme du testament mystique* (Code civ., art. 978).

2. Comme celui qui *sait* faire une chose, *peut* généralement la faire, certains chevauchements entre *savoir* et *pouvoir* ont parfois lieu, dans des phrases négatives, avec le simple *ne* (sans *pas*) : *Il n'a* SU *en venir à bout* (Ac.). — Mais cela ne se trouve plus guère qu'au conditionnel : *Je n'aurais* SU *dire de laquelle j'étais jalouse* (A. Gide). — *Il n'aurait* SU *dire pourquoi* (G. Duhamel).

355 SECOUSSE SISMIQUE. Cette locution est pléonastique, puisque *sismique,* selon l'étymologie (grec *seismos,* tremblement de terre, de *seiô,* je secoue) implique déjà l'idée de « secousse ». — Cependant, elle est reçue dans l'usage : *Les dégradations, dues à un tassement de la muraille, ou plus probablement à une* SECOUSSE SISMIQUE... (A. France). — *Une sorte de* SECOUSSE SISMIQUE (A. Thérive). — *Il y a trois jours, une* SECOUSSE SISMIQUE *a été ressentie à Paris* (J. Green). — *Ce ne serait quand même pas une* SECOUSSE SISMIQUE ? (R. Ikor.)

Si l'on répugne à l'employer, on dira : *secousse tellurique,* ou *séisme,* ou *tremblement de terre.*

356 SENS DESSUS DESSOUS, SENS DEVANT DERRIÈRE. Dans ces expressions, *sens* est une altération de l'ancienne forme *cen* (variante de *ce*). — Littré engageait à écrire *c'en dessus dessous, c'en devant derrière.* Quelques auteurs l'ont fait : *Tout va* C'EN *dessus dessous* (É. Faguet). — *La maison était* C'EN *dessus dessous* (H. Pourrat). — *Comme, à force de réformer, on a mis l'Université* C'EN *dessus dessous (ainsi doit-on écrire), je ne sais plus très bien ce qu'est aujourd'hui l'école primaire* (P. Gaxotte).

Mais l'usage est très nettement établi d'écrire *sens dessus dessous, sens devant derrière : Tous mes papiers sont* SENS *dessus dessous* (Ac.). — *Il a mis son chapeau* SENS *devant derrière* (Id.).

357 SEPTEMBRE. Le *p* se prononce.

358 **SERVEUR, -EUSE.** Ces mots, désignant la personne servant à table, spécialement dans un restaurant ou dans un café, sont aujourd'hui courants : *Ce père avait eu deux enfants d'une* SERVEUSE *de bar* (Daniel-Rops). — *Le* SERVEUR *du wagon-restaurant nous servait le café* (Y. Gandon).

359 **SEULS.** On dit bien : « se trouver *seuls* » (à deux ou à plusieurs) quand le sens est « sans personne d'autre » : *Quand ils furent* SEULS, *tous les deux* (Flaubert). — *Ils étaient* SEULS *tous les deux* (N. Sarraute).

360 **SÉVÈRE.** L'emploi de *sévère* au sens de « grave, lourd, important » est un anglicisme qui s'est introduit en français à l'époque de la première guerre mondiale. — Quoique critiqué, il a pris ses positions dans la langue des journalistes et des sportifs et parfois aussi dans l'usage littéraire : *Un échec* SÉVÈRE (H. Troyat). — [Les convois aériens] *n'atteindraient pas leur but sans subir des pertes* SÉVÈRES (A. François-Poncet).

361 **SOLEIL.** On dit : *Il fait du soleil* (Ac.), *il fait déjà grand soleil* (Id.), — mais on peut dire aussi : *Il fait soleil* (Littré). — *Il fait soleil maintenant* (Fr. Mauriac).

362 **SOLUTION DE CONTINUITÉ.** Dans cette expression, *solution* signifie « action d'interrompre, de séparer, de couper » (cf. lat. *solvĕre* = dénouer, rompre). Il y a donc *solution de continuité* quand, dans le domaine des choses concrètes ou abstraites, il y a interruption, coupure, séparation des parties : *Il faut une* SOLUTION *brusque* DE CONTINUITÉ, *une rupture avec la mode* (H. Bergson, dans Robert).

363 **SOLUTIONNER,** venu en usage au début de ce siècle, s'est répandu surtout dans la langue parlementaire et dans celle des journalistes ; il s'est introduit aussi dans l'usage littéraire : *Pour les* SOLUTIONNER [les problèmes de l'existence] (L. Pergaud). — *Pour le* SOLUTIONNER *définitivement* [le

problème « du Mal et du Progrès »] (P. Teilhard de Chardin). — Il reste critiqué, mais comme il est plus facile à conjuguer que *résoudre,* il a bien des chances de vivre et de prospérer.

364 **SOMPTUAIRE.** Cet adjectif (lat. *sumptuarius,* de *sumptus,* dépense) signifie proprement « relatif à la dépense », et se dit des lois qui restreignent et règlent la dépense dans les festins, les cérémonies, les habits, les édifices, etc. : *Louis XII l'ayant défendue* [l'orfèvrerie] *dans son royaume par une loi* SOMPTUAIRE *indiscrète, les Français firent venir leur argenterie de Venise* (Voltaire).

Mais *somptuaire,* par l'effet d'une attraction paronymique, tombe, à notre époque, dans l'orbite sémantique de *somptueux ;* il se prend assez couramment au sens de « somptueux, qui montre un goût excessif de ce qui est magnifique, luxueux », — spécialement comme épithète de « dépenses » : *Point de dépenses* SOMPTUAIRES (A. Maurois). — *Il ne songera plus au bas de laine, mais à des dépenses* SOMPTUAIRES (G. Duhamel). — *On parle de dépenses* SOMPTUAIRES (A. Siegfried). — *La capitale (...) voluptuaire et* SOMPTUAIRE *d'un grand pays* (P. Valéry).

Ce sens néologique de *somptuaire* est condamné par l'Académie (mise en garde du 2 oct. 1969).

365 **SOUFFRETEUX** s'emploie bien au sens de « maladif, qui est de santé débile » : *Il trouvait une analogie entre le sort de cette bête* SOUFFRETEUSE *et le sien* (R. Rolland). — *Un tout jeune homme, voûté, malingre, au visage doux et* SOUFFRETEUX (J. Kessel). — *Je l'ai trouvé hier tout* SOUFFRETEUX (Ac.).

366 **SPEAKER.** Cet anglicisme (fém. *speakerine*), qui n'est d'ailleurs qu'un demi-anglicisme (les Anglais disent *announcer*), désignant celui ou celle qui, à la radio ou à la télévision, présente les émissions, annonce les programmes, donne les nouvelles, a été et est encore assez en usage. Mais *annonceur (annonceuse), présentateur (présentatrice)* sont préférables.

367 **SPECTACULAIRE.** Ce néologisme sert aujourd'hui tout à fait couramment à qualifier ce qui est frappant pour les yeux, ce qui constitue un « spectacle » propre à en imposer à l'imagination : *Juste ce qu'il fallait d'exhibition pour faire plus* SPECTACULAIRE (M. Genevoix).

368 **STANDARD.** Ce mot anglais (= étalon, type) s'emploie couramment comme adjectif invariable: *Des modèles* STANDARD. — L'Académie (communiqué du 20 avr. 1967) propose de le remplacer par *normalisé;* si le mot est pris comme nom, elle suggère d'y substituer *norme* (sauf pour *standard téléphonique,* consacré par l'usage).

369 **STUPÉFAIT** s'emploie comme adjectif : *Il demeura tout* STUPÉFAIT (Ac.). Il peut avoir pour synonyme le participe-adjectif *stupéfié : Je suis encore tout* STUPÉFIÉ *de votre intrépidité* (Voltaire).

Cela a pu donner naissance au verbe *stupéfaire* (accueilli par Robert), qui ne se rencontre toutefois qu'à la 3ᵉ personne du singulier de l'indicatif présent et aux temps composés : *Cela me* STUPÉFAIT (Flaubert). — *Une chose par-dessus tout m'*A STUPÉFAIT (Fr. Mauriac). — *Ses confidences qui (...)* AVAIENT STUPÉFAIT *Herbillon* (J. Kessel).

Conseil : Si l'on est tenté d'employer *stupéfaire,* se rappeler que le verbe correct est *stupéfier : Cette nouvelle l'a* STUPÉFIÉ (Ac.).

370 **SUBVENTIONNER, SUBSIDIER.** Le verbe *subsidier*, au sens de « soutenir financièrement » (un journal, un parti, une université, une ville, un théâtre, etc.), n'est pas reçu dans l'usage normal. — En bon français, c'est *subventionner* qui s'emploie : *Judas aurait probablement* SUBVENTIONNÉ *des sanatoria, des hôpitaux...* (G. Bernanos). — *On* SUBVENTIONNE *des entreprises moribondes* (A. Maurois).

Subsidier est très rare en France : *Les auteurs de l'envoi sont* SUBSIDIÉS *par un mystérieux malfaiteur* (Ch. Maurras, cité par Deharveng).

371 **SUCETTE** (ignoré de l'Académie) = bonbon fixé à l'extrémité d'un bâtonnet : *Trois* SUCETTES *à la menthe* (R. Sabatier). — Le mot désigne aussi une petite tétine qu'on donne à un bébé pour l'empêcher de sucer son pouce.

372 **SUICIDER** *(se ~)*, considéré littéralement, contient deux fois le pronom réfléchi : *se* et *sui* [lat. = de soi] ; il se résout en « se soi tuer ». Cela n'empêche pas qu'il est en plein usage : *C'était par désespoir, comme on* SE SUICIDE (Flaubert). — *Les gens qui vont* SE SUICIDER (J. Giraudoux).

373 **SUITE À...** Le tour « *Suite à* votre lettre... » appartient à la langue commerciale. On le remplacera avantageusement par « *En réponse à* votre lettre... » ou (si l'on maintient le nom *suite*) par « *Comme suite à* votre lettre » : COMME SUITE À *votre demande...* (R. Catherine). — COMME SUITE À *la lettre que vous m'avez fait parvenir...* (J. Chaban-Delmas). — COMME SUITE À *sa demande...* (R. Dorgelès).

En suite de est rare : EN SUITE DE *l'entretien que vous avez bien voulu me demander* (Montherlant).

374 **SUPPORTER** (prononc.: *su-por-tèr*). Cet anglicisme est tout à fait courant dans le langage des sportifs. L'Académie (communiqué du 23 févr. 1967) est d'avis qu'il faut dire : *supporteur* ou *partisan.* Mais l'usage l'écoutera-t-il ?...

375 **SUSCEPTIBLE.** Pour Littré, il ne faut pas confondre *susceptible* et *capable :* « on est *susceptible,* dit-il, de recevoir, d'éprouver, de subir ; mais on est *capable* de donner ou de faire ». — L'Académie est du même avis (cf. sa mise en garde du 24 févr. 1965).

Dans la pratique, on ne tient guère compte de cette distinction, et les meilleurs auteurs font couramment exprimer à *susceptible* une possibilité active : *Une vérité* SUSCEPTIBLE *d'affaiblir le bras qui combat* (A. Gide). — SUSCEPTIBLE *d'accomplir de très grandes choses* (É. Henriot). — *Les quelques généraux* SUSCEPTIBLES *de diriger une armée* (P. Gaxotte).

À noter que *susceptible* peut avoir pour complément un infinitif passif : *Je ne tiens pas la société (...) pour* SUSCEPTIBLE *d'être améliorée* (A. Malraux).

376 SUSPENS(E). Cet emprunt à l'anglais *suspense* (venu lui-même du français *suspens*) a été mis à la mode il y a moins de vingt ans ; il désigne, surtout dans les romans policiers ou dans les films, une suspension de l'action provoquant une inquiétude et une attente angoissée. — Thérive eût voulu qu'on le fît féminin : *une suspense ;* à *suspense* certains préfèrent « le *suspens* » ; quant à la prononciation de *suspense,* les uns disent *sus'-pèn'-s,* les autres *sus'-pen-s'* (ce qui vaut mieux) : *Le* SUSPENS *est bien ménagé* (É. Henriot). — *Dans le* SUSPENS *mystique* (P. Valéry). — *Il n'y a plus de* SUSPENSE (Fr. Mauriac). — *Ce qu'on appelle aujourd'hui « le* SUSPENSE » (J. Kessel).

377 SYMPOSIUM. Un *symposium,* c'est, étymologiquement, un banquet, un festin (grec *sumposion,* de *sumpinein,* boire ensemble). — Certains, non sans pédanterie, emploient ce mot (introduit par l'intermédiaire de l'anglais) pour désigner une réunion de philosophes, de savants, de spécialistes qui traitent successivement un même sujet.

On préférera les mots français : *congrès, colloque, carrefour,* ou encore simplement : *réunion, entretien, rencontre : En vue de la préparation du « XI*[e] CONGRÈS *international de l'Organisation scientifique* » (A. Siegfried).

378 TÂCHER MOYEN DE se dit populairement pour « tâcher de, faire son possible pour »: *Tâchez moyen de me rapporter un peu de fric.*

Autre locution de la langue populaire : *Il n'y a pas moyen de* MOYENNER = « la chose est impossible ».

379 TAILLEUSE, au sens de « couturière qui coupe les vêtements de femmes », est dans Littré. — C'est un provincialisme :

Les tailleurs et les TAILLEUSES *du village ou du bourg voisin faisaient les habits et les robes* (A. Dauzat).

En français normal : « une *couturière* ».

380 TAPIS CLOUÉ. On dit couramment en Belgique « tapis *plain* » ; l'expression n'est pas, strictement parlant, incorrecte : *plain* (lat. *planus*, uni, égal) est là simplement un adjectif passé de mode (on lit chez Hugo: *Sa robe de drap brun* PLAIN).

Mais, en France, « tapis *plain* » est inusité ; c'est *tapis cloué* ou *moquette* qu'on emploie : *Sur le* TAPIS CLOUÉ (...), *il y avait une carpette* (Aragon). — *Elle s'élança sur la* MOQUETTE *beige, uniforme et moelleuse* (R. Martin du Gard).

381 TARTUFE. L'Académie, de même que Littré, le Dictionnaire général et le Grand Larousse encyclopédique écrivent : *tartufe, tartuferie. Tartuffe* était l'orthographe de Molière. — Avec Robert, on peut admettre les deux orthographes.

382 TÉLÉ (abrév. familière de *télévision*). On dit bien : « la *télé* » : *C'est bête qu'on n'ait pas la* TÉLÉ (H. Troyat). — *Regardez la* TÉLÉ (H. Bazin). — Mais on emploie souvent aussi *TV* ou *T.V.* : *Se produire à la* TV (P. Daninos). — *Hier soir à la* T.V., *de Gaulle* (J. Green).

383 TÉMOIGNER. N'écrivez pas : « Touchés des *marques* de sympathie que vous leur avez *témoignées* ». Comme *témoigner* (= « marquer ») inclut l'idée de « marques », le tour est redondant. — Écrivez : « Touchés des marques de sympathie que vous leur avez *données* » ou : « Touchés de *la sympathie* que vous leur avez témoignée ».

384 TENDRESSE / TENDRETÉ. On dit : *la* TENDRESSE *maternelle, avoir des élans de* TENDRESSE *pour qqn ;* — mais : *la* TENDRETÉ *d'un bifteck.* — *La* TENDRETÉ *de ces légumes* (Ac.).

385 TORCHON. Ce mot désigne une « sorte de serviette de grosse toile, dont on se sert pour essuyer la vaisselle, la batterie de cuisine, les meubles, etc. » (Ac.). — Cette serviette s'appelle aussi *torchon de cuisine,* parfois *lavette.* En Belgique : un *essuie.*

La toile grosse et claire dont on se sert pour laver les carrelages s'appelle, en France, *serpillière,* ou *torchon,* ou *toile à laver,* ou *toile* tout court, ou moins souvent (mais couramment dans le Nord) *wassingue.* — En Belgique, cela s'appelle, selon les endroits : *loque à reloqueter,* (ou *loque* tout court), *drap de maison, reloquoir, loquetoir, reloquetoir, ressuwô, clicote, wassingue, wite ;* — dans les Ardennes françaises : *gobîye ;* — en Suisse : *panosse.*

Pour essuyer la poussière sur les meubles, on se sert d'un *torchon à poussière* (ou simplement : d'un *torchon*), d'un *chiffon.* — Le français commercial connaît : *chamoisette, chamoisine,* etc.

386 TOURNEMAIN, TOUR DE MAIN *(en un ~).* Ces expressions signifient « en aussi peu de temps qu'il en faut pour tourner la main ». Selon Littré et selon l'Académie, *en un tournemain* est vieilli. Opinion démentie par l'usage : *En un* TOURNEMAIN, *il s'empara d'un plaid* (H. Bazin). — *Elle (...) fait bouillir l'eau en un* TOURNEMAIN (A. Lanoux). — *Comme s'il suffisait que les gens soient morts pour qu'on les mette dans sa poche en un* TOURNEMAIN (C. Bourniquel).

387 TRAFIC. Pour l'Académie, ce mot signifie « négoce, commerce de marchandises » et se dit, figurément et en mauvaise part, du profit qu'on tire de certaines choses : *Les* TRAFICS *honteux qu'il a faits.*

Dans l'usage d'aujourd'hui, *trafic,* par l'intermédiaire de l'anglais, a pu prendre le sens de « mouvement général des trains » ou de « circulation des véhicules » : *Les routes de grand* TRAFIC (G. Duhamel). — *Les vieilles portes ogivales (...) sous lesquelles ne passait plus aucun* TRAFIC (A. Arnoux). — *Le* TRAFIC *Ouest-Est (...) est plus lourd que l'autre* (A. Siegfried).

388 **TRAIT D'UNION.** On met un trait d'union entre les éléments de beaucoup de mots composés, — et en particulier dans certains mots commençant par l'un des préfixes *après, arrière, avant, contre, entre, extra, sans, sous, ultra, vice : Arc-en-ciel, aveugle-né, aigre-doux, vis-à-vis, après-midi, avant-coureur, contre-attaque, sans-gêne, sous-préfet,* etc.

Observations particulières

389 **Demi, mi, semi, nu.** — On écrit : *demi-heure, à mi-chemin, semi-circulaire, nu-tête,* etc.

390 **Noms de rues.** — L'usage administratif en France est de mettre le trait d'union entre le prénom et le nom dans les noms de rues, de lycées, etc. — usage qui s'observe aussi dans la littérature : *Professeur au lycée Blaise-Pascal* (M. Barrès). — *J'ai vu, avenue Victor-Hugo, un Gaveau d'occasion* (G. Marcel).

391 **Noms de nombre.** — Pour le trait d'union dans les adjectifs numéraux, voir n° 616.

392 **Verbe et pronom personnel.** — Le trait d'union se met entre le verbe et le pronom personnel (ou *ce* ou *on*) sujet postposé : *Dis-je. Viens-tu ? Était-ce ? Dit-on.*

De même entre un impératif et le pronom personnel complément quand ils forment un seul groupe de souffle : *Crois-moi, dites-lui, prends-le.* (Pas de trait d'union dans : *Veuille me suivre, ose le dire.*) — *Dites-le-moi, allez-vous-en, faites-le-moi savoir.* (Mais : *Laisse-moi te raconter ceci ; viens me le raconter ; daignez nous le pardonner.*)

393 **Saint.** — Trait d'union entre *saint* et le nom suivant quand on désigne une localité, une fête, une rue, etc., mais non s'il s'agit du saint lui-même : *La ville de Saint-Quentin, la rue Saint-Paul, la Saint-Nicolas.* — Mais : *La charité de saint Martin.*

394 **Prénoms.** — On a souvent mis le trait d'union entre les différents prénoms d'une personne : *Louis-Charles-Alfred de Musset* (Larousse du XXe s.).

Mais, dans l'usage actuel et notamment dans les actes d'état civil, une telle pratique est tombée en désuétude, et l'on écrit, par exemple, sans traits d'union : *François René Théodore Durand.*

Le trait d'union toutefois est demandé quand deux prénoms sont, dans l'usage, considérés comme s'ils n'en faisaient qu'un : *Jean-Jacques Rousseau. Marie-Anne d'Autriche. Louise-Marie d'Orléans. Jean-Pierre Dupont.*

395 **Pas de trait d'union** dans les locutions : *tout à coup, tout à fait, tout à l'heure ; — en dehors, en dedans, en deçà, en delà, en dessus, en dessous* (mais le trait d'union dans : *au-dehors, au-dedans, au-delà, au-dessus de, au-dessous de*).

396 **Pas de trait d'union** dans : *Alexandre le Grand, Charles le Téméraire,* etc.

397 **TRAMINOT.** Sur le modèle de *cheminot* (employé de chemin de fer), on a pu former, de *tram,* abréviation courante de *tramway,* le dérivé *traminot,* désignant un employé de tramway : *Cinq mille* TRAMINOTS *en grève à Lodz* (Le Figaro, 14 août 1957). — En Suisse, on connaît aussi *tramelot: Les* TRAMELOTS *de la ligne Moillesulaz-Annemasse font grève aujourd'hui* (Journal de Genève, 8-9 août 1953).

398 **TRANSFERT.** Ce mot, qui signifie « action de transférer », c'est-à-dire de faire passer d'un lieu à un autre (et qui appartient aussi au langage du commerce, de la finance), s'emploie bien en parlant d'un corps mort, de reliques, etc. : *Le* TRANSFERT *du corps d'un mort* (Ac.). — *Le* TRANSFERT *des cendres de Napoléon* (Robert). — TRANSFERT *de populations* (Id.).

Translation s'emploie dans le même sens : *La* TRANSLATION *des restes de Napoléon* (Chateaubriand, dans Robert).

Ne dites pas : « le *transfert* d'un fonctionnaire » ; dites : « le *déplacement...* », « la *mutation...* ».

Transfèrement ne s'emploie guère qu'en parlant de prisonniers que l'on transporte en observant les formalités requises.

399 USITÉ. L'adjectif *usité,* au sens de « pratiqué communément », est vieilli : *Cela est fort* USITÉ *dans ce pays* (Ac.). — Mais au sens de « employé, en usage dans le langage », il est courant : *Ce mot n'est guère* USITÉ (Ac.).

Le participe passif *usité* (du verbe *usiter*) est archaïque : *Une langue savante, ou pure,* USITÉE *par les professeurs et les fonctionnaires* (A. Maurois).

400 VACUITÉ / VIDUITÉ. Distinguez : *vacuité* (lat. *vacuus,* vide) = état de ce qui est vide : *La* VACUITÉ *de l'estomac cause des tiraillements* (Ac.) ; — d'avec *viduité* (lat. *vidua,* veuve) = veuvage, état d'un veuf ou d'une veuve non remariés : *Demeurer en* VIDUITÉ (Ac.).

C'est abusivement que *viduité* est parfois rattaché à la famille de « vide » : *Ils sont bruissants à la manière des grosses caisses dont ils se servent ; leur sonorité vient de leur* VIDUITÉ (Flaubert, dans Robert). — *Nous passions des jours sans échanger une parole; l'affreuse* VIDUITÉ *des heures ne le décourageait pas* (C. Lemonnier).

401 VALABLE. Pour cet adjectif, l'Académie signale les significations suivantes : « qui est acceptable, bien fondé » : *Une excuse* VALABLE ; — « qui a les conditions requises pour produire son effet » : *Ce billet est* VALABLE *pendant quinze jours ;* — « qui doit être reçu en justice » : *Quittance* VALABLE.

Dans l'usage d'aujourd'hui, *valable,* sans doute sous l'influence de l'anglais *valuable,* se prend assez souvent au sens de « estimable à bon droit, de valeur, remarquable » : *Daurat sut leur faire comprendre (...) que leur tâche de paix était aussi belle, aussi* VALABLE (J. Kessel). — *Sans doute y a-t-il des récits de voyages* VALABLES, *écrits par des explorateurs authentiques* (A. Billy).

L'Académie condamne ce glissement de sens (mise en garde du 18 févr. 1965).

402 VÉHICULAIRE *(langue ~).* Robert et le Grand Larousse encyclopédique ont accueilli cette expression néologique, où *véhiculaire* a le sens de « qui sert de véhicule, de moyen de communication entre des peuples de langue maternelle différente ».

Les puristes rebutent « langue véhiculaire », mais si l'on admet *Notre langue fut alors le véhicule des gens cultivés* (A. Thérive), pourquoi condamnerait-on *Le français fut alors la* LANGUE VÉHICULAIRE *des gens cultivés* ? — L'expression, reçue chez les linguistes, se rencontre aussi dans l'usage courant : *Il ne comprend que le « kiswahili », la* LANGUE VÉHICULAIRE *de tous les Noirs à qui l'usage des langues européennes est interdit* (M. Bedel).

403 VISITE *(rendre ~).* « Je ne vois donc nulle raison, dit très justement Abel Hermant, qui m'empêche de « rendre visite » à qui ne m'a pas encore « fait visite ». — L'expression est parfaitement correcte, et l'idée de réciprocité n'a rien à voir ici : *Il les avait à peine aperçus, trop jeune, trop novice pour oser leur* RENDRE VISITE (A. Billy).

On dit aussi « faire visite » ou « visiter » : *Il n'y avait que Robert qui venait me* FAIRE VISITE (A. Chamson). — *Un de ses coreligionnaires (...) vint le* VISITER *dans son cachot* (J. et J. Tharaud).

404 VOLATIL / VOLATILE. Distinguez l'adjectif *volatil, -ile* = susceptible de se résoudre en vapeur, en gaz : *Alcool* VOLATIL (Ac.). — *Substance* VOLATILE (Id.), — d'avec le nom masculin *volatile* (qui peut s'employer adjectivement) = animal qui vole : *Cet animal est du genre des* VOLATILES (Ac.). — *Les insectes* VOLATILES (Id.).

405 VOLCANOLOGIE, VULCANOLOGIE. L'Académie (communiqué du 20 avr. 1967) distingue *volcanologie* = science qui étudie les phénomènes volcaniques, — d'avec *vulcanologie* = traitement du caoutchouc ou des substances possédant des propriétés analogues. — *Vulcanologie* a pu s'employer autrefois en parlant des volcans, et le Grand Larousse encyclopédique donne encore *vulcanologie* et *volcanologie* comme synonymes. Mais il convient de faire, avec l'Académie, la distinction.

406 VOULOIR *(se ~)*. Avec un attribut, *se vouloir* s'emploie assez couramment au sens de « se croire, se dire, se montrer, se donner pour... » : *Une institution qui* SE VEUT *pacifiste* (J. Benda). — *Il* SE VEUT *objectif* (A. Maurois). — *Tout cela qui* SE VEUT *jeune sent la poussière* (R. Kemp).

407 VOUSSOYER, VOUSOYER, VOUVOYER. Ces trois verbes, de même que les trois noms *voussoiement, vousoiement, vouvoiement* (tous ces mots sont ignorés par l'Académie) sont d'un usage courant : *Il tutoie sa femme et* VOUSSOIE *ses enfants* (Littré). — *Elle s'était mise à les* VOUSOYER (Ph. Hériat). — *Jamais il ne cesse de* VOUVOYER *ses hommes* (M. Druon). — *Comme ce* VOUSSOIEMENT *épistolaire est solennel !* (P.-H. Simon.) — *Ce* VOUVOIEMENT *entre époux confondait Amélie* (H. Troyat).

408 VULGUM PECUS. Cette locution, qui est du faux latin (sans doute d'après le vrai latin *servum pecus* d'Horace = troupe servile), est formée de *vulgus,* la foule, le vulgaire, — et de *pecus,* troupeau. Elle est de la langue familière et s'imprime généralement en italique ou entre guillemets : *Passer outre aux traditions en usage dans le* « VULGUM PECUS » (G. Courteline). — *Assis sur les bancs de l'amphithéâtre avec le* VULGUM PECUS (Vercors).

409 WAGON se prononce *va-gon.* En se fondant sur ce fait, quelques-uns ont préconisé (parfois adopté) l'orthographe *vagon : En* VAGON, *l'autre jour, les portières fermées, je regardais un insecte* (A. Daudet). — *Je passe ma jeunesse dans les cabines des* VAGONS (A. Thérive).

Mais l'usage est largement établi d'écrire *wagon :* WAGON *de marchandises* (Ac.).

DEUXIÈME PARTIE

DANS LES CATÉGORIES GRAMMATICALES

DANS LES CATÉGORIES GRAMMATICALES

CHAPITRE I

NOMS

I. MASCULIN / FÉMININ

410 **Sont masculins :**

abaque
abîme
acabit
acrostiche
adage
aéronef
aéroplane
age
agrumes
air
alambic
albâtre
amadou
amalgame
ambre
amiante
anathème
anchois
anévrisme
animalcule
anniversaire
anthracite
antidote
antipode
antre
apanage
aphte
apogée
apologue
apostème
apostume
après-dîner
arcane
armistice
aromate
arpège
artifice
asphalte
asphodèle
astérisque
asthme
astragale
athénée
atome
attique
augure
auspice
autoclave
automate
balustre
bastringue
bow-window
braque
camée
campanile
capitule
capuce
caramel
cénotaphe
centime
cèpe
cerne
chevesne (chevaine)
chrysanthème
cippe
cloporte
codicille
colchique
concombre
conifère
crabe
cytise
décombres
denticule
échange
édicule
élastique
ellébore
éloge
emblème
émétique
emplâtre
empyrée
empyreume
encombre
en-tête
entracte
entrecolonne
épeautre
éphémère
épiderme
épilogue
épisode
épithalame
équilibre

équinoxe
ergastule
érysipèle
(érésipèle)
esclandre
escompte
espalme
évangile
éventail
exemple
exergue
exode
exorde
fastes
fuchsia
girofle
globule
glomérule
granule
haltère
harmonique
hectare
héliotrope
hémisphère
hémistiche
hiéroglyphe
holocauste
hôpital
horocospe
hospice
humour
hyménée
hypogée
imposte
incendie
indice
insigne
intermède
interrogatoire
interstice
intervalle
involucre
isthme
ivoire
jade
jujube (pâte)
jute
langes
légume
leurre
libelle
lignite
limbe
lobule
losange
mânes
mastic
mausolée
méandre
midi
millefeuille
(gâteau)
mimosa
monticule
moustique
naphte
narcisse
obélisque
obstacle
omnibus
ongle
opercule
ophicléide
opprobre
opuscule
orage
orbe
orchestre
organe
orifice
ouvrage
ovale
ove
ovule
pagne
parafe (-phe)
pastiche
pénates
pétale
pétiole
planisphère
platine (métal)
pore
poulpe
prêche
quadrige
quinconce
quine
rail
rifle
salamalec
scolie (géom.)
sépale
sévices
socque
stade
stipe
tentacule
térébinthe
thyrse
trèfle
trille
triqueballe
trope
trophée
trottin
tubercule
tulle
ulcère
uretère
ustensile
vestige
viscère
vivres

411 Sont féminins :

abside
absinthe
acné
acoustique
affres
agrafe
alcôve
amnistie

alluvion
amibe
amorce
amulette
anagramme
ancre
anicroche
ankylose
antichambre
apostille
apothéose
appog(g)iature
après-dînée
arabesque
argile
arrhes
artère
astuce
atmosphère
attache
autoroute
avant-scène
azalée
bakélite
besicles
bodega
bonace
campanule
câpre
caténaire
chausse-trap(p)e
clepsydre
clovisse
conteste
coquecigrue
créosote
dartre
dent
drachme
dynamo
ébène
ébonite
écarlate
ecchymose
échappatoire
écharde
écritoire
égide
énallage
encaustique
enclume
éphémérides
épigramme
épigraphe
épitaphe
épithète
épître
équerre
équivoque
escarre
estafette
estompe
extase
fourmi
gemme
glaire
hécatombe
hydre
hypallage
icône
idole
idylle
immondice
impasse
insulte
loutre
malachite
mandibule
météorite
millefeuille (bot.)
molécule
montgolfière
moufle
mousson
moustiquaire
nacre
oasis
obsèques
ocre
office (cuisine)
offre
omoplate
once
opale
optique
orbite
oriflamme
ouïe
outre
palpe
paroi
patenôtre
patère
périssoire
piastre
prémices
prémisse
primeur
primevère
pulpe
réglisse
sandaraque
scolopendre
scorsonère
spore
stalactite
stalagmite
stèle
synopsis
ténèbres
topaze
tranchefile
urticaire
vêpres
vésicule
vicomté
virago
vis
volte-face

412 Certains noms de personnes ne s'appliquant habituellement qu'à des hommes n'ont pas normalement de forme féminine. Parfois, pour indiquer le féminin, on y joint le nom *femme*. Tels sont :

acolyte	condisciple	gourmet	oppresseur
agent	défenseur	grognon	otage
agitateur	dentiste	guide	peintre
apôtre	déserteur	hurluberlu	pionnier
architecte	détracteur	imposteur	possesseur
assassin	diplomate	imprimeur	précepteur
athlète	disciple	ingénieur	professeur
automate	échevin	journaliste	sauveur
avant-coureur	écrivain	juge	sculpteur
bandit	émule	lauréat	sectateur
bâtonnier	exportateur	littérateur	soldat
bourgmestre	fantassin	magistrat	successeur
bourreau	fat	malfaiteur	témoin
censeur	filou	manœuvre	terrassier
charlatan	flandrin	médecin	tyran
chef	forçat	ministre	vainqueur
chevalier	galant homme	modèle	valet
cocher	géomètre	monstre	voyou, etc.

On rencontre des formes féminines comme : *bandite, bourrelle, charlatane, écrivaine, fantassine, forçate, nourrissonne, pionnière, valette,* etc., créées, dans la plupart des cas, par badinage ou par fantaisie.

413 AIGLE, masculin dans les acceptions ordinaires (oiseau de proie, homme de génie, décoration, pupitre d'église, papier d'un grand format), est féminin quand il désigne expressément l'oiseau femelle ou au sens d'étendard, d'armoiries : *L'aigle est* FURIEUSE *quand on lui ravit ses aiglons* (Ac.). — *Les aigles* ROMAINES. — *Il porte sur le tout d'azur, à l'aigle* ÉPLOYÉE *d'argent* (Ac.).

414 ALVÉOLE est masculin (Littré, Dict. génér., Acad., Robert, Grand Larousse encycl.). Toutefois il y a, dans l'usage, de l'hésitation : UNE *alvéole vide* (R. Martin du Gard). — *Sur l'alvéole* LAISSÉE *dans la terre* (A. Malraux).

415 **AMATEUR.** Le féminin *amatrice* a été parfois employé (saint François de Sales, J.-J. Rousseau), mais il n'a pas été reçu par l'usage. On dit : *Elle venait à son hôpital, un peu en* AMATEUR (H. Bordeaux). — *La cuisinière* AMATEUR (J. Green).

416 **AMBASSADEUR.** Le féminin *ambassadrice* désigne la femme d'un ambassadeur ou, familièrement, une femme chargée de quelque message : *Une* AMBASSADRICE *de joie* (Molière). — Quand il s'agit d'une femme envoyée en ambassade par un souverain ou par un État, il y a, dans l'usage, hésitation : *Mme X,* AMBASSADEUR OU AMBASSADRICE.

417 **AMMONIAQUE,** solution aqueuse du gaz ammoniac, est féminin : *Dégraisser avec de* LA BONNE *ammoniaque.* — Parfois masculin, note l'Académie : CET *ammoniaque est très* FORT. — Pour désigner le gaz ammoniac, on dit elliptiquement, au masculin : *de l'ammoniac : L'ammoniac* LIQUÉFIÉ *sert à la production du froid* (Grand Larousse encycl.).

418 **AMOUR,** dans l'acception générale (affection, attachement) ou dans celle de « représentation du dieu Amour », est masculin : *Amour* MATERNEL ; UN VIOLENT *amour des richesses.* — *Peindre, sculpter de* PETITS *Amours* (Ac.).

Quand il signifie « passion d'un sexe pour l'autre », au singulier, il est généralement masculin (ce n'est guère qu'en poésie qu'on le fait parfois féminin) : *Mais combien fait mal* UN *amour qui meurt !* (P. Loti.) — *Mais pour désaltérer* CETTE *amour* CURIEUSE (P. Valéry). — Au pluriel, il est des deux genres : *L'antique océan qui berça les* PREMIERS *amours de la terre* (A. France). — *Ces hommes de l'Empire (...) parlèrent de leurs* PREMIÈRES *amours* (Musset).

419 **APRÈS-GUERRE, AVANT-GUERRE, ENTRE-DEUX-GUERRES** sont des deux genres: *L'humaniste optimiste du*

PREMIER *après-guerre* (P.-H. Simon). — CET *avant-guerre* (P. Emmanuel). — ‖ ‖ LA DERNIÈRE *après-guerre* (Fr. Mauriac). — *On est toujours en retard d'*UNE *après-guerre* (A. Chamson). — LA DERNIÈRE *avant-guerre* (G. Bernanos). — *Dans l'*INDÉCIS(E) *entre-deux-guerres.*

420 **APRÈS-MIDI** (masculin selon l'Acad.) est des deux genres : *Pendant* TOUT *l'après-midi* (A. Chamson). — ‖ ‖ UNE *après-midi* (J. Green). — *Le milieu d'*UNE BELLE *après-midi d'octobre* (Fr. Mauriac).

421 **AUTEUR** n'a pas de féminin officiel. *Autrice,* employé autrefois (Étienne Pasquier, Brantôme, Chapelain, Restif de la Bretonne...) est très rare aujourd'hui ; est rare également *autoresse* (repris à l'anglais *authoress*). — Usage normal : *Cette dame est l'*AUTEUR *d'un fort joli roman* (Ac.). — *Une* FEMME AUTEUR (Id.).

422 **AUTOMNE** a pu s'employer au féminin : *Que vous allez passer* UNE JOLIE *automne !* (Sévigné.) — *L'automne est* DOUCE (A. de Châteaubriant). — Dans l'usage d'aujourd'hui, il est presque toujours masculin : *Les* BEAUX *automnes* (R. Rolland). — UN CHAUD *automne* (Colette).

423 **BATEAUX** (noms de ~). En France, l'usage officiel est de faire accorder l'article avec le nom du bateau et de garder à ce nom le genre qu'il a dans la langue ordinaire. — Mais en fait, l'usage courant reste indécis (dans la presse cependant, le masculin l'emporte nettement) : *À bord de* LA *Médée* (P. Loti). — *Nous étions embarqués sur* LA « *France* » (G. Hanotaux). — ‖ ‖ LE « *Normandie* » (A. Gide). — *Je recalfaterai* LE « *Marie-Hélène* » (H. Queffélec). — *Quand nous l'avons envoyé* [le panneau de la *Joconde*] *aux États-Unis, il est parti sur* LE « *France* » (A. Malraux).

424 **BORGNE.** Une *borgnesse :* péjoratif et peu usité. Dans le sens non péjoratif, on dit : *une borgne : Vous aurez affaire à* UNE BORGNE (Y. Gandon).

Notons que *borgne de l'œil droit* (Hugo) signifie « qui ne voit plus de l'œil droit » — et qu'on dit, mais rarement, « aveugle d'un œil » : *En devenant temporairement* AVEUGLE D'UN ŒIL (A. Maurois).

425 CHROMO (abréviation de *chromolithographie*) serait logiquement féminin, mais dans l'usage, il est d'un genre indécis (toutefois le masculin l'emporte) : *Comme* UNE *chromo* (Saint-Exupéry). — ‖ ‖ UN *assez* VILAIN *chromo* (G. Bernanos).

426 CONFRÈRE. Flaubert a écrit : *Madame et cher* CONFRÈRE, *Ma chère* CONFRÈRE, — et Jules Renard : *Il y avait aussi une jeune* CONFRÈRE.

Mais pour désigner la femme membre d'une confrérie, c'est ordinairement *consœur* qu'on emploie : *La plus brillante de nos* CONSŒURS *en critique* (R. Kemp).

427 DÉBITEUR. Une *débiteuse :* celle qui débite (des nouvelles, par ex.) : *C'est une grande* DÉBITEUSE *de mensonges* (Ac.). — Une *débitrice :* celle qui doit.

Débitrice, dit l'Académie, est employé abusivement pour *débiteuse* pour désigner celle qui, dans les grands magasins, conduit les clients à la caisse.

428 DÉLICE est du masculin au singulier, et du féminin au pluriel : *La lecture de cet ouvrage est* UN *délice* (Ac.). — *L'imagination m'apportait des délices* INFINIES (Nerval).

429 DÉMON. Quelques-uns ont employé le féminin *démone : Que faisait à cela mon élégante* DÉMONE ? (Chateaubriand.) — *Une* DÉMONE *des bois et des rivières* (E. Jaloux).

430 DIABLE. Féminin : *diablesse : C'est une* DIABLESSE (Ac.). — On dit : *Cette* DIABLE *de Vendée* (Hugo). — *Quelle* DIABLE *d'idée !* (Flaubert) : *diable* est là pris adjectivement. — Mais on dit aussi : *Votre* DIABLESSE *d'imagination* (Voltaire). — *Sa* DIABLESSE *de femme* (Stendhal) : *diablesse* est alors pris comme nom.

431 **DISPARATE** (dissemblance choquante), pour l'Académie, est féminin : *Quelle disparate* CHOQUANTE ! — Mais, dans l'usage, on le fait souvent masculin : CE *disparate est inconcevable* (Flaubert). — LE *disparate des matériaux* (P. Gaxotte).

432 **DOCTEUR**, personne promue au grade universitaire le plus élevé dans une faculté, n'a pas de féminin : *Une fille* DOCTEUR *en philosophie* (A. Billy).

Selon l'Académie, *doctoresse* (femme munie du diplôme de docteur en médecine) est peu employé et « on se sert plutôt de *Femme docteur, Femme médecin* ou simplement *Docteur* ». N'empêche que *doctoresse* n'est pas rare : *Une sorte de maladie nerveuse que la* DOCTORESSE *soigne selon une méthode toute nouvelle* (A. Gide).

En s'adressant à une femme médecin, c'est *docteur* qu'on emploie.

433 **EFFLUVE**, selon les dictionnaires, est masculin : *Effluves* ODORANTS (Ac.). — Cependant il tend à passer au féminin : *Effluves* RAYONNANTES (Th. Gautier). — *Des effluves* ENIVRANTES (R. Rolland).

434 **ÉLYTRE** est masculin, mais quelques-uns, comme le note l'Académie, le font féminin : *Les élytres* FENDUES (Colette). — *L'élytre* DROITE (J.-H. Fabre).

435 **ENQUÊTEUR**. Féminin ordinaire : *enquêteuse*. Pour le sens spécial et néologique de « femme dont la profession est de faire des enquêtes dans le domaine des problèmes sociaux ou économiques », Robert (Supplém.) et le Grand Larousse de la Langue française donnent *enquêtrice* comme variante de *enquêteuse*.

436 **ENTRECÔTE** a été longtemps masculin, et il peut l'être encore : *Il piqua sa fourchette dans* UN *entrecôte* (J. Green). — Mais, de nos jours, il est le plus souvent féminin : UNE *entrecôte* GRILLÉE (Ac.). — UNE *entrecôte* JUTEUSE (P.-H. Simon).

437 **ENZYME** est d'un genre indécis : AUCUN *enzyme* (J. Rostand). — *Grâce à l'intervention d'*UN *enzyme* (J. Monod). — *La cellule a donc besoin de* CETTE *enzyme* (J. Carles). — L'Académie (mise en garde du 5 févr. 1970) s'est prononcée pour le féminin.

438 **ESPÈCE DE.** Dans un certain usage populaire, parfois aussi dans l'usage littéraire, *espèce de* (exprimant une nuance d'approximation ou de dépréciation), suivi d'un nom masculin, prend lui-même, par assimilation, le genre masculin, comme si *un espèce de* devenait l'équivalent de « un certain » : *La phrase s'achève en* UN *espèce de murmure* (G. Bernanos). — TOUS *ces espèces d'Arabes* (J.-J. Gautier). — UN *espèce de vallon* (M. Pagnol).

Dans une mise en garde du 18 nov. 1965, l'Académie a condamné cet usage.

Régulièrement : *Les deux autres hommes étaient, l'un* UNE *espèce de géant, l'autre* UNE *espèce de nain* (Hugo).

439 **ESQUIMAU.** Selon Robert : *une femme* ESQUIMAU OU ESQUIMAUDE. — Le féminin *esquimaude* est devenu courant : *Les mamans* ESQUIMAUDES (R. Kemp). — *Une vieille* ESQUIMAUDE (R. Vercel).

440 **FOUDRE** est féminin dans l'emploi général : LA *foudre est* TOMBÉE. — *Les foudres de l'excommunication furent* LANCÉES. — Il est masculin dans *foudre de guerre, foudre d'éloquence,* ou dans la langue du blason, ou quand il désigne le faisceau enflammé, attribut de Jupiter : *D'argent à* UN *foudre de sable.* — *Jupiter (...) lance* UN *foudre à l'instant* (La Font.).

441 **GARANT,** appliqué à des personnes, a pour féminin *garante : Cette marchande s'est rendue* GARANTE (Littré). — *Elle est, elle se porte* GARANTE *de ma conduite.* — Appliqué à des choses, il reste toujours masculin : *Sa conduite passée vous est* UN SÛR GARANT *de sa fidélité pour l'avenir* (Ac.).

442 GENS, collectif pluriel, est du masculin : TOUS *les gens* QUERELLEURS (La Font.). — QUELS *sont ces gens ?* (J. Romains.) — QUELS *que soient ces gens-là, il faut les aider.*

Cependant, précédé immédiatement d'un adjectif qui n'a pas une forme unique pour les deux genres, il veut au féminin tous les adjectifs placés avant lui ; mais les mots placés après lui et dont il commande l'accord se mettent au masculin : TOUTES *les* VIEILLES *gens* (Ac.). — *Ce sont les* MEILLEURES *gens que j'aie* CONNUS. — *J'écris pour ces* PETITES *gens d'entre* LESQUELS *je suis sorti* (G. Duhamel). — QUELLES *que soient ces* VIEILLES *gens, je veux m'occuper d'*EUX.

Les adjectifs qui ne précèdent *gens* que par inversion restent au masculin : INSTRUITS *par l'expérience, les* VIEILLES *gens sont* SOUPÇONNEUX (Ac.).

Gens suivi de la préposition *de* et d'un nom désignant une qualité, un état, est du masculin : *De* NOMBREUX *gens de lettres, de robe, de finance, d'épée, de mer,* etc.

Gendelettre(s) est péjoratif : GENDELETTRE *dans l'âme* (M. Proust).

Gent (race) est féminin : LA *gent canine* (Colette).

443 H.L.M. Comme ce sigle représente « habitation à loyer modéré », le féminin se justifierait par le nom « habitation » ; certains disent, en effet : « *une* H.L.M. ». Mais la plupart des usagers, sans doute par attraction du genre de « bâtiment », ou de « immeuble », ou de « ensemble », font *H.L.M.* masculin : *Habiter* UN *H.L.M.* (Robert, Suppl.).

444 HÔTE. Au féminin : *Une* HÔTESSE = celle qui reçoit qqn ; — *une* HÔTE = celle qu'on reçoit.

445 HYMNE, masculin dans l'acception ordinaire, est ordinairement féminin quand il est dit des hymnes qu'on chante dans l'église : *Les cieux sont* UN *hymne sans fin* (Lamartine). — *Seigneur,* QUELS *hymnes sont dignes de vous ?* (Ac.) — *Les hymnes* CHRÉTIENNES (Id.). — TOUTES *les hymnes de cet admirable office* (Fr. Mauriac).

446 **INTERVIEW** est parfois employé au masculin : CE NOUVEL *interview* (A. Hermant). — UN *interview* RÉCENT (J. Green). — Mais le mot est normalement féminin (cf. *une entrevue*) : *Donner* UNE *interview* (Ac.). — UNE *interview sur le film* (J. Cocteau).

447 **LAIDERON** est d'un genre indécis. L'Académie et la plupart des auteurs modernes le font masculin : *Pour danser avec* UNE LAIDERON *comme moi* (G. Sand). ‖ ‖ — *Cette fille est* UN LAIDERON (Petit Robert).

448 **LETTRES** (noms des ~). Un usage traditionnel fait du féminin les noms des lettres *f, h, l, m, n, r, s : Le pluriel met* UNE *S à leurs meas culpas* (Hugo). — UNE *h un peu* ASPIRÉE (J. Renard).

Mais l'usage est devenu courant de donner aux noms des consonnes, quelles qu'elles soient, le genre masculin : *L'l double qui est* MOUILLÉ (A. Hermant). — UN *H majuscule* (G. Duhamel).

449 **MERCI**, « bon vouloir », est féminin : *C'est un homme sans merci, qui ne vous fera* AUCUNE *merci* (Ac.). — *Être à* LA *merci du vainqueur* (Id.). — Dans les formules de civilité, il est masculin : GRAND *merci* (Ac.). — Au pluriel : *Mille* MERCIS.

450 **MINUIT** a été autrefois féminin. Cet usage se retrouve parfois encore, mais c'est un archaïsme (écrit *mi-nuit* ou *minuit*) : *Jusqu'à* LA *mi-nuit* (Montherlant). — *Vers* LA *minuit* (G. Duhamel).

451 **MULÂTRE**. On dit : *une* MULÂTRESSE (Ac.), — parfois aussi : *une* MULÂTRE.

452 **ŒUVRE**, toujours féminin au pluriel, l'est généralement aussi au singulier : *Les* DERNIÈRES *œuvres d'un auteur.* — TOUTE *œuvre* HUMAINE *est* IMPARFAITE.

Il est masculin quand il désigne la bâtisse, ou l'ensemble des œuvres d'un graveur, d'un artiste, parfois aussi d'un écrivain, ou la recherche de la pierre philosophale : LE GROS *œuvre est* ACHEVÉ (É. Fabre). — TOUT *l'œuvre de Callot* (Ac.). — *Dans l'œuvre* ENTIER *de Flaubert* (Fr. Mauriac). — *Travailler au* GRAND *œuvre* (Ac.).

453 **ORDONNANCE** (domestique militaire d'un officier) s'emploie souvent au masculin : UN *des ordonnances* (A. Maurois). — *Son* ANCIEN *ordonnance* (M. Druon). — Pour Littré, pour l'Académie, pour le Dictionnaire général, le mot est féminin : *Mon* ANCIENNE *ordonnance* (A. Maurois). — *Un secrétaire et* UNE *ordonnance* (G. Duhamel). [À noter qu'aujourd'hui les officiers n'ont plus d'ordonnance.]

454 **ORGE** est féminin : *De* BELLES *orges,* — sauf dans *orge mondé, orge perlé.*

455 **ORGUE,** toujours du masculin au singulier, l'est aussi quand il s'agit de plusieurs instruments : *L'orgue de telle église est* EXCELLENT (Ac.). — *Les deux orgues de telle église sont* EXCELLENTS.

Le pluriel *orgues* désignant un instrument unique est du féminin : *Les* GRANDES *orgues* (Ac.). — *Cela ressemblait aux sons d'orgues* LOINTAINES (R. Boylesve).

456 **PALABRE,** pour l'Académie, est des deux genres. En fait, on l'emploie le plus souvent au féminin : *Sans* AUCUNES *palabres philosophiques* (P. Claudel). — *J'en ai assez de* TOUTES *ces palabres* (R. Martin du Gard). — *Moyennant de* LONGUES *et rudes palabres* (Ch. de Gaulle).

457 **PAMPLEMOUSSE,** fruit du pamplemoussier (fruit appelé aussi *pomélo* ou *grape-fruit*) s'est employé parfois au féminin : UNE *pamplemousse* DÉROBÉE *aux offrandes* (P. Claudel). — L'usage courant le fait masculin : *La tête comme* UN

pamplemousse (Vercors). — *Mangé à midi (...)* UN *pamplemousse* (M. Aymé).

458 PÂQUE, fête juive, est féminin : *Des gâteaux de* LA *Pâque* JUIVE (A. Maurois). — *Notre-Seigneur célébra* LA *pâque avec ses disciples* (Ac.).

Pâques, fête chrétienne, est masculin et singulier quand on parle du jour de la fête : *Quand Pâques sera* VENU (Ac.).

Cependant il est féminin quand il est accompagné d'une épithète, quand il désigne la communion pascale, et dans *Pâques fleuries, Pâques closes ;* de même dans la formule de souhaits *Joyeuses Pâques : Ils se rappelaient (...) les* **Pâques** ÉCLATANTES *de soleil* (Hugo). — *Faire de* BONNES *Pâques* (Ac.).

459 PARTISAN. Le féminin *partisane* est assez courant aujourd'hui : *Les loges grillées (...) dont elle était* PARTISANE *déclarée* (Ph. Hériat). — *Vous n'êtes jamais* PARTISANE *de rien* (J. Giono).

Partisante est de la langue populaire.

460 PERCE-NEIGE, pour Littré, pour le Dictionnaire général, pour l'Académie, pour le Grand Larousse encyclopédique, est féminin ; — mais l'usage courant le fait masculin : LE PREMIER *perce-neige* (Colette). — *Les* PREMIERS *perce-neige* (J. Giono).

461 PÉRIODE, féminin dans les acceptions ordinaires, est masculin quand il désigne le degré où une personne, une chose est arrivée : *Démosthène et Cicéron ont porté l'éloquence à son plus* HAUT *période* (Ac.). — *Cet homme est à son* DERNIER *période* (Id.).

462 PHALÈNE, féminin selon Littré et selon l'Académie, est, en fait, des deux genres, mais le féminin semble prévaloir : *Des vols de* GRANDES *phalènes* (A. Daudet). — *Comme l'aile d'*UNE GRANDE *phalène* (M. Genevoix). — ‖ ‖ LE *phalène* DORÉ (Musset). — *Comme* UN *phalène dans la nuit* (M. Barrès).

463 POÈTE. On dit, au féminin : *poétesse : Sapho est une* POÉTESSE *illustre* (Ac.). — On dit aussi *femme poète* ou simplement *poète* (au masc.) : LE GRAND *poète Anna de Noailles* (J. Rostand). — Très rare avec l'article féminin : UNE *jeune* POÈTE *blanche* (Chateaubriand).

464 PRIÈRE D'INSÉRER est d'un genre indécis : *Comme le dit selon l'usage* LE *prière d'insérer* (A. Billy). — LA *prière d'insérer des « Bostoniennes »* (Fr. Mauriac).

465 RELÂCHE est traditionnellement masculin, dans le sens de « interruption d'une activité fatigante, repos, détente » ou « fermeture momentanée d'un théâtre » : *Son mal commence à lui donner* DU *relâche* (Ac.). — *Les relâches sont* FRÉQUENTS *à ce théâtre* (Id.).

Dans l'usage moderne, *relâche,* en ces deux sens, est assez souvent féminin : *Nul répit,* NULLE *relâche* (R. Rolland). — *J'y pensais, sans* LA *moindre relâche* (G. Duhamel). — *Voyant tout à coup sur l'affiche du théâtre (...) l'annonce lamentable d'*UNE *relâche* (Huysmans, dans Robert).

Relâche, lieu où un navire fait escale, action de *relâcher,* est féminin.

466 SANDWICH. Certains le font féminin, mais il est le plus souvent masculin : UNE *sandwich au foie gras* (H. Bordeaux). ‖ ‖ — UN *sandwich au jambon* (Ac.). — *De* PETITS *sandwichs* (Colette).

467 SAUVAGE, pris comme nom, peut avoir pour féminin *sauvagesse,* mais on dit généralement *une sauvage : Ce ne sont point des* SAUVAGESSES *qu'on a* DÉGUISÉES *là* (P. Loti). — *J'étais* UNE *sauvage* (J. Green).

468 SNOB. On dit, au féminin : *une snob : Contre une* SNOB (M. Proust). — *Jeunes femmes* SNOBS (Id.).

La langue familière a aussi, pour le féminin : *snobette, snobinette.*

À observer que, pour le pluriel de *snob* pris adjectivement, il y a, dans l'usage, un peu d'indécision : *Dans quelques cercles* SNOB (Montherlant). — *Ces gens sont un peu* SNOB (M. Pagnol). — *Ils sont un peu* SNOBS (H. Bordeaux).

469 SOLDE. Distinguez : « *la* solde » = paie qu'on donne aux soldats, — d'avec « *le* solde », terme de comptabilité et de commerce : *Solde* DÉBITEUR. — GRAND *solde de fourrures.* — *Soldes* SENSATIONNELS.

470 SOUILLON est des deux genres : *Ma servante Mélanie qui est pourtant* UN SOUILLON (M. Aymé). — UNE SOUILLON *ahurie* (Fr. Mauriac).

471 STEPPE est d'un genre indécis ; mais pour l'Académie et pour la plupart des auteurs, il est féminin : *Dans* LE *steppe* NATAL (P. Loti). ‖ ‖ — UNE *steppe immense* (J. Romains). — *On retrouve* LA *steppe* (G. Duhamel).

472 SUISSE. Pour désigner une femme suisse, on dit régulièrement : *une* SUISSESSE. — *Une Suisse* se dit parfois, mais cela est sujet à caution.

473 THERMOS (l'*s* se prononce) est des deux genres, mais le masculin prévaut : *Deux thermos* PLEINES *d'alcool* (A. Malraux). — UNE *thermos* REMPLIE *de thé* (J. Kessel). ‖ ‖ — *Cherche* LE *thermos* (J. Cocteau). — *Le panier, le cabas,* LE *thermos* (Colette).

On dit aussi : « bouteille thermos » : *Tu trouveras le lait dans la* BOUTEILLE THERMOS (H. Troyat).

474 VIEILLARD. Le féminin *vieillarde* (ignoré par l'Académie) se prend, selon Littré, avec une nuance de mépris ; il s'emploie parfois aussi autrement : *Avant six mois, je t'aurai cassée comme une* VIEILLARDE (J.-P. Sartre). — *La mort de la première prieure,* VIEILLARDE *sainte (...) est d'une grande beauté* (R. Kemp).

475 VILLES (noms de~). Pour le genre des noms de villes, l'usage est tout à fait flottant. On se contentera d'observer : 1° qu'avec un nom de ville terminé par une syllabe muette (*-e* ou *-es*), beaucoup mettent le féminin : *Narbonne est* BELLE (Hugo). — *Athènes s'est* REBÂTIE (R. Kemp) ; — 2° que l'adjectif attribut se met le plus souvent au féminin : *Madrid était* PLEINE *de chiens magnifiques* (A. Malraux) ; — 3° qu'avec *tout* + nom de ville, et avec *le tout* + nom de ville (= l'élite de la société de...), c'est toujours le masculin qui s'emploie : TOUT *Antioche s'étouffait au théâtre* (A. France). — TOUT *La Rochelle fut* MENACÉ *d'envahissement* (M. Maeterlinck). — LE TOUT-PARIS *méprise le reste du monde* (J. Benda).

Exemples de la grande indécision de l'usage : *Constantinople* INTOLÉRANTE (Nerval). — *Constantinople déjà* FROID (Id.). — CE *Venise* (M. Proust). — CETTE *Venise* (Id.). — UN NOUVEAU *Lourdes* (*ou* UNE NOUVELLE *Lourdes*) (R. Kemp).

II. SINGULIER / PLURIEL

476 AGAPE(S). On ne trouve, dans le Dictionnaire de l'Académie (8ᵉ éd., 1935), que la forme plurielle : *agapes : Les* AGAPES *des premiers chrétiens.* AGAPES *fraternelles.*

Le singulier *agape* pourtant n'est pas rare : *L'*AGAPE *suit la communion sainte* (Chateaubriand). — *Tous les baptisés se réunissaient pour la fraternelle* AGAPE (Daniel-Rops). — *Mes oncles achevaient maintenant leur* AGAPE (A. Malraux).

477 AÏEUL. Les *aïeuls* = le grand-père paternel et le grand-père maternel, ou : le grand-père et la grand-mère : *Ses deux* AÏEULS *assistaient à son mariage* (Ac.).

Les *aïeux* = les ancêtres : *C'était la mode chez nos* AÏEUX (Ac.).

On dit ordinairement : *les bisaïeuls, les trisaïeuls ;* parfois : les *bisaïeux,* les *trisaïeux : Nos* BISAÏEUX (A. Maurois). — *Jusqu'à nos* TRISAÏEUX (Destouches).

478 AIL. Au pluriel : *des aulx : Il y a des* AULX *cultivés et des* AULX *sauvages* (Ac.). — *Il aidait sa mère à tresser les* AULX (Colette).

Ce pluriel *aulx* vieillit, et l'on dit couramment *des ails.* — Cette dernière forme est constante en termes de botanique.

479 BERCAIL. Le pluriel *bercails* est rare : *Conduire tous les nourrissons vers les mêmes* BERCAILS (P.-H. Simon).

480 BÉTAIL n'a pas de pluriel. — Pour ce qui est de la forme, *bestiaux* est le pluriel de l'ancien nom *bestial* ou *bestiail ;* — pour ce qui est du sens, *bestiaux* désigne l'ensemble des animaux d'une ferme et qui comprennent à la fois le gros et le petit bétail.

481 CIEL fait au pluriel *cieux* quand il désigne l'espace immense dans lequel se meuvent les astres, ou encore le séjour des bienheureux : *L'immensité des* CIEUX (Ac.). — *Le royaume des* CIEUX (Id.).

Il fait *ciels* quand il signifie : couronnement d'un lit, — partie d'un tableau représentant le ciel, — plafond de carrière, — atmosphère, — aspect particulier du ciel de telle ou telle contrée : *Des* CIELS *de lit.* — *Ce peintre fait bien les* CIELS (Ac.). — *Des* CIELS *de carrière.* — *Les beaux* CIELS *sans nuages* (A. Maurois). — *Des aviateurs combattant dans tous les* CIELS (Ch. de Gaulle).

Au sens de « climat », *ciel* fait au pluriel *ciels* ou, beaucoup plus fréquemment, *cieux : Un de ces* CIELS *perfides qui caressent et brûlent la peau tendre des citadins* (A. France). — *Le soleil de vingt* CIEUX *a mûri votre vie* (Hugo).

482 CISEAU = outil d'acier, en biseau à un bout : CISEAU *de maçon, de sculpteur.* — *Ciseaux* = instrument formé de deux lames d'acier dont les tranchants se croisent et servent à couper des choses minces : *Mettre les* CISEAUX *dans une étoffe* (Ac.).

Dans ce dernier sens, le singulier *ciseau* est assez fréquent : *On n'a point encore mis le* CISEAU *dans cette étoffe* (Littré). — *Quand elle donnait dans le drap le coup de* CISEAU (J. Green). — *Il coupait ses poils au* CISEAU (J. Giono).

À noter, dans le même ordre d'idées : certains noms d'objets formés de deux parties semblables, admettent facilement, pour la désignation d'un objet unique, le singulier ou le pluriel : CULOTTE *de drap* (Ac.) ; *porter des* CULOTTES (Id.). — *Être en* CALEÇON (Ac.) ; *porter des* CALEÇONS (Id.). — PANTALON *large* (Ac.) ; *Malgré des* PANTALONS *trop courts, il avait (...) une saisissante allure* (M. Barrès). — *Apportez la* TENAILLE (Littré) ; *Arracher un clou avec des* TENAILLES (Ac.) ; — *Couper de la tôle avec une* CISAILLE, *avec des* CISAILLES. — *Porter un* BERMUDA ou *des* BERMUDAS (Robert, Suppl.). — *Raser sa* MOUSTACHE (Ac.) ; *porter des* MOUSTACHES (Dict. gén.).

Observons, en particulier, avec Marcel Cohen (*Toujours des regards sur la langue fr.*, p. 182) que, dans l'usage parisien ordinaire, *caleçon, culotte, pantalon* sont normalement singuliers.

483 DIRECTIVE(S). L'Académie ne connaît de ce nom que la forme plurielle : *Des* DIRECTIVES *furent données par le général en chef.*

Le singulier cependant est assez fréquent : *Sans tenir compte d'aucun mot d'ordre, d'aucune* DIRECTIVE (Fr. Mauriac). — *Ce qu'il faut déduire de cette* DIRECTIVE (É. Henriot). — *Je donnai comme* DIRECTIVE... (Ch. de Gaulle).

484 ÉMAIL. Pluriel ordinaire : *des émaux : Les* ÉMAUX *doivent être très fusibles* (Ac.). — *Un dais composé d'*ÉMAUX *translucides* (A. France).

Un pluriel moderne *émails* convient quand on désigne certains produits de beauté (pour les ongles, par ex.) ou certains produits employés dans diverses industries (peinture, carrosserie, etc.) : *Une gamme complète d'*ÉMAILS *pour les ongles.*

485 ÉTAL. Au pluriel : *des étaux : Ce boucher a plusieurs* ÉTAUX (Littré). — *Devant les* ÉTAUX *de boucherie* (M. Druon).

Ce pluriel *étaux*, parce qu'il est homonyme du pluriel de *étau*, se trouve très souvent évincé, dans l'usage moderne, par *étals* : *Les* ÉTALS *des bouchers* (A. France). — *Sur les* ÉTALS *du marché* (É. Henriot).

486 IDÉAL. Deux pluriels : *idéaux*, selon l'Académie, est employé plutôt dans la langue technique de la philosophie et des mathématiques ; — *idéals*, dans le langage de la littérature, des beaux-arts et de la morale.

En fait, les deux pluriels, dans l'usage ordinaire, sont courants : *Les* IDÉAUX *d'origine historique* (P. Valéry). — *Des* IDÉAUX *politiques* (Daniel-Rops). ‖ ‖ — *De tous les* IDÉALS *tu composais ton âme* (Hugo). — *Et toujours leurs* IDÉALS *se heurtèrent* (M. Barrès).

487 MATÉRIAU est un singulier refait, à la fin du XIXe siècle, d'après le pluriel *matériaux* (le singulier, dans l'ancienne langue, était *matérial*) : *Le seul* MATÉRIAU *du pays est l'argile* (Daniel-Rops). — *Le* MATÉRIAU *est solide* (J. Giraudoux).

488 ŒIL. Pluriel ordinaire : *yeux* : *Des* YEUX *bleus.* — *Les* YEUX *du pain, du fromage, du bouillon.* — *Tailler à deux* YEUX, *à trois* YEUX.

On a le pluriel *œils* dans certains noms composés : *Des* ŒILS-*de-bœuf* (fenêtres), *des* ŒILS-*de-chat* (pierres précieuses), *des* ŒILS-*de-perdrix* (cors), — de même dans le vocabulaire des métiers ou de la marine quand *œil* désigne une ouverture, un trou, une boucle, etc. : *Les* ŒILS *de ces grues, de ces marteaux, de ces étaux*, etc.

L'expression familière *entre quatre yeux* (= en tête à tête) se prononce généralement « entre quatre-*z*-yeux » ou « entre quat'-*z*-yeux » — ce qui s'explique, selon Martinon, par le fait que, pour le peuple, *œil* n'a pas d'autre pluriel que *zyeux*.

489 SARRAU. Pluriel traditionnel : *des sarraus.* — Dans l'usage, il y a parfois de l'indécision, et l'on rencontre le pluriel *sarraux* : SARRAUX *de toile jaune* (Nerval). — *Des* SARRAUX *noirs* (V. Larbaud). — *Nous enfilâmes des* SARRAUX (G. Duhamel).

490 TÉMOIN. Normalement invariable dans « prendre *à témoin* » ou quand il est au commencement d'un membre de phrase: *Je les ai pris tous* À TÉMOIN (Ac.). — TÉMOIN *les blessures dont il est encore tout couvert* (Id.).

L'usage est pourtant un peu indécis: *Je vous prends* À TÉMOINS, *Messieurs* (M. Genevoix). — TÉMOINS *les codes les plus cruels* (A. Suarès).

491 TÉNÈBRE(S). Les dictionnaires (Bescherelle, Littré, le Dictionn. général, l'Académie, le Grand Larousse encycl., Robert) ne donnent, pour *ténèbres,* que le pluriel.

Le singulier *ténèbre* se rencontre pourtant : *Aucune* TÉNÈBRE *ne recouvrait la terre* (Fr. Mauriac). — *Dans la* TÉNÈBRE *liquide* (P. Claudel). — *Alain ne vit plus devant lui qu'une* TÉNÈBRE *immense* (L. Martin-Chauffier). — *Je marche sur ma* TÉNÈBRE (J. Cocteau).

492 TRAVAIL fait au pluriel *travaux,* dans les acceptions ordinaires : *Les* TRAVAUX *des champs. Les* TRAVAUX *d'Hercule.*

Il fait *travails* quand il désigne un dispositif permettant d'assujettir les chevaux, les bœufs, etc., pour les ferrer ou pour les soumettre à certaines opérations.

Pluriel des noms propres

493 Quand les noms propres servent à nommer :

1° Des peuples, certaines familles illustres dans l'histoire, ils varient au pluriel : *Les Italiens, les Horaces, les Tarquins, les Bourbons, les Stuarts.*

2° Des familles entières (sauf les familles illustres dont il vient d'être question), ils sont invariables : *Les Oberlé, les Roquevillard, les Boussardel.*

3° Plusieurs individus désignés par le même nom, ils sont invariables : *Les deux Corneille. Les Goncourt.*

Il en est de même pour les noms de machines, d'autos, d'avions, etc. : *Je te donne dix* CHRYSLER *pour une Voisin* (M. Achard). — *Plusieurs* CARAVELLE.

Pour les noms désignant plusieurs villes ou plusieurs pays, il y a, dans l'usage, beaucoup d'indécision : *Il y a deux* FRANCE (A. Hermant). — *Il y a deux* VILLENEUVE (Id.). — *On aura l'image de deux* FRANCES (P. de La Gorce). — *Faire la jonction des deux* MAROC (A. Maurois). — *Il y a deux* MAROCS (P. Hamp).

4° Des individus considérés comme des types, souvent ils varient au pluriel : *Les* CICÉRONS *modernes.* — *Ce sont les* MÉCÈNES *qui font les* VIRGILES (É. Henriot).

Mais souvent aussi ils restent invariables : *Les* GOLIATH *sont toujours vaincus par les* DAVID (Hugo). — *Les* JÉRÉMIE *de la finance* (A. Maurois). — *Pasteur (...) est sans doute une figure pour les* PLUTARQUE *de l'avenir* (G. Duhamel).

5° Des individus dont le nom est précédé, par emphase, de l'article pluriel, bien qu'il ne s'agisse que d'un seul personnage, ils sont invariables : *Les* BOSSUET, *les* BOURDALOUE, *les* FLÉCHIER *ont illustré la chaire chrétienne au XVII*^e^ *siècle.*

6° Des titres de livres, de journaux, etc., généralement ils sont invariables : *Acheter deux* ÉNÉIDE. — *En feuilletant des vieux* MONDE ILLUSTRÉ (M. Bedel).

Parfois pourtant, variables : *Tandis que je feuilletais de vieux* « MAGASINS PITTORESQUES » (Fr. Mauriac).

7° Des œuvres d'art désignées soit par le sujet représenté, soit par le nom de l'auteur, ils sont, selon les caprices de l'usage, variables ou invariables : *Les* ANNONCIATIONS *des peintres chrétiens* (J. de Lacretelle). — *Dans les* DESCENTES DE CROIX (G. Duhamel). — *Un certain nombre de* VERTUMNE *et de* POMONE (F. Funck-Brentano). — *On peint des* ENFANT JÉSUS *et surtout des* CHRIST EN CROIX (S. de Beauvoir). — *Des* CALLOTS *accrochés au mur* (É. Estaunié). — *Un certain nombre de* COROTS (A. Maurois). — *Il avait été revoir les* TITIEN (Flaubert). — *L'un des plus beaux* COROT *du monde* (Fr. Jammes).

8° Plusieurs pays, provinces, cours d'eau, etc. portant le même nom, ils varient : *Les deux* AMÉRIQUES, *les deux* FLANDRES, *les deux* NÈTHES. — *Bibracte était la ville la plus industrieuse des* GAULES (C. Jullian).

Pluriel des noms composés

Principe. Dans les noms composés, seuls les *noms* et les *adjectifs* peuvent prendre la marque du pluriel, et ils la prennent quand le bon sens l'indique.

A. CAS GÉNÉRAUX

494 **Nom + nom ; nom et adjectif :** Les deux éléments prennent la marque du pluriel : *Des choux-fleurs, des oiseaux-mouches, des avocats-conseils ; — des coffres-forts, des arcs-boutants, des grands-pères, des francs-tireurs.*

Si le second nom (avec ou sans préposition) est complément du premier, seul ce premier nom est variable : *Des chefs-d'œuvre, des timbres-poste, des arcs-en-ciel, des appuis-main.*

495 **Verbe + objet direct :** Seul l'objet direct peut varier au pluriel ; faute de règle précise, on consulte le sens : *Des tire-bouchons, des pèse-lettres, des couvre-lits. — Des cache-poussière, des rabat-joie, des porte-monnaie.*

496 **Mot invariable + nom :** Seul le nom peut varier : *Des avant-projets, des arrière-boutiques, des haut-parleurs, des contre-attaques.*

497 **Expressions toutes faites ou elliptiques :** Aucun élément ne varie : *Des on-dit, des coq-à-l'âne, des manque à gagner, des passe-partout, des pince-sans-rire, des ouï-dire.*

498 **Mots étrangers :** Ils restent invariables : *Des nota bene, des post-scriptum, des statu quo, des vice-rois, des ex-ministres, des volte-face, des pick-up.*

Certains noms composés formés de mots étrangers sont considérés comme vraiment francisés : *Des* FAC-SIMILÉS (Ac.). — *Deux grands* IN-FOLIOS (A. Chamson). — *Pour se rapprocher de la famille des* EX-VOTOS (J. Romains).

Selon le pluriel anglais : *Des boy-scouts, des music-halls, des negro-spirituals, des pipe-lines, des pull-overs, des snack-bars, des week-ends.*

Premier élément en *-o* ou *-i* : cet élément reste invariable : *Des électro-aimants, des pseudo-prophètes, les Gallo-Romains, les Anglo-Saxons, des tragi-comédies.*

499 **Éléments onomatopéiques** : Le dernier élément seul est variable : *Déjà,* TAM-TAMS *et calebasses à grelots retentissent au loin* (H. Troyat). — *Des* TIC-TACS, *des* FROU-FROUS.

B. QUELQUES CAS PARTICULIERS

500 **À-CÔTÉ.** *Il gagne tant, sans compter les* À-CÔTÉS (Petit Robert).

501 **À-COUP.** *Cet enfant travaille par* À-COUPS (Ac.).

502 **APRÈS-MIDI.** L'Académie écrit : *des après-midi ;* — mais assez souvent, on trouve chez les auteurs : *des après-midis : Trois* APRÈS-MIDIS (A. Siegfried). — *Ces sombres* APRÈS-MIDIS (Fr. Mauriac).

503 **BONHOMME et GENTILHOMME**, ainsi que les titres *madame, mademoiselle, monseigneur, monsieur* font varier, au pluriel, chacun des éléments composants : *Des bonshommes, des gentilshommes, mesdames, mesdemoiselles, messeigneurs (nosseigneurs), messieurs.*

Les pluriels : *des monsieurs, des madames, des mademoiselles, des monseigneurs,* se disent parfois, par ironie ou par badinage : *Les simples* MONSEIGNEURS (La Font.). — *Des jambes de grosses* MADAMES (Fr. Mauriac).

504 **BOY-SCOUT.** Selon le pluriel anglais : *des boy-scouts.* — Le pluriel « des *boys-scouts* » se rencontre parfois : *Dans notre jardin sont venus camper des* BOYS-SCOUTS (A. Maurois). — *Les défilés de* BOYS-SCOUTS (P.-H. Simon). — *Nous étions redevenus, irrémédiablement, des* BOYS-SCOUTS (J. Dutourd).

505 **CHÊNE-LIÈGE.** Pour l'Académie : *des chênes-lièges.* C'est là le pluriel courant : *Des forêts de* CHÊNES-LIÈGES (M. Pagnol).

Plus d'un auteur toutefois (interprétant en « chêne à liège ») écrit : « des chênes-*liège* » : *À travers des bois de* CHÊNES-LIÈGE (M. Genevoix). — *Les interminables rangées de* CHÊNES-LIÈGE (J. Green).

506 CLIN D'ŒIL . Au pluriel : « des clins d'*œil* » : *De rapides clins d'*ŒIL (E. Jaloux). — *Les demi-sourires et clins d'*ŒIL (R. Martin du Gard).

On dit aussi : « des clins d'*yeux* » : *Faisant force clins d'*YEUX (Hugo). — *Colonnes de clins d'*YEUX *qui fuyaient aux éclairs* (G. Apollinaire). — *Ils accueillirent mon ami par des clins d'*YEUX *et des sourires narquois* (M. Pagnol).

On trouve parfois « un clin d'yeux » : *Comme* UN CLIN D'YEUX *d'intelligence* (V. Larbaud).

507 GARDE. Dans les noms composés, *garde* prend un *s* au pluriel quand le nom composé désigne une personne [*garde* équivaut alors à « gardien(ne) »] ; — il reste invariable quand le composé désigne une chose : *Des gardes-barrière, des gardes-chasse, des gardes-malade(s). — Des garde-fous, des garde-boue, des garde-robes.*

508 GRAND-MÈRE. Dans les noms composés féminins (*grand-mère, grand-tante, grand-messe,* etc.), l'adjectif *grand,* traditionnellement, ne change pas au pluriel : *Des costumes dignes de nos* GRAND-MÈRES (G. Duhamel). — *Une de ses* GRAND-TANTES (A. Chamson).

Mais on écrit aussi : *des grands-mères, des grands-tantes,* etc. : *Le nom du gâteau que mangeaient nos* GRANDS-MÈRES (G. Duhamel). — *Rien ne vaut la bonne suée de nos* GRANDS-MÈRES (A. Chamson). — *Avec nos pieuses* GRANDS-MÈRES (H. Bazin).

509 GUET-APENS. Au pluriel : *des guets-apens* (prononc. : *ghè-ta-pan*) : *On parle, on va, l'on vient ; les* GUETS-APENS *sont prêts* (Hugo). — *Des* GUETS-APENS (Ac.).

510 LIEU-DIT (sans trait d'union, pour l'Acad.). Au pluriel : *des lieux-dits, des lieux dits.*

Il s'écrit parfois en un mot : *lieudit ;* son pluriel est alors, selon Robert : *des lieuxdits.*

511 PETIT-BEURRE. Au pluriel : *des petits-beurre : Tandis que je déballais à mon tour les oranges, les* PETITS-BEURRE (M. Arland).

512 REINE-CLAUDE. L'orthographe *des reines-Claude,* qui était celle de l'Académie (7ᵉ éd. du Dictionn., 1878) et encore celle du Larousse du XXᵉ siècle, est aujourd'hui abandonnée et l'on a adopté, pour le pluriel, *des reines-claudes,* orthographe préconisée par Littré : c'est celle de la 8ᵉ éd. du Dictionnaire de l'Académie (1935), de Robert, du Grand Larousse encyclopédique.

Évidemment *reine-claude* ne varie pas si l'on écrit « des prunes de *reine-claude* ».

513 SOUTIEN-GORGE. Le Larousse du XXᵉ siècle écrit : *des soutien-gorge ;* cette orthographe se rencontre, et Le Gal estime même que *des soutien-gorge,* invariable, est la plus fréquente. Il cite : *Hommes (...) affligés de* SOUTIEN-GORGE *féminins* (Colette) ; — *L'usage des* SOUTIEN-GORGE (P.-A. Lesort).

Mais son opinion ne paraît pas fondée : l'orthographe *des soutiens-gorge* (plus logique) prévaut certainement (c'est celle qu'indiquent le Grand Larousse encyclopédique, le Petit Robert) : *Devant le rayon des* SOUTIENS-GORGE (M. Arland). — *Des* SOUTIENS-GORGE (M. Toesca). — *Y compris les* SOUTIENS-GORGE (J. Kessel). — *Une marque de* SOUTIENS-GORGE (R. Le Bidois).

Pluriel des noms étrangers

Principe. Les noms empruntés aux langues étrangères suivent la règle du pluriel français quand un fréquent usage les a vraiment francisés : *Des accessits, des autodafés, des* *bénédicités, des vivats, des scénarios, des macaronis, des guérillas, des meetings.*

514 NOMS LATINS. Restent invariables :

admittatur	deleatur	Kyrie	stabat
alter ego	exeat	Magnificat	Te Deum
amen	exequatur	mea culpa	vade-mecum
ana	extra	minus habens	veto
Avé	forum	miserere	
confiteor	Gloria	nota bene	
credo	intérim	Pater	

515 Addenda = ensemble des additions inscrites à la fin d'un livre : *Un addenda, des* ADDENDA (Littré).

Addendum se dit parfois quand il ne s'agit que d'une seule addition, mais vouloir, en cela, suivre le latin est plutôt pédantesque.

516 Déficit. On n'écrit plus guère : *des déficit.* Le mot est bien francisé, et le pluriel normal (déjà préconisé par Littré, et qui est celui de Robert et du Grand Larousse encyclop.), c'est aujourd'hui *des déficits : Le poker et les siestes remédiaient aux* DÉFICITS (Cl. Farrère).

517 Desideratum s'emploie surtout à son pluriel : *Des desiderata* (Ac.).

518 Duplicata, triplicata. Invariables : *On lui a envoyé les* DUPLICATA *de plusieurs dépêches* (Ac.). — Littré dit avec raison : « On ne voit pas pourquoi l'Académie, mettant un *s* dans *des opéras,* n'écrit pas aussi : *des duplicatas, des triplicatas.* »

519 Errata : nom collectif, invariable, désignant la liste des fautes d'impression d'un ouvrage ; on dit *un errata,* peu importe qu'il y ait plusieurs fautes ou une seule : *Il a fait un* ERRATA *fort exact* (Ac.). — *J'ai fondu l'*ERRATA *avec la table* (Stendhal). — *Les* ERRATA *sont nécessaires dans les livres* (Dict. génér.).

Il y a, dans l'usage, de l'indécision : certains disent, pour une seule faute à corriger : *un erratum;* plur. : *des errata.* — Quelques-uns même (Marcel Cohen, par exemple) disent toujours *un erratum,* qu'il s'agisse de plusieurs corrections ou d'une seule.

520 **Maximum, minimum.** Le pluriel latin, en *-a,* est d'usage surtout dans le langage scientifique : *Déterminer les* MAXIMA *et les* MINIMA *d'une fonction* (Ac.). — *Nous distinguerions encore deux couleurs principales, leurs* MAXIMA, *leurs* MINIMA (Taine).

Pluriels semblables, à la manière latine, pour des noms savants en *-um : Des moratoria, des postulata, des preventoria, des sanatoria, des ultimata...*

Ces pluriels en *-a* ont quelque chose de pédant ; dans le langage courant, on dira : *des maximums, des minimums, des moratoriums* (mieux : *des moratoires*), *des postulatums* (mieux : *des postulats*), *des préventoriums, des aériums, des sanatoriums* (ou : *des sanas*), *des ultimatums, des referendums, des consortiums, des criteriums* (mieux : *des critères*), *des solariums,* etc.

521 **N.B.** *Maximum, minimum, optimum, extremum,* adjectifs :

a) Pour le féminin : gardent ordinairement la forme en *-um ; La température* MAXIMUM (A. Hermant). — *La dépense* MINIMUM (Dict. gén.). — *Pression* OPTIMUM, EXTREMUM.

Surtout dans la langue technique, il y a une forme en *-a,* comme en latin : *Pression* MAXIMA, *température* MINIMA (Ac.). — *L'indemnité* MAXIMA (J.-P. Chabrol). — *Poussée* OPTIMA, EXTREMA.

b) Pour le pluriel : terminaison en *-ums* ou en *-a : Des prix* MAXIMUMS OU MAXIMA. — *Recettes* MAXIMA (A. Maurois). — *Conditions* OPTIMUMS OU OPTIMA. — *Des pressions* EXTREMUMS OU EXTREMA.

c) L'Académie des sciences (Paris) recommande d'employer les adjectifs *maximal, minimal, optimal, extrémal* dont ni le féminin (en *-ale*) ni le pluriel masculin (en *-aux*) ne soulèvent de difficultés.

522 **Quantum** (neutre sing. du lat. *quantus,* combien grand) fait au pluriel *quanta : La théorie des* QUANTA *de lumières, qu'on appelle des photons, a été très féconde en optique* (Ac.).

523 Quota [lat. *quota (pars)*, « (part) faisant quel nombre »] s'emploie au sens de « pourcentage, contingent » ; il prend un *s* au pluriel : QUOTAS *d'importation* (Robert).

524 NOMS ITALIENS. *Bravo* (assassin), *carbonaro, condottiere, graffito, lazarone, libretto, pizzicato, scenario, soprano* font ordinairement leur pluriel en *-i : Bravi, carbonari,* etc.

Les pluriels italiens *concetti, confetti, graffiti, lazzi, mercanti* s'emploient couramment comme noms singuliers : *un confetti, un lazzi,* etc. ; ainsi francisés, ils prennent un *s* au pluriel : *Ses* LAZZIS *sont des flammèches* (Hugo). — *Pons crachait des* CONFETTIS (A. Chamson).

Certains termes de musique, adverbes de leur nature, restent invariables quand ils indiquent le mouvement ou les nuances : *Des crescendo, des smorzando.*

S'ils désignent les airs mêmes, ils prennent un *s* au pluriel : *De beaux* ANDANTES, *des* ADAGIOS, *des* ALLÉGROS (Ac.).

525 NOMS ANGLAIS. Les noms anglais en *-man* font, à la manière anglaise, leur pluriel en changeant *-man* en *-men : Un gentleman, des gentlemen ; un policeman, des policemen ; un cameraman, des cameramen ; un sportsman, des sportsmen.*

Les noms anglais en *-y* font, à l'anglaise, leur pluriel en changeant *-y* en *-ies : Un baby, des babies ; un dandy, des dandies ; une lady, des ladies ; un whisky, des whiskies.*

Ces noms en *-man* ou en *-y* forment souvent aussi leur pluriel à la française : *Jeunes* CLUBMANS (A. Daudet). — *Un de ces* DANDYS (A. Billy). — *Des* WHISKYS *à l'eau* (J. Romains).

526 Flash. Au pluriel : *des flashes.*

527 Match. Pluriel à l'anglaise : *Aux* MATCHES *de boxe* (R. Rolland). — *Une organisation de* MATCHES (R. Martin du Gard.)

À la française : *J'assistais à des* MATCHS *de foot-ball* (A. Maurois). — *Pas de grands* MATCHS *en perspective* (P. Morand).

528 **Miss.** Pluriel à l'anglaise : *De jeunes* MISSES (Th. Gautier). — *Chez les* MISSES *Mapleson* (A. Hermant).

À la française : *Les deux* MISS *pensionnaires* (A. Gide). — *Les jeunes* MISS (R. Dorgelès).

529 **Sandwich.** Pluriel anglais : *des sandwiches : L'assiette de petits* SANDWICHES (Colette). — *Elle avait déjà préparé ses* SANDWICHES (A. Maurois).

Plus d'un auteur écrit : *des sandwichs,* à la française : *Ils mordaient à grandes bouchées dans deux* SANDWICHS (R. Martin du Gard). — *Deux ou trois* SANDWICHS (A. Gide). — *De petits* SANDWICHS (A. Billy).

530 **Speech.** Pluriel anglais : *Il y eut quelques* SPEECHES *amusants* (Petit Robert).

À la française : *Des speechs.*

NOMS ALLEMANDS.

531 **Leitmotiv.** Pluriel allemand : *des leitmotive : Deux* LEIT-MOTIVE *que l'on retrouve de siècle en siècle* (R. Kemp).

On emploie parfois le mot francisé *leitmotif* (ou *leit-motif,* avec trait d'union). Au pluriel : *Un des* LEIT-MOTIFS *du volume* (A. Thérive).

532 **Lied.** Le pluriel allemand *lieder* est d'usage surtout dans le langage des musiciens : *Il écrivit pour elle deux ou trois* LIEDER (G. Duhamel).

Dans l'usage courant, on dit plutôt : *des lieds : Les bateliers chantaient des* LIEDS *sentimentaux* (A. Maurois).

CHAPITRE II

ARTICLES

533 **SUR LES DEUX HEURES.** *Les, des* s'emploient devant les nombres d'heures, de jours, etc., pour marquer approximation ou latitude : *Sur* LES *une heure* (Littré). — *Vers* LES *une heure* (A. Chamson). — *Vers* LES *six heures. — Samson déjà a tué dans* LES *deux mille adultes* (J. Giraudoux). — *Marius rentre à présent à* DES *une heure du matin !* (Hugo.)

Avec *midi* et *minuit*, on peut employer *le,* ou *les,* ou *des : Sur* LE *midi* (Littré). — *Sur* LE *minuit* (P. Claudel). — *Vers* LES *midi un quart* (H. Lavedan). — *Je pars vers* LES *minuit* (J. Giono). — *Rentrer jusqu'à* DES *minuit.*

534 **N.B.** *Minuit* a été anciennement féminin. Dans l'usage moderne, « *la* minuit » (ou « *la* mi-nuit ») est archaïque : *Je nous revois vers* LA *minuit...* (G. Duhamel). — *Il sortait et vadrouillait jusqu'à* LA *mi-nuit* (Montherlant).

535 **LE MIDI, CE MIDI.** On emploie bien comme complément circonstanciel de temps *à midi* [= à l'heure de midi, ce jour] : *On a beaucoup parlé de vous,* À MIDI, *chez les gens avec qui j'étais* (G. Duhamel). — *Cette vieille servante de mon grand-père qui, du fond de mon enfance, m'apporte,* À MIDI *et le soir, une soupe parfumée* (Fr. Mauriac).

Le midi (correspondant à *le matin, le soir*) et *ce midi* (correspondant à *ce matin, ce soir*) sont critiqués ; — mais ils ont la caution de plus d'un bon auteur : *Dans les premières heures qui suivirent* LE MIDI *du 10 décembre* (Stendhal). — LE MIDI *du second jour, (...) la servante introduisit un enfant porteur d'une lettre* (G. Duhamel). — *Nous l'attendons pour* CE MIDI (A. Gide). — À comparer : *Chaque midi* (Maupassant). — *L'autre midi* (Cl. Farrère).

536 ACCUSER (LA) RÉCEPTION. L'Académie ne signale que *accuser réception,* sans l'article *la : Accuser réception d'une lettre, d'un paquet. Accusez-moi réception.* — Mais on peut mettre l'article : *Accuser* LA *réception* ou *accuser réception d'une lettre, d'un paquet* (Littré). — *Je vous prie de m'accuser* LA *réception de cette lettre* (Stendhal).

537 AVOIR (LE) DROIT DE + infin. L'article est facultatif : *Avoir droit de voter* ou LE *droit de voter* (Ac.).

538 (LA) NOËL. On dit, en faisant l'ellipse de « fête » : *la Noël : À l'approche de* LA *Noël* (Littré). — *Peu avant* LA *Noël* (H. Queffélec).

Mais on peut se passer de l'article : *Mais à Noël, qui peut savoir que l'hiver est fini ?* (Alain.) — *À quelques jours de Noël* (F. Gregh). — *La veille de Noël* (Ac.).

539 LE HERNANI, LA BRINVILLIERS. L'article devant un nom propre de personne se met parfois pour exprimer le mépris : *Le chef,* LE *Hernani / Que devient-il ?* (Hugo.) — LA *Montespan (...) a certainement consulté les diseuses de bonne aventure et même probablement* LA *Voisin pour se conserver l'amour du roi* (M. Garçon).

Semblablement dans l'usage populaire (pas toujours avec dénigrement) : LA *Léontine s'éloigna dans l'ombre* (M. Barrès). — *Vous vous rappelez,* LE *Gaëtan, comme il montait à cheval ?* (M. Arland.)

540 ÈS (l'*s* se prononce) est une ancienne forme (contraction de *en les*) qui se retrouve dans quelques locutions figées : *Docteur* ÈS *lettres,* ÈS *sciences; licence* ÈS *lettres.*

Il s'emploie parfois par badinage ou par ironie : *Il n'y a pas de canton qui n'ait sa douzaine de docteurs* ÈS *vignes* (R. Bazin). — *Le professeur* ÈS *idées générales* (Fr. Jammes).

Ce serait méconnaître l'étymologie de *ès* que de le faire suivre d'un nom singulier : *docteur* ÈS *pédagogie.*

À noter : *ès qualités* = en tant qu'exerçant la fonction dont on est investi : *Ici le ministre ne pouvait parler, intervenir* ÈS QUALITÉS (Petit Robert). — Abusivement, avec le singulier (influence de *en qualité de*) : *Le conseil ne siège plus* ÈS QUALITÉ (H. Bazin).

541 L'ARTICLE et les noms propres italiens.

a) On dit : *Dante,* sans l'article : *De beaux vers de* DANTE (Sainte-Beuve). — *La Béatrice de* DANTE (Montherlant). — Mais assez souvent aussi : « *le* Dante » (ce qui est peu régulier : en italien, l'article défini ne se met jamais devant un prénom masculin ; or *Dante* est l'abréviation du prénom masculin *Durante*) : *Il n'est rien que* LE *Dante n'exprimât* (Voltaire). — *Tout autant que* LE *Dante* (Flaubert). — *Le menton* DU *Dante* (Colette).

b) Ce qui vient d'être dit s'applique à *Titien :* (= prénom italien : *Tiziano ;* nom de famille : *Vecellio*) : *Vélasquez vénérait Titien* (A. Malraux). — *L'ambre* DU *Titien* (A. France).

c) On dit : *l'Arioste, le Corrège, le Véronèse, le Tintoret, le Pérugin,* parfois *le Vinci.*

d) On a pu mettre l'article devant des noms propres d'actrices ou de cantatrices célèbres : *La Champmeslé, la Malibran ;* — cet italianisme est aujourd'hui périmé.

542 LE PLUS, LE MOINS, LE MIEUX. Dans ces expressions, suivies d'un adjectif ou d'un participe, *le* reste invariable si la comparaison est faite entre les différents degrés d'une qualité, considérée dans un même être ou objet : *C'est au milieu de ses enfants qu'une mère est* LE *plus heureuse* (= heureuse au plus haut degré). — *C'est souvent lorsqu'elle est* LE *plus désagréable à entendre qu'une vérité est* LE *plus utile à dire* (A. Gide).

Mais on fait l'accord avec le nom exprimé ou sous-entendu quand il y a comparaison entre des êtres ou des objets différents : *Cette femme est* LA *plus heureuse des mères, la mère* LA *plus heureuse* [on la compare aux autres mères]. — *Une population qui est* LA *plus sobre et* LA *plus nombreuse du monde* (P. Valéry). — *Les questions qui paraissent* LES *plus dangereuses se trouvent un jour résolues par les circonstances* (A. Maurois).

N.B. 1. Moyen pratique : si l'adjectif admet après lui *de tous, de toutes :* article variable ; — s'il admet après lui *le plus (le moins, le mieux) possible :* article invariable.

2. Il serait souhaitable d'observer la distinction qui vient d'être expliquée ; mais dans l'usage courant et parfois même littéraire, il y a une forte tendance à faire varier l'article dans tous les cas : *L'hiver, c'est la saison où les nuits sont* LES *plus longues* (J. Giono). — *Les points où la citadelle est* LA *plus battue en brèche* (A. Thérive). — *C'est en hiver que ces jardins sont* LES *plus beaux* (É. Henriot).

543 DE BON TABAC. Devant un groupe « adjectif + nom », au lieu de *du, de la, de l', des,* la langue écrite ou soignée emploie, pour marquer le sens partitif, le simple *de : J'ai* DE *bon tabac* (Ac.). — DE *jolies maisons blanches* (Vigny). — *Ils burent (...)* DE *mauvais thé* (É. Henriot).

Mais la langue parlée, et souvent aussi la langue écrite, emploient *du, de la, de l', des :* DU *bon tabac.* — DE LA *bonne encre et* DU *bon papier* (A. Gide). — DES *petites pierres* (A. Chamson).

544 N.B. 1. On met *du, de la, de l', des,* si l'adjectif fait corps avec le nom : DES *grands-pères,* DES *jeunes gens,* DE LA *bonne volonté, dire* DES *bons mots.*

2. Devant un groupe « adjectif + nom pluriel », quand l'idée partitive est renforcée par *bien,* on trouve parfois *bien de : Cette contrée renferme* BIEN DE *fertiles prairies* (Littré). — *J'ai une jugeote qui rend* BIEN DE *petits services* (J. Giono). — Mais l'usage vraiment courant est de mettre *bien des : J'ai pris* BIEN DES *petits verres* (A. Daudet). — BIEN DES *jolies têtes souriaient* (Th. Gautier). — BIEN DES *petits services* (M. Proust).

3. En cet emploi, si l'adjectif est *autres,* on dit toujours *bien d'autres* (jamais : *bien des autres*) : *J'ai vu sous le soleil tomber* BIEN D'AUTRES *choses* (Musset).

4. Quand le nom est représenté par *en,* s'il s'agit d'exprimer l'idée partitive, la langue soignée emploie le simple *de : Du vin, j'en ai* DE *bon ; de la bière, j'en ai* DE *bonne. Des fleurs, il y en a* DE *blanches,* DE *rouges...* — Mais l'usage courant est de mettre *du, de la, de l', des : Du vin, j'en ai* DU *bon ; de la bière, j'en ai* DE LA *bonne. Des fleurs, il y en a* DES *blanches,* DES *rouges...*

545 ARTICLE PARTITIF et la négation. Dans des phrases négatives, il y a lieu de distinguer :

a) Si la négation est absolue, c'est-à-dire si le nom peut être précédé de « aucun » ou de « aucune quantité de », on emploie le simple *de : Je n'ai pas* D'*argent. — Vous ne m'avez jamais fait* DE *peine* (M. Proust).

b) Si la négation n'est pas absolue, c'est-à-dire si la phrase, malgré le tour négatif, implique, quant au nom, une idée affirmative, on emploie *du, de la, de l', des : Je n'ai pas* DE L'*argent pour le gaspiller* [= j'ai de l'argent, mais non pour le gaspiller]. — *Je ne prendrai point* DE LA *peine pour rien* (Montesquieu). — *Il n'a* DE LA *bonté que dans la tête* (Diderot).

L'article se répète devant deux adjectifs unis par *et* ou par *ou,* quand ces adjectifs qualifient des êtres ou des objets différents, quoique désignés par un seul nom : *Il y a* UNE *bonne et* UNE *mauvaise honte* (Ac.). — *Dans* LA *bonne ou* LA *mauvaise fortune.*

546 N.B. Si les adjectifs coordonnés sont placés après le nom, quatre tours sont possibles :

1. « La langue latine et la langue grecque » : (c'est le tour ordinaire) : *Le chat domestique et le chat sauvage* (Ac.).

2. « La langue latine et grecque » : *La syntaxe latine et française* (A. Maurois).

3. « La langue latine et la grecque » : *L'infanterie allemande et l'espagnole* (Voltaire).

4. « Les langues latine et grecque » : *Les statuaires grecque et chinoise* (A. Malraux).

547 ENTRE (LES) DEUX. Pour exprimer l'idée de « moyennement » ou de « ni bien ni mal », on peut employer « entre deux » ou « entre *les* deux » : *Ce mouton est-il dur ou tendre ? Entre deux* (Ac.). — *Est-elle laide ? Entre* LES *deux* (Littré).

548 TOUS (LES) DEUX. L'article est facultatif dans *tous les deux, tous les trois, tous les quatre : Faut-il les tuer tous* LES *deux ?* (Mérimée.) — *Tous deux sont morts* (Hugo). — *Tous* LES *trois, vous paierez les frais* (R. Benjamin). — *Ils se retrouveraient comblés tous trois* (M. Arland). — *J'ai pris la liberté de les alerter tous* LES *quatre* (J. Giraudoux). — *Tous quatre étaient fort émus* (A. Hermant).

Selon l'Académie, au-delà de quatre, l'article est requis. Opinion trop absolue ; on suivra plutôt celle de Littré, pour qui « au-delà de quatre jusqu'à dix, on supprime rarement l'article ; au-delà de dix, on l'emploie toujours » : *Y seront-ils tous* LES *cinq ?* (Hugo.) — *Et tous cinq se sont endormis pour toujours* (Nerval). — *Ils sont là, tous* LES *dix* (Hugo).

CHAPITRE III

ADJECTIFS

I. MASCULIN / FÉMININ

549 N'ont qu'une forme pour les deux genres :

adverse	capot	mastoc	rosat
angora	chic (fam.)	olé olé	snob
bath (argot fam.)	gnangnan (gnian-gnian)	riquiqui (rikiki)	standard
bengali	kaki	rococo	

550 AQUILIN. Rare au féminin : *Un nez d'une noble courbe* AQUILINE (Th. Gautier).

551 AVANT-COUREUR ne s'emploie pas au féminin. On peut emprunter à *avant-courrier* le féminin *avant-courrière.*

552 BEL, NOUVEL, FOL, MOL, VIEIL s'emploient immédiatement devant un nom masculin singulier commençant par une voyelle ou par un *h* muet : *Un* BEL *arbre, un* NOUVEL *habit, un* FOL *espoir, un* MOL *oreiller, un* VIEIL *usage.*

Mais on dira : *Ce drap est* BEAU *et bon* (Littré). — *Un* NOUVEAU *et rare moyen* (Id.). — *Un homme* MOU *et efféminé* (Ac.). — VIEUX *et usé* (Littré).

Toutefois cette observation n'est pas absolue : assez fréquemment, devant un mot à initiale vocalique, on emploie, pour ces adjectifs, la forme en *-l : Un* BEL *et pathétique récit* (G. Duhamel). — *Mon or, si* BEL *et si clair* (Montherlant). — *Un nez* MOL *et enfoncé* (A. Thérive). — *Un* NOUVEL *et fâcheux événement* (Ac.). — VIEIL *et illustre dramaturge* (M. Druon).

Les anciennes formes masculines *fol* et *mol* se rencontrent parfois encore, même devant un mot à initiale consonantique ou à la pause : *Un* FOL *gaspillage* (G. Duhamel). — *La vieille Périne (...) le tenait pour un peu* FOL (L. Martin-Chauffier). — *Le devoir des amis d'un mort n'est pas d'accompagner sa mémoire de* MOLS *gémissements* (Montherlant).

Vieux se dit parfois pour *vieil* devant un nom à initiale vocalique : *Un* VIEUX *usurier* (Montesquieu). — *Un* VIEUX *appareil* (A. Gide).

553 **CHÂTAIN**, joint à un nom féminin peut être pris substantivement ; il est alors invariable : *Trois petites frisettes* CHÂTAIN (A. Billy). — *Une jolie moustache* CHÂTAIN (M. Pagnol).

Le féminin *châtaine* est aujourd'hui tout à fait courant : *Avec ses longues tresses* CHÂTAINES (Hugo). — *Une grande chevelure* CHÂTAINE (Colette). — *Une courte moustache* CHÂTAINE (M. Druon). — *Elle restait blonde, avec plus de beauté, mais moins d'éclat que sa sœur, qui devenait* CHÂTAINE (Ph. Hériat).

554 **COI** fait au féminin *coite.* Le mot s'emploie surtout dans les expressions familières ***se tenir coi (coite), demeurer*** ou ***rester coi (coite) :*** *Là où les grandes personnes demeurent* COITES (Fr. Mauriac).

555 **FAT.** L'Académie ne donne, pour ce mot, que le masculin. Le féminin *fate* (accueilli par Littré) se rencontre parfois : *Cette émigration* FATE *m'était odieuse* (Chateaubriand). — *Dans une attitude à la fois très* FATE *et très gênée* (Alain-Fournier).

556 **FORT** est invariable dans les expressions ***se faire fort de, se porter fort pour :*** *Elle se fait* FORT *d'obtenir la signature de son mari* (Ac.). — *C'étaient de mauvaises herbes ; elle se faisait* FORT *de les arracher* (R. Rolland). — *Elles se portent* FORT *pour nous.*

C'est là l'usage traditionnel, mais, comme Littré le faisait observer, ce n'est qu'un archaïsme, qui d'ailleurs a été souvent, et depuis longtemps, enfreint. — De nos jours, il n'est pas rare que dans ***se faire fort de, se porter fort pour,*** les auteurs tiennent *fort* pour variable (en genre et en nombre) : *Quand la « Libre Parole » se fit* FORTE *de prouver...* (M. Barrès). — *Je me fais* FORTE *d'avance de son acceptation* (É. Estaunié). — *Catherine se faisait* FORTE *de convaincre peu à peu l'enfant* (G.-E. Clancier).

557 N.B. Semblablement *court* est invariable dans *demeurer court, rester court, se trouver court* (= manquer de mémoire, se trouver arrêté faute de moyens) : *Elle est demeurée* COURT *après les premiers mots de son compliment* (Ac.). — *Je tremblais de les voir rester* COURT (A. Hermant).

558 **GRAND** reste invariable en genre dans ***pas grand-chose, grand-croix, avoir grand-faim*** (ou ***grand-soif, grand-honte, grand-hâte, grand-peine, grand-peur, grand-pitié***), ***grand-maman, grand-mère, grand-messe, grand-tante,*** — expressions où l'on a de vrais noms composés.

559 N.B. Dans ces expressions, *grand,* joint à un nom féminin, offre une survivance d'un ancien état de choses, où *grand* n'avait qu'une seule forme pour les deux genres. — Quand l'usage se fut généralisé de marquer, pour tous les adjectifs, le féminin par un *e* final, on s'étonna de l'assemblage de *grand* et d'un nom féminin (*mère, tante, messe...*); on crut alors rendre toutes choses régulières en indiquant par une apostrophe la chute d'un *e* féminin (qui, à l'origine, n'existait pas dans ces mots !).

La 8e édition du Dictionnaire de l'Académie (1935) a remplacé là l'apostrophe par le trait d'union.

560 **GROGNON,** adjectif, fait au féminin *grognonne,* ou reste invariable : *Humeur* GROGNONNE (Ac.). — *Femme* GROGNON (Larousse du XXe s.).

561 **HÉBREU.** Quand il s'agit de choses, on emploie, pour le féminin : *hébraïque* (qui est des deux genres) : *Langue* HÉBRAÏQUE. *Université* HÉBRAÏQUE *de Jérusalem.*

Quand il s'agit de personnes, on emploie *juive* ou *israélite* (= appartenant à la communauté, à la religion juive).

562 IMPROMPTU. Pour l'Académie, *impromptu,* adjectif, est invariable. — Sans doute il est assez fréquent de ne pas le faire varier au féminin : *Une confrontation* IMPROMPTU *avec les chefs-d'œuvre* (A. Chamson). — Mais plus d'un bon auteur le fait varier (en genre et en nombre) : *Des besognes* IMPROMPTUES (R. Martin du Gard). — *Redoutant une visite* IMPROMPTUE (M. Druon). — *Des vers* IMPROMPTUS (Voltaire). — *Il y a souvent des crimes dans la montagne et ils sont toujours* IMPROMPTUS (J. Giono).

563 IVROGNE, MULÂTRE, NÈGRE, SUISSE, employés comme adjectifs, ont une forme unique pour les deux genres : *Femme* IVROGNE, *servante* MULÂTRE ; *la reine* NÈGRE (A. Maurois) ; *femme* SUISSE.

564 LAÏQUE. Qu'il s'agisse de l'adjectif ou du nom, *laïque* est des deux genres : *Habit* LAÏQUE, *enseignement* LAÏQUE, *école* LAÏQUE. — *Un* LAÏQUE, *une* LAÏQUE.

Au masculin, on écrit aussi : *Un* LAÏC (Robert).

565 LAPON, LETTON, NIPPON. Pour le féminin de ces mots (adjectifs ou noms), tantôt on redouble l'*n,* tantôt non : l'usage est flottant : *La race* LAPONE (Littré). — *Deux sœurs* LAPONNES (A. Bellessort). — *La forêt* LETTONE (M. Bedel). — *La police* NIPPONE (P. Morand). — *Les trompettes* NIPPONNES (Cl. Farrère).

566 MAÎTRE et TRAÎTRE, pris adjectivement, font au féminin *maîtresse, traîtresse : La* MAÎTRESSE *branche* (Ac.). — *Une âme* TRAÎTRESSE (Id.).

Cependant *traître* — et aussi *maître* dans l'usage populaire — sont parfois laissés invariables en genre : *La pieuvre est* TRAÎTRE (Hugo). — *La rive est* TRAÎTRE, *abrupte* (M. Genevoix).

567 MELLIFLU(E). On peut s'étonner que Littré, le Dictionnaire général, l'Académie, le Grand Larousse encyclopédique, Robert ne signalent, de cet adjectif, que la forme *melliflue* (adj. des deux genres, dit l'Acad.).

Il n'est pas douteux pourtant que la forme masculine *melliflu* est bonne et procède du latin *mellifluus* (de *mel,* miel, et *fluĕre,* couler), exactement comme *superflu* procède de *superfluus.* Ainsi Bescherelle, La Châtre, Poitevin, le Larousse du XXe s., ont eu tout à fait raison de mentionner le masculin *melliflu : Discours* MELLIFLUS (Bescherelle).

568 **MORMON** fait au féminin : *mormone.*

569 **RIGOLO,** mot d'argot familier, fait au féminin : *rigolote* ou *rigolotte :* RIGOLOTE *chanteuse* (M. Harry). — *De jolies histoires* RIGOLOTTES (J.-P. Chabrol).

570 **SAUVEUR.** Pour le féminin de l'adjectif *sauveur,* on emploie le néologisme *salvatrice : Quelque doctrine* SALVATRICE (G. Duhamel).

Autre forme néologique (mais peu usitée) : *sauveuse : Une rigueur (...) pourtant* SAUVEUSE (P. de La Gorce).

571 **VAINQUEUR,** adjectif, n'a pas de forme féminine. On peut, pour le féminin, emprunter à *victorieux* la forme *victorieuse.*

II. SINGULIER / PLURIEL

Ne changent pas au pluriel :

572

bath (argot fam.)	gnangnan (gnian-gnian)	mastoc	rococo
capot	melba	olé olé	rosat
chic	kaki	riquiqui (rikiki)	standard
			sterling

Ex. : *Nous sommes demeurés* CAPOT (Littré). — *Des chaussettes* KAKI (A. Maurois). — *Ces potages* STANDARD (J. Romains). — *Cinquante livres* STERLING (Ac.). — *Toutes les femmes* CHIC *de Saïgon* (Cl. Farrère).

573 N.B. Pour le pluriel de *chic,* il y a de l'indécision ; on le trouve assez souvent avec un *s : Des gens* CHICS (M. Proust). — *Dans des bals* CHICS (Montherlant). — *Chez les maîtresses de maison les plus* CHICS (H. Troyat).

574 **ADJECTIFS EN -*AL*.** D'une manière générale, les adjectifs en *-al* forment leur pluriel masculin en *-aux* : *Brutal, brutaux.*

Un petit nombre forment leur pluriel en *-als* : *Mendiants* BANCALS, *termes* CAUSALS, *rocs* FATALS, *sons* FINALS, *paysages* NATALS, *combats* NAVALS, *systèmes* TONALS, *conflits* TRIBALS.

575 N.B. 1. *Banal,* terme de féodalité, fait au pluriel masculin *banaux* : *Fours, moulins* BANAUX. — Dans l'emploi ordinaire, il fait *banals,* mais souvent aussi *banaux* : *Après des compliments* BANALS (Ch. de Gaulle). — *Des pastiches assez* BANALS (M. Brion). — *Quelques mots* BANAUX (R. Rolland). — *Une mosaïque originale d'éléments* BANAUX (J. Rostand).

2. *Marial.* Pour le pluriel de cet adjectif, il y a eu quelque indécision : le Grand Robert donne *mariaux,* mais le Petit Robert, *marials.* C'est cette dernière forme qui prévaut : *Textes* MARIALS (P. Laurentin). — *Sanctuaires* MARIALS (H. du Manoir).

576 **ANGORA,** est invariable si l'on suppose l'ellipse de « race » : *Des chats* ANGORA (Littré). — *D'adorables chattes* ANGORA (P. Loti).

Mais presque toujours on fait suivre à *angora,* adjectif ou nom, les règles normales de l'accord : *Les trois chats* ANGORAS (J.-L. Vaudoyer). — *Chats, chèvres, lapins* ANGORAS (Robert).

Quelques particularités

577 **MEILLEURS VŒUX.** Les formules de civilité *meilleurs vœux, meilleurs souhaits,* etc., sont critiquées par certains théoriciens du bon langage : ce qu'on veut exprimer, disent-ils, ce ne sont pas des vœux, des souhaits *meilleurs* [= comparatif] que d'autres, mais *les meilleurs* possible [= superlatif].

Sans doute, la stricte correction demanderait là, soit l'article défini, soit un possessif : *Les meilleurs vœux de..., mes meilleurs vœux.* — Mais *meilleurs vœux, meilleurs souhaits,* etc., sont si fréquents, surtout à l'époque de la Noël et du nouvel an, qu'il serait difficile de les chasser de l'usage. Avec André Thérive (*Procès de langage,* p. 115) on peut

— tout en regrettant leur brièveté peu courtoise — les accueillir comme formules figées, stéréotypées ; cf. : *Meilleures amitiés de votre vieil ami* (H. de Balzac). — Mais on fera toujours mieux de leur préférer : « *les* meilleurs vœux de... », « *mes* meilleurs vœux ».

578 N.B. 1. *Plus meilleur,* comparatif redondant, est de la langue populaire. Ne dites pas : *Plus ce vin vieillira, plus il sera meilleur ;* dites : ... *meilleur il sera* (ou : *plus il sera bon*).

2. *Meilleur,* quoi qu'en disent certains puristes, peut être modifié par *beaucoup : Ce vin est beaucoup meilleur* (Ac.).

579 PLUS BON, en principe, ne peut pas se dire.

Toutefois *bon* peut s'employer avec *plus* quand les deux mots sont séparés par un verbe : PLUS *une œuvre est* BONNE, *plus elle attire la critique* (Flaubert).

De même quand *bon* est pris au sens de « simple, crédule » : *Vous êtes bon de croire cela ! — Et vous, vous êtes encore* PLUS BON *de croire ceci.*

À noter que, dans les phrases suivantes, *plus* et *bon* n'ont pas entre eux le rapport existant dans le comparatif *plus bon : Il est bon plus que juste* [*plus* est lié à *que*]. — *Cette phrase sera plus ou moins bonne selon que...* (Littré) [*plus ou moins* = locution adverb.]. — *On ne saurait être plus bon enfant, plus bon vivant, plus bon apôtre* [bon enfant, bon vivant, etc. = noms composés].

À noter aussi qu'avec des expressions comme *bonne foi, bon mot, bon vivant, bonne volonté,* etc., si *bon* est, pour le sens, absolument inséparable du nom, l'expression peut s'accommoder de *meilleur : C'est le* MEILLEUR *bon vivant que j'aie vu. — Un de vos* MEILLEURS *bons mots.* — Mais si l'assemblage « *bon* + nom » n'est pas absolument indissoluble, *bon* s'accommode mal de *meilleur ;* on dira : *Avec la meilleure volonté du monde...* (plutôt que : *avec la meilleure bonne volonté...*).

580 PIRE, PIS. *Pire* (du lat. *pejor,* comparatif de *malus,* mauvais), beaucoup moins courant que *plus mauvais,* appartient à la même famille que *pis* (lat. *pejus,* neutre de *pejor*).

Les deux mots s'emploient comme adjectifs ou comme noms : *C'est bien la* PIRE *peine* (Verlaine). — *Pour les vieillards, c'est bien* PIRE (A. Maurois). — *Il n'y a rien de* PIS *que cela* (Ac.). — *En mettant tout au* PIS (Id.). — *En mettant tout au* PIRE (Fr. Mauriac). — *Le* PIS *du destin* (La Font.). — *Ce qu'il y a de* PIS (Diderot). — *Ce qu'il y a de* PIRE (A. Arnoux).

581 ANTÉRIEUR, EXTÉRIEUR, INFÉRIEUR, INTÉRIEUR, POSTÉRIEUR, SUPÉRIEUR (qui sont étymologiquement des comparatifs) — ainsi qu'**infime, intime, minime, ultime** (qui sont étymologiquement des superlatifs) peuvent descendre au niveau de simples positifs et se prêter à une variation en plus ou en moins : *Il serait* TRÈS INFÉRIEUR *à ces Iroquois* (Voltaire). — *Une salle* PLUS INTÉRIEURE (J. Romains). — *Aide-major de classe* TRÈS INFIME (A. Daudet). — *Un incident* TRÈS MINIME (G. Duhamel).

582 Certains adjectifs exprimant un haut degré ou une idée d'absolu peuvent, à l'occasion, admettre les variations en plus ou en moins ; tels sont :

absolu	énorme	excellent	impossible	suprême
achevé	essentiel	extrême	indispensable	total
divin	éternel	immense	parfait	universel

Ex. : *Une catastrophe* PLUS ABSOLUE (Montherlant). — *L'ouvrage* LE PLUS ÉNORME (Michelet). — *Dans* LA PLUS EXCELLENTE *acception de ces deux mots* (E. Fromentin). — *Les mots* LES PLUS INDISPENSABLES (Nerval). — *À partir d'une ruine* SI TOTALE (Fr. Mauriac).

III. ACCORD DE L'ADJECTIF

Règle générale : accord en genre et en nombre avec le nom ou le pronom auquel l'adjectif se rapporte.

583 NOMS JOINTS PAR *ET*. 1. Si l'adjectif qualifie plusieurs noms joints par *et*, il se met au pluriel : *Un livre et un cahier* NEUFS.

Quand les mots qualifiés sont de genres différents, l'adjectif se met au masculin pluriel : *Une tête et un buste* HUMAINS (A. France).

Quand l'adjectif a, pour les deux genres, des prononciations fort différentes, c'est généralement le nom masculin qu'on met, pour l'harmonie, à côté de l'adjectif : *Une tête et un buste* HUMAINS plutôt que *un buste et une tête* HUMAINS. — Certains auteurs en usent, en cela, librement : *Avec un savoir et une adresse* MERVEILLEUX (M. Proust).

2. Parfois l'adjectif se rapportant à plusieurs noms abstraits ne s'accorde pourtant qu'avec le plus rapproché : *Tant elles* [les lettres] *étaient mortifiantes pour la vanité et la jalousie* PERSANE (Montesquieu). — *Un goût et une aise* NOUVELLE (J. Giraudoux).

Le sens exige parfois cet accord avec le nom le plus rapproché : *Venez avec votre père et votre frère* AÎNÉ.

3. Plusieurs adjectifs au singulier peuvent se rapporter à un même nom, exprimé une seule fois, au pluriel : *Organiser les deuxième et troisième positions* (J. Romains). — *Les statuaires grecque et chinoise* (A. Malraux). — *Du XVe au XVIIe siècles* (J. Rostand).

Pour les divers tours possibles, voir n° 546.

584 NOMS JOINTS PAR *COMME, AINSI QUE,* etc. L'adjectif se rapportant à des noms joints par une conjonction de comparaison, s'accorde avec le premier : *L'aigle a le bec, ainsi que les serres,* PUISSANT *et* ACÉRÉ.

Mais l'accord se fait avec l'ensemble des noms si la conjonction a le sens de *et : Il avait la main ainsi que l'avant-bras tout* NOIRS *de poussière.*

585 NOMS SYNONYMES ou EN GRADATION. Accord avec le nom le plus rapproché : *Il a montré un courage, une énergie peu* COMMUNE. — *Une vigueur, un acharnement* ÉTONNANT. — *Il a conservé tout* ENTIÈRE *l'habileté, le talent qu'il avait.*

586 NOMS JOINTS PAR *OU*. Ordinairement, c'est l'idée de conjonction qui prévaut, et l'accord de l'adjectif se fait avec l'ensemble des noms : *Par une ambition ou une rancune* INDIGNES *de son grand cœur* (J. Bainville).

L'adjectif s'accorde avec le dernier nom si c'est l'idée de disjonction qui prévaut ; cet accord est obligatoire quand l'adjectif ne qualifie évidemment que le dernier nom : *Autour d'eux une indifférence ou une hostilité* PROFONDE (J. et J. Tharaud). — *Pour écouter (...) parfois aussi un pianiste ou un flûtiste* RENOMMÉ (M. Brion). — *Une statue de marbre ou de bronze* DORÉ.

587 Quand l'adjectif suit un nom complément déterminatif d'un autre nom, il s'accorde avec celui des deux noms que le bon sens indique : *Du poisson de mer* FRAIS. — *Deux bouteilles de vin* ALGÉRIEN.

588 Nombre d'adjectifs (surtout des adjectifs courts entrant dans des expressions usuelles) s'emploient adverbialement ; ils sont évidemment invariables : ***coûter cher, voir clair, chanter faux, sentir bon, raisonner juste, filer doux, s'arrêter court,*** etc. : *Les cuivres, ciselés* FIN (P. Loti). — *Roide moustache, coupée* COURT (Montherlant). — *Arbres posés* DROIT (Saint-Exupéry).

Parfois ces adjectifs sont attributs ou adjectifs détachés : ils sont alors variables : *Il avait les cheveux coupés* COURTS (G. Duhamel). — *La route s'allongea,* DROITE *et boueuse* (Cl. Farrère).

589 Certains noms pris adjectivement sont invariables quand ils sont encore sentis comme expressions elliptiques : *Des manières* CANAILLE [= semblables à celles de la canaille] (Littré). — *Leur nage* [des grenouilles] *allègre et* BON ENFANT (M. Genevoix). — *Des étoffes* BON TEINT.

Mais s'ils ne sont pas sentis comme expressions elliptiques, ils varient : *Des paroles* FARCES (Littré). — *Des hommes* GÉANTS *sur des chevaux* COLOSSES (Hugo). — *Dans les meetings* MONSTRES (J. et J. Tharaud). — *Une Allemagne (...)* BONNE ENFANT (A. Siegfried). — *Des clins d'œil* CANAILLES (R. Sabatier).

590 MOTS DÉSIGNANT UNE COULEUR.

1. L'adjectif simple s'accorde ; mais l'adjectif composé est invariable : *Des étoffes* BRUNES. — *Des étoffes* BRUN CLAIR [= d'un brun clair].

2. Le nom (simple ou composé) reste invariable : *Des étoffes* MARRON [= de la couleur du marron]. — *Des favoris* POIVRE ET SEL [= de la couleur du poivre et du sel].

Cependant *écarlate, mauve, pourpre, rose,* devenus de véritables adjectifs, sont variables : *Des rubans* ÉCARLATES, MAUVES ; *des étoffes* POURPRES, ROSES.

591 ADJECTIFS COMPOSÉS.

1. Formés de deux adjectifs qualifiant tous deux le même nom : les deux varient : *Des filles* SOURDES-MUETTES. — *Des paroles* AIGRES-DOUCES.

Adjectifs tirés d'un mot composé : le premier élément est invariable : *La cour* GRAND-DUCALE, *les officiers* GRAND-DUCAUX. — *Les théories* LIBRE-ÉCHANGISTES. — *Populations* EXTRÊME-ORIENTALES. — *Origine* FRANC-COMTOISE (R. Martin du Gard). — *Diverses loges* FRANC-MAÇONNES (É. Henriot).

2. Formés d'un mot invariable et d'un adjectif : évidemment l'adjectif seul varie : *L'*AVANT-DERNIÈRE *page.* — *Rayons* ULTRA-VIOLETS. — *Les maigres vaches* NORD-AFRICAINES (M. Genevoix).

3. Formés de deux adjectifs dont le premier a la valeur adverbiale : ce premier élément est invariable : *Des personnes* HAUT PLACÉES (Robert). — *Trois enfants* MORT-NÉS (J. Rostand). — *Personnes* COURT-VÊTUES.

592 N.B. Dans certains cas, suivant un ancien usage, les deux éléments varient : *Des roses* FRAÎCHES CUEILLIES (Ac.). — *Les deux pages* GRANDES OUVERTES (J. Romains). — *Les yeux et la bouche* LARGES OUVERTS (J. Cocteau). — *Ils sont arrivés* BONS PREMIERS.

Observations particulières

593 AVOIR L'AIR. *a)* Si l'on donne à « air » le sens de « mine, physionomie », l'adjectif s'accorde avec « air » : *Elle a* *l'air* FAUX (Ac.). — *C'est drôle, comme les gens ont l'air* CONTENT (R. Rolland).

b) Si l'on prend « avoir l'air » comme synonyme de « paraître », l'adjectif s'accorde avec le sujet : *Ils n'ont point l'air* INDIGENTS (Taine). — *Elle n'avait pas l'air trop* FÂCHÉE (A. Maurois).

594 DEMI, SEMI, MI.

a) **Demi,** devant le nom est invariable et s'y joint par un trait d'union : *Une* DEMI-*douzaine.* — *Toutes les* DEMI-*heures* (Ac.).

Après le nom, il s'y joint par *et,* et s'accorde en genre seulement : *Deux pommes et* DEMIE. — *Il est dix heures et* DEMIE.

On écrit : *midi et* DEMI (Ac.) ; *à minuit et* DEMI (Id.). — Cependant on rencontre fréquemment, chez les meilleurs auteurs : « midi et *demie* », « minuit et *demie* » : *Il est bientôt midi et* DEMIE (M. Genevoix). — *À minuit et* DEMIE (A. France). — *Vers minuit et* DEMIE (J. Romains).

b) **Demi, semi,** devant un adjectif sont invariables et s'y joignent par un trait d'union : *Ses ais* DEMI-*pourris* (Boileau). — *Je suis* DEMI-*morte !* (E. Rostand.) — *Populations* SEMI-*nomades.*

À demi s'emploie de même, mais rejette le trait d'union : *La statue était* À DEMI *voilée* (Ac.).

Semi, devant le nom est invariable : il s'y joint par un trait d'union : *Les* SEMI-*voyelles.*

c) **Mi** est toujours invariable et se joint par un trait d'union au mot avec lequel il forme corps : *La* MI-*carême. Les yeux* MI-*clos. À* MI-*hauteur.*

595 ÉGAL (n'avoir d'~ que). Pour l'accord de *égal,* adjectif substantivé, l'usage est indécis :

Tantôt l'accord se fait avec le sujet de « avoir » : *Edmont, dont le dévouement n'avait d'*ÉGAL *que la conscience scientifique* (A. Dauzat). — *Avec un intérêt qui n'a d'*ÉGAL *que l'attention de mon petit chien* (Ch. Maurras).

Tantôt il se fait avec le second terme du rapport : *Avec un tact et une souplesse qui n'ont d'*ÉGALE *que sa superbe loyauté* (Cl. Farrère). — [Molière] *n'a d'*ÉGAUX *en puissance sereine que Montaigne et Shakespeare* (A. Suarès).

596 D'égal à égal. Chacun des deux termes peut rester invariable : *Elle parle à Dieu presque d'*ÉGAL À ÉGAL (J. Green).

Mais on peut aussi faire accorder chaque terme avec le mot auquel il se rapporte : *Au milieu de merveilles qu'il traitait d'*ÉGAL À ÉGALES (J. Giraudoux).

597 Sans égal. Accord avec le mot auquel *égal* se rapporte : *Une imprudence sans* ÉGALE (Ac.). — *Des beautés sans* ÉGALES.

Avec un masculin pluriel, *sans égal,* selon le Grand Larousse de la Langue française, reste invariable : *Des chagrins sans* ÉGAL. — Cette opinion ne paraît pas fondée : on ne voit pas ce qui empêcherait de dire ou d'écrire : *Des chagrins, des malheurs, des champions, des apprêts... sans* ÉGAUX.

598 DES PLUS, DES MOINS, DES MIEUX. L'adjectif en rapport avec une de ces trois expressions s'accorde presque toujours avec le nom pluriel logiquement évoqué par *des* (= parmi les, entre les) : *Notre souper fut des plus* SIMPLES (Th. Gautier). — *Ce travail est des plus* DÉLICATS (Ac.). — *Quoique latiniste des moins* SÛRS *de soi* (P. Valéry). — *Un toast des mieux* RÉDIGÉS (A. Thérive).

Dans certains cas où il s'agit d'une seule personne ou d'une seule chose, on met parfois l'adjectif au singulier : on prend alors *des plus, des moins, des mieux* au sens de « très », « très peu », « tout à fait bien » : *La situation était des plus* EMBARRASSANTE (G. Duhamel).

C'est même ce singulier qui est logiquement demandé quand l'adjectif se rapporte à un pronom neutre : *C'était, en effet, des plus* INTÉRESSANT (P. Vialar).

599 FEU signifiant « qui est mort depuis peu » ne s'emploie guère que dans la langue littéraire ou dans la langue juridique ou administrative. — Il varie quand il est placé entre l'article (ou le possessif) et le nom : *La* FEUE *reine* (Ac.). — *Les*

FEUS *rois de Suède et de Danemark* (Id.). — *Toute votre* FEUE *famille* (J.-P. Sartre).

Dans les autres cas, il est invariable : *J'ai ouï dire à* FEU *ma sœur...* (Montesquieu). — FEU *mes oncles* (Littré).

Dans l'usage courant, on emploie *pauvre* ou *défunt* : *Ton* PAUVRE *arrière-grand-père me disait...* (Fr. Mauriac). — DÉFUNT *mon père aussi en était adepte* (R. Martin du Gard). — DÉFUNTE *ma mère* (G. Bernanos).

600 **FIN**, pris adverbialement au sens de « complètement », est invariable selon la syntaxe moderne, mais souvent on le fait varier, suivant la syntaxe ancienne : *Nous sommes seuls,* FIN *seuls* (J. Richepin). — *Quand elle était* FIN *prête* (H. Duvernois). — *Ils sont rentrés à l'aube, tous* FIN *saouls* (G. Bernanos). — ‖ ‖ *Elle* [une balle] *était* FINE *bonne, celle-là* (G. Duhamel). — *Aussi* FINS *saouls les uns que les autres* (R. Vercel).

601 **FRANC DE PORT.** Expression vieillie (on dit plutôt aujourd'hui : *affranchi,* pour une lettre, — et *franco,* pour un colis). — Invariable si l'expression est rapportée au verbe : *Recevoir* FRANC DE PORT *une lettre et un paquet* (Ac.). — Variable si elle est rapportée au nom : *Recevoir une caisse* FRANCHE DE PORT (Ac.).

602 **HAUT et BAS**, pris adverbialement, sont invariables dans : *J'en viendrai à bout* HAUT *la main* (Ac.). — HAUT *les mains !* — BAS *les armes !*

603 **DE GUERRE LASSE.** L'adjectif est toujours au féminin (ce qui s'explique, semble-t-il, par le fait qu'autrefois l'*s* de *las* se prononçait à la pause : on a cru voir là un féminin) : *Le chauffeur, de guerre* LASSE, *avait sans doute accepté de charger un piéton persuasif* (J. Cocteau).

604 **IL N'Y A DE ... QUE.** Quand un adjectif est en rapport avec *il n'y a de ... que, il n'y a pas plus ... que, tout ce qu'il y a de...,* [ceci ou cela] *n'a de... que,* souvent il se met au mascu-

lin singulier (proprement : au neutre) : *Il n'y a de* VRAI *que la richesse* (Musset). — *Il n'y a pas plus* DOUILLET *que les hommes* (J. Giraudoux). — *Toute émotion n'a d'*EXQUIS *que sa surprise* (A. Gide).

Mais il peut aussi s'accorder avec l'élément substantif que la pensée lui donne comme support : *Il n'y a de* PURS *que l'ange et que la bête* (P. Valéry). — *C'est une mort tout ce qu'il y a de plus* NATURELLE (P. Vialar). — *Ce sont des gens tout ce qu'on fait de plus* GENTILS (A. Chamson).

605 MEILLEUR MARCHÉ. Dans des phrases comme *Elle cherche la* MEILLEUR *marché des cotonnades ; je voudrais des chaussures* MEILLEUR *marché,* l'adjectif *meilleur* doit être au masculin singulier, parce qu'il se rapporte à *marché.*

606 NOUVEAU. Invariable dans : *Les* NOUVEAU-NÉS (Littré). — *Une petite fille* NOUVEAU-NÉE (Colette). — *D'autres beautés* NOUVEAU-NÉES (Ch. Maurras). — *Des vins* NOUVEAU *percés* (Littré) [peu usité ; on emploie plutôt « nouvellement »].

Variable, devant un participe passé pris substantivement dans : *Des* NOUVEAUX *mariés* (Ac.). — *Une* NOUVELLE *convertie* (Littré). — *Il y eut un court colloque entre les* NOUVELLES *venues* (R. Martin du Gard).

Pour former les adjectifs correspondant à *Nouveau-Québec, Nouvelle-Zélande,* etc., on change *nouveau* (ou *nouvelle*) en *néo,* invariable : *Les mines* NÉO-QUÉBÉCOISES, *les Alpes* NÉO-ZÉLANDAISES.

607 NU. Invariable dans *nu-tête, nu-bras, nu-jambes, nu-pieds, nu-pattes : Elle s'était levée* NU-*jambes,* NU-*pieds* (Maupassant). — *Aller* NU-*tête.*

Variable après le nom : *Aller la tête* NUE. — *Il lui parle tête* NUE (Ac.). — *Marcher pieds* NUS (Id.).

Nue-propriété (propriété d'un fonds dont un autre a l'usufruit) : au pluriel : *des nues-propriétés ; des nus-propriétaires.*

À nu : locution adverbiale, invariable : *Mettre un membre, une plaie* À NU (Ac.). — *D'abord leurs escoffions* [= coiffes] *ont volé par la place / Et, laissant voir* À NU *deux têtes sans cheveux, / Ont rendu le combat risiblement affreux* (Molière).

608 PASSÉ et PRÉCIS, après une indication d'heure, s'accordent avec *heure(s)*, ou *midi*, ou *minuit : Il est dix heures* PASSÉES, *dix heures* PRÉCISES. — *À une heure vingt* PASSÉE, *à une heure et demie* PRÉCISE ; *à deux heures et demie* PASSÉES, OU PRÉCISES. — *À midi* PASSÉ, *à minuit* PRÉCIS.

609 PLAIDER COUPABLE, ~ INNOCENT. Dans ces expressions, qui signifient respectivement « reconnaître la culpabilité en se faisant fort de l'excuser ou de l'atténuer », « plaider l'innocence », les mots *coupable* et *innocent* restent généralement invariables : *Les accusés y ont* [dans un procès], *grande nouveauté, plaidé non* COUPABLE (L. Martin-Chauffier). — *Ils plaident* INNOCENT.

L'invariabilité peut s'expliquer par le fait que l'adjectif semble traité comme s'il qualifiait un complément neutre impliqué dans le verbe : *Ils plaident* COUPABLE (ou : INNOCENT) = ... qq.ch. de coupable (qq.ch. d'innocent).

Cependant la variabilité de l'adjectif ne serait pas illogique : *Ils plaident* COUPABLES (ou : INNOCENTS) = ... qu'ils sont *coupables* (ou : *innocents*).

610 POSSIBLE, selon la règle traditionnelle, est invariable après un superlatif (*le plus, le moins,* etc.) : il se rapporte alors au pronom impersonnel *il,* sous-entendu : *Il lui adressait les compléments les plus justes* POSSIBLE (Flaubert) [= les plus justes qu'il était possible]. — *Je pose le moins de questions* POSSIBLE (J. Green).

Il est variable dans les autres cas (il se rapporte alors à un nom) : *Vous pouvez tirer sur tous les gibiers* POSSIBLES (Mérimée).

N.B. 1. La distinction serait bonne à observer, mais souvent les auteurs la négligent et font varier *possible* dans des phrases comportant un superlatif : *Il voulait lui donner le plus de choses* POSSIBLES (J. Giono). — *Il fait charger le plus de machines* POSSIBLES *sur des péniches* (A. Maurois).

2. Quand *possible* est placé immédiatement après *le plus, le moins*, etc., il est invariable : *Voir le plus* POSSIBLE *de gens de toutes sortes* (M. Achard).

611 **PROCHE,** adjectif, signifie « qui est à peu de distance, soit dans le temps, soit dans l'espace » : *Rappelez-vous les faits, ils sont encore* PROCHES. — *Nos plus* PROCHES *voisins.*

Proche, adverbe [= près] et *proche de,* locution prépositive, sont plutôt archaïques : *Mes amis demeurent ici* PROCHE. — *Ces gens habitent* PROCHE DE *chez moi,* PROCHE *l'église.*

612 **SEC.** On écrit : « en cinq *secs* » (= très rapidement) ou, plus souvent : « en cinq *sec* » : *Je te joue cela en cinq* SEC ou SECS (Littré). — *Les marier en cinq* SECS (Colette). — *Régler une affaire en cinq* SEC (Ac.).

613 **SEUL À SEUL.** Chacun des deux adjectifs peut rester invariable : *La vieille fille (...) laissait les époux* SEUL À SEUL (Daniel-Rops).

Mais on peut aussi faire accorder chaque adjectif avec le nom auquel il se rapporte : *C'était la première fois qu'il se trouvait* SEUL À SEULE *avec Élise* (R. Boylesve). — *Elle parlerait* SEULE À SEUL *avec Nicolas* (H. Troyat).

IV. NUMÉRAUX

614 **SEPTANTE, HUITANTE, NONANTE,** formes anciennes, ont été supplantées par *soixante-dix, quatre-vingts, quatre-vingt-dix.* — Toutefois *septante* et *nonante* persistent en Belgique, en Suisse romande, dans les Vosges orientales. — *Huitante* est courant en Suisse romande, sauf à Genève ; il y est (même à Genève) d'un usage régulier dans les services officiels (armée, téléphones, etc.).

Certains auteurs emploient parfois *septante* et *nonante* pour donner à la phrase une couleur provinciale : *Félicité, la mendiante aveugle de* NONANTE *ans* (A. Arnoux). — *Il était encore bel homme, malgré ses* SEPTANTE-*deux ans* (É. Henriot).

615 ET dans les numéraux. — *Et* ne s'emploie, dans les noms de nombre, que pour joindre *un* aux dizaines [sauf dans *quatre-vingt-un* (Ac.)] et dans *soixante et onze.* On dit donc : *vingt* ET *un, cent trente* ET *un, à soixante* ET *onze ans,* etc.

Ne mettez pas *et* (cela serait archaïque) dans : *Cent un, cent deux, trois cent un, mille deux cent cinq, mille un,* etc. : *Dans cent un ans* (Ac.). — *Trois cent un coups de canon* (H. Troyat). — *Mille un fagots* (Littré).

N.B. 1. On dit, dans un sens indéterminé, *mille et un* [= un grand nombre] : *J'entends bien qu'il ne s'agit pas ici des* MILLE ET UNE *démarches de l'humble vie quotidienne* (G. Duhamel). — On emploie semblablement *cent et un* (mais assez rarement ; on dit plutôt *cent et cent* ou *cent* tout court).

2. On dit *mille et trois* en parlant des conquêtes de don Juan.

3. On dit, avec *et :* « Cent *et* quelques », « mille *et* quelques », — ou encore : « cent *et* des », « mille *et* des » : *Je ne possédais que cent* ET *quelques francs.* — *Une dette de cinq cents* ET *des francs.*

616 TRAIT D'UNION. Dans les adjectifs numéraux composés, on met le trait d'union entre les éléments qui sont l'un et l'autre moindres que cent (sauf s'ils sont joints par *et*) : *Trente-huit ; soixante-dix-sept ; mille deux cent trente-cinq francs.*

Pour les ordinaux, l'usage est assez indécis : *La deux centième année* (Ac.). — *Le numéro quatre-centième* (Littré). — *La deux-millième place* (Id.).

617 UN. 1. On dit généralement : *page* UN, *page trente et* UN, *strophe vingt et* UN, etc. ; mais on peut dire aussi : *page* UNE, *strophe vingt et* UNE, *etc.*

2. On dit : *vingt et* UN *mille livres de rente, trente et* UN *mille cartouches, quarante et* UN *mille tonnes,* etc. ; *un,* dit Littré, porte non pas sur le nom féminin, mais sur *mille.*

Mais, avec Thérive, on peut réclamer, dans ces expressions, l'accord de *un* avec le nom féminin.

3. Dans l'indication de l'heure, on dit : *Il est trois heures* UNE ; *à dix heures moins* UNE, *à six heures vingt et* UNE, etc.

Martinon admet là *un* au masculin, mais l'usage courant demande *une.*

618 DEUX OU PLUSIEURS se justifie tout aussi bien que « un ou plusieurs » : *plusieurs,* en effet, est essentiellement un comparatif, et l'expression se résout en « deux ou un nombre plus grand » : *La société est un contrat par lequel* DEUX OU PLUSIEURS *personnes conviennent de mettre quelque chose en commun* (Code civil).

Plusieurs peut s'employer comme pronom : PLUSIEURS *pensent que...* (Littré). — *Ceci nous fut redit par* PLUSIEURS (A. Gide).

619 VINGT et CENT prennent un *s* quand ils sont multipliés par un autre nombre et qu'ils terminent l'adjectif numéral : *Quatre-*VINGTS *francs.* — *Trois* CENTS *mètres.* — *Nous étions cinq* CENTS. — Mais : *quatre-*VINGT*-deux francs.* — *Trois* CENT *quinze mètres.* — *Nous étions cinq* CENT *trente.* — *Les* VINGT *livres reçus. Tous les* CENT *mètres.*

N.B. 1. L'idée d'un multiplicateur est parfois exprimée d'une façon indéfinie : *Je fis quelques* CENTS *mètres* (Alain-Fournier).
2. *Vingt* et *cent,* employés pour *vingtième* ou *centième,* sont invariables : *Page quatre-*VINGT (Ac.). — *Chant premier, vers deux* CENT (Id.).
3. *Cent* employé pour « centaine » est un nom, et varie au pluriel : *Deux* CENTS *d'œufs, de fagots* (Littré). — De même quand il désigne certaines monnaies [le centième de l'unité principale]: *Deux dollars cinquante* CENTS [prononc. : *sèn't*].

620 MILLE, adjectif numéral, est invariable : *Deux* MILLE *hommes.* — *Quatre* MILLE *cinq cent dix francs.* — *Le chiffre des* MILLE.

Quand il s'agit de la date des années de l'ère chrétienne, on écrit traditionnellement *mil* si ce mot commence la date et est suivi d'un ou de plusieurs autres nombres : *L'an* MIL *sept cent* (Ac.). — MIL *huit cent onze !* (Hugo.)

Mais : *Aux environs de l'an* MILLE (É. Henriot). — *Quand l'an deux* MILLE *arrivera* (A. Rousseaux).

N.B. La règle qui vient d'être donnée est précaire ; en particulier, l'orthographe « l'an *mil* » est fréquente : *Depuis l'an* MIL (P. Loti). — *Vers l'an* MIL (M. Barrès). — On trouve aussi : « l'an deux *mil* » : *La grande peur de l'an Deux* MIL (F. Gregh).

Mille désignant une mesure itinéraire est un nom et prend un *s* au pluriel : *Ce navire parcourt tant de* MILLES *à l'heure* (Ac.). — *À deux mille* MILLES *de tout secours* (H. Bazin).

La règle s'applique aussi au terme anglais *mile : Battre le record des dix* MILES. — *Les 500* MILES *d'Indianapolis.*

On écrit : *Des* MILLE *et des cents* [= beaucoup d'argent] ; — *Plusieurs* MILLE *d'épingles.* — *Deux* MILLE *de paille.*

Millier, million, milliard, milliasse, billion, etc., sont des noms et prennent un *s* au pluriel (bien observer qu'ils n'empêchent pas l'accord de *vingt* ou de *cent*) : *Des* MILLIERS *de gens.* — *Quatre-vingts* MILLIONS *de francs.* — *Deux cents* MILLIARDS *cinq cent mille francs.*

621 ZÉRO est un nom et prend un *s* au pluriel : *Deux* ZÉROS.

Il ne s'emploie pas comme adjectif ; toutefois on dit bien : *zéro faute, zéro franc, zéro centime, zéro degré, zéro heure : L'usage tend à s'introduire de numéroter les heures de 0 heure à 24* (Ac.).

622 S'ils se trouvent associés à un nom de nombre, *autres, derniers, mêmes, premiers, prochains,...* se placent après ce nom de nombre : *Les dix* AUTRES *vers, les deux* DERNIÈRES *strophes, les trois* MÊMES *chiffres, les trois* PREMIÈRES *voitures, les deux* PROCHAINES *semaines.*

Toutefois quand un groupe est considéré comme unité (par ex. quand on compte par dizaines, par centaines, etc.), ces adjectifs se placent avant l'indication du groupe : *Les* PREMIERS *cent francs, les* DERNIERS *mille francs que je vous donne.* — *Les* PROCHAINS *mille exemplaires que vous m'enverrez.* — *Pendant les* MÊMES *cinq années* (Ch. de Gaulle).

V. POSSESSIFS

623 MON, TON, SON s'emploient au lieu de *ma, ta, sa* devant un mot féminin commençant par une voyelle ou un *h* muet : MON *erreur,* TON *âme,* SON *habitude,* SON *aimable réponse.*

Cependant devant *huitaine, huitième, ululation, yole, Yolande* et *onzième,* on emploie *ma, ta, sa :* MA *huitaine d'œufs,* TA *huitième victoire,* SA *ululation,* SA *yole.* — SA *Yolande* (Fr. Mauriac). — *Dans* SA *onzième année* (Ac.).

Pour *ouate, hyène,* il y a de l'hésitation : *En* SA *ouate d'azur* (J. Laforgue). — *Dans* SON *ouate* (Ph. Hériat). — TA *hyène* ou TON *hyène.*

De même avec l'article ou avec *de: Acheter de* L'*ouate* (Ac.). — *De* LA *ouate* (Id.). — *Une couverture* D'*ouate* (Id.). — *Turban* DE *ouate* (R. Martin du Gard). — L'*hyène* (Ac.). — LA *hyène* (Flaubert).

624 **BATTRE SON PLEIN.** Se dit de la marée qui, arrivée à son plus haut point, reste stationnaire quelque temps ; — dans le langage courant, l'expression se prend, par métaphore, au sens de « être complet, être à son comble ».

Plein est donc là un nom précédé du possessif. Ainsi on dira : *En état de transe, je bats* MON *plein* (A. Gide). — *Les grèves russes battent* LEUR *plein* (H. Troyat).

625 Dans l'emploi interpellatif, ordinairement *père, papa, grand-père, grand-papa, bon-papa, mère, maman, grand-mère, grand-maman, bonne-maman, oncle, tante, parrain, marraine* s'emploient sans possessif quand on parle avec une familiarité affectueuse, confiante : *Mère, je propose que nous continuions nos adresses* (R. Bazin). — *Écoutez, tante Henriette, je vais vous parler franchement* (A. Maurois).

Frère, sœur, cousin, cousine peuvent également se passer du possessif.

Avec *neveu, nièce,* on emploie le possessif.

Immédiatement devant un prénom, le possessif exprime une tendresse profonde : MON *Victor, je suis heureuse...* (R. Bazin).

626 **USAGES MILITAIRES.** Un militaire, parlant à un supérieur militaire, dit, avec le *mon : mon général, mon colonel, ..., mon capitaine, mon lieutenant* (et, en France : *mon adjudant,* mais, en Belgique : *adjudant*) ; — sans *mon : sergent, caporal.*

En s'adressant à un maréchal : *Monsieur le maréchal.*

Un militaire, parlant à un inférieur militaire, énonce le grade, sans *mon : Colonel, capitaine, adjudant,* etc.

Un civil, s'adressant à un officier, n'emploie pas, en principe, le *mon : Général, lui dit Clemenceau, voici pourquoi nous vous avons appelé* (A. Maurois).

S'il y a une certaine intimité dans les relations, on emploie, à l'occasion, « mon cher », ou « cher » : *Je compte, mon cher général, que vous serez des nôtres.*

Assez souvent, les hommes d'un rang social inférieur à celui de l'officier emploient le *mon,* surtout s'ils ont été militaires. — Mais les femmes ne doivent jamais employer le *mon ;* toutefois une femme jeune s'adressant à un officier d'un âge respectable ou d'un grade élevé dira : *monsieur le général, le colonel...* ou : *monsieur* tout court.

627 L'adjectif possessif est, en général, remplacé par l'article défini quand le rapport de possession est assez nettement indiqué par le sens général de la phrase, notamment devant les noms désignant des parties du corps ou du vêtement, les facultés de l'âme : *Il lève* LA *tête, ouvre* LES *yeux, étend* LES *bras, me tire par* LA *manche. Il perd* LA *mémoire.*

Cette règle n'a rien d'absolu : pour peu qu'on veuille marquer la personnalisation de celui dont il s'agit, on met le possessif : *Il étend* SES *bras* (Diderot). — *Il la tire familièrement par* SA *manche* (M. Prévost). — *J'ai mal dans* MES *jointures* (Colette).

D'autre part, le possessif est demandé quand il faut éviter l'équivoque, quand il s'agit d'une chose habituelle ou quand le nom est qualifié ou précisé par un complément : *Donnez-moi* VOTRE *bras* (dit le médecin). — *Elle a* SA *migraine* (A. France). — *Un Saxon étendu,* SA *tête blonde hors de l'eau* (A. Daudet). — *Ils t'ont coupé* TES *beaux cheveux,* TES *cheveux d'ange blond.*

628 CHACUN et le possessif.

a) Quand *chacun* renvoie à un pluriel de la 1re ou de la 2e personne, on emploie *notre, nos, votre, vos : Nous suivions chacun* NOTRE *chemin* (Lamartine). — *Nous avons chacun* NOS *soucis.* — *Vivez chacun de* VOTRE *côté* (Ac.). — *Vous vous retirerez (...) chacun dans* VOS *États* (Hugo).

La règle laisse de la latitude ; en particulier, *chacun de son côté* est fréquent : *Nous sommes tous partis, chacun de* SON *côté* (G. Duhamel). — *Nous sommes six cents (...) chacun sur* SON *cheval* (A. de Châteaubriant).

b) Quand *chacun* renvoie à un pluriel de la 3e personne, on emploie, au choix, *son, sa, ses* — ou *leur(s) : Les deux clercs écrivaient, chacun à* SA *table* (Hugo). — *Rien d'impossible à ce que deux ou plusieurs de ces variétés (...) gardent chacune* SES *caractères particuliers* (A. France). — *Ils gagnèrent chacun* LEUR *place* (Hugo).

629 Lorsque chacun des possesseurs ne possède qu'un seul objet, on emploie, selon le point de vue de l'esprit :

a) les singuliers *notre, votre, leur,* si, dans l'ensemble des possesseurs, on envisage l'individu : *Mes compagnons, ôtant* LEUR *chapeau goudronné...* (Chateaubriand). — *Nous ôtons* NOTRE *manteau.*

b) les pluriels *nos, vos, leurs,* si on envisage la pluralité ou la variété du détail : *Ils prirent* LEURS *manteaux et* LEURS *chapeaux* (M. Brion). — *Nous pouvons encore nous appeler par* NOS *noms* (M. Arland).

N.B. On met, au choix, le singulier ou le pluriel, dans des phrases du type : *Ils sortent avec leur(s) femme(s) : Nous laissons* NOS *chères compagnes* (La Font.). — *Ils aimaient* LEURS *femmes* (Montesquieu). — ‖ ‖ *Des hommes brillants venus à Balbec sans* LEUR *femme* (M. Proust). — *Sur cinq hommes mariés (...) trois avaient déjà retrouvé* LEUR *femme* (A. Chamson).

VI. INDÉFINIS

630 AUCUN et NUL s'emploient normalement au singulier ; ils se mettent au pluriel quand ils se rapportent à des noms qui n'ont pas de singulier ou qui ont, au pluriel, un sens particulier : AUCUNS *frais.* NULLES *funérailles.* — AUCUNS *apprêts !* (Hugo.) — *Elles non plus ne toucheraient* AUCUNS *gages* (J. Schlumberger).

On les trouve aussi au pluriel, en dehors des deux cas qui viennent d'être signalés (mais cela a un air d'archaïsme et sort du commun usage) : AUCUNES *choses ne méritent de détourner notre route* (A. Gide). — *On ne doit surcharger* NULLES *créatures* (A. France).

Cependant le pluriel se justifie parfaitement quand la phrase implique, quant au nom, une idée de pluralité ou quand elle suppose jonction, comparaison, ressemblance, opposition, etc. : NULS *pépiements d'oiseaux n'égayaient cette solitude* (H. Lavedan). — NULS *chefs ne s'affrontaient* (Ch. Péguy). — AUCUNES *familles n'étaient plus unies que ces deux-là.*

631 AUTRE.

1. Devant une indication de temps, *l'autre* se rapporte à un passé plus ou moins récent, parfois aussi à un avenir rapproché : *J'étais* L'AUTRE *jour dans une société où je me divertis assez bien* (Montesquieu). — *Mes infirmités me rendent si faible ! Cependant, j'aurais pu vivre jusqu'à* L'AUTRE *hiver, encore !* (Flaubert.)

2. Après *l'un et l'autre,* adjectif, le nom se met au singulier ou au pluriel : *L'un et l'autre* CRIME (J. Lemaitre). — *Sur l'une et l'autre* RIVE (M. Arland). — *Dans l'une et l'autre* ATTITUDES (Daniel-Rops). — *L'une et l'autre* RIVES *du Rhin* (J. Kessel).

3. Avec *l'un ou l'autre, ni l'un ni l'autre,* adjectifs, le nom se met au singulier : *Il me faut déserter l'un ou l'autre* RIVAGE (M. Jouhandeau). — *Ni l'un ni l'autre* ESCADRON *n'arriva* (Michelet).

4. L'adjectif *autres,* devant un nom pluriel coordonné dont le sens générique englobe plusieurs noms qui précèdent, s'emploie bien dans des phrases comme : *Il collectionne les papillons, fourmis, mouches et* AUTRES INSECTES. — *De menus objets de menuiserie, tels que bagues, ronds de serviettes, coquetiers, manches d'ombrelles et* AUTRES *agréables* BABIOLES (É. Henriot).

Si, dans ces sortes de phrases, le nom pluriel terminant la série n'englobe pas les termes qui précèdent, l'effet est badin ou vulgaire ; il heurte fâcheusement le bon sens :

Ces doctes traités, essais, précis, mémoires et AUTRES DISCOURS *qui vont désormais orner votre solitude* (G. Duhamel). — *Le « cha-cha-cha », le « be-bop » et* AUTRES « CHARLESTONS » *sont des danses gaies* (P. Daninos).

5. *Autre* s'ajoute comme terme de soulignement ou d'opposition aux pronoms *nous, vous : Nous ne ferons pas cela,* NOUS AUTRES. — *Vous ne comprenez jamais rien,* VOUS AUTRES !

Eux autres appartient à la langue populaire ou très familière : EUX AUTRES, *ils ont discuté, avec le patron* (J. Giono).

6. *Entre autres.* Cette expression est le plus souvent en rapport avec un nom ou un pronom exprimé avant ou après elle : *J'ai vu les plus beaux tableaux de Rome,* ENTRE AUTRES *« la Transfiguration » de Raphaël* (Ac.). — *J'ai visité* ENTRE AUTRES *musées celui du Louvre.*

Mais, quoi qu'en pensent certains théoriciens du langage, *entre autres* s'emploie aussi absolument, comme substitut de « par exemple » ou de « en particulier » : *Je me souviens,* ENTRE AUTRES, *que M. Dubois nous récitait (...) de certains vers de Voltaire ou de lui* (Stendhal). — *Corps dur et solide, de la nature des rochers, qu'on emploie,* ENTRE AUTRES, *pour bâtir* (Littré). — *Je lis ceci* ENTRE AUTRES : *« Monsieur, au cours d'un voyage... »* (A. Hermant).

7. Le pluriel de *un autre* est *d'autres :* D'AUTRES *vont maintenant passer où nous passâmes* (Hugo). — Ne dites pas : *Des autres vont...*

8. *Un autre, d'autres,* sujets réels, ou attributs, ou objets directs, s'appuient sur le pronom *en* qui précède : *Je rapporte ce livre ; il m'*EN *faudrait un autre ; donnez-m'*EN *un autre, donnez-m'*EN *d'autres.* — *Votre habit est usé, il faut* EN *acheter un autre* (Ac.). — *Tu* EN *aimes un autre ?* (A. Daudet.)

Parfois cependant, ils se passent de l'appui du pronom *en : Quant à ses chansons, (...) elles célébraient d'autres que Gabrielle* (Nerval). — *Et si j'aimais un autre, tu m'aimerais toujours ?* (R. Rolland.) — *L'auteur de cette lettre — combien d'autres ai-je reçues ! — tuerait volontiers le général de Gaulle* (A. Malraux).

632 **CERTAIN.** On distingue, selon la place de *certain :*

Un succès CERTAIN (= assuré, incontestable) — et *un* CERTAIN *succès* (= partiel, pas complet, mal défini).

Un certain + nom propre indique que l'on ne connaît pas bien le personnage ; parfois il exprime le dédain : *Le personnage intéressant de la foire était* UN CERTAIN *Nissim Tobler* (J. et J. Tharaud). — UN CERTAIN *Chose m'a téléphoné.*

On dit au pluriel, sans différence de sens : *certaines choses, de certaines choses ; à certaines heures, à de certaines heures,* etc. : *Il y a* CERTAINES *choses,* DE CERTAINES *choses pour lesquelles on éprouve de la répugnance* (Ac.).

633 **CHAQUE** doit, en principe, être suivi immédiatement d'un nom : CHAQUE *âge a ses plaisirs.*

634 Dans la langue familière, ou commerciale, ou populaire, il s'emploie couramment d'une manière absolue, sans aucun nom exprimé après lui : *Ces cravates coûtent tant de francs* CHAQUE. — *Passer dans trois cabarets et boire plusieurs verres dans* CHAQUE.

Cela se rencontre parfois même dans la langue littéraire : *Les carrosses de louage (...) taxés cinquante-deux livres par an* CHAQUE (Hugo). — *Trois secteurs, trois jours dans* CHAQUE (M. Genevoix). — Il reste néanmoins qu'un tel emploi n'a guère été reçu jusqu'à présent dans le bon usage. — Dans la langue soignée, on dit, par exemple : *Ces cravates coûtent douze francs* CHACUNE (Ac.), — ou : *douze francs* (LA) PIÈCE, ou : *douze francs* L'UNE. — *Les cartons coûtaient alors deux sous* PIÈCE (A. Chamson).

635 **Chaque,** suivi d'un numéral et d'un nom, peut servir à marquer la périodicité : par exemple : *chaque huit jours.* Les puristes protestent et veulent qu'on dise : *de huit (jours) en huit jours* ou *tous les huit jours.*

Il faut bien constater cependant que le tour incriminé est assez fréquent dans l'usage littéraire : *Il est bien juste que pour* CHAQUE *mille francs je vous donne vingt-cinq francs* (Sévigné). — CHAQUE *dix minutes* (M. Barrès). — *On recense seulement une fois* CHAQUE *quatrième année* (Cl. Farrère). — *Soixante-dix avions* CHAQUE *vingt-quatre heures* (J. Kessel). — CHAQUE *huit jours* (M. Druon).

636 **Entre chaque, entre chacun** s'emploient tout à fait couramment, même (en dépit des puristes) dans la langue littéraire, au sens de « dans chaque intervalle de la série dont il s'agit ». Quelques-uns estiment qu'on pourrait, plus logiquement, employer *après*.

Il n'empêche que *entre chaque, entre chacun* sont anciens et ont la caution de cent et cent excellents auteurs : *Entre* CHASCUNE *tour* (Rabelais). — *Entre* CHAQUE *tilleul* (Diderot). — *Entre* CHAQUE *tableau* (Chateaubriand). — *Entre* CHAQUE *tige de blé* (Hugo). — *Entre* CHAQUE *phrase* (A. Chamson). — *Entre* CHACUNE *de ses phrases* (Th. Gautier). — *Entre* CHACUNE *de ces démarches* (J. Kessel).

637 **MAINT** s'emploie comme adjectif, au singulier et, plus souvent, au pluriel : *Je l'ai rencontré en* MAINTE *occasion* (Ac.). — MAINTES *gens vous diront que...* (Id.). — MAINTES ET MAINTES *fois j'en avais entendu parler* (J. de Lacretelle).

Après *maint et maint*, le nom se met au singulier, parfois aussi au pluriel : *Je fis mainte et mainte* REMARQUE (G. Duhamel). — *J'ai reçu maint et maint* CONSEILS (J. et J. Tharaud).

Comme pronom, *maint* est archaïque : *Une philosophie dont se réclame* MAINT *d'entre eux* (J. Benda). — *Un assez grand nombre de mythes dont* MAINTS *n'ont aucune chance de se réaliser bientôt* (Daniel-Rops).

638 **MÊME** est adjectif et variable lorsque :

a) devant le nom, il exprime l'identité, la ressemblance : *Les* MÊMES *fautes ne méritent pas toujours les* MÊMES *châtiments.*

b) immédiatement après un nom ou un pronom, il souligne fortement ce que ce nom ou ce pronom désigne : *Les Romains ne vainquirent les Grecs que par les Grecs* MÊMES (Ac.). — *Merci des livres que vous m'offrez ; ce sont ceux-là* MÊMES *que je désirais.* — *Dieu est la sagesse* MÊME, *la miséricorde* MÊME (Ac.).

639 N. B. 1. *Même* ainsi employé après un des pronoms personnels *moi, toi, soi, nous, vous, lui, eux, elle(s)* s'y joint par un trait d'union : *Nous-mêmes, eux-mêmes,* etc.

Pas de trait d'union après un pronom démonstratif : *Ceci même, cela même, ceux mêmes.*

2. On écrit *nous-même, vous-même* (sans *s*) quand *nous* ou *vous* ne désignent qu'une seule personne : *Nous*-MÊME, *maire soussigné, avons constaté le fait.*

3. *De même,* invariable, s'emploie parfois, comme attribut au sens de « semblable » : *Les femmes ne sont pas* DE MÊME (A. France).

640 **Même** est adverbe et invariable quand il marque l'extension ; il signifie alors « aussi, jusqu'à, de plus » et suppose toujours une idée de gradation : *Sa femme, ses enfants, ses amis* MÊME *se sont dévoués pour lui* (Ac.). — *Les plus sages* MÊME (Id.). — *Les domestiques* MÊME *étaient insolents* (L. Daudet).

N.B. 1. Dans beaucoup de cas, *même,* placé après un nom ou après un pronom démonstratif, peut être considéré comme adjectif ou comme adverbe : *Ces murs* MÊMES [= ces murs eux-mêmes] *ont des oreilles,* — ou : *Ces murs* MÊME [= ces murs aussi] *ont des oreilles.* — *Les malheurs* MÊME(S) *n'ont pas abattu son orgueil.* — *Ceux* MÊME(S) *que cet homme avait sauvés l'ont trahi.*

2. On peut reconnaître que *même* est adverbe à ce signe qu'il pourrait être placé devant l'article ou le déterminatif, ou le pronom démonstratif : *Les domestiques* MÊME *étaient insolents* [= même les domestiques...]. — *Ceux* MÊME *qu'il avait sauvés l'ont trahi* [= même ceux qu'il avait sauvés...].

3. Quand *même,* adjectif, vient après plusieurs noms coordonnés par *et* ou juxtaposés, il s'accorde avec l'ensemble des noms s'il porte sur chacun d'eux : *Le premier-né ce fut la douceur et la patience* MÊMES (J. Supervielle).

Parfois cependant, il reste au singulier (selon l'accord dont il est question au n° 583,2) : *Elle était la bizarrerie et la bonne humeur* MÊME (Alain-Fournier).

4. *Même* est un nom dans *Cela revient au* MÊME et dans la phrase familière *C'est du pareil au* MÊME.

5. *Quand même* se dit familièrement au sens de « il faut l'avouer » ou de « on en conviendra » : *Une nuit de réflexion, c'est* QUAND MÊME *trop peu* (G. Duhamel).

641 QUEL QUE s'écrit en deux mots quand il est suivi du verbe ÊTRE ou d'un verbe similaire, soit immédiatement, soit avec l'intermédiaire d'un pronom (*il, elle, en...*) ; *quel* s'accorde alors avec le sujet du verbe : QUELS *que soient les humains, il faut vivre avec eux* (Gresset). — QUELLE *qu'en puisse être la difficulté, je remplirai ma tâche.*

S'il y a des sujets synonymes, l'accord se fait avec le plus rapproché : QUELLE *que soit votre valeur, votre mérite, restez modeste.*

S'il y a des sujets coordonnés par *ou* l'accord se fait avec les deux sujets ou avec le plus rapproché, selon que c'est l'idée de conjonction ou l'idée de disjonction qui domine : QUELS *que soient leur qualité ou leur mérite* (Montherlant). — QUEL *que fût le temps ou la saison* (H. de Régnier).

642 QUELQUE, en dehors de l'expression QUELQUE ... QUE, est adjectif et variable quand il se rapporte à un nom : *Dans* QUELQUES *jours.*

Et quelques s'emploie après un nom de nombre (le plus souvent égal ou supérieur à 20) pour indiquer que le nombre est un peu dépassé : *Nous étions à cette réunion quarante* ET QUELQUES (Ac.). — *J'avais dans ma bourse cent* ET QUELQUES *francs* (J. Vallès). — Parfois au singulier : *Quand on a vingt ans* ET QUELQUE (James de Coquet). — *Le train de dix heures* ET QUELQUE.

643 Quelque, dans l'expression QUELQUE ... QUE, s'écrit en un mot. Pour l'accord, distinguons :

1° Devant un nom, il est adjectif et variable : QUELQUES *raisons que vous donniez, vous ne convaincrez personne.*

2° Devant un simple adjectif, il est adverbe et invariable : QUELQUE *bonnes que soient vos raisons, ...*

3° Devant un adverbe, il est adverbe et invariable : QUELQUE *habilement que vous raisonniez, ...*

4° Devant un adjectif suivi d'un nom, il est adverbe et invariable s'il modifie l'adjectif (ce qu'on reconnaît à ce signe : le nom est *attribut* et le verbe subordonné est alors *être* ou un verbe similaire) : QUELQUE *bonnes raisons que soient ces témoignages, ...*

Sinon, il se rapporte au nom et est variable : QUELQUES *bonnes raisons que vous alléguiez, ...*

Petit moyen pratique (pour le 4°) : en ôtant l'adjectif devant le nom, on peut constater si *quelque* a encore ou non une raison d'être dans la phrase :

a) Quelque [bonnes] *raisons que soient ces témoignages...*: l'adjectif étant ôté, la phrase perd son sens ; cela montre que le support de *quelque* est bien là l'adjectif *bonnes,* qu'il sert à modifier comme adverbe.

b) Quelques [bonnes] *raisons que vous alléguiez...* : l'adjectif étant ôté, la phrase garde son sens général ; cela montre que *quelques* conserve son support, c'est-à-dire le nom ; il s'accorde donc avec lui.

Autre moyen pratique (pour le 4°) : *quelque* est adjectif quand on peut le remplacer par « quel que soit le, quelle que soit la, quel(le)s que soient les ».

Quelque est adverbe et invariable quand, devant un nom de nombre, il signifie « environ » ; de même dans l'expression *quelque peu : Falcone marcha* QUELQUE *deux cents pas dans le sentier* (Mérimée). — *Un loup* QUELQUE PEU *clerc* (La Font.).

644 QUELCONQUE peut prendre le sens de « médiocre, banal » ou encore marquer le mépris ; il admet les degrés de signification : *Le papier de la lettre est* QUELCONQUE (P. Bourget). — *Ce petit salon très sobrement meublé, très* QUELCONQUE *en somme* (P. Loti). — *On la trouverait* [la cuisine] *plus* QUELCONQUE *si elle était moins parcimonieuse* (M. Proust). — *Il a été attaqué par de* QUELCONQUES *voyous* (Montherlant).

Il peut, surtout dans le style didactique, se placer entre un numéral et un complément déterminatif désignant la totalité : *Prenons un* QUELCONQUE *de ces nombres. Considérons deux* QUELCONQUES *des points d'une droite.*

Il se fait parfois précéder d'un des adverbes renforçants « tout à fait, généralement » : *Pensions et autres dettes* GÉNÉRALEMENT QUELCONQUES (Stendhal). — *Toute pensée* GÉNÉRALEMENT QUELCONQUE *peut être « suprême pensée »* (P. Valéry). — *Je suppose (...) que les coordonnées d'un point soient des fonctions continues, d'ailleurs* TOUT À FAIT QUELCONQUES (H. Poincaré).

645 TOUT, adjectif.

1. *Tout* est adjectif et s'accorde avec le nom qui suit dans des expressions comme : TOUTE *une affaire, c'est* TOUTE *une histoire,* TOUTE *une révolution,* etc.

2. *Tout* est invariable devant un nom propre de personne désignant l'ensemble des œuvres de la personne nommée : *Il a lu* TOUT *madame de Ségur.*

Pour *tout* devant un titre (ou une expression désignant un tableau, une sculpture, etc.), il y a lieu de distinguer :

Selon que l'article (ou le déterminatif) est considéré comme faisant partie ou ne faisant pas partie du titre, *tout* est variable ou invariable : *J'ai lu* TOUS *les « Martyrs »,* ou : TOUT *« Les Martyrs » ; ...* TOUTES *les « Précieuses ridicules »,* ou : TOUT *« Les Précieuses ridicules ».*

Quand le titre ne comporte pas d'article, *tout* est invariable : *J'ai lu* TOUT *« Athalie »,* TOUT *« Émaux et Camées ».*

Pour éviter certains effets bizarres ou certaines équivoques, on peut, au lieu de *tout,* employer *en entier,* invariable.

3. *Tout* devant un nom propre de ville est invariable, soit qu'on désigne les habitants, soit qu'on parle de la ville au sens matériel, soit qu'il s'agisse de l'élite de la société de la ville (dans ce dernier cas : majuscule et trait d'union) : TOUT *Antioche s'étouffait au théâtre* (A. France). — TOUT *Rome serait détruit.* — *Le* TOUT-PARIS *méprise le reste du monde* (J. Benda).

4. Dans ***tout à tous, tout à chacun,*** on fait accorder *tout* avec le mot auquel il se rapporte ; toutefois si l'expression se rapporte à un pluriel masculin, *tout* est invariable : *Elle était* TOUTE *à chacun et* TOUTE *à tous* (J.-K. Huysmans). — *Pasteurs charitables qui se sont faits* TOUT *à tous* (Bossuet).

5. Dans ***toute affaire cessante, en tout cas, en toute chose, tout compte fait, de tout côté, de toute façon, en tout genre, en tout lieu, de toute manière, à tout moment, en toute occasion, de toute part, en tout point, toute proportion gardée, à tout propos, de toute sorte, en tout sens, en tout temps,*** etc., on met, à son choix, le singulier ou le pluriel.

Dans certaines expressions, le bon sens indique si c'est le singulier ou le pluriel qui convient : ***à toute allure, de tout cœur, à toute force, à toute heure, à toute vitesse ; — à tous crins, à tous égards, à toutes jambes, en toutes lettres, de toutes pièces,*** etc.

6. Dans ***tout le premier*** (= le premier de tous), *tout* est variable : *Nous avons cru à cette nouvelle, nous* TOUS *les premiers* (Ac.). — *Bette,* TOUTE *la première, (...) est une de ces exagérations* (Sainte-Beuve).

7. Tour populaire ou très familier : *C'est* TOUT *espions, dans ce pays* (R. Dorgelès). — *C'est* TOUT *voleurs !* (M. Genevoix.) — Parfois on intercale un *des : C'est* TOUT *des mensonges !*

En français normal : *Ce sont* TOUTES *fables que vous contez là* (Littré). — *Je dois plaider l'agrément, la beauté,* TOUS *arguments qui me discréditent* (H. Bordeaux).

646 Tout, employé comme nom, s'écrit *touts* au pluriel : *Plusieurs* TOUTS *distincts les uns des autres* (Ac.).

647 Tout, adverbe.

1. *Tout* est adverbe quand il signifie « tout à fait, entièrement », ou quand il appartient à la locution *tout ... que* exprimant la concession : *La ville* TOUT *entière.* — *Des fillettes* TOUT *de blanc vêtues.* — *Une veste* TOUT *usagée.* — *Elles sont* TOUT *en larmes,* TOUT *étonnées,* TOUT *hébétées.* — TOUT *habiles et* TOUT *artificieux qu'ils sont* (Ac.).

Il varie, en genre et en nombre, devant un mot féminin commençant par une consonne ou un *h* aspiré : *Elles sont* TOUTES *penaudes,* TOUTES *honteuses.* — TOUTES *hardies qu'elles sont,* TOUTES *hautaines qu'elles paraissent.*

2. Devant des adjectifs féminins commençant par une semi-voyelle (*oisive, ointe, ouateuse,* etc.), *tout* peut varier ou rester invariable : *Des mains* TOUT(ES) *oisives, une peau* TOUT(E) *huileuse, des étoffes* TOUT(ES) *ouateuses.*

3. Selon Littré, *tout ... que,* construit avec un nom de chose féminin commençant par une consonne ou un *h* aspiré, est invariable : *Ce cœur se réveille,* TOUT *poudre qu'il est* (Bossuet). — Mais on ne voit pas pourquoi on n'appliquerait pas, dans ce cas, la règle commune : *Ces belles boules (...) sont battues, Monsieur l'abbé, battues,* TOUTES *boules bretonnes qu'elles sont* (L. Veuillot).

4. ***Tout au début*** subit la concurrence de ***au tout début*** (que J. Green donne comme « exemple du charabia contemporain ») ; on rencontre aussi ***le tout début.*** — Ces tours, pour étranges qu'ils soient, prennent, dans l'usage, certaines positions : *Au* TOUT DÉBUT (Petit Robert). — *Nous n'en sommes qu'au* TOUT DÉBUT *du XX*e *siècle* (J. Roy). — *C'était le* TOUT DÉBUT *du printemps* (A. Chamson).

5. *Tout,* invariable, renforce un nom dans ***être tout yeux, tout oreilles ; être tout feu, tout flamme ;*** et dans les expressions commerciales ***tout laine, tout soie,*** etc.

En dehors de ces cas, l'usage hésite sur la valeur syntaxique de *tout* renforçant un nom :

a) adverbe : *La vie n'est pas* TOUT *roses* (A. France). — *Jeanne d'Arc fut* TOUT *piété et patriotisme* (G. Hanotaux).

b) adjectif, accordé avec le nom qui suit : *Mon père était* TOUTE *intelligence,* TOUTE *clarté* (É. Henriot). — [Ses yeux] *étaient à présent* TOUTE *prière et respect* (M. Genevoix).

c) adjectif, accordé avec le sujet : *La nature l'y forcera, qui est* TOUTE *alternances, qui est* TOUTE *contractions et détentes* (Montherlant).

6. Dans ***tout d'une pièce, tout de travers, tout d'une traite, tout d'un bloc, tout d'une haleine, tout d'une venue,*** etc., généralement *tout* est adverbe et invariable : *Esther s'était levée* TOUT *d'une pièce* (Aragon). — *Ces gens* TOUT *d'une*

pièce (G. Duhamel). — *Lui-même, d'ailleurs, m'avait raconté l'histoire* TOUT *d'une traite* (J. de Lacretelle). — *Il a la jambe* TOUT *d'une venue* (Littré).

Mais il n'est pas incorrect de traiter *tout* comme adjectif : *Cette colonne, cette table de marbre est* TOUTE *d'une pièce* (Ac.). — *Une randonnée faite* TOUTE *d'une traite.*

7. La langue moderne a formé de ***tout jeune, tout enfant*** les expressions substantives ***la toute jeunesse, la toute enfance :*** *Dans la* TOUTE JEUNESSE (G. d'Houville). — *Depuis sa* TOUTE ENFANCE (J. de Lacretelle).

8. On dit : ***tout de son long*** (= en s'allongeant par terre) ou ***de tout son long :*** *Au lieu de m'affaler* TOUT DE MON LONG (J. Green). — *Couché* DE TOUT MON LONG (A. Daudet).

9. ***Tout*** suivi de ***autre*** est adjectif et variable s'il se rapporte au nom qui suit ; il signifie alors « n'importe quel » et peut être rapproché du nom : TOUTE *autre vue* [= toute vue autre, n'importe quelle vue autre] *eût été mesquine* (J. Bainville).

Il est adverbe et invariable s'il modifie *autre ;* il signifie alors « entièrement », et on ne saurait le séparer de *autre : Une* TOUT *autre idée* [= une idée entièrement autre] *vint traverser mon esprit* (Nerval). — *Il y a de* TOUT *autres aspects* (P. Valéry).

10. Dans certains cas, il faut consulter le sens pour reconnaître la valeur de *tout :*

Elles exprimaient TOUTE *leur joie* [= leur joie entière]. — *Elles exprimaient* TOUTES *leur joie* [= toutes ces personnes exprimaient leur joie]. — *Demandez-moi* TOUTE *autre chose* [= toute chose autre]. — *Vous demandez* TOUT *autre chose* [= tout à fait autre chose].

11. ***Tout*** et la négation.

Dans les phrases du type « Tout... n'est pas ... », la négation porte ordinairement sur *tout : Tout ce qui reluit n'est pas or* [= non pas tout ce qui reluit est or]. — *Toutes les taupes ne sont pas prises par le taupier* (Hugo).

Parfois la négation tombe sur le verbe du second membre : *Tous ceux qui se soumettront ne seront pas punis* [= aucun de ceux qui se soumettront ne sera puni]. — *Tous les grands panneaux de la voûte n'existent plus* [= aucun panneau ne subsiste] (Th. Gautier).

Quand on veut que la négation porte sur le second membre, il est préférable, pour éviter l'amphibologie, d'employer *aucun, nul, pas un, personne...* : *Tous les champs n'ont pas été ravagés* pourrait signifier : « non pas tous les champs... » ; si l'on veut dire : « les champs, tous tant qu'ils sont, ont échappé au ravage », on s'exprimera ainsi : *Aucun champ n'a été ravagé.*

648 TEL. De la construction pleine *tel que,* comme dans la phrase : *Il périssait,* TEL QU'*une fleur* (Fénelon), on a pu, dans l'usage moderne, passer à la construction elliptique, avec le seul *tel : Il périssait,* TEL *une fleur.*

Pour l'accord, l'usage est indécis :

a) Accord avec le nom ou le pronom qui suit : *Il vivait là (...)* TELLE *une plante* (G. Duhamel). — *Une pièce où les mots sautent,* TELLES *des puces de mer* (R. Kemp).

b) Accord avec l'autre terme de la comparaison : *Soudain le vent expira,* TEL *une bête hors d'haleine* (É. Estaunié). — *La matière brute, pondéreuse, que l'usine européenne malaxera,* TELLE *un ogre jamais rassasié* (A. Siegfried).

649 **Tel quel** s'emploie dans le sens de « comme il se trouve » ou de « médiocre » : *Je vous rends vos livres* TELS QUELS. — *Deux chambres* TELLES QUELLES (Mérimée).

Ne dites pas, dans ce sens : *J'ai laissé les choses telles que.*

650 **Tel,** dans des expressions comme ***croire tel, considérer comme tel, en tant que tel,*** etc. s'accorde avec le nom auquel il se rapporte comme attribut : *Ce sont des savantes ; du moins je les crois* TELLES [= *telles* que des savantes]. — *Cette comédie est un chef-d'œuvre ; les critiques la considèrent comme* TELLE.

651 **Tel que** peut annoncer une énumération ou un exemple développant ou illustrant un terme synthétique ; l'accord se fait avec ce terme synthétique : *Plusieurs langues,* TELLES *que le grec, le latin, l'allemand, etc., divisent les noms en trois genres* (Ac.). — *Quelques-uns avaient servi dans l'ancienne armée,* TELS *que Louis Davout* (Heredia). — *Ce ne sont pas les poissons carnivores,* TELS *que le brochet, que le sang attire le plus* (P. Gascar).

Parfois on fait l'ellipse de *que* (et pour ce qui est de l'accord, il y a de l'indécision) : *Les algébristes qui,* TELS *Barrès, résolvaient les problèmes de la guerre sur le papier* (G. Duhamel). — *Les peintres de la Renaissance,* TEL *Véronèse* (R. Huyghe).

652 Après **tel et tel, tel ou tel,** le nom se met le plus souvent au singulier : *Il m'a dit telle et telle* CHOSE (Ac.). — *Il reprenait telle ou telle* ŒUVRE (Fr. Jammes).

Avec le nom au pluriel : *Elle s'acharnait à interpréter tel et tel* DÉTAILS (R. Rolland). — *Tel et tel* VIVEURS *aimaient à ne se coucher qu'après l'aube* (H. Queffélec).

Tels et tels, tels ou tels, au pluriel : *Si* TELS ET TELS *portraits venaient à disparaître* (E. Fromentin). — *La présence de* TELS OU TELS *hommes* (Fr. Mauriac).

653 **Un tel** s'emploie comme pronom, au lieu d'un nom propre, pour désigner une personne qu'on ne veut ou ne peut nommer précisément : *C'est monsieur* UN TEL, *madame* UNE TELLE *qui m'a conté le fait.*

En cet emploi, *un tel* a pu se dire autrefois avec un nom de chose ; dans l'usage moderne, on emploie le simple *tel,* adjectif (sans *un*) : *Il m'a parlé de* TEL *livre qu'il venait de lire.* — *J'ai promis de partir* TEL *jour, à* TELLE *heure.* — Ne dites pas : « ... d'*un tel* livre... », « partir *un tel* jour, à *une telle* heure ».

CHAPITRE IV

PRONOMS

654 En principe, un nom ne peut être représenté par un pronom que s'il est déterminé, c'est-à-dire précédé d'un article ou d'un déterminatif ; c'est pourquoi on ne dirait pas, par exemple : *J'ai confiance en vous, et* ELLE *est fondée. J'ai obtenu satisfaction,* QUE *j'attendais avec impatience.*

N.B. L'usage d'autrefois était, en cela, très libre : *Allez lui rendre hommage et j'attendrai* LE SIEN (Corneille). — De nos jours encore, certains auteurs emploient parfois un pronom représentant un nom sans article ni déterminatif : *Elle a d'abord perdu connaissance et ne* L'a *reprise que chez le pharmacien* (A. Gide). — *Il s'adresse à moi en hébreu,* QUE *je ne parle pas* (J. Kessel).
Dans la pratique, on n'usera de cette liberté qu'avec beaucoup de discernement.

I. PERSONNELS

655 Le pronom représentant un nom collectif (ou générique) singulier s'accorde parfois avec le nom pluriel suggéré par lui : *Il articulait chaque syllabe et* LEUR *donnait une valeur musicale très sensible* (P. Valéry). — *Jamais il n'eût tourmenté un chat inutilement. Il* LES *respectait* (H. Troyat).

656 Le pronom représentant un titre comme *Majesté, Excellence,* etc., s'accorde avec ce titre : *Votre Majesté partira quand* ELLE *voudra* (Voltaire).

Si le titre est suivi d'un nom faisant corps avec lui, c'est avec ce nom que s'accorde le pronom représentant : *Sa Majesté le roi viendra-t-*IL ? (A. Hermant.) — *J'ai eu l'hon-*

*neur d'être reçu par Sa Sainteté le pape Léon XIII en audience particulière. Ce qu'*IL *a bien voulu me dire...* (F. Brunetière).

657 ILS, surtout dans la langue familière, s'emploie comme indéfini, souvent dans un sens méprisant : ILS *ont encore augmenté les impôts ! — Du moins* ILS *n'ont pas pu mettre la main sur l'oncle Jacques. « Ils », c'étaient pour tante Dine les ennemis de la maison, du pays, de la société* (H. Bordeaux).

658 *Nous l'avons fait nous deux mon frère ; nous l'avons fait avec mon frère :* tournures courantes dans le français populaire ou familier ; se rencontrent parfois aussi dans la langue littéraire : *Nous l'avons fait à nous deux le roi* (Hugo). — *Quel voyage d'artistes vous allez faire, vous deux Guerard !* (Flaubert.) — *Nous en parlions, avec Léo, avant que tu n'entres* (J. Cocteau). — *On ne s'ennuie pas nous deux mon mari, comme Claudel prétend qu'il faut dire* (P.-H. Simon).

Dans la langue surveillée, on dira : *Nous l'avons fait, mon frère et moi,* ou : *Mon frère et moi, (nous) l'avons fait,* ou : *Je l'ai fait avec mon frère.*

659 UNE LETTRE À MOI TRANSMISE. Gardez-vous de dire : *une lettre me transmise, nous transmise, vous transmise, leur transmise.* Le pronom personnel objet indirect devant un participe-adjectif doit revêtir une des formes toniques *moi, toi, soi, lui, elle, nous, vous, eux, elles,* — et être précédé de *à : Une grande enveloppe* À MOI *adressée* (P. Loti). — *L'argent* À LUI *confié* (Alain). — *Dans une lettre* À NOUS *adressée* (J. Benda).

N.B. On peut avoir une construction semblable avec le participe présent ou adjectif verbal *appartenant : Les immeubles* À ELLE *appartenant* (Code civil). — *Domaines* À LUI *appartenants* (Littré).

Mais, dans l'usage moderne, le plus souvent on met simplement, sans *à,* une des formes atones *m', t', lui, nous, vous, leur : La source* LUI *appartenant* (P. Arène). — *Il se délectait de la voir manier un objet* LUI *appartenant* (H. Troyat). — *Les biens* M'*appartenant,* NOUS *appartenant.*

660 Le pronom *le* s'emploie facultativement comme objet dans les propositions comparatives amenées par *autre, autrement, aussi, plus, moins, mieux,* etc. : *Il est autre que je croyais, que je ne croyais, que je ne* LE *croyais* (Ac.). — Il *n'est pas aussi pauvre qu'on croit, qu'on* LE *croit.*

661 Lorsque des verbes coordonnés ou juxtaposés ont pour complément d'objet un même pronom personnel, ce pronom, pour la parfaite clarté, se répète s'il est objet direct d'une part, et objet indirect d'autre part : *Il* ME *blesse et* ME *nuit.* — *Il* NOUS *jugera et* NOUS *dira que...* — *Il* VOUS *a jugés et* VOUS *a dit que...*

N.B. Parfois d'excellents auteurs, dans des phrases de cette sorte, font cumuler au pronom, exprimé une seule fois devant le premier verbe, la double fonction d'objet direct et d'objet indirect : *Elle le trouva dans sa cuisine, où il* S'*était introduit, et accommodé une vinaigrette* (Flaubert). — *Il* M'*a pris par le cou et demandé pardon* (G. Duhamel). — *~~Nous~~* NOUS *sommes roulés dans les champs, arraché les cheveux* (J. Vallès).

662 Dans la langue familière, le pronom personnel de la 1re ou de la 2e personne, sous la forme d'un objet indirect, tantôt exprime l'intérêt que prend à l'action la personne qui parle, tantôt indique qu'on invite l'interlocuteur ou le lecteur à s'y intéresser : *Qu'on* ME *l'égorge tout à l'heure* (Molière). — *Sa personne entière* VOUS *avait une bonhomie relevée par un grain de folie* (A. France). — *Regardez*-MOI *cette misère* (A. Thérive).

Dans l'usage populaire, on emploie parfois ainsi deux pronoms expressifs conjoints : *Avez-vous vu comme je* TE VOUS *lui ai craché à la figure ?* (Hugo.)

663 Quand un impératif sans négation a deux pronoms personnels objets, l'un direct, l'autre indirect, c'est le pronom objet direct qui se place avant l'autre : *Dites*-LE-*moi.* — *Ces lettres, envoyez*-LES-*lui, rends*-LES-*nous.*

N.B. 1. On trouve parfois les objets directs *le, la, les* après le pronom personnel objet indirect : *Rends*-NOUS-LES (Hugo). — *Épargnez*-NOUS-LA (É. Augier). — *Dis*-NOUS-LE (Ph. Hériat).

2. On peut dire : *Tiens*-TOI-LE *pour dit* (Ph. Hériat), mais on dit ordinairement : *Tiens*-LE-TOI *pour dit* (A. Gide).

À l'inverse, aux deux personnes du pluriel, on peut dire : *Tenons*-LE-NOUS, *tenez*-LE-VOUS *pour dit,* — mais on dit ordinairement : *Tenons*-NOUS-LE *pour dit.* — *Tenez*-VOUS-LE *pour dit* (J. Cocteau).

664 On place parfois encore devant le verbe principal (mais c'est une construction archaïque) le pronom personnel objet de l'infinitif ; cela se rencontre notamment avec *pouvoir, aller, vouloir, devoir, falloir, venir, savoir, oser, croire, penser,* etc. : *Le président de cette société* LE *vint voir* (Hugo). — *On* LES *peut vaincre* (Maupassant). — *Je pensais* M'*aller coucher* (G. Duhamel). — *Il ne* S'*est pas voulu dédire* (A. Suarès).

665 Les pronoms *le, la, les* s'emploient comme attributs, représentant soit un nom précédé de l'article défini ou d'un déterminatif, soit un nom propre : *Je me regarde comme la mère de cet enfant : je* LA *suis de cœur* (Ac.). — *Le président, oui je* LE *suis ; la présidente, je* LA *suis ; les préposés, nous* LES *sommes.* — *J'ai été cette pauvre chose-là. Tu* LA *seras toi aussi* (Montherlant). — *Êtes-vous Jeanne Durand ?* — *Oui, je* LA *suis.*

N.B. La langue parlée ignore l'emploi de *la, les* comme attributs. Par exemple, au lieu de *Votre mère, je* LA *suis,* elle dira : *Votre mère, oui, je suis votre mère* — et à une question comme *Êtes-vous la mère ?* elle répondra par *Oui, c'est moi,* ou par *Non, ce n'est pas moi.*

666 Avec *c'est,* le pronom personnel attribut de la 3e personne est *lui, elle(s), eux,* et se place après le verbe : *Ma mère, oui, c'est* ELLE. *Mes parents ? Ce sont* EUX. — *Est-ce votre maison ? Oui, c'est* ELLE.

Avec les noms d'animaux ou de choses, la langue classique employait comme attributs de la 3e personne *le, la, les* (avant le verbe) : *Ne* LES *sont-ce pas là* [vos tablettes] ? *Oui, ce* LES *sont là elles-mêmes* (Boileau). — Littré donne encore : *Est-ce là votre voiture ? oui ce* L'*est. Est-ce là votre maison ? ce* LA *fut.* — Ces façons de dire sont inusitées dans la langue parlée (sauf la formule *il les est,* relative à l'indication de l'heure : *Dix heures ; il* LES *est déjà !*).

667 Pour représenter soit un adjectif ou un participe, soit un nom sans article défini ou sans déterminatif, on emploie comme pronom attribut *le,* neutre, équivalant à « cela » : *Êtes-vous chrétienne ? Je* LE *suis* (Voltaire). — *J'étais mère et je ne* LE *suis plus* (A. Maurois). — *Comme si trop de paroles n'avaient pas été dites qui auraient dû* L'*être* (J. Green). — *Il y a des monstres ; nous ne* LE *sommes pas* (É. Henriot). — *Nous sommes des hommes libres, et nous entendons* LE *rester* (Ch. de Gaulle).

668 Règle « absolue », selon Littré : le pronom neutre *le* ne peut représenter, en le faisant sous-entendre au passif, un verbe qui précède, à l'actif, — et au lieu de « Je le traiterai comme il mérite de *l'*être » il faut dire, en reprenant le verbe, et en le mettant au passif : « ... comme il mérite d'*être traité* ».

Une telle règle serait logique, sans doute ; cependant nombre de bons auteurs, tant classiques que modernes, ne s'en sont pas préoccupés : *Si nous établissons la confiance comme elle* L'*est déjà de mon côté* (Sévigné). — *On paya alors avec cet argent tous ceux qui voulurent* L'*être* (Voltaire). — *En ne la traitant pas comme elle mérite de* L'*être* (Fr. Mauriac). — *Me consoler ? Je ne voulais pas* L'*être* (M. Genevoix).

669 Pour représenter un nom indéterminé, sans article, ou précédé d'un article indéfini ou partitif, on met parfois comme pronom attribut *en : J'appelle « histoires » ce qui n'*EN *est pas* (G. Duhamel). — *On appelle cela de la poésie. Eh ! bien sûr que c'*EN *est !* (P. Vialar.)

670 Le pronom neutre *le* peut représenter un adjectif de n'importe quel genre ou de n'importe quel nombre : *Elle était chrétienne. Son père et sa mère* L'*avaient été* (É. Henriot). — *Si le père n'était pas exact à l'ouvrage, la fille* L'*était* *pour deux* (R. Bazin). — *Ses tantes étaient pieuses ; lui ne* L'*était pas.* — *Si son oncle n'était pas pieux, ses tantes* L'*étaient.*

671 SOI, représentant des personnes, se rapporte, en général, à un sujet indéterminé ou simplement suggéré : *Heureux qui vit chez* SOI ! (La Font.) — *Chacun travaille pour* SOI (Ac.). — *Rester* SOI, *c'est une grande force* (Michelet).

Cependant avec *chacun, aucun, celui qui,* on emploie couramment *lui, elle(s), eux* : *C'est tout un monde que chacun porte en* LUI ! (Musset.) — *Ceux qui se jugent les plus maîtres d'*EUX-*mêmes* (L. Daudet).

672 Pour représenter, dans l'emploi réfléchi, un sujet de sens précis, déterminé (qu'il s'agisse de personnes ou de choses), on se sert généralement de *lui, elle(s), eux* (seuls ou renforcés par *même*) : *Racine avait contre* LUI *toute la vieille génération* (J. Lemaitre). — *Mlle Cloque revint doucement à* ELLE (R. Boylesve). — *Les sauterelles étaient parties ; mais quelle ruine elles avaient laissée derrière* ELLES (A. Daudet). — *Le mont Icare (...) laissait voir derrière* LUI *la cime sacrée du Cithéron* (Chateaubriand).

Les classiques employaient couramment dans ce cas *soi (-même)* ; usage qui se retrouve assez souvent chez les auteurs modernes, notamment dans les locutions figées *en soi, de soi* : *Elle pensait à* SOI (Cl. Farrère). — *Elle se repliait sur* SOI-*même* (E. Jaloux). — *Le feu s'était de* SOI-*même éteint* (Flaubert). — *Cette foule n'est pas mauvaise en* SOI (Michelet). — *Cela va de* SOI.

673 Soi-disant ne doit s'appliquer, selon l'Académie (mise en garde du 18 févr. 1965) et selon les puristes, qu'à des êtres doués de la parole et capables, en conséquence, de « se dire » ceci ou cela : *De* SOI-DISANT *docteurs* (Ac.). — *La plupart des femmes* SOI-DISANT *artistes* (A. Hermant). — Autrement c'est *prétendu* qu'il faut employer : *Accorder de* PRÉTENDUES *faveurs.* — *La copie de* PRÉTENDUES *instructions secrètes* (Chateaubriand).

Cela est très logique ; il n'empêche que *soi-disant* appliqué à des choses a la caution de nombre d'écrivains excellents :

Dans le SOI-DISANT *état de simple nature* (Diderot). — *Un* SOI-DISANT *contrepoison* (Hugo). — *Les choses* SOI-DISANT *sérieuses* (Flaubert). — *Péchés* SOI-DISANT *mortels* (Fr. Mauriac). — *La* SOI-DISANT *angine de poitrine* (A. Maurois). — *Une* SOI-DISANT *expérience* (Ac., au mot *empirique*).

D'autre part, *soi-disant* au sens de « prétendument », est pleinement reçu par le bon usage (emploi déjà admis par Littré) : *Valdo jouait* SOI-DISANT *pour faire travailler Cécile* (G. Duhamel).

674 N.B. 1. *Soi-disant que* est de la langue populaire ou très familière : *Agnès s'est allongée :* SOI-DISANT QU'*elle voulait dormir* (G. Cesbron).

2. Attention à l'orthographe : n'écrivez pas : *Soit-disant.* Attention aussi à l'invariabilité de *soi-disant : Une* SOI-DISANT *protectrice ; de* SOI-DISANT *duchesses.*

675 À PART peut se faire suivre de *moi, toi, soi, lui, elle, nous, vous, eux, elles*, pour former les locutions adverbiales *à part moi, à part toi,* etc. : *Nous nous le disions, chacun* À PART SOI (M. Arland). — À PART ELLE, *elle songeait...* (R. Boylesve). — À PART NOUS (...), *nous rêvons un peu* (G. Duhamel).

676 Les pronoms *en* et *y* représentent le plus souvent des noms d'animaux ou de choses, ou encore des idées abstraites : *J'aime beaucoup Paris et j'*EN *admire les monuments* (Ac.). — *Cette maladie est dangereuse, il peut* EN *mourir* (Id.). — *Elle aime beaucoup son petit chien et ne s'*EN *séparerait pour rien au monde.* — *Ce vase est brisé : n'*Y *touchez pas.* — *La défiance ? je n'*Y *suis pas enclin.*

Cependant, en parlant d'animaux ou de choses, au lieu de *en* ou de *y*, on emploie parfois *lui, à lui, de lui, à elle(s), d'elle(s), à eux, d'eux,* surtout quand il y a personnification, ou encore pour éviter une équivoque : *Ces vacances ! il jouissait d'*ELLES (V. Larbaud). — *Pour amortir les secousses du volant (...), il s'était cramponné* À LUI *de toutes ses forces* (Saint-Exupéry). — *Le sentiment de la possession des choses m'est d'ailleurs inconnu ; je jouis* D'ELLES (J. Benda). — *Le cheval rua et le charretier* LUI *donna un coup de fouet* (Littré). — *Ces arbustes vont périr si on ne* LEUR *donne de l'eau* (Ac.).

677 *En* et *y* pouvaient, chez les classiques, se rapporter couramment à des personnes ; cet usage, moins fréquent à l'époque moderne, n'est pas abandonné : *Pascal plaisait peut-être à quelques femmes, il* EN *était admiré* (Fr. Mauriac). — *C'est un véritable ami, je ne pourrai jamais oublier les services que j'*EN *ai reçus* (Ac.). — *C'est un homme équivoque, ne vous* Y *fiez pas* (Id.).

678 On trouve dans Littré : *Vous n'y irez pas ?* — et chez Faguet : *Il y irait non seulement de l'empire, mais de la vie.* — Mais *y*, en principe, se supprime, pour l'euphonie, devant les temps *irai* et *irais : Avez-vous été à Paris ? J'irai* (Ac.). — *Quand il irait de tout mon bien* (Id.).

679 *Je n'en peux rien* s'emploie couramment en Belgique, et aussi dans l'est de la France, au sens de « je n'en suis pas responsable ». — Ce provincialisme pourra, selon les cas, être remplacé par : *ce n'est pas (de) ma faute, il n'y a pas de ma faute, je ne suis pas en faute, je ne suis pas fautif, ce n'est pas à moi qu'en est la faute, je n'y suis pour rien, je n'y peux rien.*

680 *Je n'y peux* (ou *puis*) *rien* signifie soit « ce n'est pas ma faute », soit « je suis hors d'état de m'opposer à cela, de l'empêcher, d'y remédier, d'y changer quelque chose » : *Ce n'était pas sa faute ! Il n'y pouvait rien* (Flaubert). — *Je n'y peux rien, je n'ai pas d'éducation* (J. Kessel). — *Elle n'y pouvait rien, elle l'aimait* (J. Green). — *Le paysan reçoit la grêle ou la gelée, et n'y peut rien* (Alain).

681 *Je n'en peux* (ou *puis*) *mais,* tour archaïque, peut marquer soit la non-responsabilité, soit l'impuissance, (très rarement : l'épuisement) : *L'incroyable et sotte Affaire du collier compromettait la reine qui n'en pouvait mais* (A. Maurois). — *Je me souviens d'une nuit, à Chambord, où les vociférations, les fanfares de « son et lumière » n'en pouvaient mais contre ces cris sauvages* [des cerfs] (M. Genevoix). — *Rapporté par Alain, qui n'en peut mais d'admiration* (J. Benda, cit. Baiwir).

682 C'EN EST FAIT. On dit bien : *C'en est fait, je m'expatrie* (Littré) [= c'est décidé irrévocablement].

Dans l'usage classique, on disait, sans *en : c'est fait de moi* [= je suis perdu], *c'est fait de ta vie,* etc. : *S'il m'échappait un mot, c'est fait de votre vie* (Racine). — On disait aussi, avec *en : c'en est fait de moi, de ta vie,* etc. ; *C'en est fait d'Israël* (Racine). — C'est ce dernier tour qui de nos jours, supplante l'autre : *Si je pense à toi, c'en est fait de mon repos* (Colette). — *C'en est fait de nous* (Ac.).

683 EN AGIR. Cette expression, condamnée par Racine et par Bouhours, l'est justement, affirme Littré, car on ne peut pas dire *agir de.* Pour Littré et pour les puristes, au lieu de « Votre frère *en* a mal agi envers moi », il faut dire : « Votre frère a mal agi envers moi » ou : « en a mal usé... ».

En dépit de la logique, *en agir* s'est solidement implanté dans le bon usage : *C'est ainsi qu'on* EN AGIT *dans toute la terre* (Voltaire). — *Elle n'*EN AGIRAIT *pas si familièrement avec moi* (Musset). — *Je connais trop les bienséances pour* EN AGIR *autrement* (Nerval).

684 IMPOSER, EN IMPOSER. Selon l'Académie, *imposer* pris absolument signifie « inspirer du respect, de l'admiration, de la crainte » — et *en imposer* (quoique souvent employé dans le sens précédent) signifie exactement « tromper, en faire accroire ».

Cette distinction n'est pas fondée : dans l'usage des meilleurs auteurs, l'une et l'autre expression s'emploient dans le premier sens aussi bien que dans le second.

a) Idée de respect, de crainte : *La majesté du sacerdoce m'*IMPOSAIT (Chateaubriand). — *Il ne s'*EN *laissait nullement* IMPOSER *par la majesté royale* (J. et J. Tharaud).

b) Idée de tromperie : IMPOSONS *quelque temps à sa crédulité* (Voltaire). — *Ma débile raison s'*EN *laissait* IMPOSER *par mes désirs* (A. Gide).

685 SE PRENDRE à qqn, c'est l'attaquer : *Il ne faut pas se prendre à plus fort que soi* (Ac.).

686 **S'en prendre à qqn**, c'est le rendre responsable de quelque faute : *Je m'*EN *prendrai à vous de tout ce qui pourra arriver* (Ac.).

687 **S'Y RETROUVER**, au sens de « rentrer dans ses débours », est de la langue familière : *Le patron a des frais, mais il s'*Y *retrouve* (Robert).

688 Les pronoms *en* et *y*, construits avec d'autres pronoms, se placent après eux : *Ne nous* EN *parlez pas. Je vous* EN *récompenserai. — Il est tombé dans le fossé, retirez-l'*EN. — *Retirez-les-*EN (Littré). — *Souviens-t'*EN (Hugo). — *Menez-nous-*Y (Littré).

689 N.B. 1. On évite les constructions *m'y, t'y* après un impératif et on préfère *y-moi, y-toi : Mènes-y-moi* (Littré). — *Confies-y-toi* (Id.). — D'ailleurs ces dernières constructions sont elles-mêmes peu usitées.

2. Avec *s'agir*, les pronoms compléments *en* ou *y* s'intercalent entre *s'* et la forme verbale : *Je n'ai pas voulu qu'il s'*EN *soit agi* (Littré). — *Je fus frappé par un curieux passage. Il s'*Y *agit de louer la science* (A. Gide, cit. Damourette et Pichon).

3. On dit : *Je veux* EN *parler. Je peux* Y *aller*. — Toutefois, dans la langue littéraire, on dit bien : *J'*EN *veux parler, j'*Y *peux aller. — Qu'*EN *vas-tu faire ?* (Colette.) — *Rien de condamnable ne s'*Y *pouvait découvrir* (A. France).

4. Quand un verbe a pour compléments à la fois *en* et *y*, c'est ce dernier pronom qui se place avant l'autre : *Il s'*Y EN *donna* (Littré). — *Mettant de l'orgueil dans une chose où jamais il n'aurait dû* Y EN *entrer* (G. Sand).

II. DÉMONSTRATIFS

690 **CE** subit l'élision devant toute forme du verbe ÊTRE commençant par une voyelle (*ç'*, avec cédille, devant un *a*), et devant le pronom *en* ou devant le semi-auxiliaire ALLER : C'*est bien ;* C'*eût été,* Ç'*a été,* Ç'*aurait été,* C'*eût été difficile. —* C'*en est fait. — La grande affaire* Ç'*allait être les colis* (Fr. Nourissier).

691 CE s'emploie comme sujet devant le verbe ÊTRE (parfois précédé de *devoir, pouvoir, aller*) ; — on le trouve aussi, mais assez rarement devant *sembler, paraître, devenir, pouvoir, avoir,* etc.: CE *serait un grand bonheur.* CE *devait être bien agréable.* CE *pourrait être grave.* — *Ç'allait être gai* (J.-L. Vaudoyer). — CE *lui avait semblé un jeu* (R. Rolland). — CE *nous parut un travail tout aisé* (G. Duhamel). — CE *devient une grande difficulté* (M. Barrès). — CE *resta longtemps le grand secret de nos adolescences* (Alain-Fournier). — CE *ne veut pas dire du tout qu'on soit généreux* (La Varende).

692 L'infinitif précisant, après le verbe ÊTRE, l'idée annoncée par le sujet *ce* s'introduit par *de* ou par *que de,* parfois (archaïsme) par le simple *que : C'est beau* D'*être la puce d'un lion* (Hugo). — *C'est imiter quelqu'un* QUE DE *planter des choux* (Musset). — *C'est une grande erreur* QUE *faire une confiance illimitée à la méchanceté des hommes* (Montherlant).

693 *Ce* avec le verbe ÊTRE sert à former les gallicismes *c'est... qui, c'est ... que,* au moyen desquels on peut mettre en relief n'importe quel élément de la pensée (sauf le verbe à un mode personnel) : C'EST *moi* QUI *suis Guillot* (La Font.). — C'EST *demain* QUE *nous partirons* (Ac.). — C'EST *en badinant* QUE *je l'ai dit.*

694 N.B. Si le complément mis en vedette au moyen de *c'est... que* est régime d'une préposition, on doit insérer entre *c'est* et *que* la préposition et son régime : *C'est* À VOUS *que je parle. C'est* DE LUI *qu'il s'agit. C'est* POUR VOUS *que je m'attendris.*

Tours archaïques : *C'est vous* À QUI *je parle.* — *C'est lui* DONT *il s'agit.* — *C'est vous seul (...)* POUR QUI *mon cœur s'attendrit* (Fénelon). — *On eût pu croire que c'était moi* DE QUI *l'absence la faisait souffrir* (R. Boylesve). — *C'est votre cœur* OÙ *j'aspire* (H. Bosco). — *C'est* À *sa table* À QUI *l'on rend visite* (Molière). — *Ce n'est pas* D'*épées* DONT *ils ont besoin, mais de foi* (Fr. Mauriac).

695 *Ce durant, ce pendant* (ou *cependant* = pendant cela), *ce néanmoins, ce nonobstant, nonobstant ce* sont archaïques : *Ils sentent (...) que vos armées,* CE DURANT, *leur feront* *une terrible retraite* (M. Barrès). — *Et si la guerre éclatait,* CE PENDANT (Cl. Farrère). — *Et* CE NÉANMOINS, *les ordres reçus étaient des ordres* (Id.).

696 ÇA, devant une forme verbale, ne subit pas l'élision : ÇA *a passé en un clin d'œil* (Flaubert). — *Oh !* ÇA *arrive* (J. Giono). — ÇA *a été dur, par ce froid de chien ?* (J. Kessel.)

Ça, sujet d'une forme composée du verbe ÊTRE, est de la langue populaire ou familière (dans la langue soignée, on emploie *ce* ou *cela*) : ÇA *a été une belle fête* (J. Giono). — ÇA *aurait été tellement plus chic* (St. Passeur).

N.B. 1. En Belgique, le français populaire ou courant emploie *ça* même devant les formes simples *est* ou *était : Ça est beau ;* ÇA *était possible.*

2. Quand il s'intercale un pronom personnel, ou *ne,* ou l'un des semi-auxiliaires *devoir* ou *pouvoir,* la langue familière, aussi bien aux temps simples qu'aux temps composés, emploie *ça* comme sujet : ÇA *m'est agréable ;* ÇA *n'est pas possible ;* ÇA *doit être,* ÇA *peut être dangereux.*

De même avec *tout ça* ou avec les formes verbales *soit, sera, serait : Tout* ÇA *est ridicule ; il faut que* ÇA *soit vrai ;* ÇA *sera,* ÇA *serait magnifique.*

697 CELUI, CELLE(S), CEUX, si l'on suit l'opinion de Littré, de l'Académie (mise en garde du 18 févr. 1965) et des puristes en général, ne peuvent être suivis ni d'un adjectif, ni d'un participe (présent ou passé), ni d'un complément introduit par une préposition autre que *de.* — Seraient donc incorrectes des phrases comme les suivantes : *Ces livres sont intéressants, surtout ceux relatifs à la préhistoire. — Les raisons données par autrui et celles trouvées par nous-mêmes. — Diverses preuves et même celle par l'absurde.* Il faudrait corriger en disant : *... ceux qui sont relatifs... ; ... et celles qui ont été trouvées... ; ... et même la preuve par l'absurde.*

N.B. Littré admet toutefois *celui, celle(s), ceux* + adjectif ou participe, quand l'adjectif ou le participe appartiennent à une incise après laquelle vient *qui, que, dont : Votre exemple et celui, si généreux, qu'a donné votre lettre. — Ma lettre et celle, écrite par mon ami, qui vous sera remise.*

Incontestablement *celui, celle(s), ceux,* dans le bon usage moderne, admettent après eux, en dépit des puristes, un participe (présent ou passé), ou un complément introduit par une préposition quelconque, ou même (mais peu souvent cependant) un adjectif :

a) La blessure faite à une bête et CELLE FAITE *à un esclave* (Montesquieu). — *Il lui envoya des vers aussi beaux que* CEUX OFFERTS *à Judith* (A. Maurois). — *Il n'est pas de plus grands crimes que* CEUX COMMIS *contre la foi* (A. France). — *Comme* CEUX CACHANT *un secret* (A. Gide).

b) La distinction (...) est aussi confuse que CELLE ENTRE *forme et contenu* (A. Malraux). — *Tous les jeunes gens en rouge se réunissent. L'un à côté de l'autre, ils vont former une lettre, puis* CEUX EN *vert formeront une autre lettre, puis* CEUX EN *jaune, une autre* (Montherlant). — *Je n'ai pas parlé de la plus malaisée des patiences :* CELLE ENVERS *soi-même* (A. Maurois).

c) Tout ceci se passa dans un temps moins long que CELUI NÉCESSAIRE *pour l'écrire* (Th. Gautier). — *Les régions dont je parlais ne sont pourtant pas inhabitées ; ce sont* CELLES SUJETTES *à d'importantes évaporations* (A. Gide).

698 *Faire celui, celle(s), ceux* + proposition relative s'emploie dans le sens de « jouer le rôle ou se donner les apparences de celui, de celle(s), de ceux » : *Et tu feras celui qui passait par hasard* (M. Pagnol). — *Le chien qui fait celui qui boite pour n'être pas battu* (Montherlant).

699 Ne dites pas : *Il y en a de ceux..., de celles..., j'en connais de ceux..., de celles...,* avec une relative. Dites simplement, en supprimant *de ceux, de celles : Il y en a..., j'en connais...*

III. RELATIFS

700 QUI s'emploie comme sujet ou comme complément prépositionnel.

a) Comme ***sujet,*** il s'applique à des personnes, à des animaux ou à des choses : *L'homme* QUI *travaille ; le chien* QUI *aboie ; la maison* QUI *nous abrite.*

Il s'emploie sans antécédent dans certains proverbes, dans des phrases sentencieuses, dans les locutions *qui plus est, qui mieux est, qui pis est,* et après *voici, voilà :* QUI *vivra verra. Comprenne* QUI *pourra. Il est compétent et,* QUI *mieux est, très consciencieux. — Voici* QUI *me plaît* (Ac.). — *Voilà* QUI *est beau* (Id.).

Dans la locution familière *comme qui dirait,* le pronom *qui* a la valeur de « si l'on » ou de « si quelqu'un » (survivance d'un ancien usage) : *Sa coiffure attira nos regards, c'était comme* QUI *dirait un turban* (Littré).

En dehors de cette locution familière, l'emploi de ce *qui* indéfini et suppositif est plutôt rare : *Bah !* QUI *prévoirait tous les risques, le jeu perdrait tout intérêt* (A. Gide).

b) Comme ***complément prépositionnel,*** *qui* s'applique à des personnes ou à des choses personnifiées, parfois aussi à des animaux : *L'homme à* QUI *je parle, pour* QUI *je travaille. — Rochers à* QUI *je me plains* (Ac.). — *Un chien à* QUI *elle fait mille caresses* (Id.). — *Les rossignols de* QUI *l'on crève les yeux* (M. Barrès).

Qui prépositionnel rapporté à des choses peut se justifier quand l'idée de personnification est acceptable ; mais quand elle ne l'est pas, l'emploi de *qui* est un caprice d'archaïsme ou une singularité de style : *La dorure du baromètre, sur* QUI *frappait un rayon de soleil* (Flaubert). — *Des murs solides et sur* QUI *les balles les plus violentes ne marquent pas* (J. Cocteau).

701 *Qui* peut s'employer d'une manière absolue, au sens de « celui qui », « celle qui » : *Aimez* QUI *vous aime* (Ac.). — *Il le raconte à* QUI *veut l'entendre.*

Tout qui est incorrect. Au lieu de *Tout qui a voyagé dans ce pays en est revenu enchanté,* dites : *Quiconque a voyagé...,* ou : *Tous ceux qui...*

702 QUI ou QU'IL. Avec les verbes susceptibles de la construction impersonnelle, il y a parfois hésitation entre *qu'il* (construction impersonnelle) et *qui* (construction personnelle) :

1° Avec *falloir,* on emploie obligatoirement *qu'il : Il ne sait ce* QU'IL *lui faut* (Ac.).

2° Avec *advenir, arriver, rester,* on emploie *qu'il* ou *qui,* au choix : *Voici ce* QU'IL *advint* (É. Henriot). — *Tout ce* QUI *adviendra.* — *Quoi* QU'IL *arrive, je ferai mon devoir* (Ac.). — *Quoi* QUI *arrivât dans sa vie* (Montherlant). — *Tout ce* QU'IL *vous reste à découvrir* (G. Duhamel). — *Le peu d'énergie* QUI *lui reste* (R. Martin du Gard).

3° Avec *plaire,* on peut faire une distinction (dont on ne tient guère compte d'ailleurs dans la pratique) : *Choisis ce* QUI *te plaît* = ce qui te donne du plaisir ; — *Choisis ce* QU'IL *te plaît* = ce qu'il te plaît de choisir, ce que tu voudras. — *Je dis ce* QUI *me plaît* (G. Duhamel). — *Vous pouvez me dire tout ce* QU'IL *vous plaira* (M. Arland).

4° Avec d'autres verbes : *convenir, importer, prendre, résulter, se passer,* etc., le choix est assez libre, mais il semble qu'on emploie le plus souvent *qui : Faites ce* QUI *convient, ce* QUI *importe* (ou : *ce* QU'IL *convient, ce* QU'IL *importe*). — *Qu'est-ce* QUI *vous prend ?* (ou : QU'IL *vous prend ?*). — *Tout ce* QUI *se passe* (ou : QU'IL *se passe*).

703 QUOI s'emploie assez souvent dans l'usage littéraire (c'est un archaïsme), au lieu de *lequel,* pour représenter un nom de chose, masculin ou féminin, singulier ou pluriel, de sens précis, déterminé : *Je m'asseyais sur une de ces bornes à* QUOI *l'on amarre les bateaux* (Fr. Mauriac). — *Une vapeur bleue à travers* QUOI *jouait la lune* (É. Henriot). — *Cette case, vers* QUOI *convergeaient les regards de presque tous les joueurs* (A. Malraux). — *Un cocktail à* QUOI *elle était conviée* (J.-L. Curtis).

C'est ce même usage qu'on retrouve dans *pourquoi* (ou *pour quoi*) employé (cet emploi vieillit) au sens de *pour lequel : C'est le motif* POURQUOI *je vous interroge* (A. Hermant). — *Là serait peut-être la raison* POUR QUOI *son travail sur les Souris n'a jamais été publié* (J. Rostand).

704 Comme quoi s'emploie familièrement au sens de « comment » ou de « disant que » : *Prouvez-lui* COMME QUOI *il se trompe* (Ac.). — *Quand Germain raconta* COMME QUOI *il avait été forcé de ramener la petite Marie...* (G. Sand). — *Faites-lui un certificat* COMME QUOI *son état de santé nécessite du repos* (Robert).

705 LEQUEL, comme sujet, s'emploie au lieu de *qui,* surtout pour éviter une équivoque : *Un homme s'est levé au milieu de l'assemblée,* LEQUEL *a parlé d'une manière extravagante* (Ac.).

Même là où aucune équivoque n'est à craindre, *lequel,* dans la langue littéraire, est assez fréquent ; il sert généralement à représenter l'antécédent avec plus de relief : *Il rencontra un médecin de sa connaissance* LEQUEL *était aux gages de madame de Sablé* (A. France). — *Alors Simon la saisit par une de ses mains,* LAQUELLE *s'arracha aussitôt à cette étreinte* (J. Green).

Lequel est d'un emploi assez courant dans la langue juridique ou administrative : *On a entendu trois témoins,* LESQUELS *ont dit...* (Ac.).

N.B. Rien ne s'oppose à ce que *lequel* s'emploie après un nom propre : *Damien avait une sympathie particulière pour Jean-Pierre,* LEQUEL *était employé de banque* (Daniel-Rops).

706 Lequel, comme complément, est le plus souvent introduit par une préposition (il y a contraction et soudure dans *duquel, auquel*) ; il renvoie à un nom de chose ou d'animal, ou, moins fréquemment, à un nom de personne : *La patrie, pour* LAQUELLE *chacun doit se sacrifier, exige ce nouveau sacrifice* (Ac.). — *Un petit chien,* AUQUEL *elle fait mille caresses.* — *Un homme dans* LEQUEL *je crois voir plusieurs Marius* (Montesquieu).

707 **N.B.** 1. Dans l'usage littéraire, mais rarement dans l'usage courant, *lequel* peut être introduit par *en : Le monde* EN LEQUEL *nous avions placé toutes nos aveugles espérances* (G. Duhamel).

2. Après *parmi,* c'est toujours *lequel* (et non *qui :* il y aurait cacophonie) qu'on emploie comme pronom relatif régime : *Là, il connut des jeunes gens instruits, parmi* LESQUELS *Maucroix* (É. Faguet).

3. *Lequel,* dans l'usage moderne, est rare comme complément non prépositionnel : *J'ai cédé, me dit-il, à un mouvement de fureur, il est vrai ;* LAQUELLE *je ne pouvais tourner que contre moi* (A. Gide).

708 DONT s'emploie comme équivalent d'un complément introduit par *de ;* il peut représenter des personnes, des animaux ou des choses : *Dieu,* DONT *nous admirons les œuvres* (Ac.). — *La maladie* DONT *il est mort* (Id.). — *La maison, le bétail* DONT *vous êtes propriétaire.*

Dont marquant le moyen, l'instrument, est archaïque : *Ces pêcheurs sont armés d'une baguette pointue* DONT *ils piquent adroitement leur proie* (A. France).

709 *Dont,* dans une proposition relative complétée par une autre proposition, peut s'employer dans le sens de « au sujet duquel » : *Un luxe* DONT *j'imagine aujourd'hui qu'il devait être affreux* (Fr. Mauriac). — *Celui* DONT *nous savons qu'un feu étrange le dévore* (M. Bedel).

710 En principe, le nom qui, dans la relative, a *dont* pour complément déterminatif ne reçoit pas l'adjectif possessif ; on ne dira pas : *L'enfant dont son jouet est cassé :* il y aurait pléonasme, l'idée de possession étant marquée d'une part par *son,* et d'autre part par *dont* [= de qui] ; on dira : *L'enfant dont* LE *jouet est cassé.* — *Un homme dont* LE *corps a l'habitude d'aider* LA *pensée* (J. Romains).

Règle non absolue : dans certains cas, le possessif peut être demandé pour la parfaite clarté de la phrase : *Cette malheureuse créature, dont la mort prématurée attriste aujourd'hui* SA *famille* (E. Hello).

711 *Dont* ne peut, en principe, dépendre d'un nom introduit par une préposition. On ne dira pas : *Un livre dont on ignore la date de la publication ; un poète dont on célèbre le centenaire de la naissance ; cet enfant dont vous veillez sur la conduite ;* — on dira : *Un livre de la publication* DUQUEL *on ignore la date ; un poète de la naissance* DUQUEL (OU DE QUI) *on célèbre le centenaire ; cet enfant sur la conduite* DUQUEL (OU DE QUI) *vous veillez.*

712 N.B. 1. Ces dernières phrases sont lourdement articulées, et l'on comprend que plus d'un auteur ne se soit pas, en cela, soucié de la règle des grammairiens (ce qui ne paraît plausible que si *dont* dépend à la fois du complément prépositionnel et du sujet de la relative) : *L'autre,* DONT *les cheveux flottent sur les épaules...* [les épaules *de qui,* — les cheveux *de qui*] (A. France). — *Ce garçon (...)* DONT *l'énergie se lit dans les yeux bleus* (J. et J. Tharaud).

2. Le nom complément prépositionnel en rapport avec *dont* prend tantôt l'adjectif possessif (ce qui est généralement plus clair), tantôt simplement l'article : *Celui dont les larmes ont effacé l'histoire de* SES *péchés* (Massillon). — *Osymanduas, dont nous voyons (...) de si belles marques de* SES *combats* (Bossuet). — *Ceux dont les soucis ont dévoré les premières années de* LA *vie* (J. Green). — *La propre maison dont elle ignorait le nom* DES *locataires* (R. Rolland). — *Un écrivain dont l'œuvre (...) est à peu près inséparable de* LA *vie* (M. Arland).

713 On rencontre parfois après *dont* et le sujet de la relative un pronom personnel représentant l'antécédent (mais cela ne paraît pas recommandable) : *Quelques-uns de ses amis,* DONT *les parents ne manqueront certainement pas de* LES *accompagner* (É. Henriot).

714 Au lieu de *Les auteurs dont le talent* LEUR *a valu du succès, dont les œuvres* LES *ont rendus illustres,* on dira : ... À QUI *leur talent a valu du succès, ...* QUE *leurs œuvres ont rendus illustres.*

715 Après *dont,* on ne peut pas avoir le pronom *en* renvoyant au même antécédent que le sien, — exception faite de *il y en a, il en est.* On ne dira pas : *Des épreuves* DONT *j'*EN *supporte le poids.* — Mais on pourra dire : *Ces épreuves,* DONT *il y* EN *a une* (ou : DONT *il* EN *est une*) *que j'ai supportée difficilement.*

716 *Dont* peut être complément d'un nom de nombre ou d'un indéfini numéral, objets directs : *Puis on répandit devant eux des saphirs* DONT *il fallut choisir quatre* (Maupassant). — *Ceci n'ira pas sans de terribles conséquences,* DONT *nous ne connaissons encore que quelques-unes* (A. Camus).

717 Après une indication numérale, *dont,* au sens de « parmi lesquels » peut introduire une relative où le verbe *être* est ellipsé : *Il avait huit enfants,* DONT *six filles* (É. Faguet). — *Trois juges,* DONT *moi, décerneront les prix* (J. Green).

718 *Dont* peut, dans la relative, être complément à la fois du sujet, d'une part, et de l'objet, ou de l'attribut, ou du complément circonstanciel, d'autre part : *Il plaignit les pauvres femmes* DONT *les époux gaspillent la fortune* (Flaubert). — *Vous avez un âge* DONT *l'ingénuité est à la fois un attrait et une faiblesse. — Un calepin (...)* DONT *l'élastique détendu s'enlevait en courbe longue sur la reliure* (R. Bazin).

719 La relative exprimant une idée de sortie, d'éloignement, d'extraction, de déduction, s'introduit tantôt par *dont,* tantôt par *d'où ;* on peut faire la distinction suivante :

a) En parlant de personnes, de descendance, d'extraction, on emploie *dont : Le sang des demi-dieux* DONT *on me fait sortir* (Voltaire). — *L'archidruide* DONT *elle était descendue* (Chateaubriand).

b) En parlant de choses, on emploie *d'où : La chambre* D'OÙ *je sortais* (Colette). — *L'armoire minuscule* D'OÙ *il avait sorti les lettres* (A. Gide). — *Une harmonie* D'OÙ *résulte le bonheur* (Montesquieu).

N.B. 1. Cette distinction n'a rien d'absolu, comme le font voir les exemples suivants : *La famille* D'OÙ *il est sorti* (Ac.). — *La race* D'OÙ *ils tirent leur origine* (Dict. général). — *Dans l'allée sombre et étroite* DONT *elle était sortie* (Musset). — *Cette lampe* DONT *coulait une lumière d'huile* (Saint-Exupéry).

2. Dans les phrases interrogatives ou sans antécédent exprimé, c'est *d'où* qui s'impose : D'OÙ *descend-il, lui qui se dit noble ? — Rappelez à cet orgueilleux* D'OÙ *il est issu.*

720 OÙ, adverbe relatif, ne s'applique qu'à des choses ; il s'emploie sans préposition ou dans les combinaisons *d'où, par où, jusqu'où* (rarement : *sur où, pour où, vers où*) et sert à marquer le lieu, le temps, la situation : *Voila* OÙ *j'en suis.* — *La ville* OÙ *j'habite,* D'OÙ *je viens,* PAR OÙ *je passe,* JUSQU'OÙ *j'irai.* — *La Tunisie* POUR OÙ *je partais* (Montherlant). —

Fongueusemare, VERS OÙ *revolait sans cesse ma pensée* (A. Gide). — *Le temps* OÙ *nous sommes* (Ac.).

Tours archaïques (dans l'usage moderne, on emploie couramment : *auquel, dans lequel, vers lequel,* etc.) : *C'est une chose* OÙ *je suis déterminée* (Molière). — *C'est un mal* OÙ *mes amis ne peuvent porter de remède* (Montesquieu). — *Le but* OU *il tend* (Ac.). — *Les affaires* OÙ *je suis intéressé* (Id.).

IV. INTERROGATIFS

721 LEQUEL interrogatif s'emploie parfois comme neutre : LEQUEL *pèse le plus de cent livres d'or, ou de cent livres de plume ?* (Sévigné.) — LEQUEL *préférez-vous, partir ou rester ?* (Ac.)

Tour archaïque, où *quel ?* est employé pour *lequel ? : On ne savait jamais* QUEL *des deux serait vainqueur* (R. Rolland). — QUELLE, *de ces causeries, préférer ?* (R. Kemp.)

722 QUI interrogatif est rarement du féminin : QUI *cela pouvait-il bien être, cette femme ?* (Aragon.) — *Sais-tu* QUI *est devenue ma cliente ?* (G.-E. Clancier.)

Il peut signifier un pluriel dans des phrases à attribut, avec le verbe ÊTRE : *Il ne sait pas* QUI *sont les ennemis du roi* (Mérimée). — QUI *étaient mes prétendants ?* (M. Pagnol.)

On emploie parfois comme neutre l'interrogatif *qui* au sens de *qu'est-ce qui ?* (interrog. directe) ou de *ce qui* (interrog. indirecte) : c'est la survivance d'un ancien usage : QUI *t'amène à cette heure ?* (Musset.) — *Je ne sais* QUI *m'émeut davantage : la colère d'être joué ou le danger que courait Étienne* (M. Arland).

723 QUE interrogatif peut avoir la valeur de « pourquoi ? pour quoi ? en quoi ? à quoi ? combien ? » : QUE *tardez-vous ?* — QUE *vous sert de pleurer ?* — QUE *n'irions-nous au Rhin ?* (Ch. de Gaulle.) — QUE *gagnez-vous par an ?* (La Font.)

Dans l'interrogation indirecte, après *avoir, savoir, pouvoir* pris négativement et suivis d'un infinitif, — parfois aussi après *chercher, se demander,* etc. + infinitif —, on emploie comme attribut ou comme objet direct, tantôt *que,* tantôt *quoi* (ce dernier tend à prévaloir, parce qu'il est plus étoffé) : *Je ne savais* QUE *répondre* (Chateaubriand). — *Je cherchais* QUE *lui répondre* (G. Duhamel). — *Ne sachant* QUOI *faire* (A. Gide). — *Je n'aurais pas su* QUOI *répondre* (H. Bosco).

V. INDÉFINIS

724 AUCUN a eu, à l'origine, la valeur positive de « quelque, quelqu'un ». Cette valeur s'est gardée dans les expressions *aucuns* (vieilli), *d'aucuns,* signifiant « quelques-uns » ou « certains » : AUCUNS, D'AUCUNS *croiront...* (Ac.). — *Si parmi vous, pourtant,* D'AUCUNES / *Le comprenaient différemment, / Ma foi tant pis, voilà comment / Nous nous aimâmes pour des prunes* (A. Daudet).

Aucun, pris absolument, est peu employé (on dit normalement : *personne*) : *Il n'oubliait la fête d'*AUCUN *de la famille* (R. Rolland). — AUCUNE *n'a jamais été aimée comme moi !* (Flaubert.)

725 AUTRUI s'emploie normalement comme complément prépositionnel : *Le bien d'*AUTRUI. *Ne fais pas à* AUTRUI *ce que tu ne voudrais pas qu'on te fît.* — *Être exigeant pour* AUTRUI.

Il s'emploie parfois comme sujet ou comme objet direct : AUTRUI *nous est indifférent* (M. Proust). — *Là où* AUTRUI *nous croit coupables, nous nous trouvons innocents* (E. Jaloux). — *Il ne faut pas traiter* AUTRUI *comme un objet* (A. Maurois).

726 CERTAIN, au pluriel, s'emploie comme pronom sujet, au masculin : CERTAINS *se figurent et prétendent que l'esprit humain est illimité* (L. Daudet).

N.B. On le trouve parfois au féminin : *Mariette ne conserve pas tout, comme* CERTAINES (H. Bazin).

On le rencontre aussi, et couramment, comme complément : *Chez* CERTAINS *même les cheveux n'avaient pas blanchi* (M. Proust). — *J'ai peut-être même aidé* CERTAINS *à s'accrocher à la vie* (A. Chamson).

727 CHACUN n'a pas de pluriel. Quand il signifie « toute personne, sans distinction », il est toujours du masculin : CHACUN *pense à soi* (Ac.).

Quand il désigne chaque personne ou chaque chose d'un tout, d'un ensemble, il s'accorde en genre avec le nom ou le pronom auquel il renvoie : *Logez ces voyageurs* CHACUN *à part* (Ac.). — CHACUNE *d'elles a refusé* (Id.).

S'il se rapporte à des noms de genres différents, il reste au masculin : *Le mari, la femme ont* CHACUN *son département* (M. Prévost).

Dans l'usage familier, *sa chacune* désigne la femme avec qui un homme est uni : *Chacun enlaçant* SA CHACUNE, *il nous fut donc permis d'attaquer le rigaudon d'un bon pied* (Y. Gandon).

Un chacun, tout chacun, tout un chacun s'emploient comme renforcements du simple *chacun : Celui (...) qui sait les dessous de cartes d'*UN CHACUN (Sainte-Beuve). — *Nous (...) recevions les compliments de* TOUT CHACUN (Cl. Farrère). — TOUT UN CHACUN (...) *peut ici s'asseoir* (Colette). — *Cela peut arriver à* TOUT UN CHACUN (M. Druon).

De même qu'on peut dire *entre chaque,* on peut dire : *entre chacun* (voir n° 636).

728 ON a, en principe, une valeur indéterminée, et désigne, toujours comme sujet, une ou plusieurs personnes : ON *guérit comme* ON *se console ;* ON *n'a pas dans le cœur de quoi toujours pleurer et toujours aimer* (La Bruyère).

On, par l'effet d'un mouvement affectif (ironie, mépris, modestie, reproche, etc.), prend parfois la valeur de *je, tu, nous, vous, il(s), elle(s) : Et puis,* ON [= je] *est bourgeois de Gand* (Hugo). — *Un couplet qu'*ON [= vous] *s'en va chantant / Efface-t-il la trace altière / Du pied de nos chevaux marqué dans votre sang ?* (Musset.)

N.B. À noter en particulier l'emploi de *on* pour *nous,* très fréquent dans le français familier ou populaire : *Quand nous autres,* ON *règle des alésages au dixième de millimètre* (A. Thérive). — *Tu ne peux rien me dire de plus précis, maintenant que l'*ON *va se quitter ?* (M. Arland.)

Quand les circonstances indiquent clairement qu'on parle d'une femme, l'attribut ou l'apposition se mettent au féminin : *Qui regrette-t-on quand on est si* BELLE ? (Musset.) — *Eh bien ! petite, est-on toujours* FÂCHÉE ? (Maupassant.)

Semblablement quand les circonstances indiquent nettement qu'il s'agit de plusieurs personnes, l'attribut ou l'apposition se mettent au pluriel ; toutefois le verbe reste au singulier : *On n'est pas des* ESCLAVES *pour endurer de si mauvais traitements* (Ac.). — *On dort* ENTASSÉS *dans une niche* (P. Loti).

N.B. S'il faut exprimer par un pronom personnel un complément renvoyant à *on,* c'est *nous* ou *vous,* selon les cas, qu'on emploie (*se* ou *soi* si le régime est réfléchi) : *Qu'on hait un ennemi quand il est près de* NOUS ! (Racine.) — *Quand on se plaint de tout, il ne* VOUS *arrive rien de bon* (J. Chardonne). — *Ce n'est pas* SOI *qu'on voit* (La Font.). — *On n'ose plus* SE *demander si cela* VOUS *plaît* (M. Proust).

729 En général, dans la langue écrite, *l'on* est un substitut « élégant » de *on ;* il s'emploie, pour l'euphonie (comme disent les grammairiens, mais la raison est plutôt légère, car *l'on* n'est pas du tout obligatoire), après *et, ou, où, que, qui, quoi, si, lorsque : Jamais le sol n'en avait été défriché et* L'ON *y avait semé des pierres* (Chateaubriand). — *Le Monde où* L'ON *s'ennuie* (Pailleron). — *Les rossignols de qui* L'ON *crève les yeux* (M. Barrès). — *Le dos, avec quoi* L'ON *repose* (G. Duhamel). — *Si* L'ON *nous entendait* (Ac.). — *Il faut que* L'ON *consente* (Id.). — *Lorsque* L'ON *était occupé à une grande guerre* (Montesquieu).

730 N.B. 1. *L'on* se trouve aussi dans d'autres positions que celles qui viennent d'être indiquées, — et en particulier, en tête d'une phrase ou d'un membre de phrase : *Éloi pardonne ; mais* L'ON *ne devrait pas avoir à pardonner* (M. Arland). — *Spontanément* L'ON *acclama l'orateur* (H. Bordeaux). — L'ON *m'apporta tous les papiers d'Ellénore* (B. Constant).

2. En général, on évite *l'on* après *dont,* ou devant un mot commençant par un *l : Les livres dont* ON *parle ; si* ON *les lit.* — À l'inverse, devant un mot commençant par *con-,* on préfère *que l'on* à *qu'on : Ce que* L'ON *conçoit bien.*

731 PERSONNE, comme pronom, est du masculin singulier. Il garde, dans certains cas, son sens positif originel : *Y a-t-il* PERSONNE *d'assez hardi ?* (Ac.) — *Il a parlé sans que* PERSONNE *le contredît* (Id.). — *Je suis meilleur juge que* PERSONNE (É. Augier).

Mais le plus souvent il a la valeur négative de « nul être humain » : *L'avenir n'est à* PERSONNE. — *Qui vient ? qui m'appelle ?* PERSONNE (Musset).

732 N.B. 1. Quand le contexte ou les circonstances indiquent nettement que *personne* exprime l'idée de « aucune femme », on met au féminin les mots qui, pour l'accord, sont en rapport avec lui : *Personne n'était plus* BELLE *que Cléopâtre* (Jullien, dans Littré). — *Personne n'est plus que moi votre* SERVANTE, *votre* OBLIGÉE (Littré).

2. Dans la langue littéraire, on trouve *personne autre : Elle n'aimait* PERSONNE AUTRE (R. Rolland). — Mais dans l'usage courant, c'est *personne d'autre* qui s'emploie : *Je n'ose m'adresser à* PERSONNE D'AUTRE (M. Barrès).

733 AUTRE CHOSE, grand-chose, quelque chose, peu de chose sont des combinaisons neutres où *chose* a perdu sa valeur de nom et son genre étymologique : *Autre chose de grand. Pas grand-chose de bon. Quelque chose de fâcheux.*

734 N.B. 1. *Autre chose,* attribut, placé en tête de la phrase est parfois répété comme attribut en tête du second terme de la comparaison : AUTRE CHOSE *est la culture,* AUTRE CHOSE *la conduite de la vie* (M. Brion).

2. Dans la langue familière, *pas grand-chose* s'emploie comme nom des deux genres, invariable, au sens de « homme ou femme de peu, gens de peu » : *C'était une* PAS GRAND-CHOSE (É. Henriot).

3. *Quelque chose* est parfois employé comme nom : *Je ferai ce que je dois, et même un petit* QUELQUE CHOSE *en plus* (Fr. Mallet-Joris).

4. On prendra garde que *chose* reste un nom féminin dans : *Toute autre chose me plairait mieux. Quelque chose que je lui aie dite, quelques choses que je lui aie dites, je n'ai pu le convaincre* (Ac.). — *Il y a toujours (...) quelque chose urgente qui doit être faite* (A. Maurois).

735 QUELQU'UN désigne indéterminément une personne, homme ou femme (pour le féminin, *quelqu'une* est rare) : *Quelqu'un* [homme ou femme] *est venu.* — QUELQU'UN *qui était content, c'était ma tante.* — *Si* QUELQU'UNE *savait quelque chose d'une autre, (...) qu'elle avertisse la Mère Supérieure* (A. Chamson).

Quand *quelqu'un* est en rapport avec *en* ou avec un pluriel ou un collectif, il se dit des personnes et des choses et s'emploie aux deux genres et aux deux nombres : *J'en connais* QUELQUES-UNS *à qui ceci plaira.* — QUELQU'UNE *de vos compagnes* (Littré). — *De ces découvertes* QUELQUES-UNES *seulement sont connues.*

736 N.B. 1. On dit, avec *de* : *Quelqu'un* DE *grand, quelqu'un* DE *bien informé.* — *Entre les nouvelles qu'il a débitées, il y en a quelques-unes* DE *vraies* (Ac.). — Cependant si l'adjectif est suivi d'un complément, il peut être simplement juxtaposé : *Comme quelqu'un absorbé par une passion profonde* (Th. Gautier).

On dit : *quelqu'un d'autre ;* mais, dans l'usage littéraire, on dit aussi : *quelqu'un autre : Tu aurais épousé quelqu'un autre* (E. Jaloux).

2. *Quelqu'un,* attribut invariable en genre et en nombre, se prend parfois au sens de « personnage considérable » : *Il s'adressait l'éternel reproche de n'avoir pas su être* QUELQU'UN (Maupassant). — *Mme Monge est* QUELQU'UN... (R. Kemp).

737 **QUICONQUE** signifie proprement « celui, quel qu'il soit, qui » : *Et l'on crevait les yeux à* QUICONQUE *passait* (Hugo).

Au sens de « qui que ce soit », « n'importe qui », il est, en dépit des puristes, reçu aujourd'hui par le meilleur usage : *Travailler en de telles conditions eût découragé* QUICONQUE (M. Genevoix). — *Plus que* QUICONQUE, *elle avait droit au voyage* (H. Troyat).

Ne dites pas : *Tout quiconque le connaît l'aime ;* — dites : *Quiconque le connaît...*

738 **RIEN** a gardé, dans certains cas, son sens positif originel de « quelque chose » : *La bonne vieille est loin de* RIEN *soupçonner* (J. Green).

Mais ordinairement il a la valeur négative de « nulle chose » : *Je veux* RIEN *ou tout* (Racine).

739 N.B. 1. On dit : *rien de tel* (archaïque : *rien tel*), *rien d'autre* (moins souvent : *rien autre*), parfois aussi *rien autre chose* : *Je ne vis jamais* RIEN DE TEL (Ac.). — *Il n'est* RIEN TEL *que ces doux et ces humbles pour aller droit et haut* (Sainte-Beuve). — RIEN D'AUTRE *nulle part que ces trois choses effarantes* (P. Loti). — *Il n'a trouvé* RIEN AUTRE (A. Malraux). — *Elle ne possède* RIEN AUTRE CHOSE (Maupassant).

2. *Rien,* employé comme nom, prend un *s* au pluriel: *Il dit toutes sortes de* RIENS (G. Duhamel).

Mais *rien du tout, rien qui vaille,* employés comme noms pour désigner une personne ou une chose sans valeur ne changent pas au pluriel.

740 **Rien moins que, rien de moins que.** En règle stricte, on fait la distinction suivante : *rien moins que* est négatif et signifie « nullement » : *Il tremble : il n'est* RIEN MOINS *qu'un héros* [= il n'est nullement un héros]. — *Rien de moins que* a un sens positif et signifie « pas moins que » : *Quelle fermeté ! il n'est* RIEN DE MOINS QU'*un héros* [= il est bel et bien un héros].

Dans l'usage des auteurs, cette distinction est loin d'être toujours observée ; on fera bien cependant de s'y tenir.

741 **Ne ... pas rien,** rebuté par les puristes, est cependant courant, non seulement dans la langue familière, mais aussi dans l'usage littéraire : *Cette indépendance ne me coûte* PAS RIEN (J. Renard). — *J'ai ceci, dit-elle, et ceci à revoir. Ce n'est* PAS RIEN (A. Hermant).

742 Avec **UN,** suivi d'un complément désignant un ensemble, l'article est facultatif : L'UN *de vous,* UN *de vous.* — *Henri IV fut* L'UN OU UN *des plus grands rois de France* (Littré).

L'un employé adjectivement devant un nom serait aujourd'hui un archaïsme. Ne dites pas : *L'une main ne sait pas ce que l'autre donne.* Dites : *Une main ne sait pas...*

743 **L'un ou l'autre,** pronom ou adjectif, a toujours le sens disjonctif (choix entre celui-ci ou celui-là, entre ceci ou cela) ; il s'emploie aussi au sens indéterminé et vague de « tel ou

tel » : *Vous avez deux amis influents :* L'UN OU L'AUTRE *avait bien essayé de la voir seule à seul* (H. Bordeaux). — *Florence se divisa en deux camps pour* L'UN OU L'AUTRE *rival* (R. Rolland).

N.B. *L'un ou l'autre* ne peut pas s'employer au sens de « deux ou trois, quelques ». Ne dites pas : *Il reste l'une ou l'autre faute dans votre devoir.*

CHAPITRE V

VERBES

I. TRANSITIFS / INTRANSITIFS

744 AIDER qqn, ~ à qqn. On a voulu faire une distinction entre ces deux constructions. Pour l'Académie, par exemple, AIDER À QQN marque une aide momentanée et le plus souvent des efforts physiques. Ni cette distinction ni certaines autres n'ont de véritable fondement dans l'usage. On se contentera d'observer qu'*aider à qqn* est aujourd'hui tout à fait vieilli : *Le marquis* LUI *avait aidé à remonter* (La Varende). — *Aidez-*LUI *à soulever ce fardeau* (Ac.).

745 AVOIR, OBTENIR qq.ch. à qqn. On dit ordinairement, avec FAIRE, auxiliaire de cause : *On lui* FERA AVOIR, *on lui* FERA OBTENIR *une place.*

Mais quelquefois on se passe de l'auxiliaire *faire : J'ai besoin de deux notaires et d'un témoin, je pense. Voulez-vous bien vous charger de me les* AVOIR ? (Marivaux.) — *Aulard se flattait de nous* AVOIR *du papier à bon compte* (Vercors). — *Le crédit de la reine* OBTINT *aux catholiques ce bonheur singulier et presque incroyable* (Bossuet).

746 CONSENTIR qq.ch. se rencontre dans la langue du droit ou de la diplomatie : *Consentir un traité* (Ac.). — *Consentir une vente, un prêt, un délai.* On dit aussi : *Vérité consentie par tout le monde.*

Dans l'usage courant, *consentir qq.ch.* a un cachet archaïque (on dit ordinairement : *consentir à qq.ch.*) : *Nous sommes tous résolus à consentir des sacrifices* (G. Duhamel). — *Consentir une explication* (M. Prévost).

747 DÉBLATÉRER. Ne dites pas : *déblatérer qqn* ou *qq.ch.* — Dites : *déblatérer contre* ou *sur... : Frédéric se soulageait en déblatérant* CONTRE *le pouvoir* (Flaubert). — *Il a déblatéré* SUR *l'impôt,* SUR *les pauvres* (Hugo).

748 DÉBUTER, DÉMARRER [= commencer] ne peuvent se construire avec un objet direct (mise en garde de l'Académie du 5 nov. 1964). Ne dites pas : *débuter un programme, une émission, une séance,* etc. ; *démarrer sa carrière.*

749 DISPUTER qq.ch., c'est contester pour l'obtenir ou pour le conserver : *Disputer un prix, une chaire de professeur* (Ac.). — *Les deux armées se disputèrent longtemps la victoire* (Id.).

Disputer qqn, au sens de « lui faire querelle » est condamné par l'Académie (mise en garde du 13 janv. 1969). — Néanmoins ce tour est mentionné comme familier par Littré, par Robert, et attesté par certains écrivains : *Après ce désastre, les deux garçons se mirent à* DISPUTER *leur sœur* (A. Chamson).

Se disputer (= se quereller), rejeté par Littré, admis comme familier par l'Académie, est courant dans l'usage d'aujourd'hui : *Deux hommes* SE DISPUTAIENT (P. Valéry).

750 EMPÊCHER qq.ch. à qqn. Ce tour est archaïque (on dit normalement : *défendre, interdire* qq.ch. à qqn. ou : *défendre, interdire* à qqn de faire qq.ch.) : *Le travail de chaque jour* LUI *empêchait de s'abandonner aux soucis du lendemain* (A. Chamson). — *Ils* LUI *empêchaient de voir le mendiant* (G.-E. Clancier).

751 ÉQUIVALOIR construit avec *à* le second terme du rapport d'égalité. Ne dites pas : *Cette chose équivaut telle autre ;* dites : ... À *telle autre.* — *Cette réponse équivaut* À *un refus* (Ac.).

752 ÉVITER qq.ch. à qqn [= le lui épargner], rejeté par Littré, ignoré par l'Académie, est cependant attesté par quantité d'excellents auteurs : *Il est impossible de* VOUS ÉVITER *toutes sortes de peines* (Diderot). — *Vous* M'ÉVITEREZ *une course* (Flaubert). — *Cela* M'ÉVITERAIT *beaucoup de souffrances* (A. Maurois).

753 **HABITER** s'emploie comme transitif direct ou comme intransitif : *Habiter Paris, habiter la province, la campagne* (Ac.). — *Habiter à la ville, à la campagne, habiter dans un vieux quartier* (Id.).

754 **HÉRITER** construit avec *de* le complément de la personne : *Il a hérité* DE *son oncle* (Ac.).

Quand *hériter* n'a que le complément de la chose, on dit : HÉRITER DE QQ.CH. OU HÉRITER QQ.CH. : *Il a hérité* D'*une maison* (Ac.). — *Nous avons hérité* DES *croyances d'un autre siècle* (A. Chamson). — *Pour hériter la dot* (A. Thérive). — *Il hérite une belle maison* (J. Green).

Quand il a à la fois le complément de la personne et celui de la chose, on dit : HÉRITER QQ.CH. DE QQN : *Il avait hérité de l'oncle Paul ses amitiés et ses dégoûts* (É. Henriot).

Si l'on disait *hériter de qq.ch. de qqn,* le double *de* déplairait à l'oreille ; aussi cette construction ne se rencontre que très rarement. — Mais si l'un des compléments est *dont* ou *en,* elle n'est pas choquante : *Un secret* DONT *j'ai hérité de mes pères* (Nodier). — *L'Italie n'a pas inventé la mosaïque : elle* EN *hérita des Grecs* (Cl. Roger-Marx).

755 **IGNORER de qq.ch.** Cette construction, aujourd'hui archaïque, a gardé, surtout dans le style juridique et dans le langage badin, certaines positions ; elle s'y rencontre prise négativement avec le pronom *en : Il annonça ses intentions, afin que personne n'*EN *ignorât* (Littré). — *Je voudrais que nul n'*EN *ignore* (A. Gide).

756 **INVECTIVER.** Parallèlement à la construction classique ***invectiver contre qqn,*** on a aujourd'hui la construction directe ***invectiver qqn :*** *Ils invectivent* CONTRE *tout* (A. Suarès). — *Il invectivait volontiers les royalistes du département* (A. France).

757 MOQUER qqn, à l'actif, se rencontre dans l'usage littéraire : *À une heure (...) où l'action* MOQUE *la pensée* (A. Gide). — *Il arrive qu'on* MOQUE *Flaubert de jouer au crucifié* (R. Kemp).

Être moqué, se faire moquer sont courants : *Thalès aussi* FUT MOQUÉ *d'une servante* (Alain). — *Vous vous* FEREZ MOQUER (Ac.).

758 OBÉIR, DÉSOBÉIR. Quoique ces verbes n'admettent plus aujourd'hui d'objet direct, ils restent parfaitement susceptibles de la tournure passive : *Votre Altesse sera obéie* (Stendhal). — *L'ordre de mobilisation fut obéi* (P. Gaxotte). — *Je savais (...) que ses larmes n'auraient pas été désobéies* (B. Constant).

759 OBSERVER, REMARQUER. Dans la langue soignée, on dit (avec FAIRE comme auxiliaire de cause) : *Je vous* FAIS OBSERVER *que, je vous* FAIS REMARQUER *que...* — et non : *Je vous observe, je vous remarque que... : Je vous* FAIS OBSERVER *que vous vous trompez* (Ac.). — *Je vous* FERAI REMARQUER *que...* (Id.).

Les constructions *je vous observe que, je vous remarque que...*, acceptées par A. Thérive et qui, pour Brunot, ne sont « peut-être pas impardonnables », sont courantes dans la langue parlée et se rencontrent parfois dans la littérature : *Je vous* OBSERVE *que le général Marchand est sur les lieux* (Stendhal). — *Condillac* REMARQUE : *La Bruyère paraît aimer ce tour* (Littré).

760 PALLIER (étymologiquement : couvrir d'un *pallium,* c.-à-d. d'un manteau) s'emploie absolument ou avec un objet direct : *Ces remèdes ne font que pallier* (Dict. général). — *Pallier la honte d'une défaite* (A. Gide).

La construction *pallier à qq.ch.* cherche à s'introduire, mais on l'évitera ; elle a été condamnée par l'Académie (mise en garde du 5 nov. 1964). — Exemples à ne pas imiter : *Pallier* À *toutes les distractions* (H. Bordeaux). — *Pallier* À *toute défaillance du service* (H. Bazin).

761 PARDONNER qqn, pour ***pardonner à qqn***, qui est la construction normale, est généralement réputé incorrect, notamment par Littré et par l'Académie.

Pourtant la construction *pardonner qqn*, qui est ancienne, n'est pas, dans l'usage moderne, si rare que l'on croirait : *Frédéric l'eût pardonnée* (Flaubert). — *Pardonnez un amant* (J. Bainville). — *Il les a tous pardonnés* (A. Chamson).

On dit très régulièrement, au passif : *Vous êtes pardonné.*

762 **PERCUTER** s'emploie comme transitif direct, dans la langue de la médecine, ou de la mécanique, et aussi dans le langage courant : *Percuter la poitrine d'un malade* (Robert). — *Mobile qui percute un autre corps* (Id.).

Selon Robert, on dit familièrement et abusivement : *Voiture qui percute un arbre.*

Comme intransitif, *percuter* se dit au sens de « heurter en éclatant, en explosant » — et, par extension, dans l'usage des journalistes, au sens de « entrer violemment en contact avec » (un mur, un arbre, un véhicule, etc.) : *Obus qui vient percuter contre le sol, contre un mur* (Robert). — *L'avion percuta contre le sol* (Id.). — *Voiture qui percute contre un arbre* (Grand Larousse encycl.).

Avec André Goosse, on peut observer qu'un journal comme le *Figaro* préfère *heurter* (un arbre), ou *s'écraser contre* (un arbre), ou *se jeter sur* (un arbre) à « percuter (un arbre) ».

763 **PRÉJUGER.** On dit, selon l'usage classique : ***préjuger qq. ch.*** : *Je ne veux point préjuger la question* (Ac.).

Mais dans l'usage actuel, la construction indirecte ***préjuger de qq. ch.*** entre en concurrence avec la construction directe : *Pour préjuger* DE *mon acquiescement* (M. Barrès). — *Je ne préjuge pas* DE *la réponse* (Ch. de Gaulle).

764 **PRENDRE, REPRENDRE,** servant à marquer les premières atteintes d'un mal, les premiers mouvements d'un sentiment, etc., admettent la construction directe et l'indirecte : *L'accès* LE *prit à telle heure* (Ac.). — *Qu'est-ce qui* LES *prend ?* (H. Troyat.) — *La fièvre, la goutte, etc.,* LUI *a pris,* LUI *a repris* (Ac.). — *Qu'est-ce qui* LEUR *prend ?* (M. Jouhandeau. — *La fantaisie* LEUR *a pris d'aller à Genève* (Sévigné).

765 SE RAPPELER, selon l'usage strict, se construit avec un objet direct : *Je me rappelle* CE FAIT ; *je me* LE *rappelle ; le fait* QUE *je me rappelle.*

La langue populaire dit tout à fait couramment : « je me rappelle *de* ce fait », « je m'*en* rappelle » (influence de « je me souviens *de*... », « je m'*en* souviens »). Cette construction cherche à s'introduire jusque dans l'usage littéraire : *Que l'on veuille bien se rappeler* DE *ma ridiculissime éducation* (Stendhal). — *Te rappelles-tu* DE *Jeanne Fréron ?* (J.-L. Vaudoyer.)

766 RÉPONDRE est transitif direct dans ***répondre une requête, une pétition, un placet, un mémoire*** (expressions de la langue juridique), — et aussi dans ***répondre la messe.***

Ces expressions admettent la tournure passive : *La pétition n'a pas encore été répondue* (Ac.).

N.B. Parallèlement au tour ordinaire *répondre à une lettre*, on notera le tour archaïque *répondre une lettre* (= y faire réponse) : *Ma lettre est aisée à répondre* (Stendhal).

On dit bien, au passif : « une lettre répondue » (= à laquelle on a fait réponse) : *Le dossier des lettres non* RÉPONDUES (G. Marcel).

767 RÉUSSIR qq.ch. Cette construction est, de nos jours, tout à fait courante : *Je ne réussis plus que des ébauches* (A. Gide). — *Réussir un beau dessin* (Saint-Exupéry). — *Depuis qu'il a réussi cette affaire* (M. Pagnol).

En parlant d'examens, on dit : *réussir à un examen* ou *réussir un examen : J'ai réussi* À *mes examens* (H. Bordeaux). — *Je réussis mes examens* (P. Vialar).

Dans l'usage le plus courant, on dit : *être reçu, être refusé, échouer à un examen ;* — *subir un échec ;* — familièrement : *être recalé,* ou *retoqué,* ou *collé,* ou *black-boulé à un examen, rater un examen.*

768 SORTIR peut se construire avec un objet direct : *Sortez la voiture de la remise* (Littré). — *Cela n'a pas suffi à me sortir de ma torpeur angoissée* (M. Prévost). — *Je sortis l'infirmier de son lit* (L. Martin-Chauffier).

On emploie couramment, surtout dans l'usage familier, *se sortir* (d'une difficulté), *s'en sortir : Disant n'importe quoi pour* SE SORTIR *d'affaire* (M. Garçon). — *Comment allait-elle* S'EN SORTIR ? (Aragon.)

Dans la langue juridique, *sortir* s'emploie au sens de « produire », « obtenir » : *La sentence* SORTIT, SORTISSAIT *son plein et entier effet.*

769 VITUPÉRER. On dit : « vitupérer qqn ou qq.ch. » : *Il vitupère la misère humaine* (H. Bordeaux). — *Il vitupérait le Prince et la Monarchie* (A. Chamson).

Vitupérer contre tend à pénétrer dans l'usage : *Un furieux en tout cas, qui vitupère* CONTRE *l'univers* (R. Kemp). — *Il (...) vitupérait volontiers* CONTRE *les Jésuites* (M. Pagnol).

770 VIVRE s'emploie comme transitif au sens de « passer », de « mener », de « traduire en actes dans sa vie » : *Après les nuits d'angoisse que je venais de vivre* (H. Bosco). — *Il a vécu une existence bien dure* (Ac.). — *Un apôtre, prêtre ou laïque, s'il vit vraiment sa foi...* (Fr. Mauriac). — *Vivre sa vie.*

771 Certains verbes intransitifs s'emploient parfois comme transitifs, avec un objet direct exprimant la même idée que celle du radical du verbe : *Jouer gros jeu.* — *Dormez votre sommeil* (Bossuet). — *Bien ! aimez vos amours et guerroyez vos guerres !* (Hugo.) — *S'il peut arriver à suer sept sueurs, il sera guéri* (H. Troyat).

Constructions analogues : *trembler la fièvre, grelotter la fièvre, brûler la fièvre, trembler le frisson.*

772 Les propositions incises *dit-il, répondit-il,* etc. sont souvent remplacées par des verbes à la signification desquels peut se superposer l'idée de « dire » : *Si, si,* SOUPIRA-*t-elle* (A. Thérive). — *Paris est odieux,* MAUGRÉE-*t-il* (G. Duhamel).

Mais si le sens du verbe ne se prête pas naturellement à la superposition de l'idée de « dire », un tel emploi ne saurait être admis. Des phrases comme celles-ci ne sont pas bonnes à imiter : *Du secours ! sursauta la visiteuse* (A. Billy). — *Pardon ! s'étrangla le bonhomme* (R. Dorgelès).

II. CONJUGAISON

A. OBSERVATIONS GÉNÉRALES

773 Verbes en ***-cer :*** une cédille sous le *c* devant *a* et *o : J'avançais, nous plaçons.*

774 Verbes en ***-ger :*** un *e* après le *g* devant *a* et *o : Je nageais, nous changeons.*

775 Verbes en ***-yer :*** l'*y* se change en *i* devant un *e* muet : *Il nettoie. Qu'ils appuient.*

N.B. 1. Verbes en **-ayer :** ce changement est facultatif : *Je paye* ou *je paie. Nous balayerons* ou *nous balaierons.*
2. Verbes en **-eyer :** gardent toujours l'*y : Je grasseye, il grasseyera.*

776 Verbes ayant un *e* muet à l'avant-dernière syllabe : l'*e* muet se change en *è* devant une syllabe muette : *Semer, je sème, nous sèmerons.*

777 Verbes en ***-eler*** ou en ***-eter.*** Le plus grand nombre de ces verbes redoublent *l* ou *t* devant un *e* muet : *Bourreler, je bourrelle. Harceler, je harcelle. — Souffleter, je soufflette. Voleter, je volette.*

Selon l'Académie, les verbes suivants, au lieu de redoubler *l* ou *t*, changent *e* en *è :*

celer	démanteler	dégeler	peler	crocheter
déceler	écarteler	regeler	acheter	fureter
receler	geler	marteler	racheter	haleter
ciseler	congeler	modeler	corseter	

Je cisèle, il martèle ; j'achète, il halète.

778 Verbes ayant un *é* à l'avant-dernière syllabe : l'*é* se change en *è* devant une syllabe muette finale (donc, au futur et au conditionnel, ils gardent l'*é*, mais cet *é* se prononce ouvert) : *Altérer, j'altère, j'altérerai. — Espérer, j'espère, j'espérerais.*

N.B. 1. Il y a, pour ces verbes, une tendance assez marquée à mettre un *è* au futur et au conditionnel (ce qui répond bien à la prononciation) : *Je ne blasphèmerai pas les morts* (G. Bernanos). — *Le déjeuner complèterait le tout* (P. Vialar).

2. Les verbes en *-éer* gardent toujours l'*é* : *Agréer, j'agrée, j'agréerai.* — *Créer, je crée, je créerais.*

779 Verbes en ***-uer*** ou en ***-ouer :*** Certains grammairiens ont recommandé de mettre un tréma sur l'*i* de la désinence aux deux premières personnes du pluriel de l'indicatif imparfait et du subjonctif présent, mais le tréma n'est pas d'usage : *Nous évoluions, que vous saluiez, nous nous dévouions, vous louiez.*

Arguer (l'*u* se prononce). Littré écrit : *j'arguë, tu arguës, il arguë.* Cela est très plausible. Constatons cependant que, dans la conjugaison de *arguer*, les auteurs, assez souvent, se dispensent d'user du tréma: *Évariste (...)* ARGUA... (A. Gide). — *Il n'en* ARGUE *pas...* (A. Thérive). — *Ils* ARGUENT *des bénéfices qu'ils pourraient retirer...* (Aragon).

780 Verbes dont le participe présent est en ***-iant, -yant*** (on excepte *ayant*), ***-llant*** (*l* mouillés), ***-gnant :*** bien mettre, aux deux premières personnes du pluriel de l'indicatif imparfait et du subjonctif présent, un ***i*** après l'*i*, ou l'*y*, ou les *l* mouillés, ou *gn* : *Nous criions, que nous envoyions, nous travaillions, que vous régniez.*

781 AVOIR et ÊTRE, contrairement à tous les autres verbes, qui se terminent par *-e* à la 3ᵉ personne du singulier du subjonctif présent, ont, à cette personne, un *t* final : *Qu'il ait, qu'il soit.*

Aux deux premières personnes du pluriel du subjonctif présent, ils n'ont pas d'*i* après l'*y* : *Que nous ayons, que vous ayez, que nous soyons, que vous soyez.*

782 BÉNIR, au participe passé :

a) Bénit, -ite : s'emploie uniquement comme adjectif, en parlant de choses consacrées par une bénédiction rituelle : *Pain* BÉNIT, *eau* BÉNITE. *Un chapelet* BÉNIT, *une branche* BÉNITE.

b) Béni, -ie : s'emploie dans les cas où il ne s'agit pas d'une bénédiction rituelle : *Un peuple* BÉNI *de Dieu* (Ac.). —

Ce roi est BÉNI *par son peuple* (Littré). — *Qui a vu le pays basque veut le revoir. C'est la terre* BÉNIE (Hugo).

Même quand il s'agit d'une bénédiction rituelle, *béni, -ie* s'emploie chaque fois qu'il est appliqué à des personnes et chaque fois qu'il est pris, non pas comme adjectif, mais comme verbe : *Soyez donc en paix, ma fille, lui dis-je. Et je l'ai* BÉNIE (G. Bernanos). — *Un curé catholique avait* BÉNI *le mariage* (A. Maurois). — *Prends cette médaille. Elle a été* BÉNIE *par le pape* (A. France). — *Le prêtre nous a* BÉNIS (H. Troyat).

783 FLEURIR, au sens de « produire des fleurs » ou de « orner de fleurs », fait à l'imparfait de l'indicatif *fleurissais* et au participe présent ou adjectif verbal *fleurissant : Les cerisiers* FLEURISSAIENT. — *Voyez ces cerisiers* FLEURISSANT *dans le verger.* — *Les prés* FLEURISSANTS (Ac.).

Au sens figuré de « prospérer » ou de « être en honneur », il fait *florissait* (de l'ancien verbe *florir*) ou *fleurissait* à l'imparfait de l'indicatif — et presque toujours *florissant* au participe présent ou adjectif verbal : *Les sciences et les beaux-arts* FLEURISSAIENT OU FLORISSAIENT *sous le règne de ce prince* (Ac.). — *Ce style roman qui* FLEURISSAIT *encore en Aquitaine au XIIe siècle* (A. France). — *Raoul pouvait citer tel parlementaire de sa famille,* FLORISSANT *sous la Régence* (J. Green). — *Un règne* FLORISSANT, *une santé* FLORISSANTE.

784 HAÏR perd le tréma au singulier de l'indicatif présent et de l'impératif présent : *Je hais, tu hais, il hait. Hais.*

785 DÛ, REDÛ, MÛ, CRÛ (de *croître*), **RECRÛ** (de *recroître*), ont l'accent circonflexe au masculin singulier seulement : *L'argent* DÛ ; *il est* MÛ *par l'intérêt ; le fleuve a* CRÛ, RECRÛ.

N.B. 1. Sans circonflexe : *La somme* DUE, *les honneurs* DUS ; *ils sont* MUS, *elles sont* MUES *par l'intérêt ; la rivière est* CRUE (Ac.).

2. Sans circonflexe : *accru, décru, ému, indu, promu, recru* [= très fatigué].

786 Les verbes en ***-indre*** et en ***-soudre*** ne gardent le *d* qu'au futur simple et au conditionnel présent (attention ! pas de *d* au singulier du présent de l'indicatif ou de l'impératif) : *Peindre, je peins, il peint ; peins ; — je peindrai, je peindrais. — Résoudre, je résous, il résout ; résous ; — je résoudrai, je résoudrais.*

N.B. Dans les verbes en *-indre,* les consonnes *-nd-* se changent en *-gn-* [= *n* mouillé] devant une voyelle : *Peindre, nous pei*GN*ons, je pei*GN*ais, pei*GN*ant,* etc.

787 Les verbes en ***-aître*** et en ***-oître*** ont l'accent circonflexe sur l'*i* du radical chaque fois que cette voyelle est suivie d'un *t* : *Paraître, il paraît, je paraîtrai, nous paraîtrions. — Accroître, il accroît, j'accroîtrai, nous accroîtrions.*

N.B. 1. Sans circonflexe : *Je parais, il paraissait, paraissant,* etc. ; — *j'accrois, il accroissait, que j'accroisse,* etc.

2. *Croître* a l'accent circonflexe non seulement quand *i* est suivi d'un *t,* mais chaque fois qu'une confusion pourrait se produire avec une forme correspondante de *croire* (excepté *crus, crue, crues*) : *Je croîs, tu croîs, il croît en sagesse. Je crûs, tu crûs, il crût, nous crûmes, vous crûtes, ils crûrent en science.*

788 Remarquez, à la 3e personne du singulier de l'indicatif présent : *il clôt, il gît, il plaît (il déplaît, il complaît),* avec le circonflexe.

L'Académie ne met pas le circonflexe dans *il éclot, il enclot.*

789 Dans certaines tournures où le sujet *je* est postposé, quand la 1re personne du singulier est terminée par un *e,* on remplace cet *e* par un *é* (qui d'ailleurs se prononce *è*) : PARLÉ-*je ?* PUISSÉ-*je réussir !* EUSSÉ-*je échoué,* DUSSÉ-*je y perdre ma fortune. — Pourquoi me* FUSSÉ-*je retenu ?* (P.-H. Simon.)

790 Dans *va-t'en, souviens-t'en, retourne-t'en,* etc., on remarquera l'apostrophe (attention ! pas de trait d'union) : le *t,* en effet, n'est rien d'autre que le pronom *te* élidé (comparez : « allez-*vous*-en »). Vu l'apostrophe, on ne met pas le second trait d'union.

791 La 2e personne du singulier de l'impératif présent, quand elle se termine en syllabe muette (de même pour *va*), s'écrit sans *s* final : *Marche. Travaille. Ouvre. Souffre. Sache-le. Veuille me suivre. — Va au diable!*

792 Cependant, cette 2e personne du singulier de l'impératif présent, quand elle se termine en syllabe muette (de même pour *va*), prend un *s* final devant les pronoms *en* ou *y* non suivis d'un infinitif : PLANTES-*en* ; CHERCHES-*en les raisons ; des fleurs,* OFFRES-*en à ta mère ;* VAS-*y ;* PENSES-*y.*

793 N.B. 1. Mais devant les pronoms *en* ou *y* suivis d'un infinitif, et devant la préposition *en*, on n'a ni *s* final ni trait d'union : OSE *en dire du bien ;* DAIGNE *en agréer l'hommage.* — VA *y mettre ordre.* — VA *en savoir des nouvelles* (Ac.). — *Ce mal,* LAISSE *y porter remède.* — VA *en paix.* PARLE *en maître.*

2. Dans l'expression *à Dieu vat !* (écrite parfois *adieu-va !* ou *à Dieu-va !*), le *t* de *vat* est vraisemblablement le même que celui qui s'ajoute dans le langage populaire à *va* + une voyelle, par exemple dans *Malbrough s'en va-t-en guerre.*

794 La 3e personne du singulier du subjonctif imparfait a toujours un accent circonflexe sur la voyelle de la désinence : *Qu'il plantât, qu'il finît, qu'il reçût, qu'il vînt.*

B. VERBES AUXILIAIRES

795 Se conjuguent avec **être** :

1° Tous les verbes pronominaux : *Il s'*EST *blessé. Ils se* SONT *trompés.*

2° Quelques verbes intransitifs exprimant, pour la plupart, un mouvement ou un changement d'état :

aller	échoir	partir	retourner	intervenir
arriver	entrer	repartir	sortir	parvenir
décéder	mourir	rentrer	tomber	revenir
devenir	naître	rester	venir	survenir

796 N.B. *Circonvenir, contrevenir, prévenir* et *subvenir* se conjuguent avec *avoir.*

Disconvenir, au sens de « ne pas convenir de » se conjugue avec *être : Il n'*EST *pas disconvenu de cette vérité ;* — au sens de « ne pas convenir à », il se conjugue avec *avoir : Cette mesure* A *disconvenu à bien des gens.*

797 Certains verbes intransitifs ou pris intransitivement se conjuguent avec **avoir** quand ils expriment l'action, — et avec **être** quand ils expriment l'état résultant de l'action accomplie. Tels sont :

aborder	crever	dénicher	expirer	récidiver
accoucher	croître	descendre	faillir	recroître
accroître	crouler	diminuer	grandir	redescendre
alunir	croupir	disparaître	grossir	résulter
atterrir	déborder	divorcer	maigrir	ressusciter
augmenter	décamper	échouer	monter	sonner
baisser	déchoir	éclater	paraître	sortir
camper	décroître	embellir	passer	stationner
cesser	dégeler	empirer	périr	trébucher
changer	dégénérer	enchérir	pourrir	trépasser
chavirer	déménager	enlaidir	rajeunir	vieillir

EX. : *Les prix* ONT *augmenté l'an dernier. Les prix* SONT *augmentés maintenant.*

798 N.B. 1. Beaucoup de ces verbes ne se conjuguent, en fait, qu'avec *avoir : Il* A *changé, grandi, embelli,* etc. ; quand ils prennent *être,* c'est que le participe passé est employé comme un simple adjectif : *Il* EST *changé, grandi, embelli,* etc.

D'autre part, pour plusieurs de ces verbes (*descendre, monter, passer, ressusciter...*), l'usage, sans distinguer l'action d'avec l'état, semble faire prévaloir l'auxiliaire *être : Où le père n'*EST *pas passé, l'enfant imaginaire passera* (Fr. Mauriac). — *Quand* SERA *paru le second tome* (R. Kemp).

2. Plusieurs de ces verbes demandent évidemment l'auxiliaire *avoir* quand ils sont pris transitivement à l'actif : *On* A *monté le piano. — Il* A *monté l'escalier* (Ac.). — *On* A *sorti la voiture. — Ils* ONT *augmenté les impôts.*

799 Outre **avoir** et **être,** auxiliaires par excellence, il y a certains verbes qui sont semi-auxiliaires lorsque, suivis d'un infinitif, ils servent à marquer certaines nuances de temps ou de mode, ou divers aspects du développement de l'action :

aller	être près de	faillir	sembler
s'en aller	— loin de	manquer de	passer pour
devoir	— à	faire	pouvoir
être en passe de	— après à	ne faire que (de)	sortir de
— en voie de	— en train de	laisser	venir à
— sur le point de	— pour	paraître	vouloir

Ex. : *Je vais partir, je dois partir. Il est en passe d'être nommé, en voie de réussir. Cela n'est pas pour durer. Il a failli, il a manqué de tomber. Laissons dire les sots. L'hiver semble finir, paraît finir. Il pouvait être dix heures. Nous sortions de dîner. Un homme vint à passer. La blessure semble vouloir se fermer.*

800 N.B. 1. *S'en aller,* avec un infinitif, ne s'emploie plus guère qu'à la 1re personne du singulier de l'indicatif présent : *Je m'en* VAIS *faire moi-même au lecteur les honneurs de ma personne* (Taine).

2. Distinguez : *ne faire que de* + infin. marque un passé très proche : *Je ne fais que d'arriver, laissez-moi respirer ;* — *ne faire que* + infin. marque la continuité, la répétition, ou la restriction : *Il ne fait que bâiller* [= il bâille continuellement]. — *Le pauvre enfant ne faisait que descendre de sa chambre et y remonter* (Musset). — *Je ne fais qu'exécuter les ordres que j'ai reçus* (Ac.).

3. *Vouloir* peut servir à indiquer une action qui est près de s'accomplir, et présentée comme si elle dépendait de la volonté du sujet (volonté prêtée parfois à des choses) : *On dirait que cet enfant* VEUT *faire une rougeole.* — *Une blessure qui ne* VEUT *pas guérir* (Musset). — *Il* VEUT *pleuvoir.*

4. *Voulons-nous... ?* avec un infinitif peut servir à exprimer l'idée de « être disposé à » : *Voulons-nous faire une promenade ?* — *Voulons-nous (...) faire provisoirement le point de la période considérée ?* (M. Cohen.)

Observations particulières

801 ACCOURIR, APPARAÎTRE se conjuguent avec **avoir** ou avec **être :** *J'*AI *accouru vers vous* (Voltaire). — *Je* SERAIS *accouru vers vous* (A. Gide). — *Enfin le soleil* A *apparu* (J. de Lacretelle). — *Le spectre qui lui* AVAIT *apparu, qui lui* ÉTAIT *apparu* (Ac.).

802 CONVENIR. Règle traditionnelle : ***convenir à*** [= être approprié à] se conjugue avec **avoir** : *Cette maison m'*A *convenu* (Ac.). — *Ce régime lui* AURAIT *convenu parfaitement* (A. Hermant).

Convenir de [= reconnaître la vérité de, tomber d'accord, faire un accord sur] se conjugue avec **être** : *Il* EST *convenu lui-même de sa méprise* (Ac.). — *Je ne voulais pas manquer à ce dont nous* ÉTIONS *convenus ensemble* (P.-H. Simon).

N.B. 1. La distinction est arbitraire : l'usage moderne admet tout à fait couramment que *convenir de* se conjugue avec *avoir : Bien que de cela il n'*EÛT *jamais convenu* (Montherlant). — *Nous* AVONS *convenu de nous retrouver le 14* (A. Chamson).
2. Pour *disconvenir,* voir n° 796.

803 COURIR, intransitif, se conjugue avec **avoir** : *J'*AI *couru ici à tout hasard* (Fr. Mauriac).

L'auxiliaire *être* est très peu usité, mais est également correct (Littré).

804 DEMEURER, au sens de « habiter », ou de « tarder », ou de « mettre du temps à faire qq.ch. » se conjugue avec **avoir** : *Pendant le temps que j'*AI *demeuré à Paris* (M. Donnay). — *Sa plaie* A *demeuré longtemps à guérir* (Ac.). — *Il n'*A *demeuré qu'une heure à faire cela* (Id.).

Avec **être** quand il signifie « rester en quelque endroit, rester en un certain état » : *Mon cheval* EST *demeuré en chemin* (Ac.). — *Il* EST *demeuré muet* (Id.).

805 ÉCHAPPER, au sens de « n'être pas saisi, remarqué » se conjugue avec **avoir** : *Cette distinction m'*AVAIT *échappé* (Nodier).

Dans les autres cas, et notamment quand il s'applique à ce qu'on dit ou fait par imprudence, par mégarde, il prend **avoir** ou **être** : *Cela lui* AVAIT *échappé ; il n'avait pas réfléchi* (Fr. Mauriac). — *Son secret lui* EST *échappé* (Sainte-Beuve). — *Cela m'*AVAIT, *m'*ÉTAIT *échappé de la mémoire* (Ac.). — *Les quelques habitants qui* ÉTAIENT *échappés aux massacres* (R. Ikor).

806 ÉCLORE. Selon les dictionnaires et pour la plupart des grammairiens, *éclore* se conjugue toujours avec **être** : *Ces fleurs* SONT *écloses cette nuit* (Ac.).

Cependant il se rencontre parfois avec l'auxiliaire *avoir* quand c'est l'action (non l'état) que l'on considère : *Les fleurs* ONT *éclos pendant la nuit* (Nyrop). — *Puis une tendre idylle* AURAIT *éclos* (J. Dutourd).

807 REPARTIR signifiant « répliquer » se conjugue toujours avec **avoir** : *Jamais !* A-*t-il reparti vivement.*

808 RESTER, au sens de « continuer d'être dans un lieu, dans une situation » se conjugue avec **être** : *On me pressait de partir, mais je* SUIS *resté encore deux jours à Paris.* — *Je* SUIS *resté debout deux heures durant.*

Tours archaïques : *J'*AI *resté six mois entiers à Colmar* (Voltaire). — *Il ne m'*A *resté qu'à m'immoler* (Chateaubriand). — *Je n'y* AI *resté que peu de jours* [dans une maison] (A. Hermant).

809 S'AGIR. L'impersonnel *il s'agit* se conjugue avec **être** : *Je n'ai pas voulu qu'il s'en* SOIT *agi* (Littré). — *Il s'*ÉTAIT *agi de déclarer la déchéance de Louis XVI* (Chateaubriand). — *Quand il s'*EST *agi de prendre une décision.* [Attention ! ne dites pas : *Quand il a s'agi de...*]

810 TOMBER se conjugue ordinairement avec **être** : *Ce secours nous* EST *tombé du ciel* (Ac.). — *Ils* SONT *tombés l'un sur l'autre avec impétuosité* (Id.). — *Cette pièce* EST *tombée à la première représentation* (Id.).

Tours archaïques (où l'auxiliaire *avoir* sert à marquer l'action, non l'état) : *Ce grand courage* A *tombé tout à coup* (Ac.). — *Comme une toile d'araignée sur laquelle la pluie* A *tombé* (Hugo). — *Pendant la nuit la neige* AVAIT *tombé* (M. Arland).

C. VERBES IRRÉGULIERS ET VERBES DÉFECTIFS

Remarque préliminaire. Quand le **futur** est usité, le **conditionnel** l'est aussi. De même, si le **passé simple** existe, l'**imparfait du subjonctif** existe aussi. Si le **participe passé** existe, on peut former les **temps composés.**

811 **ABATTRE.** Comme *battre.*

ABSOUDRE. Ind. pr. : *J'absous, tu absous, il absout, nous absolvons, vous absolvez, ils absolvent.* — Imparf. : *J'absolvais.* — Passé s. (manque). — Fut. : *J'absoudrai.* — Impér. : *Absous, absolvons, absolvez.* — Subj. pr. : *Que j'absolve.* — Subj. imparf. (manque). — Part. pr. : *Absolvant.* — Part. pas. : *Absous, absoute.*

ABSTENIR (s'~). Comme *tenir,* mais les temps composés prennent *être.*

ABSTRAIRE. Comme *traire.*

ACCOURIR. Comme *courir.*

ACCROIRE. N'est usité qu'à l'Infin., précédé du verbe *faire : Il m'en fait accroire.*

ACCROÎTRE. Ind. pr. : *J'accrois, tu accrois, il accroît, nous accroissons, vous accroissez, ils accroissent.* — Imparf. : *J'accroissais.* — Passé s. : *J'accrus, tu accrus, il accrut, nous accrûmes, vous accrûtes, ils accrurent.* — Fut. : *J'accroîtrai.* — Impér. : *Accrois, accroissons, accroissez.* — Subj. pr. : *Que j'accroisse.* — Subj. imp. : *Que j'accrusse.* — Part. pr. : *Accroissant.* — Part. pas. : *Accru, accrue* (n° 785, N.B. 2). — Aux temps composés, il prend *avoir* ou *être* selon la nuance de la pensée [voir n° 797].

ACCUEILLIR. Comme *cueillir.*

ACQUÉRIR. Ind. pr. : *J'acquiers, tu acquiers, il acquiert, nous acquérons, vous acquérez, ils acquièrent..* — Imparf. : *J'acquérais.* — Passé s. : *J'acquis.* — Fut. : *J'acquerrai.* — Impér. : *Acquiers, acquérons, acquérez.* — Subj. pr. : *Que j'acquière, que tu acquières, qu'il acquière, que nous acquérions, que vous acquériez, qu'ils acquièrent.* — Subj. imp. : *Que j'acquisse.* — Part. pr. : *Acquérant.* — Part. pas. : *Acquis, acquise.*

ADJOINDRE. Comme *craindre.*

ADMETTRE. Comme *mettre.*

ADVENIR. Comme *tenir,* mais n'est usité qu'à l'Infinitif et aux troisièmes personnes, et prend *être* aux temps composés. — *Advenant* s'emploie dans les contrats, etc., au sens de « s'il arrive ».

ALLER. Ind. pr. : *Je vais, tu vas, il va, nous allons, vous allez, ils vont.* — Imparf. : *J'allais.* — Passé s. : *J'allai.* — Fut. : *J'irai.* — Impér. : *Va* (pour *vas-y*, voir n° 792), *allons, allez.* — Subj. pr. : *Que j'aille, que tu ailles, qu'il aille, que nous allions, que vous alliez, qu'ils aillent.* — Subj. imp. : *Que j'allasse.* — Part. pr. : *Allant.* — Part. pas. : *Allé, allée.* — Les temps composés prennent *être.*

S'en aller. Comme *aller : Je m'en vais,* etc. — Remarquez : Impér. : *Va-t'en, allons-nous-en, allez-vous-en.* — Aux temps composés, l'auxil. *être* se place entre *en* et *allé : Je m'en suis allé,* etc.

N.B. La construction *je me suis en allé* (cf. *je me suis enfui*) tend à se répandre et se rencontre même dans l'usage littéraire : *Ceux qui me condamnent de m'être* EN ALLÉ (Voltaire). — *Le gentilhomme (...) s'était à coup sûr* EN ALLÉ (Th. Gautier).

En allé, pris adjectivement, est assez fréquent : *Son épaule sentit le froid de cette tête* EN ALLÉE (M. Genevoix).

APERCEVOIR. Comme *recevoir.*

APPARAÎTRE. Comme *paraître.*

APPAROIR (= être évident, être manifeste). Terme de palais usité seulement à l'Infin., et impersonnellement, à la 3e pers. de l'Ind. pr. : *Il a fait apparoir de son bon droit.* — *Ainsi qu'il appert de tel acte.*

APPARTENIR. Comme *tenir.*

APPENDRE. Comme *rendre.*

APPRENDRE. Comme *prendre.*

ASSAILLIR. Ind. pr. : *J'assaille, tu assailles, il assaille, nous assaillons, vous assaillez, ils assaillent.* — Imparf. : *J'assaillais, nous assaillions.* — Passé s. : *J'assaillis.* — Fut. : *J'assaillirai.* — Impér. : *Assaille, assaillons, assaillez.* — Subj. pr. : *Que j'assaille, que nous assaillions, que vous assailliez, qu'ils assaillent.* — Subj. imp. : *Que j'assaillisse.* — Part. pr. : *Assaillant.* — Part. pas. : *Assailli, assaillie.*

ASSEOIR. Ind. pr. : *J'assieds, tu assieds, il assied, nous asseyons, vous asseyez, ils asseyent* (ou : *J'assois, tu assois, il assoit, nous assoyons, vous assoyez, ils assoient*). — Imparf. : *J'asseyais, nous asseyions* (ou : *J'assoyais, nous assoyions*). — Passé s. : *J'assis.* — Fut. : *J'assiérai* (ou : *J'assoirai*). —

Impér. : *Assieds, asseyons, asseyez* (ou : *Assois, assoyons, assoyez*). — Subj. pr. : *Que j'asseye, que nous asseyions, qu'ils asseyent* (ou : *Que j'assoie, que nous assoyions, qu'ils assoient*). — Subj. imp. : *Que j'assisse*. — Part. pr. : *Asseyant* (ou : *Assoyant*). — Part. pas. : *Assis, assise*.

ASTREINDRE. Comme *craindre*.

ATTEINDRE. Comme *craindre*.

ATTENDRE. Comme *rendre*.

ATTRAIRE. Comme *traire*, mais ne s'emploie plus guère qu'à l'Infin.

AVOIR. Ind. pr.: *J'ai, tu as, il a, nous avons, vous avez, ils ont*. — Imparf.: *J'avais, tu avais, il avait, nous avions, vous aviez, ils avaient*. — Passé s.: *J'eus, tu eus, il eut, nous eûmes, vous eûtes, ils eurent*. — Fut.: *J'aurai, tu auras, il aura, nous aurons, vous aurez, ils auront*. — Impér.: *Aie, ayons, ayez*. — Subj. pr.: *Que j'aie, que tu aies, qu'il ait, que nous ayons, que vous ayez, qu'ils aient*. — Subj. imp.: *Que j'eusse, que tu eusses, qu'il eût, que nous eussions, que vous eussiez, qu'ils eussent*. — Part. pr.: *Ayant*. — Part. pas.: *Eu, eue*.

812 BATTRE. Ind. pr. : *Je bats, tu bats, il bat, nous battons, vous battez, ils battent*. — Imparf. : *Je battais*. — Passé s. : *Je battis*. — Fut. : *Je battrai*. — Impér. : *Bats, battons, battez*. — Subj. pr. : *Que je batte*. — Subj. imp. : *Que je battisse*. — Part. pr. : *Battant*. — Part. pas. : *Battu, battue*.

BOIRE. Ind. pr. : *Je bois, tu bois, il boit, nous buvons, vous buvez, ils boivent*. — Imparf. : *Je buvais*. — Passé s. : *Je bus*. — Fut. : *Je boirai*. — Impér. : *Bois, buvons, buvez*. — Subj. pr. : *Que je boive, que tu boives, qu'il boive, que nous buvions, que vous buviez, qu'ils boivent*. — Subj. imp. : *Que je busse*. — Part. pr. : *Buvant*. — Part. pas. : *Bu, bue*.

BOUILLIR. Ind. pr. : *Je bous, tu bous, il bout, nous bouillons, vous bouillez, ils bouillent*. — Imparf. : *Je bouillais, nous bouillions*. — Passé s. : *Je bouillis*. — Fut. : *Je bouillirai*. — Impér. : *Bous, bouillons, bouillez*. — Subj. pr. : *Que je bouille, que nous bouillions, que vous bouilliez, qu'ils bouillent*. — Subj. imp. : *Que je bouillisse*. — Part. pr. : *Bouillant*. — Part. pas. : *Bouilli, bouillie*.

BRAIRE. Ne s'emploie guère qu'à l'Infin. et aux troisièmes personnes du prés. de l'Indic., du Fut. et du Condit. : *Il brait, ils braient. — Il braira, ils brairont. — Il brairait, ils brairaient.* — Les formes suivantes sont rares : Imparf. : *Il brayait, ils brayaient.* — Part. pr. : *Brayant.* — Part. pas. : *Brait* (dans les temps composés : *Il a brait,* etc.) (sans fém.).

BRUIRE. N'est guère usité qu'à l'Infin., à la 3e p. du sg. de l'Ind. pr. : *Il bruit* — aux 3es pers. de l'Imparf. : *Il bruissait, ils bruissaient* (*il bruyait, ils bruyaient* sont archaïques) — et au Part. pr. : *Bruissant* (*bruyant* ne s'emploie plus que comme adjectif).

N.B. On rencontre : *Des eaux vives* BRUISSENT *partout alentour* (P. Loti). — *Les peupliers (...)* BRUISSENT *toujours* (É. Henriot). — *Quelque chose (...)* BRUISSA *sous la table* (Saint-Exupéry). — *Parmi les robes qui* BRUISSÈRENT (Cl. Farrère). — *On entendait des voix* BRUISSER (H. Barbusse). — On a là des formes hasardées : les théoriciens du bon langage estiment généralement que *bruire* est inusité (ou barbare) au passé simple, aux temps composés (*j'ai brui*) et aux personnes autres que la 3e — et que *bruisser,* avec toute sa conjugaison, est condamnable. — Pour l'Académie (mise en garde du 13 nov. 1969), « le verbe *bruisser* n'existe pas ».

813 **CEINDRE.** Comme *craindre.*

CHALOIR (= importer). Ne s'emploie plus qu'impersonnellement, dans les expressions : *Il ne m'en chaut, il ne m'en chaut guère, peu me chaut.*

CHOIR. Ne s'emploie plus qu'en poésie ou par badinage, à l'Infin., — au Fut. : *Je cherrai* — et au Part. pas. : *Chu, chue.*

CIRCONCIRE. Comme *suffire,* mais le Part. pas. est en *-s : Circoncis, circoncise.*

CIRCONSCRIRE. Comme *écrire.*

CIRCONVENIR. Comme *tenir.*

CLORE. N'est usité qu'à l'Infin. et aux formes suivantes : Ind. pr. : *Je clos, tu clos, il clôt,* (rare : *ils closent*). — Fut. (rare) : *Je clorai, tu cloras,* etc. — Impér. : *Clos.* — Subj. pr. (rare) : *Que je close,* etc. — Part. pas. : *Clos, close.*

COMBATTRE. Comme *battre.*

COMMETTRE. Comme *mettre.*

COMPARAITRE. Comme *connaître.*

COMPAROIR. Terme de procédure usité seulement à l'Infin. (mot archaïque, remplacé par *comparaître*). — *Comparant* s'emploie comme adjectif ou comme nom.

COMPLAIRE. Comme *plaire.*

COMPRENDRE. Comme *prendre.*

COMPROMETTRE. Comme *mettre.*

CONCEVOIR. Comme *recevoir.*

CONCLURE. Ind. pr. : *Je conclus, tu conclus, il conclut, nous concluons, vous concluez, ils concluent.* — Imparf. : *Je concluais, nous concluions.* — Passé s. : *Je conclus.* — Fut. : *Je conclurai.* — Impér. : *Conclus, concluons, concluez.* — Subj. pr. : *Que je conclue, que nous concluions.* — Subj. imp. : *Que je conclusse.* — Part. pr. : *Concluant.* — Part. pas. : *Conclu, conclue.*

CONCOURIR. Comme *courir.*

CONDESCENDRE. Comme *rendre.*

CONDUIRE. Ind. pr. : *Je conduis, tu conduis, il conduit, nous conduisons, vous conduisez, ils conduisent.* — Imparf. : *Je conduisais.* — Passé s. : *Je conduisis.* — Fut. : *Je conduirai.* — Impér. : *Conduis, conduisons, conduisez.* — Subj. pr. : *Que je conduise.* — Subj. imp. : *Que je conduisisse.* — Part. pr. : *Conduisant.* — Part. pas. : *Conduit, conduite.*

CONFIRE. Comme *suffire,* sauf le Part. pas. : *Confit, confite.*

CONFONDRE. Comme *rendre.*

CONJOINDRE. Comme *craindre.*

CONNAÎTRE. Ind. pr. : *Je connais, tu connais, il connaît, nous connaissons, vous connaissez, ils connaissent.* — Imparf. : *Je connaissais.* — Passé s. : *Je connus.* — Fut. : *Je connaîtrai.* — Impér. : *Connais, connaissons, connaissez.* — Subj. pr. : *Que je connaisse.* — Subj. imp. : *Que je connusse.* — Part. pr. : *Connaissant.* — Part. pas. : *Connu, connue.*

CONQUÉRIR. Comme *acquérir.*

CONSENTIR. Comme *mentir.*

CONSTRUIRE. Comme *conduire.*

CONTENIR. Comme *tenir.*

CONTRAINDRE. Comme *craindre.*

CONTREDIRE. Comme *dire,* sauf à la 2e p. du plur. de l'Ind. pr. et de l'Impér., où l'on a : *contredisez.*

CONTREFAIRE. Comme *faire.*

CONTREVENIR. Comme *tenir.*

CONVAINCRE. Comme *vaincre.*

CONVENIR. Comme *tenir.* — Dans le sens de « être approprié à, plaire, être à propos », il se conjugue avec *avoir* aux temps composés. Dans le sens de « tomber d'accord, faire un accord », il se conjugue avec *être* [voir no 802].

CORRESPONDRE. Comme *rendre.*

CORROMPRE. Comme *rompre.*

COUDRE. Ind. pr. : *Je couds, tu couds, il coud, nous cousons, vous cousez, ils cousent.* — Imparf. : *Je cousais.* — Passé s. : *Je cousis.* — Fut. : *Je coudrai.* — Impér. : *Couds, cousons, cousez.* — Subj. pr. : *Que je couse.* — Subj. imp. : *Que je cousisse.* — Part. pr. : *Cousant.* — Part. pas. : *Cousu, cousue.*

COURIR. Ind. pr. : *Je cours, tu cours, il court, nous courons, vous courez, ils courent.* — Imparf. : *Je courais.* — Passé s. : *Je courus.* — Fut. : *Je courrai.* — Impér. : *Cours, courons, courez.* — Subj. pr. : *Que je coure, que tu coures, qu'il coure, que nous courions, que vous couriez, qu'ils courent.* — Subj. imp. : *Que je courusse.* — Part. pr. : *Courant.* — Part. pas. : *Couru, courue.*

COUVRIR. Ind. pr. : *Je couvre, tu couvres, il couvre, nous couvrons, vous couvrez, ils couvrent.* — Imparf. : *Je couvrais.* — Passé s. : *Je couvris.* — Fut. : *Je couvrirai.* — Impér. : *Couvre, couvrons, couvrez.* — Subj. pr. : *Que je couvre.* — Subj. imp. : *Que je couvrisse.* — Part. pr. : *Couvrant.* — Part. pas. : *Couvert, couverte.*

CRAINDRE. Ind. pr. : *Je crains, tu crains, il craint, nous craignons, vous craignez, ils craignent.* — Imparf. : *Je craignais, nous craignions.* — Passé s. : *Je craignis.* — Fut. : *Je craindrai.* — Impér. : *Crains, craignons, craignez.* — Subj. pr. : *Que je craigne, que nous craignions.* — Subj. imp. : *Que je craignisse.* — Part. pr. : *Craignant.* — Part. pas. : *Craint, crainte.*

CROIRE. Ind. pr. : *Je crois, tu crois, il croit, nous croyons, vous croyez, ils croient.* — Imparf. : *Je croyais, nous croyions.*

— Passé s. : *Je crus.* — Fut. : *Je croirai.* — Impér. : *Crois, croyons, croyez.* — Subj. pr. : *Que je croie, que tu croies, qu'il croie, que nous croyions, que vous croyiez, qu'ils croient.* — Subj. imp. : *Que je crusse.* — Part. pr. : *Croyant.* — Part. pas. : *Cru, crue.*

CROÎTRE. Ind. pr. : *Je croîs, tu croîs, il croît, nous croissons, vous croissez, ils croissent.* — Imparf. : *Je croissais.* — Passé s. : *Je crûs, tu crûs, il crût, nous crûmes, vous crûtes, ils crûrent.* — Fut. : *Je croîtrai.* — Impér. : *Croîs, croissons, croissez.* — Subj. pr. : *Que je croisse.* — Subj. imp. : *Que je crusse* (on ne voit pas pourquoi l'Académie écrit cette forme sans accent circonflexe). — Part. pr. : *Croissant.* — Part. pas. : *Crû* (plur. : *crus*), *crue.* — Aux temps composés, il prend tantôt *avoir*, tantôt *être* [voir n° 797].

CUEILLIR. Ind. pr. : *Je cueille, tu cueilles, il cueille, nous cueillons, vous cueillez, ils cueillent.* — Imparf. : *Je cueillais, nous cueillions.* — Passé s. : *Je cueillis.* — Fut. : *Je cueillerai.* — Impér. : *Cueille, cueillons, cueillez.* — Subj. pr. : *Que je cueille, que nous cueillions.* — Subj. imp. : *Que je cueillisse.* — Part. pr. : *Cueillant.* — Part. pas. : *Cueilli, cueillie.*

CUIRE. Comme *conduire.*

814 **DÉBATTRE.** Comme *battre.*

DÉCEVOIR. Comme *recevoir.*

DÉCHOIR. Ind. pr. : *Je déchois, tu déchois, il déchoit* (archaïque : *il déchet*), *nous déchoyons, vous déchoyez, ils déchoient.* — Imparf. : (inusité). — Passé s. : *Je déchus.* — Fut. : *Je déchoirai* (archaïq. : *je décherrai*). — Impér. : (inusité). — Subj. pr. : *Que je déchoie, que nous déchoyions, que vous déchoyiez, qu'ils déchoient.* — Subj. imp. : *Que je déchusse.* — Part. pr. : (inusité). — Part. pas. : *Déchu, déchue.* — Aux temps composés, il prend *avoir* ou *être* [voir n° 797].

DÉCLORE. Selon l'Académie, ne s'emploie qu'à l'Infin. — Selon Littré, *déclore* n'a que les temps et les personnes qui suivent : Ind. pr. : *Je déclos, tu déclos, il déclôt* (sans plur.). — Fut. : *Je déclorai.* — Condit. : *Je déclorais.* — Subj. pr. : *Que je déclose, que tu décloses, qu'il déclose, que nous déclo-*

sions, que vous déclosiez, qu'ils déclosent. — Infin. : *Déclore.* — Part. pas. : *Déclos, déclose.*

DÉCOUDRE. Comme *coudre.*

DÉCOUVRIR. Comme *couvrir.*

DÉCRIRE. Comme *écrire.*

DÉCROÎTRE. Comme *accroître.* — Aux temps composés, il se conjugue avec *avoir* ou avec *être* selon la nuance de la pensée [voir n° 797].

DÉDIRE (se ~). Comme *dire,* sauf à la 2e pers. du plur. de l'Ind. pr. et de l'Impér. : *Vous vous dédisez, dédisez-vous.* — Aux temps composés, il se conjugue avec *être.*

DÉDUIRE. Comme *conduire.*

DÉFAILLIR. Comme *assaillir.* — Selon l'Académie, *défaillir* n'est plus guère usité qu'au plur. du Prés. de l'Ind., à l'Imparf., au Passé s., au Passé comp., à l'Infin. et au Part. pr.

DÉFAIRE. Comme *faire.*

DÉFENDRE. Comme *rendre.*

DÉMENTIR. Comme *mentir,* mais il a un Part. pas. féminin : *démentie.*

DÉMETTRE. Comme *mettre.*

DÉMORDRE. Comme *rendre.*

DÉPARTIR. Comme *mentir,* mais son Part. pas. : *Départi* a un féminin : *départie.*

N.B. On rencontre parfois, dans la littérature, ce verbe conjugué sur *finir : L'être humain (...) se purifie inconsciemment au contact de ce que lui* DÉPARTISSENT *le ciel, la terre, la ville* (Colette). — *Mon père (...) se* DÉPARTISSANT *pour une fois de sa réserve...* (É. Henriot).

Conseil : s'en tenir plutôt à l'usage général.

DÉPEINDRE. Comme *craindre.*

DÉPENDRE. Comme *rendre.*

DÉPLAIRE. Comme *plaire.*

DÉSAPPRENDRE. Comme *prendre.*

DESCENDRE. Comme *rendre.* — Aux temps composés, il prend *avoir* ou *être* selon la nuance de la pensée [voir n° 797].

DESSERVIR. Comme *servir.*

DÉTEINDRE. Comme *craindre.*

DÉTENDRE. Comme *rendre.*

DÉTENIR. Comme *tenir.*

DÉTORDRE. Comme *rendre.*

DÉTRUIRE. Comme *conduire.*

DEVENIR. Comme *tenir,* mais aux temps composés, il se conjugue avec *être.*

DÉVÊTIR. Comme *vêtir.*

DEVOIR. Ind. pr. : *Je dois, tu dois, il doit, nous devons, vous devez, ils doivent.* — Imparf. : *Je devais.* — Passé s. : *Je dus.* — Fut. : *Je devrai.* — Impér. (très peu usité) : *Dois, devons, devez.* — Subj. pr. : *Que je doive, que nous devions.* — Subj. imp. : *Que je dusse.* — Part. pr. : *Devant.* — Part. pas. : *Dû* (plur. : *dus*), *due.*

DIRE. Ind. pr. : *Je dis, tu dis, il dit, nous disons, vous dites, ils disent.* — Imparf. : *Je disais.* — Passé s. : *Je dis.* — Fut. : *Je dirai.* — Impér. : *Dis, disons, dites.* — Subj. pr. : *Que je dise.* — Subj. imp. : *Que je disse.* — Part. pr. : *Disant.* — Part. pas. : *Dit, dite.*

DISCONVENIR. Comme *tenir.* — Aux temps composés, dans le sens de « ne pas convenir d'une chose », il prend *être : Il n'*EST *pas disconvenu de cette vérité.* Dans le sens de « ne pas convenir à », il prend *avoir : Cette mesure* A *disconvenu à beaucoup de gens.*

DISCOURIR. Comme *courir.*

DISJOINDRE. Comme *craindre.*

DISPARAÎTRE. Comme *connaître.*

DISSOUDRE. Comme *absoudre.*

DISTENDRE. Comme *rendre.*

DISTRAIRE. Comme *traire.*

DORMIR. Ind. pr. : *Je dors, tu dors, il dort, nous dormons, vous dormez, ils dorment.* — Imparf. : *Je dormais.* — Passé s. : *Je dormis.* — Fut. : *Je dormirai.* — Impér. : *Dors, dormons, dormez.* — Subj. pr. : *Que je dorme.* — Subj. imp. : *Que je dormisse.* — Part. pr. : *Dormant.* — Part. pas. : *Dormi* [le fém. *dormie* est rare : *Trois nuits mal* DORMIES (Musset)].

815 **ÉBATTRE (s ~').** Comme *battre.* Les temps composés prennent *être.*

ÉCHOIR. Usité seulement à l'Infin. et aux formes suivantes : Ind. pr. : *Il échoit* (*il échet* est archaïque), *ils échoient.* — Passé s. : *Il échut.* — Fut. : *Il échoira, ils échoiront* (*il écherra, ils écherront :* formes archaïques). — Condit. : *Il échoirait, ils échoiraient* (*il écherrait, ils écherraient :* formes archaïques). — Part. pr. : *Échéant.* — Part. pas. : *Échu, échue.* — Les temps composés se conjuguent avec *être.*

ÉCLORE. N'est guère usité, dit l'Académie, qu'à l'Infin. et aux 3es pers. de quelques temps : *Il éclot* (on ne voit pas pourquoi l'Académie écrit cette forme sans accent circonflexe), *ils éclosent. Il est éclos. Il éclora. Il éclorait. Qu'il éclose. Éclos.* — Selon Littré, *éclore* a les temps suivants : Ind. pr. : *J'éclos, tu éclos, il éclôt, nous éclosons, vous éclosez, ils éclosent.* — Imparf. : *J'éclosais.* — Fut. : *J'éclorai.* — Condit. : *J'éclorais.* — Subj. pr. : *Que j'éclose.* — Part. pas. : *Éclos, éclose.* — Les temps composés prennent *être* (parfois *avoir :* voir n° 806).

ÉCONDUIRE. Comme *conduire.*

ÉCRIRE. Ind. pr. : *J'écris, tu écris, il écrit, nous écrivons, vous écrivez, ils écrivent.* — Imparf. : *J'écrivais.* — Passé s. : *J'écrivis.* — Fut. : *J'écrirai.* — Impér. : *Écris, écrivons, écrivez.* — Subj. pr. : *Que j'écrive.* — Sub. imp. : *Que j'écrivisse.* — Part. pr. : *Écrivant.* — Part. pas. : *Écrit, écrite.*

ÉLIRE. Comme *lire.*

EMBOIRE. Comme *boire.*

ÉMETTRE. Comme *mettre.*

ÉMOUVOIR. Comme *mouvoir,* mais le Part. pas. *ému* s'écrit sans circonflexe.

EMPREINDRE. Comme *craindre.*

ENCEINDRE. Comme *craindre.*

ENCLORE. Ind. pr. : *J'enclos, tu enclos, il enclot* (on ne voit pas pourquoi l'Académie écrit cette forme sans circonflexe), *nous enclosons, vous enclosez, ils enclosent.* — Imparf. (rare) : *J'enclosais.* — Passé s. (manque). — Fut. : *J'enclorai.* — Impér. : *Enclos.* — Subj. pr. : *Que j'enclose.* — Subj. imp. : (manque). — Part. pr. (rare) : *Enclosant.* — Part. pas. : *Enclos, enclose.*

ENCOURIR. Comme *courir.*

ENDORMIR. Comme *dormir.*

ENDUIRE. Comme *conduire.*

ENFREINDRE. Comme *craindre.*

ENFUIR (s'~). Comme *fuir.* — Aux temps composés, il prend *être.*

ENJOINDRE. Comme *craindre.*

ENQUÉRIR (s'~). Comme *acquérir.* — Aux temps composés, il prend *être.*

ENSUIVRE (s'~). Comme *suivre,* mais n'est usité qu'à l'Infin. et aux 3es pers. de chaque temps. — Aux temps composés, il se conjugue avec *être.*

N.B. Quand le complément est le pronom *en,* on peut dire *s'en ensuivre ;* — mais on dit aussi *s'en suivre : Il s'en est suivi quelques propos un peu vifs* (Vigny). — *Pour ce qui s'en suivra* (Cl. Farrère).

ENTENDRE. Comme *rendre.*

ENTREMETTRE (s'~). Comme *mettre.* — Aux temps composés, il se conjugue avec *être.*

ENTREPRENDRE. Comme *prendre.*

ENTRETENIR. Comme *tenir.*

ENTREVOIR. Comme *voir.*

ENTROUVRIR. Comme *couvrir.*

ENVOYER. Ind. pr. : *J'envoie, tu envoies, il envoie, nous envoyons, vous envoyez, ils envoient.* — Imparfait : *J'envoyais, nous envoyions.* — Passé s. : *J'envoyai.* — Fut. : *J'enverrai.* — Impér. : *Envoie, envoyons, envoyez.* — Subj. pr. : *Que j'envoie, que nous envoyions.* — Subj. imp. : *Que j'envoyasse.* — Part. pr. : *Envoyant.* — Part. pas. : *Envoyé, envoyée.*

ÉPANDRE. Comme *rendre.*

ÉPRENDRE (s'~). Comme *prendre.* — Aux temps composés, il se conjugue avec *être.*

ÉQUIVALOIR. Comme *valoir,* mais le Part. pas. *équivalu* n'a pas de féminin.

ÉTEINDRE. Comme *craindre.*

ÉTENDRE. Comme *rendre.*

ÊTRE. Ind. pr.: *Je suis, tu es, il est, nous sommes, vous êtes, ils sont.* — Imparf.: *J'étais, tu étais, il était, nous étions,* *vous étiez, ils étaient.* — Passé s.: *Je fus, tu fus, il fut, nous fûmes, vous fûtes, ils furent.* — Fut.: *Je serai, tu seras, il sera, nous serons, vous serez, ils seront.* — Impér.: *Sois, soyons, soyez.* — Subj. pr.: *Que je sois, que tu sois, qu'il soit, que nous soyons, que vous soyez, qu'ils soient.* — Subj. imp.: *Que je fusse, que tu fusses, qu'il fût, que nous fussions, que vous fussiez, qu'ils fussent.* — Part. pr.: *Étant.* — Part. pas.: *Été* (sans fém.).

ÉTREINDRE. Comme *craindre.*

EXCLURE. Comme *conclure.*

EXTRAIRE. Comme *traire.*

816 FAILLIR. N'est plus guère usité qu'à l'Infin., au Passé s., au Fut., au Condit. et aux temps composés. — Ind. pr. (archaïque) : *Je faux, tu faux, il faut, nous faillons, vous faillez, ils faillent.* — Imparf. (archaïque) : *Je faillais, nous faillions.* — Passé s. : *Je faillis.* — Fut. : *Je faillirai* (archaïque : *Je faudrai*). — Subj. pr. (archaïque) : *Que je faille, que nous faillions.* — Subj. imp. (archaïque) : *Que je faillisse.* — Part. pr. (archaïque) : *Faillant.* — Part. pas. : *Failli, faillie.* — Dans le sens de « faire faillite », *faillir* se conjugue sur *finir.*

FAIRE. Ind. pr. : *Je fais, tu fais, il fait, nous faisons, vous faites, ils font.* — Imparf. : *Je faisais.* — Passé s. : *Je fis.* — Fut. : *Je ferai.* — Impér. : *Fais, faisons, faites.* — Subj. pr. : *Que je fasse.* — Subj. imp. : *Que je fisse.* — Part. pr. : *Faisant.* — Part. pas. : *Fait, faite.*

FALLOIR. Verbe impersonnel. Ind. pr. : *Il faut.* — Imparf. : *Il fallait.* — Passé s. : *Il fallut.* — Fut. : *Il faudra.* — Subj. pr. : *Qu'il faille.* — Subj. imp. : *Qu'il fallût.* — Part. pr. : (manque). — Part. pas. : *Fallu* (sans fém.).

FEINDRE. Comme *craindre.*

FENDRE. Comme *rendre.*

FÉRIR (= frapper). N'est plus usité qu'à l'Infin. dans l'expression *sans coup férir,* et au Part. pas. : *Féru, férue,* qui s'emploie comme adjectif et signifie, au propre : « qui est blessé, frappé de qq. ch. » et au figuré : « qui est épris de ».

FLEURIR. Au sens propre, se conjugue régulièrement sur *finir*. — Au sens figuré de « prospérer », fait souvent *florissait* à l'Imparf. de l'ind. et presque toujours *florissant* au Part. pr. L'adj. verbal est toujours *florissant* [voir n° 783].

FONDRE. Comme *rendre*.

FORFAIRE. N'est guère usité qu'à l'Infin. et aux temps composés : *J'ai forfait à l'honneur,* etc.

FRIRE. N'est guère usité qu'à l'Infin., au sing. de l'Ind. pr. : *Je fris, tu fris, il frit ;* — au Part. pas. : *Frit, frite ;* — et aux temps composés : *J'ai frit, j'avais frit,* etc. — Rares : Fut. : *Je frirai.* — Condit. : *Je frirais.* — Impér. sg. : *Fris.* — On supplée les autres formes au moyen des temps du verbe *faire* et de l'infinitif *frire : Nous faisons frire,* etc.

FUIR. Ind. pr. : *Je fuis, tu fuis, il fuit, nous fuyons, vous fuyez, ils fuient.* — Imparf. : *Je fuyais, nous fuyions.* — Passé s. : *Je fuis.* — Fut. : *Je fuirai.* — Impér. : *Fuis, fuyons, fuyez.* — Subj. pr. : *Que je fuie, que tu fuies, qu'il fuie, que nous fuyions, que vous fuyiez, qu'ils fuient.* — Subj. imp. (rare) : *Que je fuisse.* — Part. pr. : *Fuyant.* — Part. pas. : *Fui, fuie.*

817 **GEINDRE.** Comme *craindre*.

GÉSIR. (= être couché). Ne s'emploie plus qu'à l'Ind. pr. *Je gis, tu gis, il gît (ci-gît), nous gisons, vous gisez, ils gisent ;* — à l'Imparf. : *Je gisais,* etc. ; — au Part. pr. : *Gisant.*

818 **HAÏR.** Ind. pr. : *Je hais, tu hais, il hait, nous haïssons, vous haïssez, ils haïssent.* — Imparf. : *Je haïssais.* — Passé s. (rare) : *Je haïs, nous haïmes, vous haïtes, ils haïrent.* — Subj. pr. : *Que* Futur : *Je haïrai.* — Impér. : *Hais, haïssons, haïssez.* — *je haïsse.* — Subj. imp. (rare) : *Que je haïsse, que tu haïsses, qu'il haït.* — Part. pr. : *Haïssant.* — Part. pas. : *Haï, haïe.*

819 **IMBOIRE.** Verbe archaïque, qui s'est conjugué comme *boire*, mais dont il ne subsiste plus que le Part. pas. : *Imbu, imbue,* qui s'emploie surtout comme adjectif.

INCLURE. N'est guère usité qu'au Part. pas. : *Inclus, incluse,* qui est le plus souvent précédé de *ci*.

INDUIRE. Comme *conduire*.

INSCRIRE. Comme *écrire.*
INDUIRE. Comme *conduire.*
INSCRIRE. Comme *écrire.*
INSTRUIRE. Comme *conduire.*
INTERDIRE. Comme *dire,* sauf à la 2e p. du plur. de l'Ind. pr. et de l'Impér., où l'on a : *interdisez.*
INTERVENIR. Comme *tenir.* — Il prend l'auxiliaire *être.*
INTRODUIRE. Comme *conduire.*
ISSIR (= sortir). Ne subsiste plus qu'au Part. pas. : *Issu, issue,* qui s'emploie seul ou avec *être : Un prince issu du sang des rois. — Il est issu d'une famille noble.*

820 **JOINDRE.** Comme *craindre.*

821 **LIRE.** Ind. pr. : *Je lis, tu lis, il lit, nous lisons, vous lisez, ils lisent.* — Imparf. : *Je lisais.* — Passé s. : *Je lus.* — Fut. : *Je lirai.* — Impér. : *Lis, lisons. lisez.* — Subj. pr. : *Que je lise.* — Subj. imp. : *Que je lusse.* — Part. pr. : *Lisant.* — Part. pas. : *Lu, lue.*
LUIRE. Ind. pr. : *Je luis, tu luis, il luit, nous luisons, vous luisez, ils luisent.* — Imparf. : *Je luisais.* — Pass. s. (peu usité) : *Je luisis.* — Fut. : *Je luirai.* — Impér. : *Luis, luisons, luisez.* — Subj. pr. : *Que je luise.* — Subj. imp. (peu usité) : *Que je luisisse.* — Part. pr. : *Luisant.* — Part. pas. : *Lui* (sans féminin).

822 **MAINTENIR.** Comme *tenir.*
MAUDIRE. Ind. pr. : *Je maudis, tu maudis, il maudit, nous maudissons, vous maudissez, ils maudissent.* — Imparf. : *Je maudissais.* — Passé s. : *Je maudis.* — Fut. : *Je maudirai.* — Impér. : *Maudis, maudissons, maudissez.* — Subj. pr. : *Que je maudisse.* — Subj. imp. : *Que je maudisse.* — Part. pr. : *Maudissant.* — Part. pas. : *Maudit, maudite.*
MÉCONNAÎTRE. Comme *connaître.*
MÉDIRE. Comme *dire,* sauf à la 2e p. du plur. de l'Ind. pr. et de l'Impér., où l'on a : *médisez.* Le Part. pas. *médit* n'a pas de fém.

MENTIR. Ind. pr. : *Je mens, tu mens, il ment, nous mentons, vous mentez, ils mentent.* — Imparf. : *Je mentais.* — Passé s. : *Je mentis.* — Fut. : *Je mentirai.* — Impér. : *Mens, mentons, mentez.* — Subj. pr. : *Que je mente.* — Subj. imp. : *Que je mentisse.* — Part. pr. : *Mentant.* — Part. pas. : *Menti* (sans fém.).

MÉPRENDRE (se ~). Comme *prendre.* — Aux temps composés, il se conjugue avec *être.*

MESSEOIR n'est plus en usage à l'Infin. ; il s'emploie dans les mêmes temps que *seoir* (= convenir).

METTRE. Ind. pr. : *Je mets, tu mets, il met, nous mettons, vous mettez, ils mettent.* — Imparf. : *Je mettais.* — Passé s. : *Je mis.* — Fut. : *Je mettrai.* — Impér. : *Mets, mettons, mettez.* — Subj. pr. : *Que je mette.* — Subj. imp. : *Que je misse.* — Part. pr. : *Mettant.* — Part. pas. : *Mis, mise.*

MORDRE. Comme *rendre.*

MORFONDRE (se ~). Comme *rendre.* — Aux temps composés, il se conjugue avec *être.*

MOUDRE. Ind. pr. : *Je mouds, tu mouds, il moud, nous moulons, vous moulez, ils moulent.* — Imparf. : *Je moulais.* — Passé s. : *Je moulus.* — Fut. : *Je moudrai.* — Impér. : *Mouds, moulons, moulez.* — Subj. pr. : *Que je moule.* — Subj. imp. : *Que je moulusse.* — Part. pr. : *Moulant.* — Part. pas. : *Moulu, moulue.*

MOURIR. Ind. pr. : *Je meurs, tu meurs, il meurt, nous mourons, vous mourez, ils meurent.* — Imparf. : *Je mourais.* — Passé s. : *Je mourus.* — Fut. : *Je mourrai.* — Impér. : *Meurs, mourons, mourez.* — Subj. pr. : *Que je meure, que tu meures, qu'il meure, que nous mourions, que vous mouriez, qu'ils meurent.* — Subj. imp. : *Que je mourusse.* — Part. pr. : *Mourant.* — Part. pas. : *Mort, morte.* — Aux temps composés, il se conjugue avec *être.*

MOUVOIR. Ind. pr. : *Je meus, tu meus, il meut, nous mouvons, vous mouvez, ils meuvent.* — Imparf. : *Je mouvais.* — Passé s. (rare) : *Je mus.* — Fut. : *Je mouvrai.* — Impér. : *Meus, mouvons, mouvez.* — Subj. pr. : *Que je meuve.* — Subj. imp. (rare) : *Que je musse.* — Part. pr. : *Mouvant,* — Part. pas. : *Mû* (plur. : *mus*), *mue.*

823 **NAÎTRE.** Ind. pr. : *Je nais, tu nais, il naît, nous naissons, vous naissez, ils naissent.* — Imparf. : *Je naissais.* — Passé s. : *Je naquis.* — Fut. : *Je naîtrai.* — Impér. : *Nais, naissons, naissez.* — Subj. pr. : *Que je naisse.* — Subj. imp. : *Que je naquisse.* — Part. pr. : *Naissant.* — Part. pas. : *Né, née.* — Aux temps composés, il se conjugue avec *être.*

NUIRE. Comme *conduire,* mais le Part. pas. : *Nui* s'écrit sans *t* et n'a pas de féminin.

824 **OBTENIR.** Comme *tenir.*

OCCIRE (= tuer). Ne s'emploie plus que par badinage à l'Infin., au Part. pas. : *Occis, occise* — et aux temps composés.

OFFRIR. Comme *couvrir.*

OINDRE. Comme *craindre,* mais ne s'emploie plus guère qu'à l'Infin et au Part. pas. : *Oint, ointe.*

OMETTRE. Comme *mettre.*

OUÏR. N'est plus guère usité qu'à l'Infinitif et au Part. pas. : *Ouï, ouïe,* surtout dans : *J'ai ouï dire.*

OUVRIR. Comme *couvrir.*

825 **PAÎTRE.** Ind. pr. : *Je pais, tu pais, il paît, nous paissons, vous paissez, ils paissent.* — Imparf. : *Je paissais.* — Passé s. (manque). — Fut. : *Je paîtrai.* — Impér. : *Pais, paissons, paissez.* — Subj. pr. : *Que je paisse.* — Subj. imp. (manque). — Part. pr. : *Paissant.* — Part. pas. (manque).

PARAÎTRE. Comme *connaître.*

PARCOURIR. Comme *courir.*

PARFAIRE. Comme *faire.*

PARTIR. Comme *mentir,* mais son Part. pas. *parti* a un fémin.: *partie.* — Aux temps composés, *partir* se conjugue avec l'auxiliaire *être.*

Partir, employé anciennement au sens de « partager », ne s'emploie plus que dans l'expression *avoir maille à partir avec qqn* (*maille :* petite pièce de monnaie qui valait la moitié du denier). — Le Part. pas. *parti,* en termes de blason, se dit soit de l'écu divisé perpendiculairement en parties égales, soit d'une aigle à deux têtes.

PARVENIR. Comme *tenir,* mais les temps composés se conjuguent avec *être.*

PEINDRE. Comme *craindre.*

PENDRE. Comme *rendre.*

PERCEVOIR. Comme *recevoir.*

PERDRE. Comme *rendre.*

PERMETTRE. Comme *mettre.*

PLAINDRE. Comme *craindre.*

PLAIRE. Ind. pr. : *Je plais, tu plais, il plaît, nous plaisons, vous plaisez, ils plaisent.* — Imparf. : *Je plaisais.* — Passé s. : *Je plus.* — Fut. : *Je plairai.* — Impér. : *Plais, plaisons, plaisez.* — Subj. pr. : *Que je plaise.* — Subj. imp. : *Que je plusse.* — Part. pr. : *Plaisant.* — Part. pas. : *Plu* (sans fém.).

PLEUVOIR. Ind. pr. : *Il pleut.* — Imparf. : *Il pleuvait.* — Passé s. : *Il plut.* — Fut. : *Il pleuvra.* — Subj. pr. : *Qu'il pleuve.* — Subj. imp. : *Qu'il plût.* — Part. pr. : *Pleuvant.* — Part. pas. : *Plu* (sans fém.).

POINDRE. Dans le sens de « commencer à paraître », se conjugue comme *craindre,* mais ne s'emploie plus guère qu'à l'Infin. et à la 3ᵉ p. du sing. de l'Ind. pr. et du Fut. : *Le jour point, poindra.* — Au sens de « piquer », il ne s'emploie plus guère que dans la locution proverbiale : *Oignez vilain, il vous poindra ; poignez vilain, il vous oindra.*

PONDRE. Comme *rendre.*

POURFENDRE. Comme *rendre.*

POURSUIVRE. Comme *suivre.*

POURVOIR. Comme *voir,* sauf au Passé s. : *Je pourvus ;* — au Fut. : *Je pourvoirai ;* — au Condit. : *Je pourvoirais ;* — et au Subj. imp. : *Que je pourvusse.*

POUVOIR. Ind. prés. : *Je peux* (ou *je puis*), *tu peux, il peut, nous pouvons, vous pouvez, ils peuvent.* — Imparf. : *Je pouvais.* — Passé s. : *Je pus.* — Fut. : *Je pourrai.* — Impér. (manque). — Subj. pr. : *Que je puisse.* — Subj. imp. : *Que je pusse.* — Part. pr. : *Pouvant.* — Part. pas. : *Pu* (sans fém.).

PRÉDIRE. Comme *dire,* sauf à la 2e p. du plur. de l'Ind. pr. et de l'Impér., où l'on a : *prédisez.*

PRENDRE. Ind. pr. : *Je prends, tu prends, il prend, nous prenons, vous prenez, ils prennent.* — Imparf. : *Je prenais.* — Passé s. : *Je pris.* — Fut. : *Je prendrai.* — Impér. : *Prends, prenons, prenez.* — Subj. pr. : *Que je prenne, que tu prennes, qu'il prenne, que nous prenions, que vous preniez, qu'ils prennent.* — Subj. imp. : *Que je prisse.* — Part. pr. : *Prenant.* — Part. pas. : *Pris, prise.*

PRESCRIRE. Comme *écrire.*

PRESSENTIR. Comme *sentir.*

PRÉTENDRE. Comme *rendre.*

PRÉVALOIR. Comme *valoir,* sauf au Subj. pr. : *Que je prévale, que tu prévales, qu'il prévale, que nous prévalions, que vous prévaliez, qu'ils prévalent.* — Le Part. pas. *prévalu* n'a pas de féminin.

PRÉVENIR. Comme *tenir.*

PRÉVOIR. Comme *voir,* sauf au Fut. : *Je prévoirai ;* — et au Condit. : *Je prévoirais.*

PRODUIRE. Comme *conduire.*

PROMETTRE. Comme *mettre.*

PROMOUVOIR. Ne s'emploie qu'à l'Infin., au Part. pr. : *Promouvant* et aux temps composés. — Le Part. pas. *promu* s'écrit sans accent circonflexe.

PROSCRIRE. Comme *écrire.*

PROVENIR. Comme *tenir,* mais aux temps composés, il se conjugue avec *être.*

826 QUÉRIR (ou **querir**). — Ne s'emploie plus qu'à l'Infin. après *aller, venir, envoyer.*

827 RABATTRE. Comme *battre.*

RAPPRENDRE. Comme *prendre.*

RASSEOIR. Comme *asseoir.*

N.B. Du participe *rassis* on a pu former, en parlant du pain, de certaines pâtisseries, l'infinitif *rassir : Ce pain commence à* RASSIR, *à* SE RASSIR (Petit Robert). — Au participe passé féminin, familièrement : *rassie.*

RAVOIR. N'est guère usité qu'à l'Infin. Le Fut. et le Condit. : *Je raurai, je raurais,* appartiennent à la langue familière.

RÉAPPARAÎTRE. Comme *connaître.*

REBATTRE. Comme *battre.*

RECEVOIR. Ind. pr. : *Je reçois, tu reçois, il reçoit, nous recevons, vous recevez, ils reçoivent.* — Imparf. : *Je recevais, nous recevions.* — Passé s. : *Je reçus.* — Fut. : *Je recevrai.* — Impér. : *Reçois, recevons, recevez.* — Subj. pr. : *Que je reçoive, que nous recevions, que vous receviez, qu'ils reçoivent.* — Subj. imp. : *Que je reçusse.* — Part. pr. : *Recevant.* — Part. pas. : *Reçu, reçue.*

RECLURE. N'est usité qu'à l'Infin. et au Part. pas. : *Reclus, recluse.*

RECONDUIRE. Comme *conduire.*

RECONNAÎTRE. Comme *connaître.*

RECONQUÉRIR. Comme *acquérir.*

RECONSTRUIRE. Comme *conduire.*

RECOUDRE. Comme *coudre.*

RECOURIR. Comme *courir.*

RECOUVRIR. Comme *couvrir.*

RÉCRIRE. Comme *écrire.*

RECROÎTRE. Comme *accroître.* — Pour le Part. pas. : *Recrû* (plur. : *recrus*), *recrue,* voir n° 785. — Aux temps composés, *recroître* prend *avoir* ou *être* [voir n° 797].

RECUEILLIR. Comme *cueillir.*

RECUIRE. Comme *conduire.*

REDESCENDRE. Comme *rendre.* — Aux temps composés, il prend *avoir* ou *être* selon la nuance de la pensée [voir n° 797].

REDEVENIR. Comme *tenir,* mais les temps composés se conjuguent avec *être.*

REDEVOIR. Comme *devoir.*

REDIRE. Comme *dire.*

RÉDUIRE. Comme *conduire.*

RÉÉLIRE. Comme *lire.*

REFAIRE. Comme *faire.*

REFENDRE. Comme *rendre.*

REFONDRE. Comme *rendre.*

REJOINDRE. Comme *craindre.*

RELIRE. Comme *lire.*

RELUIRE. Comme *luire.*

REMETTRE. Comme *mettre.*

REMORDRE. Comme *rendre.*

RENAÎTRE. Comme *naître,* mais n'a pas de Part. pas. : il ne peut donc avoir de temps composés.

RENDORMIR. Comme *dormir,* mais le féminin du Part. pas. est courant : *Rendormi, rendormie.* — Aux temps composés, *se rendormir* se conjugue avec *être.*

RENDRE. Ind. pr. : *Je rends, tu rends, il rend, nous rendons, vous rendez, ils rendent.* — Imparf. : *Je rendais.* — Passé s. : *Je rendis.* — Fut. : *Je rendrai.* — Impér. : *Rends, rendons, rendez.* — Subj. pr. : *Que je rende.* — Subj. imp. : *Que je rendisse.* — Part. pr. : *Rendant.* — Part. pas. : *Rendu, rendue.*

RENTRAIRE. Comme *traire.*

RENVOYER. Comme *envoyer.*

REPAÎTRE. Comme *paître,* mais il a un Passé s. : *Je repus ;* — un Subj. imp. : *Que je repusse ;* — et un Part. pas. : *Repu, repue.*

RÉPANDRE. Comme *rendre.*

REPARAÎTRE. Comme *connaître.*

REPARTIR (= partir de nouveau). Comme *partir.* Les temps composés prennent *être.*

RÉPARTIR (= répondre). Comme *partir,* mais les temps composés prennent *avoir.* — Ne pas confondre avec **répartir** (= partager), qui se conjugue régulièrement sur *finir.*

REPEINDRE. Comme *craindre.*

REPENDRE. Comme *rendre.*

REPENTIR (se ~). Ind. pr. : *Je me repens, tu te repens, il se repent, nous nous repentons, vous vous repentez, ils se repentent.* — Imparf. : *Je me repentais.* — Passé s. : *Je me repentis.* — Fut. : *Je me repentirai.* — Impér. : *Repens-toi.* — Subj. pr. : *Que je me repente.* — Subj. imp. : *Que je me repentisse.* — Part. pr. : *Se repentant.* — Part. pas. : *Repenti, repentie.*

RÉPONDRE. Comme *rendre.*

REPRENDRE. Comme *prendre.*

REPRODUIRE. Comme *conduire.*

REQUÉRIR. Comme *acquérir.*

RÉSOUDRE. Ind. pr. : *Je résous, tu résous, il résout, nous résolvons, vous résolvez, ils résolvent.* — Imparf. : *Je résolvais.* — Passé s. : *Je résolus.* — Fut. : *Je résoudrai.* — Impér. : *Résous, résolvons, résolvez.* — Subj. pr. : *Que je résolve.* — Subj. imp. : *Que je résolusse.* — Part. pr. : *Résolvant.* — Part. pas. : *Résolu, résolue.* (Une autre forme du Part. pas. : *Résous,* signifiant *changé,* est rarement employée ; son féminin *résoute* est même à peu près inusité.)

RESSENTIR. Comme *mentir,* mais son Part. pas. *ressenti* a un féminin : *ressentie.*

RESSERVIR. Comme *servir.*

RESSORTIR (= sortir d'un lieu où l'on vient d'entrer, former relief, résulter). Comme *mentir,* mais les temps composés prennent *être.* — Ne pas confondre avec **ressortir** (= être du ressort de), qui se conjugue régulièrement sur *finir : Ces affaires ressortissent, ressortissaient à tel tribunal.*

N.B. Au sens de « être du ressort de », il se construit avec *à : Dans toutes les questions qui* RESSORTISSENT À *la souveraineté collective* (Hugo). — Abusivement certains auteurs le conjuguent comme *sortir,* et le construisent parfois avec *de.* Exemples à ne pas imiter: *Cela* RESSORTANT *au domaine moral* (P. Léautaud). — *Quelque chose qui(...)* RESSORT *plutôt* DU *style* (M. Cohen).

RESSOUVENIR (se ~). Comme *tenir,* mais les temps composés prennent *être.*

RESTREINDRE. Comme *craindre.*

RÉSULTER. N'est usité qu'à l'Infin. et à la 3e p. des autres temps. — Aux temps composés, il se conjugue avec *avoir* quand on veut marquer l'action : *Du mal en* A *résulté ;* — avec *être* quand on veut marquer l'état : *Il en* EST *résulté du mal.*

RETEINDRE. Comme *craindre.*

RETENDRE. Comme *rendre.*

RETENIR. Comme *tenir.*

RETORDRE. Comme *rendre.*

RETRADUIRE. Comme *conduire.*

RETRAIRE. Comme *traire.*

REVALOIR. Comme *valoir.*

REVENDRE. Comme *rendre.*

REVENIR. Comme *tenir,* mais les temps composés prennent *être.*

REVÊTIR. Comme *vêtir.*

REVIVRE. Comme *vivre.*

REVOIR. Comme *voir.*

RIRE. Ind. pr. : *Je ris, tu ris, il rit, nous rions, vous riez, ils rient.* — Imparf. : *Je riais, nous riions.* — Passé s. : *Je ris, nous rîmes, vous rîtes, ils rirent.* — Fut. : *Je rirai.* — Impér. : *Ris, rions, riez.* — Subj. pr. : *Que je rie, que nous riions.* — Subj. imp. (rare) : *Que je risse.* — Part. pr. : *Riant.* — Part. pas. : *Ri* (sans fém.).

ROMPRE. Ind. pr. : *Je romps, tu romps, il rompt, nous rompons, vous rompez, ils rompent.* — Imparf. : *Je rompais.* — Passé s. : *Je rompis.* — Fut. : *Je romprai.* — Impér. : *Romps, rompons, rompez.* — Subj. pr. : *Que je rompe.* — Subj. imp. : *Que je rompisse.* — Part. pr. : *Rompant.* — Part. pas. : *Rompu, rompue.*

ROUVRIR. Comme *couvrir.*

828 SAILLIR (= jaillir). Ne s'emploie guère qu'à l'Infin. et aux 3es personnes : Ind. pr. : *Il saillit, ils saillissent.* — Imparf. : *Il saillissait, ils saillissaient.* — Passé s. : *Il saillit, ils saillirent.* — Fut. : *Il saillira, ils sailliront.* — Impér. (manque). — Subj. pr. : *Qu'il saillisse, qu'ils saillissent.* — Subj. imp. : *Qu'il saillît, qu'ils saillissent.* — Part. pr. : *Saillissant.* — Part. pas. : *Sailli, saillie.*

Saillir (= être en saillie). Ne s'emploie qu'aux 3es personnes : Ind. pr. : *Il saille, ils saillent.* — Imparf. : *Il saillait, ils saillaient.* — Passé s. : *Il saillit, ils saillirent.* — Fut. : *Il saillera, ils sailleront.* — Impér. (manque). — Subj. pr. : *Qu'il saille, qu'ils saillent.* — Subj. imp. : *Qu'il saillît, qu'ils saillissent.* — Part. pr. : *Saillant.* — Part. pas. : *Sailli* (sans fém.).

SATISFAIRE. Comme *faire.*

SAVOIR. Ind. pr. : *Je sais, tu sais, il sait, nous savons, vous savez, ils savent.* — Imparf. : *Je savais.* — Passé s. : *Je sus.* —

Fut. : *Je saurai.* — Impér. : *Sache, sachons, sachez.* — Subj. pr. : *Que je sache.* — Subj. imp. : *Que je susse.* — Part. pr. : *Sachant.* — Part. pas. : *Su, sue.*

SECOURIR. Comme *courir.*

SÉDUIRE. Comme *conduire.*

SENTIR. Comme *mentir,* mais son Part. pas. *senti* a un féminin : *sentie.*

SEOIR (= convenir). N'est usité qu'au Part. pr. et aux 3es pers. ; il n'a pas de temps composés. Ind. pr. : *Il sied, ils siéent.* — Imparf. : *Il seyait, ils seyaient.* — Passé s. (manque). — Fut. : *Il siéra, ils siéront.* — Condit. : *Il siérait, ils siéraient.* — Impér. (manque). — Subj. pr. (rare) : *Qu'il siée, qu'ils siéent.* — Subj. imp. (manque). — Part. pr. : *Seyant.* (*Séant* s'emploie comme adjectif : *Il n'est pas* SÉANT *de faire cela.*)

Seoir (= être assis, siéger). Ne s'emploie plus guère qu'au Part. pr. : *Séant ;* — et au Part. pas. : *Sis, sise.* — Pas de temps composés. — *Se seoir* (= s'asseoir) n'est plus employé qu'en poésie et dans le langage familier, dans ces formes de l'Impér. : *Sieds-toi, seyez-vous.*

SERVIR. Ind. pr. : *Je sers, tu sers, il sert, nous servons, vous servez, ils servent.* — Imparf. : *Je servais.* — Passé s. : *Je servis.* — Fut. : *Je servirai.* — Impér. : *Sers, servons, servez.* — Subj. pr. : *Que je serve.* — Subj. imp. : *Que je servisse.* — Part. pr. : *Servant.* — Part. pas. : *Servi, servie.*

SORTIR. Comme *mentir,* mais son Part. pas. *sorti* a un fémin. : *sortie.* — Aux temps composés, *sortir,* transitif, se conjugue avec *avoir : J'ai sorti la voiture.* Dans le sens intransitif, il se conjugue avec *être.* — *Sortir,* terme de droit signifiant « produire », se conjugue comme *finir,* mais ne s'emploie qu'aux 3es personnes : Ind. pr. : *La sentence sortit son effet, les sentences sortissent leur effet,* etc. — Aux temps composés, ce verbe se conjugue avec *avoir.*

SOUFFRIR. Comme *couvrir.*

SOUMETTRE. Comme *mettre.*

SOURDRE. N'est plus guère usité qu'à l'Infin. et aux 3es pers. de l'Ind. pr. : *Il sourd, ils sourdent.* — Les formes suivantes sont archaïques : Imparf. : *Il sourdait.* — Passé s. : *Il sourdit.*

— Fut. : *Il sourdra.* — Condit. : *Il sourdrait.* — Subj. pr. : *Qu'il sourde.* — Subj. imp. : *Qu'il sourdît.* — Part. pr. : *Sourdant.*

SOURIRE. Comme *rire.*

SOUSCRIRE. Comme *écrire.*

SOUSTRAIRE. Comme *traire.*

SOUTENIR. Comme *tenir.*

SOUVENIR (se ~). Comme *tenir.* Aux temps composés, il se conjugue avec *être.*

SUBVENIR. Comme *tenir.*

SUFFIRE. Ind. pr. : *Je suffis, tu suffis, il suffit, nous suffisons, vous suffisez, ils suffisent.* — Imparf. : *Je suffisais.* — Passé s. : *Je suffis.* — Fut. : *Je suffirai.* — Impér. : *Suffis, suffisons, suffisez.* — Subj. pr. : *Que je suffise.* — Subj. imp. : *Que je suffisse.* — Part. pr. : *Suffisant.* — Part. pas. : *Suffi* (sans fémin.).

SUIVRE. Ind. pr. : *Je suis, tu suis, il suit, nous suivons, vous suivez, ils suivent.* — Imparf. : *Je suivais.* — Passé s. : *Je suivis.* — Fut. : *Je suivrai.* — Impér. : *Suis, suivons, suivez.* — Subj. pr. : *Que je suive.* — Subj. imp. : *Que je suivisse.* — Part. pr. : *Suivant.* — Part. pas. : *Suivi, suivie.*

SURFAIRE. Comme *faire.*

SURPRENDRE. Comme *prendre.*

SURSEOIR. Ind. pr. : *Je sursois, tu sursois, il sursoit, nous sursoyons, vous sursoyez, ils sursoient.* — Imparf. : *Je sursoyais, nous sursoyions.* — Passé s. : *Je sursis.* — Fut. : *Je surseoirai.* — Condit. : *Je surseoirais.* — Impér. : *Sursois, sursoyons, sursoyez.* — Subj. pr. : *Que je sursoie, que nous sursoyions.* — Subj. imp. : *Que je sursisse.* — Part. pr. : *Sursoyant.* — Part. pas. : *Sursis, sursise.*

SURVENIR. Comme *tenir.* — Aux temps composés, il se con-conjugue avec *être.*

SURVIVRE. Comme *vivre.*

SUSPENDRE. Comme *rendre.*

829 **TAIRE.** Ind. pr. : *Je tais, tu tais, il tait, nous taisons, vous taisez, ils taisent.* — Imparf. : *Je taisais.* — Passé s. : *Je tus.* —

Fut. : *Je tairai.* — Impér. : *Tais, taisons, taisez.* — Subj. pr. : *Que je taise.* — Subj. imp. : *Que je tusse.* — Part. pr. : *Taisant.* — Part. pas. : *Tu, tue.*

TEINDRE. Comme *craindre.*

TENDRE. Comme *rendre.*

TENIR. Ind. pr. : *Je tiens, tu tiens, il tient, nous tenons, vous tenez, ils tiennent.* — Imparf. : *Je tenais.* — Passé s. : *Je tins, nous tînmes, vous tîntes, ils tinrent.* — Fut. : *Je tiendrai.* — Impér. : *Tiens, tenons, tenez.* — Subj. pr. : *Que je tienne, que nous tenions.* — Subj. imp. : *Que je tinsse.* — Part. pr. : *Tenant.* — Part. pas. : *Tenu, tenue.*

TISTRE ou **TÎTRE** (= tisser). N'est usité qu'au Part. pas. : *Tissu, tissue,* et aux temps composés. Il ne s'emploie guère qu'au figuré : *C'est lui qui a* TISSU *cette intrigue.*

TONDRE. Comme *rendre.*

TORDRE. Comme *rendre.*

TRADUIRE. Comme *conduire.*

TRAIRE. Ind. pr. : *Je trais, tu trais, il trait, nous trayons, vous trayez, ils traient.* — Imparf. : *Je trayais, nous trayions.* — Passé s. (manque). — Fut. : *Je trairai.* — Impér. : *Trais, trayons, trayez.* — Subj. pr. : *Que je traie, que nous trayions.* — Subj. imp. (manque). — Part. pr. : *Trayant.* — Part. pas. : *Trait, traite.*

TRANSCRIRE. Comme *écrire.*

TRANSMETTRE. Comme *mettre.*

TRANSPARAÎTRE. Comme *connaître.*

TRESSAILLIR. Comme *assaillir.*

830 VAINCRE. Ind. pr. : *Je vaincs, tu vaincs, il vainc, nous vainquons, vous vainquez, ils vainquent.* — Imparf. : *Je vainquais.* — Passé s. : *Je vainquis.* — Fut. : *Je vaincrai.* — Impér. : *Vaincs, vainquons, vainquez.* — Subj. pr. : *Que je vainque.* — Subj. imp. : *Que je vainquisse.* — Part. pr. : *Vainquant.* — Part. pas. : *Vaincu, vaincue.*

VALOIR. Ind. pr. : *Je vaux, tu vaux, il vaut, nous valons, vous valez, ils valent.* — Imparf. : *Je valais.* — Passé s. : *Je valus.* — Fut. : *Je vaudrai.* — Impér. : *Vaux* (rare), *valons, valez.* —

Subj. pr. : *Que je vaille, que tu vailles, qu'il vaille, que nous valions, que vous valiez, qu'ils vaillent.* — Subj. imp. : *Que je valusse.* — Part. pr. : *Valant.* — Part. pas. : *Valu, value.*

VENDRE. Comme *rendre.*

VENIR. Comme *tenir,* mais aux temps composés, il se conjugue avec *être.*

VÊTIR. Ind. pr. : *Je vêts, tu vêts, il vêt, nous vêtons, vous vêtez, ils vêtent.* — Imparf. : *Je vêtais.* — Passé s. : *Je vêtis.* — Fut. : *Je vêtirai.* — Impér. : *Vêts, vêtons, vêtez.* — Subj. pr. : *Que je vête, que nous vêtions.* — Subj. imp. : *Que je vêtisse.* — Part. pr. : *Vêtant.* — Part. pas. : *Vêtu, vêtue.*

N.B. Les formes avec *-iss-,* assez fréquentes autrefois, se rencontrent parfois encore : *Ils achètent les habits des pestiférés, s'en* VÊTISSENT (Montesquieu). — *Il se* VÊTISSAIT *de la nuit* (Hugo).

VIVRE. Ind. pr. : *Je vis, tu vis, il vit, nous vivons, vous vivez, ils vivent.* — Imparf. : *Je vivais.* — Passé s. : *Je vécus.* — Fut. : *Je vivrai.* — Impér. : *Vis, vivons, vivez.* — Subj. pr. : *Que je vive.* — Subj. imp. : *Que je vécusse.* — Part. pr. : *Vivant.* — Part. pas. : *Vécu, vécue.*

VOIR. Ind. pr. : *Je vois, tu vois, il voit, nous voyons, vous voyez, ils voient.* — Imparf. : *Je voyais, nous voyions.* — Passé s. : *Je vis.* — Fut. : *Je verrai.* — Impér. : *Vois, voyons, voyez.* — Subj. pr. : *Que je voie, que tu voies, qu'il voie, que nous voyions, que vous voyiez, qu'ils voient.* — Subj. imp. : *Que je visse.* — Part. pr. : *Voyant.* — Part. pas. : *Vu, vue.*

VOULOIR. Ind. pr. : *Je veux, tu veux, il veut, nous voulons, vous voulez, ils veulent.* — Imparf. : *Je voulais.* — Passé s. : *Je voulus.* — Fut. : *Je voudrai.* — Impér. : *Veuille, veuillons, veuillez* (*Veux, voulons, voulez* ne s'emploient que pour exhorter à s'armer d'une ferme volonté). — Subj. pr. : *Que je veuille, que tu veuilles, qu'il veuille, que nous voulions, que vous vouliez, qu'ils veuillent.* — Subj. imp. : *Que je voulusse.* — Part. pr. : *Voulant.* — Part. pas. : *Voulu, voulue.*

N.B. Les anciennes formes *que nous veuill(i)ons, que vous veuill(i)ez* se retrouvent parfois dans l'usage contemporain : *Que vous le* VEUILLEZ *ou non* (R. Rolland). — *Sans que nous* VEUILLIONS *écouter* (M. Genevoix).

Pour *ne pas en vouloir à,* on a un impératif modelé sur le subjonctif : *Ne m'en* VEUILLE *pas* (J. Giraudoux). — *Ne m'en* VEUIL-

LEZ *pas* (A. Thérive). — Mais un autre impératif, modelé sur l'indicatif, est assez fréquent : *Ne m'en* VEUX *pas de fuir* (Hugo). — *Ne m'en* VOULEZ *pas* (M. Barrès).

III. MODES

OBSERVATIONS DIVERSES

831 AIMER + infin. Trois constructions possibles : AIMER LIRE (la plus fréquente), AIMER À LIRE, AIMER DE LIRE : *Il aime contrarier* (Ac.). — *J'aime* À *prier à genoux* (Chateaubriand). — *Il n'aimait pas* DE *prêcher sur les toits* (A. Hermant).

832 ARRÊTER, au sens de « cesser », s'emploie couramment avec *de* + infin. : *Ils n'arrêtaient pas* DE *fumer* (Fr. Mauriac).

833 COMMENCER construit l'infinitif complément avec *à* ou *de* indifféremment ; de même : *continuer, contraindre, s'efforcer, s'ennuyer, faire attention, forcer, obliger, solliciter : Nous commençâmes* À *parler* (A. Gide). — *Quand la nuit commença* DE *tomber* (P. Loti). — *Le paysan français continue* À *nourrir le tisserand français* (A. Maurois). — *Je continue* DE *lire ma lettre* (G. Duhamel).

834 DEMANDER + infin. Si les deux verbes ont même sujet : ***demander à :*** *Il demande* À *parler* (Littré).

Dans le cas contraire : ***demander de :*** *Je vous demande* DE *m'écouter* (Ac.).

Lorsque *demander* a un objet indirect, c'est généralement *demander de* qu'on emploie, même si les deux verbes ont même sujet : *Il me demanda, un jour,* DE *se servir du téléphone* (G. Duhamel).

Ne dites pas : « demander *pour* entrer, *pour* téléphoner », etc.

835 ESPÉRER + infin. Tour ordinaire : *J'espère réussir.* La construction avec *de,* autrefois courante, est encore assez fréquente dans l'usage littéraire : *Ce secret du génie, je n'espère pas* DE *le comprendre* (Alain).

836 IL FAIT BON, CHER, DANGEREUX, etc. + infin. : Construction normale : sans préposition : *Alors il fera bon vivre* (A. France). — *Il fait cher vivre dans cette ville* (Ac.). — *Il fait beau voir que...* (Id.).

Le tour avec *de*, formé par analogie avec *il est bon de*, est assez fréquent : *Il fait bon* DE *vivre* (M. Arland).

837 FEINDRE + infin. Tour ordinaire : *Feindre* D'*être gai,* D'*être en colère* (Ac.).

La construction sans *de* est rare : [Le renard] *feignit vouloir gravir* (La Font.) — *Elle feignit ne pas comprendre* (Fr. Mauriac).

838 NE PAS LAISSER DE + infin. Construction ordinaire : *Il ne faut pas laisser* D'*aller votre chemin* (Ac.).

Le tour avec *que de* est vieilli, mais il garde d'assez bonnes positions : *Cette situation (...) ne laisse pas* QUE DE *prêter à réflexion* (P. Claudel).

839 MANQUER (de) + infin. On dit : *Il a manqué* D'*être tué* (Ac.). — Pour Littré « il a manqué tomber » est fautif. Cette construction, sans *de*, est aujourd'hui parfaitement correcte : *Elle avait manqué mourir* (Flaubert). — *J'ai manqué glisser* (J. Giraudoux).

Manquer à faire une chose, c'est ne pas la faire, ne pas réussir à la faire : *On mésestime celui qui manque* À *remplir ses devoirs* (Littré).

840 NIER (de) + infin. Avec ou sans *de*, au choix : *Elle a d'abord nié* D'*être en commerce avec les rebelles* (A. Chamson). — *Il nie avoir approuvé la phrase funeste* (J. Kessel).

841 S'OCCUPER à faire une chose, c'est y travailler ou en faire l'objet de son activité : *Il y a vingt ans que je m'occupe* À *faire des traductions* (Montesquieu). — *Tout le jour il s'occupe* À *lire* (Ac.).

S'occuper de + infin. indique une activité plus attentive, comportant des préoccupations, des calculs, etc. : *Il s'occupe* DE *détruire les abus* (Ac.). — *Il ne s'occupe que* DE *gérer sa fortune* (Id.).

842 PLAIRE. Après l'impersonnel *il me plaît, il te plaît,* etc., l'infinitif dépendant s'introduit par *de : Il me plaît* DE *faire ceci* (Ac.).

Construction vieillie : *Jusqu'au jour où il te plaira me marier* (É. Augier).

843 PRÉFÉRER + infin. Tour ordinaire : *Il préfère mourir* (Littré). — La construction avec *de,* un peu vieillie, se maintient pourtant dans l'usage littéraire : *Il semblait préférer* DE *rester seul* (A. Hermant). — *D'autres préfèrent* DE *rester debout* (J. Rostand).

844 PRENDRE GARDE à faire une chose, c'est avoir soin de la faire, y faire attention : *Prenez garde* À *éviter les cahots* (M. Druon).

Prendre garde de + infin. négatif : même sens : *Qu'il prenne garde* DE *ne pas la confondre* [la gloire] *avec le succès* (J. Green).

Prendre garde de + infin. sans négation = s'efforcer d'éviter : *Prenez garde* DE *tomber* (Ac.). [Voir n° 953.]

845 PRÊT à + infin. On dit, avec la forme active de l'infinitif : *vêtement prêt à porter, manuscrit prêt à imprimer,* etc. : *De bons troupeaux de moutons prêts à tondre* (Nodier). — *Quarante stères de bois prêt à scier* (H. Bazin).

On peut dire aussi, avec la forme passive : *prêt à être porté, à être imprimé,* etc. : *Il a laissé sa caisse toute prête à* ÊTRE MONTÉE (A. Chamson).

846 SE RAPPELER + infin. Tour ordinaire : *Je me rappelle avoir vu, avoir fait telle chose* (Ac.).

La construction avec *de* est vieillie : *Je me rappelle* D'*avoir aimé les femmes* (La Varende).

Si l'infinitif exprime une action encore à accomplir, *de* est nécessaire : *Rappelle-toi bien* D'*employer tout ce que tu as d'esprit à être aimable* (Stendhal).

847 REGRETTER de + infin. Tour normal : *Je regrette* DE *lui avoir parlé trop durement* (Ac.).

Avoir regret : avec *de* ou avec *à* : *J'ai regret* DE *n'avoir pas acheté ce domaine* (Ac.). — *J'ai regret* À *le dire* (Id.).

Avoir le regret, du regret : avec *de* : *J'ai le regret* DE *vous apprendre que...* (Ac.). — *J'ai du regret* DE *vous voir dans l'erreur* (Id.).

Être au regret : avec *de* : *Je suis au regret* D'*avoir dit,* D'*avoir fait cela* (Ac.). [Voir n° 332.]

848 RESTER + infin. Au sens de « être de reste » : avec *à : Ce qui reste* À *faire.* — *Il reste encore* À *prouver que...* (Ac.). — Au sens de « ne pas s'en aller » : avec *à* ou sans préposition : *Restez ici* À *dîner* (Ac.). — *Restez* À *souper* (J. Giono). — *Vous restez dîner avec nous* (É. Henriot). — *Il lui faut rester travailler à Paris* (Id.). — *Il faudrait (...) que je reste coucher à la ferme* (H. Troyat).

Tour archaïque : *Il me restait* D'*attendre* (H. Bosco). — *Il lui restait* DE *prendre congé* (Ph. Erlanger).

849 JE NE SACHE PAS. Les expressions ***je ne sache pas*** (ou ***point***), ***je ne sache rien, je ne sache personne,*** usitées seulement à la 1re personne du singulier, ou à la 3e personne avec le sujet *on,* servent à exprimer une affirmation atténuée : *Je ne* SACHE *pas que vous ayez rien à vous reprocher* (Marivaux). — *Je ne* SACHE *rien de si beau* (Ac.). — *On ne* SACHE *pas qu'elle ait jamais protesté autrement* (A. Billy).

Les locutions *que je sache, que tu saches, qu'on sache, que nous sachions, que vous sachiez* s'emploient pour indiquer que, si le fait énoncé n'est pas réel, on l'ignore : *Il n'a point été à la campagne, que je* SACHE (Littré).

850 JE NE SAURAIS (avec le simple *ne,* sans *pas*) peut s'employer comme équivalent de *je ne puis (pas) : Je ne* SAURAIS *faire* *ce que vous me dites* (Ac.). — *Les hommes ne* SAURAIENT *se passer de religion* (G. Duhamel).

851 **SOUHAITER** + infin. Avec *de* ou sans préposition : *Les renseignements que je souhaite* D'*obtenir* (G. Duhamel). — *Tout politicien souhaite plaire* (A. Maurois).

Si *souhaiter* a un objet indirect (je *te* souhaite..., je souhaite *à mon ami...*, etc.), l'infinitif complément s'introduit par *de : Je vous souhaite* D'*arriver jusque-là* (M. Druon).

852 **SE SOUVENIR** + infin. Avec ou sans *de : Je me souviens* D'*avoir dîné chez un Grand d'Espagne* (Fr. Mauriac). — *Je me souviens avoir lu, cependant, qu'à Port-Royal on n'était pas triste* (J. Green).

853 **TÂCHER** + infin. Construction ordinaire : avec *de : Je tâcherai* DE *vous satisfaire* (Ac.).

Le tour avec *à* est fréquent dans l'usage littéraire (pour l'Académie, il vieillit) : *Il n'est point exceptionnel qu'on tâche* À *se racheter de ses œuvres par ses jugements* (J. Rostand).

IV. PARTICIPE PRÉSENT

854 La forme en *-ant* est ***participe présent*** et invariable dans tous les cas où elle exprime une *action.*

Exemples des principaux cas : *Les troupes* COUVRANT *la retraite.* — *Des discours* PLAISANT *à chacun.* — *Nous marchions ne* SONGEANT *à rien.* — *Clarté* FUYANT *toujours.* — *Deux amis* SE RENCONTRANT. — *Les difficultés vont* (EN) CROISSANT. — *De* SOI-DISANT *prophètes.*

855 La forme en *-ant* est ***adjectif verbal*** et variable quand elle exprime, à la manière d'un simple qualificatif, un *état,* une qualité plus ou moins permanente.

Exemples : *La plaine* VERDOYANTE. — *Des gazons toujours* RENAISSANTS. — *Elles attendaient, pâles et* TREMBLANTES. — *Des personnes bien* PENSANTES.

856 Un certain nombre de participes présents se distinguent, par l'orthographe, des qualificatifs en *-ent* ou *-ant* correspondants :

PART. PRÉS.	QUALIFICAT.	PART. PRÉS.	QUALIFICAT.
abstergeant	abstergent	équivalant	équivalent
adhérant	adhérent	excellant	excellent
affluant	affluent	expédiant	expédient
coïncidant	coïncident	extravaguant	extravagant
communiquant	communicant	fatiguant	fatigant
compétant	compétent	influant	influent
confluant	confluent	intriguant	intrigant
convainquant	convaincant	naviguant	navigant
convergeant	convergent	négligeant	négligent
déférant	déférent	précédant	précédent
déléguant	délégant	provoquant	provocant
détergeant	détergent	somnolant	somnolent
différant	différent	suffoquant	suffocant
divaguant	divagant	vaquant	vacant
divergeant	divergent	violant	violent
émergeant	émergent	zigzaguant	zigzagant

857 N.B. 1. Le participe présent est variable, selon un ancien usage, dans certaines expressions de la langue juridique : *les* AYANTS *cause, les* AYANTS *droit, toute(s) affaire(s)* CESSANTE(S), *tous empêchements* CESSANTS, *deux requêtes* TENDANTES *à même fin, la partie* PLAIGNANTE, *la Cour d'appel* SÉANTE *à Paris, maison à lui* APPARTENANTE [dans l'usage ordinaire, on dit : *maison à lui* APPARTENANT, ou : *maison lui* APPARTENANT (n° 659, N.B.)].

2. ***Battant*** (ou ***flambant***) ***neuf***. — Dans ces expressions, la forme en *-ant* est le plus souvent invariable [et *neuf* est traité tantôt comme adjectif, tantôt comme adverbe] : *La jolie demeure du comte de Chalon, tout* BATTANT *neuf* (É. Henriot). — *Des Saint-Cyriens* FLAMBANT *neufs* (H. Troyat). — *Des bâtiments* FLAMBANT *neuf* (A. Chamson).

Avec accord : *Deux édifices gothiques* BATTANTS *neufs* (L. Veuillot). — *Avec des habits* FLAMBANTS *neufs* (A. Dumas p.).

3. Accord ou non-accord dans : *à dix heures sonnant(es)*, ou : *battant(es)*, ou familièrement : *toquant(es)*, ou : *tapant(es)*, ou populairement : *pétant(es)* : *À sept heures* SONNANTES (A. France). — *À l'heure* TOQUANTE (Colette). — *À dix heures* TAPANTES (H. Bosco). — *À neuf heures* SONNANT (Hugo). — *À neuf heures* TAPANT (A. Hermant).

4. ***S'agissant de*** s'emploie bien au sens de « s'il s'agit de, comme il s'agit de, quand il s'agit de »: *C'est « lepus » qu'il fallait mettre,* S'AGISSANT *ici* DU *lièvre* (A. Hermant). — *On le comprend surtout,* S'AGISSANT DE *la troupe nouvelle* (M. Arland).

V. ACCORD DU PARTICIPE PASSÉ

RÈGLES FONDAMENTALES

858 1. Comme épithète : accord en genre et en nombre avec le mot qualifié : *Des enfants* ABANDONNÉS.

2. Avec **être** : accord avec le sujet : *Ces champs seront* LABOURÉS *au printemps. — Mes tantes sont* ARRIVÉES *hier.*

3. Avec **avoir** : accord avec l'objet direct quand cet objet précède ; — non-accord quand l'objet direct suit ou quand il n'y a pas d'objet direct : *Les champs qu'on a* LABOURÉS ; *ces champs, je les ai* LABOURÉS. — *Mes tantes sont là ; je les ai* AMENÉES *en voiture.*

On a LABOURÉ *ces champs. — J'ai* AMENÉ *mes tantes en voiture. — Elles ont* RÉFLÉCHI.

Cas particuliers

859 ATTENDU, COMPRIS, etc.

Les participes *attendu, compris (non compris, y compris), entendu, excepté, ôté, ouï, passé, supposé, vu* sont invariables comme prépositions quand ils sont placés devant le nom ou le pronom : ATTENDU *ses mœurs solitaires, il était à peine connu d'elles* (Musset). — *Tout le monde consentait à s'en mêler,* Y COMPRIS *les personnes les plus âgées* (P. Loti). — *Rien ne remuait,* EXCEPTÉ *les flammes* (Hugo). — PASSÉ *les grilles de la Porte-Maillot, je trouve la plus noire solitude* (M. Barrès).

Ils varient quand ils suivent le mot auquel ils se rapportent ou quand ils ne le précèdent que par inversion : *Les indications* Y COMPRISES (Ac.). — *Les passagers ont tous péri, cinq ou six* EXCEPTÉS (Id.). — *Déjà* COMPRISES *au compte précédent, ces sommes n'ont pas dû figurer ici* (Littré).

860 N.B. 1. On trouve assez souvent, dans l'usage littéraire, employés comme invariables devant le nom complément, certains participes autres que ceux de la série traditionnelle : *Il n'était séant de trotter qu'une fois* DÉPASSÉ *la limite rituelle* (Cl. Farrère). — *Notre première rencontre* — OUBLIÉ *les quelques lignes et les extraits que lui consacrent les manuels scolaires — eut lieu chez un bouquiniste* (M. Chapelan). — VENU *la fin de l'hiver, la troupe tout entière partit pour l'Angleterre* (G. Duhamel).

2. À l'inverse, il arrive assez souvent que *passé* s'accorde avec le nom qui suit : PASSÉES *les grandes épreuves des invasions sarrasines et normandes, la population des campagnes s'était accrue* (P. Gaxotte). — PASSÉES *les courses de feria, il me faudra revenir* (Montherlant).

861 **L'ÉCHAPPER BELLE**, ***la bailler, la manquer belle (*****ou *****bonne).*** Dans ces expressions (survivances du langage des joueurs de paume), le pronom représentait autrefois le nom « balle » ; l'invariabilité du participe dans *Il l'a* ÉCHAPPÉ *belle, il me l'a* BAILLÉ *belle* (ou *bonne*), *il l'a* MANQUÉ *belle* s'explique par un ancien usage [le participe restait invariable quand il ne terminait pas la proposition]. — On peut, de nos jours, continuer de laisser là le participe invariable, mais il est tout à fait acceptable de faire l'accord : *Il l'a* ÉCHAPPÉE *belle, il me l'a* BAILLÉE *bonne.*

862 **FINI**, en tête de la phrase, s'accorde avec le sujet si l'on considère qu'il y a ellipse de l'auxiliaire **être** : FINIE *la vie glorieuse, mais* FINIS *aussi la rage et les soubresauts* (A. Camus).

Parfois on le considère comme se rapportant au pronom *ce* (ou *cela*) sous-jacent, et on le laisse invariable : FINI, *les bibelots sur la courtepointe !* (La Varende.)

863 **ÉTANT DONNÉ** s'accorde traditionnellement avec le nom qui suit, mais, dans l'usage moderne, on le laisse souvent invariable : *Étant* DONNÉE *la modestie de mon grade* (G. Duhamel). — *Étant* DONNÉES *les circonstances présentes* (Saint-Exupéry). — *Étant* DONNÉ *la menace allemande* (J. Benda). — *Je n'ose rien dire étant* DONNÉ *les surprises de la pellicule* (J. Cocteau).

864 CI-ANNEXÉ, CI-JOINT, CI-INCLUS.

a) Ces expressions sont variables quand on les considère comme épithètes ou attributs : *Les feuilles* CI-ANNEXÉES, CI-JOINTES, CI-INCLUSES. — *Je vous envoie* CI-JOINTES, CI-INCLUSES *mes factures, trois factures.* — *Vous trouverez* CI-INCLUSE *la copie que vous m'avez demandée* (Ac.). — CI-INCLUSES, *ces pièces sont en sûreté.*

b) Elles sont invariables quand on leur donne la valeur adverbiale (comparer : *ci-contre, ci-dessus,* etc.) : *Trouvez* CI-JOINT *les 2.000 francs que nous vous devons* (H. Bazin). — *Vous trouverez* CI-INCLUS *une lettre de votre père* (Ac.). — *Je vous envoie* CI-ANNEXÉ, CI-JOINT, CI-INCLUS *mes factures, trois factures.*

c) Si l'on peut écrire, en considérant à son choix la valeur qualificative ou la valeur adverbiale : *Je vous envoie* CI-ANNEXÉES, CI-JOINTES, CI-INCLUSES – ou : CI-ANNEXÉ, CI-JOINT, CI-INCLUS — *les pièces que vous avez demandées,* l'usage est constant de donner à ces expressions la valeur adverbiale :

1° quand elles sont en tête de la phrase [sauf le cas où elles sont là comme adjectifs détachés : CI-INCLUSES, *ces pièces seront en sûreté*] : CI-JOINT *l'expédition du jugement* (Ac.). — CI-JOINT *les factures, trois factures ;*

2° quand, dans le corps de la phrase, elles précèdent un nom sans article ni déterminatif démonstratif ou possessif : *J'ai l'honneur de vous transmettre* CI-JOINT *copie de la réponse* (Stendhal). — *Vous recevrez* CI-INCLUS *copie de...* (Ac.).

865 COÛTÉ, VALU, PESÉ, etc.

a) Avec ces participes, ne pas prendre pour objet direct ce qui est complément circonstanciel (de prix, de valeur, de poids, etc.) et n'a pas d'influence sur l'accord : *Les trois mille francs que ce meuble m'a* COÛTÉ (Ac.). — *Ce cheval ne vaut plus la somme qu'il a* VALU *autrefois* (Id.). — *Elle songea aux années qu'elle avait* VÉCU *ensuite* (J. de Lacretelle). — *Les dix grammes que cette lettre aurait* PESÉ ; *les vingt minutes que j'ai* MARCHÉ, COURU. — *Les deux heures que j'ai* DORMI, *que j'ai* REPOSÉ.

b) Certains verbes intransitifs peuvent devenir transitifs ; leur participe passé est alors variable : *Les efforts que ce travail m'a* COÛTÉS [= causés] (Ac.). — *La gloire que cette action lui a* VALUE [= procurée] (Id.). — *Les paquets que j'ai* PESÉS [= mis sur la balance]. — *Les dangers que j'ai* COURUS [= affrontés]. — *Les heures qu'il avait* VÉCUES [= passées] *loin de Dieu* (A. France). — *Ses convictions, il les a* VÉCUES [= traduites en actes].

866 VERBES IMPERSONNELS.

Participe passé toujours invariable : *Les chaleurs qu'il a* FAIT. *Les inondations qu'il y a* EU. *Quels soins il a* FALLU !

867 DIT, DÛ, CRU, PU, SU, etc.

Participes invariables quand l'objet direct est un infinitif ou une proposition à sous-entendre après eux : *J'ai fait tous les efforts que j'ai* PU [sous-entendu : *faire*]. — *Il n'a pas obtenu les résultats qu'il avait* CRU, *qu'il avait* PENSÉ, *qu'il avait* PRÉVU [sous-entendu : *qu'il obtiendrait*].

868 PARTICIPE PASSÉ + attribut d'objet.

a) Accord avec l'objet s'il précède : *Tant de choses que j'avais* CRUES *éternelles* (Stendhal). — *Une affreuse barbe de chèvre, qu'on eût* DITE *postiche* (R. Martin du Gard). — *C'était de bonnes jumelles, qu'il eût* VOULUES *meilleures encore* (M. Genevoix). — *Tous ceux qu'il avait* FAITS *grands* (L. Bloy).

b) Très souvent aussi, participe invariable: *L'armée qu'on avait* CRU *si forte* (J. et J. Tharaud). — *Ces meubles qu'on eût* DIT *usés à force d'être frottés* (J.-J. Gautier). — *Merveille des départs que je n'ai jamais* VOULU *tristes* (A. Gide).

869 PARTICIPE PASSÉ en rapport avec le pronom *l'*.

Invariable si le pronom *l'* est neutre et équivaut à « cela » : *Une étude moins difficile que je ne l'avais* PRÉSUMÉ, CRU,

PENSÉ [= que je n'avais présumé, cru, pensé *cela* c.-à-d. : qu'elle était difficile]. — *L'étape est beaucoup plus longue que Labarbe ne nous l'avait* DIT (A. Gide).

Dans certains cas, *l'* peut représenter un nom et il peut y avoir accord : c'est affaire d'interprétation : *Fermina Márquez n'était pas telle qu'il se l'était* IMAGINÉE (V. Larbaud) [on pourrait écrire aussi : qu'il se l'était *imaginé,* c.-à-d. : qu'il s'était imaginé qu'elle était].

870 PARTICIPE PASSÉ et collectif ou nom de fraction.

a) Accord commandé par le collectif ou par son complément suivant que c'est l'un ou l'autre qui frappe le plus l'esprit : *La foule d'hommes que j'ai* VUE *commença à se disloquer. — Un groupe de quelques manifestants que la police a* RELÂCHÉS *après vérification d'identité de chacun d'eux. — Une partie du linge fut* VOLÉ (Marivaux). — *Plus de la moitié du travail était* TERMINÉE (H. Troyat). — *La moitié du village est* BRÛLÉ(E). — *Le quart de la récolte fut* PERDU(E).

b) Le peu + complément. Accord du participe commandé par *le peu* si cette expression domine dans la pensée ; sinon, accord commandé par le complément : *Le peu de confiance que vous m'avez* TÉMOIGNÉ *m'a ôté le courage* (Littré). — *Ses doigts perdaient le peu d'assurance qu'ils auraient* EU (J. Romains). — *Le peu de confiance que vous m'avez* TÉMOIGNÉE *m'a rendu le courage* (Littré).

871 PARTICIPE PASSÉ et adverbe de quantité.

Accord avec le complément : *Que de craintes nous avons* EUES ! — *Autant de batailles il a* LIVRÉES, *autant de victoires il a* REMPORTÉES. — *Jamais tant de vaisselle ne fut* CASSÉE (J. Cocteau). — *Trop de haine lui fut* TÉMOIGNÉE.

Parfois l'adverbe de quantité domine dans la pensée, et commande l'accord : *Un peu d'animation était* REVENU *au village* (R. Martin du Gard). — *Trop de patience serait* REGARDÉ *comme une faiblesse. — Moins d'application aurait été* BLÂMÉ.

872 PARTICIPE PASSÉ et **antécédents joints par une conjonction de comparaison.**

Il y a lieu de distinguer :

a) Idée d'addition : *C'est ma tante ainsi que mon oncle que j'ai* INVITÉS. — *C'est l'un comme l'autre que j'ai* FÉLICITÉS.

b) Idée de disjonction : le 1er antécédent commande l'accord : *C'est sa vertu, autant que son devoir, que nous avons* ADMIRÉE.

873 PARTICIPE PASSÉ et **antécédents joints par** ***ou / ni.***

On distinguera :

a) Idée d'addition : *La peur ou la misère, que les moralistes ont* CONSIDÉRÉES *comme restreignant notre liberté, ont fait commettre bien des fautes.* — *Ce n'est ni l'or ni la grandeur que cet homme a* RECHERCHÉS.

b) Idée de disjonction : accord commandé par le second antécédent : *C'est son salut ou sa perte qu'il a* RISQUÉE. — *Est-ce une louange ou un blâme qu'il a* MÉRITÉ ? — *Ce n'est ni Pierre ni Paul qu'on a* NOMMÉ *colonel de ce régiment.* — *Ce n'est ni un abricot ni une pêche que j'ai* MANGÉE.

874 PARTICIPE PASSÉ en rapport avec ***un(e) des, un(e) de.***

On distinguera, selon le sens ou l'intention :

a) Accord commandé par l'antécédent pluriel : *Un des premiers plaisirs que j'aie* GOÛTÉS *était de lutter contre les orages* (Chateaubriand). — *Voici un des plus beaux romans que j'aie* LUS *depuis longtemps* (E. Jaloux). — *C'est une des plus belles actions qu'il ait* FAITES (Littré). — *Voici un de ceux que vous avez* SAUVÉS.

b) Accord commandé par le nom singulier qu'on a dans la pensée : *Joanny se souvenait particulièrement d'une de ces images qu'il avait* VUE *dans le livre de messe d'une petite fille* (V. Larbaud). — *On transporta le blessé chez un de ses amis, qu'on avait* INFORMÉ *en toute hâte de l'accident.* —

J'appris à connaître ma tante qui était certainement une des meilleures femmes que la terre ait PORTÉE (J. Green).

875 PARTICIPE PASSÉ + infinitif.

a) Accord si le pronom objet direct se rapporte au participe : *Les violonistes que j'ai* ENTENDUS *jouer* [j'ai entendu qui ? — *que,* c.-à-d. les violonistes, qui jouaient]. — *Les marins que j'ai* VUS *partir.* — *Des hommes que l'on avait (...)* ENVOYÉS *combattre* (J. Dutourd). — *Ces douleurs, je les ai* SENTIES *monter jusqu'à l'épaule.*

b) Participe invariable si le pronom objet direct qui précède se rapporte à l'infinitif : *Les airs que j'ai* ENTENDU *jouer* [j'ai entendu quoi ? — *jouer que,* c.-à-d. jouer les airs]. — *Les marins que j'ai* VU *décorer.* — *Les hommes que j'ai* ENVOYÉ *chercher.* — *Une société qu'il avait* ESPÉRÉ *réformer* (A. Maurois). — *La matière (...) que j'ai* CHERCHÉ *à pétrir* (M. Barrès).

Moyens pratiques. — 1. Intercaler le pronom (ou le nom qu'il remplace) entre le participe et l'infinitif, puis tourner l'infinitif soit par le participe présent, soit par une proposition relative à l'imparfait, soit par *en train de ;* si la phrase garde son sens, faire l'accord : *Les marins que j'ai* VUS *partir :* j'ai vu les marins partant /... qui partaient / ... en train de partir.

2. Si l'infinitif admet après lui un complément d'agent introduit au moyen de *par,* le participe est invariable : *Les marins que j'ai* VU *décorer* [par le préfet].

3. Si le pronom objet direct fait l'action marquée par l'infinitif, faire l'accord.

876 N.B. 1. ***Fait,*** suivi immédiatement d'un infinitif, est toujours invariable : *Je les ai* FAIT *chercher partout* (Ac.). — *Cette femme s'est* FAIT *peindre* (Id.).

2. ***Laissé*** + infinitif. Souvent l'accord se fait quand l'objet direct se rapporte au participe : *On les a toutes* LAISSÉES *aller* (Ac.).

Mais on peut, avec Littré, admettre que la règle n'est pas absolue et qu'il y a lieu, quand on veut, de voir dans la locution un gallicisme, où *laissé* reste invariable : *Reprenez la cognée où nous l'avons* LAISSÉ *tomber* (R. Rolland). — *On les a* LAISSÉ *entrer* (J. Cocteau).

3. ***Participes marquant opinion*** + infinitif. — Ces participes (*dit, affirmé, cru, pensé,* etc.) sont invariables : *Ces lettres que vous m'avez* DIT *être de madame d'Ange* (A. Dumas f.). — *Des sublimités qu'on a* RECONNU *être des fautes de copiste* (A. France).

4. ***Eu, donné, laissé*** + *à* + infinitif. — Dans certains cas, le sens impose l'invariabilité (participe se rapportant à l'infinitif) : *Les volcans que j'ai* EU *à nommer.* — *La comète qu'on m'a* DONNÉ *à décrire.* — *La somme que vous m'avez* LAISSÉ *à chercher.*

Mais d'une façon générale, les auteurs optent librement pour l'accord ou pour l'invariabilité : *Tous les blessés que j'avais* EUS *à traiter* (G. Duhamel). — *La leçon que je lui ai* DONNÉE *à étudier* (Ac.). — *Dans les pages que j'avais innocemment* DONNÉ *à lire* (J. Roy). — *Les problèmes qu'il nous a* LAISSÉS *à résoudre* (A. Salacrou). — *La seule turpitude que les doctrinaires et les républicains lui eussent* LAISSÉ *à désirer* (L. Bloy).

877 PARTICIPE PASSÉ précédé de *en*.

La règle la plus simple et la plus pratique est de laisser toujours invariable le participe précédé du pronom *en,* neutre et partitif, que ce pronom soit associé ou non à un adverbe de quantité (*beaucoup, combien, tant, trop, plus,* etc.) : *Voyez ces fleurs, en avez-vous* CUEILLI ? (Littré.) — *Ses imprudences à lui, s'il en a* COMMIS, *furent élevées* (H. Bremond). — *J'en ai tant* VU, *des rois !* (Hugo.) — *Tu m'as dit que les romans te choquent ; j'en ai beaucoup* LU (Musset).

Mais l'usage est très indécis, et souvent les auteurs font l'accord : *Conquérir autant de royaumes que j'en ai* PERDUS (A. France). — *Les fleurs, il n'en avait jamais* VUES (M. Proust). — *Ma mère ? mais jusqu'alors je n'en avais point* EUE (M. Arland).

878 PARTICIPE PASSÉ des verbes pronominaux.

Remarque préliminaire : Pour la recherche de l'objet direct des verbes pronominaux réfléchis ou réciproques, on substitue l'auxiliaire **avoir** à l'auxiliaire **être.** Exemples : *Elle s'est coupée au doigt* (Elle *a* coupé qui ? — *se,* c'est-à-dire elle-même ; l'objet direct précède le participe, donc celui-ci s'accorde avec lui). — *Elle s'est coupé les ongles* (Elle *a* coupé quoi ? — *les ongles ;* l'objet direct suit le participe, donc celui-ci est invariable).

879 *a) **Réfléchis ou réciproques.*** Accord avec l'objet direct si celui-ci précède : *Elles se sont* BLESSÉES [= elles ont blessé *se,* c.-à-d. elles-mêmes]. — *Pierre et Paul se sont* BATTUS, *puis se sont* RÉCONCILIÉS [= ils ont battu *se,* ont réconcilié *se,* c.-à-d. eux-mêmes]. — *Les peines qu'il s'est* IMPOSÉES [= ils ont imposé *que,* c.-à-d. les peines]. — *Ils se sont* IMAGINÉ *qu'on les persécutait* [= ils ont imaginé quoi ? — *qu'on les persécutait*]. — *Les choses qu'ils se sont* IMAGINÉES [= ils ont imaginé quoi ? — *que,* c.-à-d. les choses].

880 N.B. 1. Participe passé d'un verbe pronominal + infinitif (voir nº 876, 2) : *Elle s'était* LAISSÉE *mourir* (A. Bellessort). — *Elle s'était* LAISSÉ *murer dans ce tombeau* (P. Loti). — *Elle ne s'est pas* SENTIE *mourir* (M. Arland). — *Elle s'est* SENTI *piquer au cou.*

2. Le participe passé des verbes suivants est invariable (voir cependant, pour *se plaire, se déplaire, se complaire:* nº 881, N.B.):

se convenir	se déplaire (déplaire à soi)	se sourire
se nuire	se complaire	se succéder
s'entre-nuire	se mentir	se suffire
se parler (parler à soi)	se ressembler	se survivre
se plaire (plaire à soi)	se rire	s'en vouloir

Ex. : *Ils se sont* NUI ; *ils se sont* PLU *l'un à l'autre ; elles se sont* RI *de ces difficultés ; les rois qui se sont* SUCCÉDÉ ; *ils s'en seraient* VOULU.

3. Avec *se persuader que,* l'accord du participe est facultatif : *Ils se sont* PERSUADÉ(S) *que l'occasion était bonne* [= ils ont persuadé *eux* que... / ou : ils ont persuadé *à eux* que...].

4. Participe d'un verbe pronominal + attribut du pronom réfléchi : l'accord se fait généralement avec le pronom réfléchi : *Cosette s'était toujours* CRUE *laide* (Hugo). — *Elle s'était* RENDUE *intéressante* (J.-J. Gautier).

5. Hanse, Thomas, Robert, le Grand Larousse de la Langue française tiennent que, pour *se faire l'écho de,* le participe *fait* est invariable. Mais on ne voit pas pourquoi il ne pourrait pas être variable (cf. nº 868, *a*) : *Les Goncourt se sont* FAITS *l'écho de certaines de ses confidences* (A. Billy).

881 *b) **Pronominaux dont le pronom n'est ni objet direct ni objet indirect :*** accord avec le sujet : *Elles se sont* APERÇUES *de leur erreur.* — *Ils se sont* DOUTÉS *de la chose.* — *Elles s'y sont* PRISES *adroitement.* — *Elles se sont* TUES.

Quatre exceptions (participe invariable) : *se rire, se plaire* (= se trouver bien), *se déplaire* (= ne pas se trouver bien), *se complaire* (= se délecter en soi) : *Elle se sont* RI *de ces projets. — Elles se sont* PLU, DÉPLU *dans ce lieu. — Les travaux où elles se sont* COMPLU.

N.B. Il n'est pas rare cependant que les auteurs fassent variable le participe de *se plaire, se déplaire, se complaire: Elle s'était* PLUE *à éveiller l'amour* (A. Maurois). — *Presque jamais les hommes ne s'étaient* COMPLUS *à un aspect aussi barbare...* (Aragon).

882 *c)* ***Pronominaux passifs :*** accord avec le sujet : *La bataille s'est* LIVRÉE *ici. — La langue latine s'est* PARLÉE *en Gaule.*

883 Il est parfois difficile de discerner si le pronom de forme réfléchie influe sur l'accord du participe. Le participe des verbes de la liste suivante s'accorde toujours. Subsidiairement on peut observer que le participe passé des verbes qui n'existent que sous la forme pronominale (essentiellement pronominaux) s'accorde toujours, à l'exception de *s'arroger.*

s'absenter
s'abstenir
s'acharner
s'acheminer
s'adonner
s'affaiblir
s'agenouiller
s'apercevoir de
s'approcher
s'arrêter
s'attacher à
s'attaquer à
s'attendre
s'avancer
s'aviser de
se blottir
se cabrer
se carrer
se chamailler
se connaître à
se dédire
se démener
se départir de
se désister
se disputer (avec)
se donner de garde
se douter de
s'ébahir
s'ébattre
s'ébouler
s'échapper
s'écouler
s'écrier
s'écrouler
s'efforcer
s'embusquer
s'emparer de
s'empresser
s'en aller
s'endormir
s'enfuir
s'ennuyer
s'enorgueillir
s'enquérir
s'en retourner
s'en revenir
s'ensuivre
s'entendre à
s'envoler
s'éprendre de
s'escrimer
s'étonner
s'évader
s'évaltonner
s'évanouir
s'évaporer
s'éveiller
s'évertuer
s'extasier
se fâcher
se féliciter
se formaliser
se gausser de

se gendarmer
se hâter
s'immiscer
s'infatuer
s'infiltrer
s'ingénier
s'ingérer
s'insurger
s'invétérer
se jouer de
se lamenter
se lever
se louer de
se mécompter
se méfier de
se méprendre
se moquer
s'opiniâtrer
s'oublier
se pâmer
se parjurer
se plaindre
se prélasser
se prendre à
s'y prendre
se presser
se prévaloir de
se promener
se prosterner
se railler de
se ratatiner
se raviser
se rebeller
se rebiffer
se recroqueviller
se rédimer
se réfugier
se réjouir
se rengorger
se repentir
se résoudre à
se ressentir de
se saisir de
se sauver
se servir de
se soucier de
se souvenir de
se suicider
se taire
se targuer
se tromper, etc.

VI. ACCORD DU VERBE

RÈGLES FONDAMENTALES

884 1. Accord en nombre et en personne avec le sujet (exprimé ou sous-entendu).

2. Plusieurs sujets : verbe au pluriel.

3. Sujets de différentes personnes : la 1re personne a la priorité sur les deux autres, — et la 2e sur la 3e : *Pierre, et toi, et moi* TRAVAILLONS. *Pierre et toi* TRAVAILLEZ.

A. UN SEUL SUJET

885 COLLECTIF + complément :

Accord avec le collectif si les êtres ou objets sont considérés en bloc (dans leur totalité) : *Une multitude de sauterelles* A *infesté ces campagnes* (Littré). — *La foule des vivants* RIT *et* SUIT *sa folie* (Hugo).

Accord avec le complément si les êtres ou objets sont considérés en détail (dans leur pluralité) : *Une multitude de sauterelles* ONT *infesté ces campagnes* (Littré). — *Quand une bande d'étourneaux* APERÇOIVENT *un geai...* (Chateaubriand).

886 N.B. 1. ***La plupart*** + complément de la 3e personne : accord avec le complément ; si ce complément est sous-entendu, il est censé être au pluriel : *La plupart des gens ne* FONT *réflexion sur rien* (Ac.). — *La plupart du monde* PRÉTEND... (Id.). — *La plupart* SONT *persuadés que le bonheur est dans la richesse* (Id.).

2. ***Moitié. tiers, douzaine,*** etc. : accord avec le terme quantitatif si c'est lui qu'on veut souligner ; sinon, accord avec le complément : *La moitié des députés* A *voté pour, et l'autre moitié contre le projet de loi* (Littré). — *Une quinzaine de francs* SUFFIRA ou SUFFIRONT. — *La moitié des caves de la section n'*ONT *pas encore été fouillées* (A. France). — *Pendant un an, une douzaine de bonnes se* SUCCÉDÈRENT (J. Chardonne).

3. ***Le reste de, ce qui reste de, ce qu'il y a de,*** etc. + nom pluriel. — Verbe au singulier ou au pluriel, selon l'idée : *Le reste des naufragés* A *péri* ou : ONT *péri* (Littré). — *Il y a de ces années de désertion où tout ce qu'on a d'amis* DISPARAÎT (Musset). — *Ce qui restait d'élèves* BATTAIENT *la semelle dans la cour agrandie* (M. Pagnol).

4. ***La plupart, beaucoup, certains,*** etc. + *de nous, de vous, d'entre nous, d'entre vous.* — Le verbe se met à la 3e pers. du pluriel : *La plupart d'entre nous* ÉTAIENT *trouvés trop légers* (A. Chamson). — *La moitié d'entre nous* AVAIENT *l'air de chiens savants* (P. Gaxotte).

Parfois cependant la pensée s'arrête sur le groupe désigné par *nous* ou *vous :* l'accord se fait alors avec l'un de ces pronoms : *La plupart de nous n'*ÉTIONS *que des enfants* (Cl. Farrère). — *Plusieurs d'entre vous* SEREZ *des chefs.*

5. ***Le peu*** + complément. Accord avec *le peu* si cette expression domine dans la pensée ; sinon, accord avec le complément : *Le peu de qualités dont il a fait preuve l'*A *fait éconduire* (Ac.). — *Le peu de dents que j'avais* EST *parti* (Voltaire). — *Le peu de services qu'il a rendus* ONT *paru mériter une récompense* (Ac.). — *Le peu de cheveux qu'il avait* ÉTAIENT *gris* (Hugo).

887 ADVERBE DE QUANTITÉ + complément. Accord avec le complément ; si ce complément n'est pas exprimé, il est censé être au pluriel : *Combien de gens* S'IMAGINENT *qu'ils ont de l'expérience par cela seul qu'ils ont vieilli !* (Littré.) — *Peu de paroles* SUFFISENT *au sage* (Id.). — *Peu* SAVENT *comme vous s'appliquer ce remède* (Corneille).

888 N.B. 1. Après ***plus d'un,*** souvent le verbe se met au singulier, mais il n'est pas rare qu'on le mette au pluriel — et cela est même de règle si *plus d'un* est répété ou si l'on exprime la réciprocité : *Plus d'un se* RAPPELA *des matinées pareilles* (Flaubert). — *Plus d'une brebis galeuse s'*ÉTAIENT *glissées dans les rangs des apôtres bourgeois* (R. Rolland). — *Plus d'un se* SENTAIENT *las* (Fr. Mauriac). — *Plus d'une anguille, plus d'un barbeau, plus d'une truite* SUIVAIENT *le courant* (F. Fabre). — *Plus d'un fripon se* DUPENT *l'un l'autre.*

2. Après ***moins de deux,*** le verbe se met au pluriel : *Moins de deux mois* ONT *suffi...* (M. Prévost).

3. Il arrive que l'adverbe de quantité soit frappé d'un accent d'intensité ; c'est lui alors qui commande l'accord : *Beaucoup de cierges* VALAIT *mieux* (Flaubert). — *Tant de bravades* AVAIT *poussé l'homme à bout de résistance* (M. Garçon).

889 PRONOM *CE.* Le verbe **être** ayant pour sujet le pronom *ce* se met ordinairement au pluriel quand l'attribut est un nom pluriel ou un pronom de la 3e personne du pluriel ; — le singulier s'emploie aussi (mais plus couramment dans la langue familière que dans l'usage littéraire) : *Ce* SONT *de braves enfants* (Ac.). — *Ceux qui vivent, ce* SONT *ceux qui luttent* (Hugo). — *Ce* SONT *eux qui ont développé l'irrigation* (A. Siegfried). — ‖‖ *Ce n'*EST *pas des visages, c'*EST *des masques* (A. France). — *L'enfer, c'*EST *les Autres* (J.-P. Sartre).

890 N.B. 1. *C'est eux* est très courant, et prévaut même sur *ce sont eux* dans les propositions négatives ou interrogatives : *C'*EST *eux qui pillent* (Ch. Péguy). — *Je crois que c'*EST *elles qui m'ont porté secours* (Colette). — *C'*EST *eux que je salue* (A. Camus). — *Ce n'*EST *pas eux qui touchent les commissions* (P. Vialar). — EST-*ce bien eux ?*

2. On dit toujours : *C'*EST *nous, c'*EST *vous.*

3. On écrit : *Ce* DOIT *être* ou *ce* DOIVENT *être, ce* PEUT *être* ou *ce* PEUVENT *être, ce ne* SAURAIT *être* ou *ce ne* SAURAIENT *être,* quand l'attribut est un nom pluriel ou un pronom de la 3e personne du pluriel.

4. Si le complément pluriel inséré dans le gallicisme *c'est... que* n'est pas attribut de *ce* (et notamment quand il est introduit par une préposition), le verbe du gallicisme doit rester au singulier : *C'*EST *pour eux que je travaille* (Littré). — *C'*EST *des malades qu'ils prient que l'on ait pitié* (G. Duhamel). — Gardez-vous de dire, par exemple : *Ce sont sur ces gens-là qu'il faudrait se régler ; ce sont d'eux qu'il faut parler, ce sont des aveugles que je veux parler.*

5. Avec les sujets *ceci, cela, (tout) ce* + prop. relative, le verbe *être* suivi d'un attribut pluriel, s'accorde comme si le sujet était *ce*, et l'on peut avoir le pluriel ou le singulier : *Ceci* SONT *plutôt des souhaits vagues* (J.-J. Rousseau). — *Tout cela* SONT *des « peut-être »* (Stendhal). — *Ce que vous dites là* SONT *tout autant de fables* (Littré). — *Ceci* EST *des souhaits* (Littré). — *Tout cela n'*ÉTAIT *que des cas particuliers* (Montesquieu).

Dans la pratique, on intercale ordinairement *ce : Tout cela, ce sont des atouts dans votre jeu* (A. Maurois). — *Ce que vous dites là, ce sont tout autant de fables.*

6. Le verbe *être* ayant pour sujet le pronom *ce* reste au singulier dans *si ce n'est* (= excepté), *fut-ce, fût-ce, ne fût-ce que* — ainsi que dans certaines tournures où le pluriel sonnerait étrangement (par ex.: *furent-ce, eussent-ce été, c'eussent été*): *Si ce n'est eux, quels hommes eussent osé l'entreprendre?* (Littré.) — FUT-*ce mes sœurs qui le firent?* (Id.) — *Les mauvais riches,* FÛT-*ce les pères, prennent une assurance sur l'avenir, en prodiguant les dons* (A. Suarès).

7. Quand l'attribut de *ce* est une indication numérale plurielle, le verbe *être* se met au pluriel si cet attribut est pensé comme une pluralité, — au singulier s'il est considéré comme exprimant un tout, une quantité globale : *Ce* FURENT *quatre jours bien longs* (Maupassant). — *On me doit 10.000 francs, mais ce* SONT *10.000 francs fictifs* (J. Green). — ‖ ‖ *C'*EST *onze heures qui sonnent* (Littré). — *C'*EST *quarante francs jetés à l'eau* (P. Mille).

891 Quand l'attribut du sujet *ce* comporte plusieurs noms dont le premier au moins est au singulier, le verbe *être* se met au singulier ou au pluriel : *C'*EST *la gloire et les plaisirs qu'il a en vue* (Littré). — *Ce* SONT *l'esprit et le cœur qui remportent les victoires* (Ch. de Gaulle).

Mais c'est le pluriel qui est demandé quand l'attribut multiple développe un pluriel ou un collectif qui précède : *Il y a cinq parties du monde ; ce* SONT : *l'Europe, l'Asie*, etc.

892 PRONOM RELATIF *QUI*. Le verbe ayant pour sujet le relatif *qui* se met au même nombre et à la même personne que l'antécédent (attention : 2ᵉ personne, quand l'antécédent est interpellatif !) : *C'est moi qui* SUIS, *qui* IRAI. — *Jeune homme qui m'*ÉCOUTES, *crois-moi.* — *Ah ! maudit animal, qui n'*ES *bon qu'à noyer* (La Font.). — *Toi qui* SÈCHES *les pleurs des moindres graminées* (E. Rostand). — *Il est dommage (...)*

que ce ne soit pas moi qui AIE *fait les deux rencontres* (J. Romains).

893 N.B. 1. Lorsque *qui* est précédé d'un attribut se rapportant à un pronom personnel de la 1re ou de la 2e personne, cet attribut commande l'accord :

a) S'il est précédé de l'article défini ou s'il porte l'idée démonstrative : *Vous êtes l'élève qui* A *le mieux répondu. — Nous sommes les jardiniers qui* ENTRETIENNENT *le parc. — Je suis celui qui* TIENT *le globe* (Hugo).

b) Si la principale est négative ou interrogative : *Vous n'êtes pas un homme qui* AIME *la flatterie. — Êtes-vous un homme qui* SAIT *réfléchir ? — Es-tu celui qui* PEUT *quelque chose pour son bonheur ?* (M. Barrès.)

2. Pour les phrases affirmatives, l'usage est indécis lorsque l'attribut est précédé de l'article indéfini ou lorsqu'il est ou contient *le seul, le premier, le dernier, l'unique,* etc. : *Je suis un homme qui ne* SAIT *que planter des choux* (A. France). — *Je suis un paresseux qui ne me* PLAIS *qu'à dormir au soleil* (M. Aymé). — *Vous êtes le seul qui* CONNAISSE — ou *qui* CONNAISSIEZ *ce sujet* (Littré).

Usage indécis également quand l'attribut est *deux, dix,* etc., *beaucoup, plusieurs,* — ou un nom propre sans déterminatif : *Nous sommes deux, plusieurs, quelques-uns qui vous* DÉFENDENT, ou : *qui vous* DÉFENDONS. — *Je suis Pierre, qui vous* A *écrit,* ou : *qui vous* AI *écrit.*

3. Après *un(e) des, un(e) de,* le relatif *qui* se rapporte, selon le sens, tantôt au nom pluriel, tantôt à *un(e)* (qui peut, dans ce cas, être remplacé par *celui, celle*) : *Observons une des étoiles qui* SCINTILLENT *au firmament* [l'action de scintiller est rapportée à la pluralité des étoiles]. — *Je vous enverrai un de mes ouvriers qui* FONT *ce genre de travail. — Un de ceux qui* LIAIENT *Jésus-Christ au poteau* (Hugo). — *Vincent possédait une de ces montres qui se* REMONTENT *toutes seules* (G. Duhamel). — *Je suis allé remercier un des laboureurs qui nous* AVAIT *envoyé des roses* (Fr. Mauriac). — *J'allais justement chez une de ces femmes, qui* HABITE *rue Pauquet* (J. Romains). — *Je vous enverrai un de mes ouvriers, qui* FERA *la réparation.*

894 PHRASES AVEC *ÊTRE* + attribut.

Dans les phrases du type *Sa nourriture est* (ou *sont ?*) *des fruits,* l'usage normal est d'accorder le verbe avec le terme qui le précède : *Le signal* ÉTAIT *deux fusées* (Voltaire).

— *Le lit ordinaire de M. de Pontchâteau* ÉTAIT *des fagots* (Sainte-Beuve).

Accord aujourd'hui archaïque : *L'effet du commerce* SONT *les richesses* (Montesquieu). — *Le reste* SONT *des horreurs* (M. Proust).

895 EXPRESSION NUMÉRALE.

Quand un sujet pluriel est une expression numérale, le verbe se met au pluriel ou au singulier, selon que, dans la pensée de celui qui parle ou écrit, ce sujet est considéré comme une pluralité d'unités — ou comme un ensemble, une seule unité globale : *Cinquante francs ne* SUFFISAIENT *pas pour acquitter sa dette* (Hugo). — *Quatre heures* APPROCHAIENT (M. Arland). — || || *Cinquante domestiques* EST *une étrange chose* (Sévigné). — *Dix-huit ans n'*EST *pas encore l'âge ingrat des Allemands* (A. Hermant). — *Seize cent mille francs de gain* ÉTAIT *encore une jolie somme* (Zola).

N.B. 1. Expression fractionnaire sujet : accord du verbe avec le premier élément : *Trois heures et demie* VENAIENT *de sonner* (R. Martin du Gard). — *Dix heures et quart* SONNÈRENT (J. Green). — *Une pomme et demie me* SUFFIT (Littré).

2. *Midi* et *minuit* veulent le verbe au singulier : *Midi* EST *sonné* (Littré). — *Quand minuit* EUT *achevé de sonner* (A. Gide).

896 EXPRESSION DE POURCENTAGE.

Quand le sujet est une expression du type « vingt pour cent / de la population », le verbe s'accorde tantôt avec le premier élément du sujet (on considère alors une *pluralité* de centièmes), — tantôt avec le second ; l'usage est indécis : *90 % de notre production* PARTENT *pour l'étranger* (A. Maurois). — *Un eugéniste a calculé que 10 % de sang frais* DEVIENDRAIENT *nécessaires à chaque génération* (H. Bazin). — || || *Vingt pour cent de la population s'*EST *abstenue* (A. Dauzat). — *Le curé nous dit que dix pour cent de la population* ASSISTE *à la messe* (J. Green).

Si l'expression de pourcentage est précédée de l'article *les* ou d'un déterminatif pluriel, évidemment le verbe se met au pluriel : *Les 20 %, ces 20 % du bénéfice* SERONT *répartis de la façon suivante.*

897 TITRE PLURIEL.

a) Titre commençant par un article (ou un déterminatif) pluriel, — ou précédé d'un article (ou d'un déterminatif) pluriel : le verbe se met au pluriel ou au singulier, l'usage est flottant : *Les « Variations »* SONT *le maître livre de Bossuet* (É. Faguet). — *Les « Feuilles d'automne »* PARURENT *au lendemain de la Révolution de 1830* (A. Bellessort). — *« Les Employés »* SONT *d'une langue excellente* (A. Gide). — ‖ *« Les Fossiles »* SONT *ou* EST *un chef-d'œuvre* (Flaubert). — *« Les Dieux ont soif »* EST *un livre d'une maîtrise absolue* (A. Thibaudet). — *« Le Rouge et le Noir »* VAUT *pour tous les temps* (J. de Lacretelle).

b) Titre sans article (ou déterminatif) au début : le verbe se met au singulier : *« Guerre et Paix »* EST *la plus vaste épopée de notre temps* (R. Rolland). — *« Nuits de guerre »* SUIVIT *l'année d'après* (M. Genevoix).

898 N.B. Pour l'accord en genre de l'adjectif, du participe ou du pronom dans ces sortes de phrases, l'usage est indécis : *« Athalie » est* BELLE (Sainte-Beuve). — *La « Légende des siècles » ne doit être* PRISE *que pour un volet d'un triptyque* (A. Thibaudet). — *« Volupté » est* ÉCRIT *dans l'ombre de Lamennais* (Id.). — *Il ne s'arrête qu'à janvier 1919 avec « l'Atlantide » dont il parle pour* LA *(ou* LE*) louer comme il faut* (F. Strowski).

B. PLUSIEURS SUJETS

899 UN SEUL CONCEPT.

Plusieurs sujets singuliers réunis en un seul concept : le verbe se met au singulier : *Quand le Prince des pasteurs et le Pontife éternel* APPARAÎTRA (Bossuet). — *Admirer la pensée de Proust et blâmer son style* SERAIT *absurde* (J. Cocteau).

900 SUJETS SYNONYMES ou EN GRADATION. Le verbe s'accorde avec le plus rapproché : *Et un dégoût, une tristesse im-*

*mense l'*ENVAHIT (Flaubert). — *Brusquement une plaisanterie, un mot, un geste me* GLACE (M. Arland).

901 SUJETS RÉSUMÉS (ou annoncés) par un mot.

Accord avec le mot qui résume ou annonce les divers sujets : *Remords, crainte, périls, rien ne m'*A *retenue* (Racine). — *Tout, trottoirs mouillés, chaussées fangeuses, plaques d'égout luisantes, rails resplendissants,* REFLÉTAIT *la couleur chaude du ciel* (E. Jaloux).

902 SUJETS JOINTS PAR *AINSI QUE, COMME, AVEC*, etc.

a) Si la conjonction est copulative (= idée d'addition), le verbe s'accorde avec l'ensemble : *Le français ainsi que l'italien* DÉRIVENT *du latin* (Littré). — *Aussi bien l'oncle Mathieu que tante Philomène n'*ÉTAIENT *pour moi que sons* (H. Bosco). — *La voix non plus que la silhouette ne lui* ÉTAIENT *connues* (A. de Châteaubriant). — *Le murmure des sources avec le hennissement des licornes se* MÊLENT *à leurs voix* (Flaubert). — *L'une comme l'autre* GARDENT *peu de loisir disponible pour l'aventure* (M. Prévost). — *Tant le sol boueux que l'eau m'*ÉTAIENT *présents* (H. Bosco).

b) Si la conjonction exprime nettement une idée de comparaison, l'accord se fait avec le premier terme de la comparaison : *Le français, ainsi que l'italien,* DÉRIVE *du latin* (Littré). — *Son visage, aussi bien que son cœur,* AVAIT *rajeuni de dix ans* (Musset). — *Le manque d'air ici, autant que l'ennui,* FAIT *bâiller* (A. Gide). — *L'un comme l'autre* EST *pris au jeu* (Id.). — *La religion, comme la politique,* A *ses Brutus* (A. Hermant). — *Renée, pas plus que Gilbert, n'*ÉTAIT *retournée chez les Guillaume* (M. Arland).

De même si *avec* amène un simple accessoire du sujet : *Le travail avec ses servitudes lui* INSPIRA *de bonne heure un grand dégoût* (M. Garçon).

903 SUJETS JOINTS PAR *MOINS QUE, PLUS QUE*, etc.

Accord avec le premier sujet : *La gloire, moins que les richesses toutefois,* SÉDUIRA *toujours les hommes. — Votre honneur, plus que vos intérêts, vous* DÉFEND *d'agir ainsi.* — *La bonté et non l'habileté* DOIT *être le principe de toute politique* (A. Maurois).

904 NON SEULEMENT... MAIS...

Le verbe s'accorde ordinairement avec le sujet le plus rapproché : *Non seulement notre dignité à l'intérieur, mais notre prestige à l'étranger en* DÉPEND (J. Giraudoux).

Parfois accord avec l'ensemble : *Non seulement sa chambre ou sa cellule, mais sa table même* ÉTAIENT *toujours bien rangées* (Comte d'Haussonville, cit. Brunot).

905 TANTÔT... TANTÔT... ; PARFOIS... PARFOIS...

Plusieurs sujets de la 3e personne du singulier dans un système exprimant l'alternative : l'accord du verbe se fait :

a) avec le sujet le plus rapproché, si c'est l'idée de disjonction qui prévaut : *Tantôt l'un, tantôt l'autre* PRENAIT *la parole* (H. Bosco). — *Parfois la sottise, parfois la puissance de l'esprit* S'OBSTINE *contre le fait* (P. Valéry). — *Soit le pape, soit Venise* METTRAIT *sans grande peine la main sur Rimini* (Montherlant).

b) avec l'ensemble, si c'est l'idée de conjonction qui prévaut : *Tantôt la peur, tantôt le besoin (parfois la peur, parfois le besoin ; soit la peur, soit le besoin)* FONT *les mouvements de la souris.* — *Soit l'Angleterre, soit la Hollande* FURENT *toujours assez fortes pour interdire aux Français l'accès d'Anvers* (Ph. Erlanger).

N.B. Si l'un des sujets est au pluriel : verbe au pluriel. — Si les sujets ne sont pas de la même personne : verbe au pluriel, à la personne qui a la priorité.

906 SUJETS JOINTS PAR *OU / NI.*

Plusieurs sujets de la 3e personne du singulier joints par *ou / ni :* l'accord du verbe se fait :

a) avec le sujet le plus rapproché si c'est l'idée de disjonction qui prévaut : *La douceur ou la violence en* VIENDRA *à bout* (Ac.). — *Ni crainte ni respect ne m'en* PEUT *détacher* (Racine).

b) avec l'ensemble si c'est l'idée de conjonction qui prévaut : *La peur ou la misère* ONT *fait commettre bien des fautes* (Ac.).

N.B. 1. Parfois le sens impose la disjonction des sujets : *Pierre ou Paul* SERA *colonel de ce régiment. — Ni Pierre ni Paul ne* SERA *colonel de ce régiment. — Le père, ou la mère plutôt, du petit Publius* VOULUT *que ce garçon étudiât* (É. Henriot).

2. Si l'un des sujets est au pluriel, le verbe se met au pluriel : *Les menaces ou la douceur en* VIENDRONT *à bout. — Ni les menaces ni la douceur n'en* VIENDRONT *à bout.*

3. Si les sujets joints par *ou / ni* ne sont pas de la même personne, on met le verbe au pluriel et à la personne qui a la priorité : *Lui ou moi* FERONS *cela* (Littré). — *Maître Gépier, ou toi, en* AURIEZ *entendu parler* (J. Romains).

907 TEL OU TEL, NI L'UN NI L'AUTRE.

Avec *tel ou tel, ni l'un ni l'autre* (pronoms ou adjectifs), le verbe se met au singulier ou au pluriel, selon l'idée qui prévaut (disjonction ou conjonction) : *Je sais bien que tel ou tel* EST *avare* (H. de Régnier). — *Telle ou telle innovation n'*ÉTAIT *pas repoussée* (Mérimée).— ‖ ‖ *Je (...) ne sais comment* ONT *réagi tel ou tel de mes exigeants confrères* (G. Marcel).

Ni l'un ni l'autre n'y EST *pour rien* (R. Rolland). — *Ni l'un ni l'autre escadron n'*ARRIVA (Michelet). — ‖ ‖ *Ni l'un ni l'autre n'*ONT *su ce qu'ils faisaient* (Vigny). — *Ni l'une ni l'autre solution ne* CONVIENNENT.

908 N.B. Avec *ni l'un ni l'autre,* au sens conjonctif, il arrive que le verbe soit à la 1re personne du pluriel (le sens est alors « ni moi ni l'autre ») ou à la 2e personne du pluriel (le sens est alors « ni toi ni l'autre ») : *Ni l'un ni l'autre n'*ÉTIONS *plus capables de piège* (J. Cocteau). — *Je vous plains tous deux : ni l'un ni l'autre ne* POURREZ *réussir.*

909 **L'UN(E) OU L'AUTRE** (pronom ou adjectif) marque généralement la disjonction et demande le verbe au singulier : *L'une ou l'autre* AVAIT-*elle un sentiment pour moi ?* (M. Proust.) — *L'un ou l'autre projet* SUPPOSE *de la fatuité* (M. Prévost).

Parfois le sens est conjonctif, et le verbe se met au pluriel : *L'un ou l'autre* MANQUENT *forcément dans toutes les anthologies que nous connaissons* (A. Thérive).

910 **L'UN(E) ET L'AUTRE** (pronom ou adjectif) marque le plus souvent une idée d'addition, et le verbe se met au pluriel (obligatoirement si la phrase implique une idée de jonction, de ressemblance, de comparaison...) : *L'un et l'autre me* SEMBLAIENT *identiques* (J. Romains). — *L'un et l'autre* SONT *venus* (Ac.). — *L'une et l'autre affaire se* TIENNENT (É. Henriot). — *L'un et l'autre seuil lui* ÉTAIENT *fermés* (H. Bosco).

Sens disjonctif, et verbe au singulier : *L'un et l'autre y* A *manqué* (Ac.). — *L'un et l'autre* APPROCHA (La Font.). — *L'une et l'autre saison* EST *favorable* (Ac.).

911 **N.B.** Il va sans dire que si le nom est au pluriel (n° 631,2), le verbe aussi se met au pluriel : *Il semble que l'un et l'autre documents* AIENT *été débattus* (P. de La Gorce).

912 **RÉPÉTITION DE *CHAQUE, TOUT, NUL, PAS UN, AUCUN*.**

L'accord du verbe se fait avec le sujet le plus rapproché ou avec l'ensemble : *Chaque canonnier, chaque soldat, chaque officier s'*ATTELAIT, TIRAIT, ROULAIT, POUSSAIT *les redoutables chariots* (Vigny). — *Chaque personne, chaque milieu* ONT *leur manière de voir* (M. Arland). — *Nul écrivain, nul artiste (...) ne me* DÉMENTIRA (M. Barrès). — *Nul chemin de fer, nulle usine, ne* SONT *venues dissiper la lourde mélancolie de ce canton* (Fr. Jammes).

913 **N.B.** 1. Cette règle s'applique même quand les sujets sont coordonnés : *Chaque homme et chaque femme* AVAIT OU AVAIENT *un bouquet* (Littré).

2. Dans des phrases comme les suivantes, on met de préférence le verbe au singulier : *Rien de grand, rien de noble ne l'*ÉMEUT. — *Tout ce qui chante, tout ce qui fleurit au printemps me* PLAÎT. — *Ceci et cela me* PLAÎT.

914 **N'ÉTAIT, N'EÛT ÉTÉ.** Le plus souvent, on fait l'accord en nombre : *N'*ÉTAIENT *les lampadaires électriques qui étoilent le Jardin, cette nuit serait très sombre* (Cl. Farrère). —

*N'*EUSSENT ÉTÉ *les fumées des toits, le village eût semblé désert* (J. et J. Tharaud).

Non-accord : *Tu n'entendrais même rien du tout, n'*ÉTAIT *les briques des faîtes* (G. Bernanos).

915 PEU IMPORTE, QU'IMPORTE ? Accord ou non-accord du verbe : *Peu* IMPORTENT *les mobiles* (M. Barrès). — *Peu* IMPORTE *les noms* (Vercors). — *Qu'*IMPORTENT *ces folies ?* (Musset.) — *Qu'*IMPORTE *ces pierres de taille ?* (Ch. Péguy.)

916 RESTE (= est de reste), en tête de la proposition. Accord ou non-accord du verbe : RESTENT *les bijoux* (A. Chamson). — RESTAIT *ces gens de Poitiers* (J. de Lacretelle).

917 SOIT (= supposons). Accord ou non-accord : SOIENT *deux grandeurs égales* (Taine). — SOIT *quatre catégories* (H. Bremond).

918 TEL ET TEL (pronom ou adjectif). Verbe au pluriel, parfois au singulier : *Tel et tel se* SERONT *révélés* (É. Henriot). — *Les chiffres des recettes qu'*AVAIENT *faites telle et telle pièce* (R. Rolland). — *Tel et tel* IRONISE *parfois* (R. Kemp).

919 VIVE, dans les exclamations, s'accorde ordinairement avec le sujet ou les sujets (3e personne) placés après lui : VIVENT *les gens d'esprit !* (Hugo.) — VIVENT *les patriotes !* (Renan.) — VIVENT *la Champagne et la Bourgogne pour les bons vins !* (Ac.)

Mais assez souvent, *vive* est considéré comme une interjection, et reste invariable : VIVE *les gens d'esprit !* (Littré.) — VIVE *les nouilles, malgré tout !* (R. Martin du Gard.)

CHAPITRE VI

ADVERBES

920 AINSI. L'ancienne langue employait *par ainsi ;* déjà Vaugelas faisait remarquer que cette locution n'était presque plus en usage. Elle se retrouve parfois dans la littérature moderne : *Vous vous êtes égalés* PAR AINSI *aux hommes les plus grands* (J. Romains). — *Ils entendaient,* PAR AINSI, *sauvegarder leur liberté* (G. Duhamel). — *Je mettais des semelles d'amiante dans mes souliers, qui* PAR AINSI *devenaient trop étroits* (Colette).

921 ALENTOUR. Quand cet adverbe n'est pas précédé de la préposition *de,* il s'écrit parfois *à l'entour,* mais cette graphie est archaïque : *Ces ombrages* À L'ENTOUR *sont pleins d'ombres* (É. Henriot).

Au lieu de *autour de* on dit parfois *à l'entour de* (locution vieillie) : *Oh ! mets tes bras* À L'ENTOUR DE *mon cou !* (Hugo.)

922 -AMMENT, -EMMENT. Finale *-amment* ou *-emment* selon que l'adjectif correspondant est en *-ant* ou en *-ent : Vaillant, vaill*AMMENT ; *prudent, prud*EMMENT.

Exceptions : *Lentement, présentement, véhémentement.*

923 ASSEZ BIEN. Cette locution marque la manière, et *assez* exprime là une atténuation (cf. : *très bien, fort bien, moins bien...*) : *Cela est* ASSEZ BIEN (Ac.). — *Ce comédien joue* ASSEZ BIEN.

N'employez pas *assez bien, assez bien de* pour marquer la quantité, le nombre. Ne dites pas: *Il y a assez bien de fautes dans ce devoir. — Il y avait assez bien de monde au spectacle,*

— *Il a assez bien neigé.* — Employez là : le simple *assez*, ou un peu familièrement : *pas mal, pas mal de* (n° 961).

N.B. Place de *assez* : parallèlement à *Il a assez d'argent*, l'usage admet *Il a de l'argent assez : Il avait du stock assez pour tenir jusqu'à octobre* (Aragon).

924 AUSSI, SI ; AUTANT, TANT. 1. *Si, tant* peuvent s'employer pour *aussi, autant* dans les phrases négatives ou interrogatives : *Nulle part, Monsieur, je n'ai trouvé* SI *bon accueil qu'à Paris* (Taine). — *Il n'est pas* SI *riche que vous* (Ac.). — *Est-il* SI *pauvre que vous le dites ?* — *Rien ne m'a* TANT *fâché que cette nouvelle* (Ac.).

2. Devant des participes passifs. — Si le participe a vraiment la valeur verbale, régulièrement c'est *tant, autant* qu'on emploie, mais *si* n'est pas rare, dans l'usage moderne : *Cette femme* TANT *aimée* (Ac.). — *Cette femme* SI *aimée* (M. Proust). — *La gravité ardente, d'ailleurs* SI *admirée par elle, de Shelley* (A. Maurois).

Si le participe a la valeur adjective, on emploie *si, aussi* : *Un homme* SI *éclairé,* SI *rangé* (Littré). — *La fête n'est pas* SI *animée,* AUSSI *animée qu'on l'espérait.*

3. Pour exprimer l'idée de « pareillement ». — Phrases affirmatives : *Vous le voulez, et moi* AUSSI (Ac.). — Phrases négatives : *Vous ne le voulez pas, ni moi* NON PLUS (Littré).

Avec *ne ... que* : *Il lit incessamment, je ne fais* NON PLUS *que lire*, ou : *je ne fais* AUSSI *que lire* (Littré).

À remarquer l'emploi de *aussi* dans des phrases où la pensée s'arrête sur l'identité de situation, donc sur un fait positif : *Moi* AUSSI, *Aline, je n'ai plus rien* (Fr. Mauriac).

4. *Tant* sert à exprimer une quantité qu'on ne veut ou ne peut préciser : *Dans ce journal, on paie* TANT *la ligne* (Ac.).

Faute fréquente en Belgique : *autant* employé, en ce sens, pour *tant* : *Cet ouvrier gagne autant par jour.* — *Les frais montent à autant.* — Il faut dire : *... gagne* TANT *par jour ; ... montent à* TANT.

925 AUTREMENT. Au lieu de *Il ira plus loin, il ira beaucoup plus loin, il fera bien mieux,* on peut dire, en colorant la pensée d'une nuance affective : *Il ira* AUTREMENT *loin,* AUTREMENT *plus loin ; il fera* AUTREMENT *mieux. — Je suis bien sûr que ton mari s'y entendait* AUTREMENT *mieux que moi* (J. Kessel).

926 **BEAUCOUP.** On dit : *Il est* BEAUCOUP *plus savant,* — ou : DE BEAUCOUP *plus savant,* — ou : *plus savant* DE BEAUCOUP. — *Il est le plus riche* DE BEAUCOUP, — ou : DE BEAUCOUP *le plus riche.*

927 **BIEN (merci ~).** Pour renforcer *merci,* terme de politesse servant à remercier, on dit : *grand merci* (formule courante à l'époque classique), ou : *merci bien,* ou : *merci beaucoup,* ou : *merci mille fois,* ou : *mille mercis.*

928 N.B. Ne dites pas : « Tu n'aimes pas cela ? Moi *bien.* » « Je ne sortirai pas aujourd'hui ; demain, *bien.* » — Dites : « ... *moi* OUI » (parfois OUI BIEN) ou : « ... *moi* SI » : *Je ne crois pas (...) que notre grand'mère ait été très malheureuse. Notre mère,* OUI (A. Maurois). — *Tu n'y penses jamais ? Moi,* SI (Daniel-Rops).

929 **BIEN VOULOIR, VOULOIR BIEN** + infin. Certains tiennent que ***vouloir bien*** est plus impératif et convient dans les relations de supérieur à inférieur, — et que ***bien vouloir*** est de mise dans les relations d'inférieur à supérieur. — Dans l'usage des auteurs, on emploie librement l'une ou l'autre construction : *Je vous supplie instamment de* VOULOIR BIEN *m'instruire si j'ai parlé de la religion comme il convient* (Voltaire). — *Je vous prie, Monsieur l'Intendant général, de* VOULOIR BIEN *me donner vos ordres* (Stendhal). — ‖ ‖ *Je vous prie de* BIEN VOULOIR *sortir* (Fr. Mauriac). — *Je vous prie de* BIEN VOULOIR *cesser les leçons que vous donniez à mon fils* (P. Guth).

930 **CE QUE** s'emploie comme adverbe d'intensité ou de quantité, surtout dans des phrases exclamatives : CE QUE *tu peux être mauvaise !* (Fr. Mauriac.) — *C'est inouï* CE QU'*un mot peut vite devenir une image !* (A. Chamson.)

Tour populaire : QU'EST-CE QU'*on peut ne se connaître guère !* (G. Conchon.)

931 **COMBIEN.** Au lieu de *Le combien es-tu ?* (tour familier), on dit, dans la langue soignée : *Quelle est ta place ? Quelle place as-tu ? — Le quantième es-tu ?* est un tour vieilli.

En parlant du jour du mois, on dit, dans l'usage de tous les jours : *Le combien est-ce ? Nous sommes le combien ? —* Mais dans la langue surveillée, on dit : *Quel jour du mois avons-nous ? — Quel jour est-ce aujourd'hui ?* (Ac.) *— Quel jour sommes-nous ?* (G. Duhamel.) *— À quel jour du mois sommes-nous ?* (Hugo.) *— Quelle date avons-nous aujourd'hui ?* (St. Passeur.)

932 N.B. 1. Tours peu usités ou vieillis : *Quel est le quantième ?* (Littré.) *— Quel quantième du mois avons-nous ?* (Dict. génér.) *— Quel jour est-il aujourd'hui ?* (Ac.) *— Le quantième est-ce ?* (Martinon.)

2. *Combientième* et *tous les combien* appartiennent à la langue populaire ou très familière : *C'est la* COMBIENTIÈME *fois que je le dis ? — Tu changes de chemise* TOUS LES COMBIEN ?

933 **DAVANTAGE** ne peut pas modifier un adverbe. Ne pas dire : *Marchons davantage lentement ;* dire : *... plus lentement.*

Rare avec un adjectif : *Il dut faire un effort pour n'être pas* DAVANTAGE *odieux* (Montherlant).

Davantage avec *de* et un nom (tour classique) est encore fréquent dans la langue littéraire : *Ils n'en récoltèrent pas* DAVANTAGE DE *gratitude* (J. Cocteau). — *Il eut des admirateurs, il compta* DAVANTAGE DE *détracteurs* (J. Chastenet).

Davantage que, courant à l'époque classique, a retrouvé une grande faveur dans l'usage littéraire contemporain : *Elle causait peut-être* DAVANTAGE QUE *les deux autres* (P. Loti). — *Ce manque d'égards la blessait* DAVANTAGE QU'*une trahison* (H. Troyat).

Davantage s'emploie parfois au sens de « le plus » (survivance d'un usage classique) : *Je ne sais de sa leçon ce qui me transporte* DAVANTAGE : *cette loi des oppositions ou le choix même des sujets* (Aragon).

934 **DEBOUT** est toujours invariable : *Ils restent* DEBOUT. Il peut s'employer comme adjectif : *Dans la position* DEBOUT. — *Dix places* DEBOUT.

935 DE SUITE / TOUT DE SUITE. Distinction traditionnelle (maintenue par l'Académie) : ***de suite*** = « sans interruption, l'un après l'autre » : *La Russie a été gouvernée par cinq femmes* DE SUITE (Voltaire). — *Faites-les marcher* DE SUITE (Ac.) ; — ***tout de suite*** = « sans délai, sur-le-champ » : *Envoyez-moi de l'argent* TOUT DE SUITE (Littré).

Cette distinction est purement conventionnelle ; elle n'empêche pas que, même dans la langue littéraire, on n'emploie fréquemment *de suite* au sens de « sur-le-champ » : *On ne comprend pas* DE SUITE *un mot semblable* (P. Loti). — *Allez* DE SUITE *vous restaurer* (A. Gide).

936 ENTRE-TEMPS (avec trait d'union, selon l'Ac. ; on trouve parfois, chez les auteurs : *entre temps* ou *entretemps*). Ce mot est une altération de l'ancienne forme *entretant* ou *entre tant*, que quelques auteurs ont tenté de faire revivre : *Après avoir,* ENTRE TANT, *publié les Mémoires d'un touriste* (É. Henriot). — ENTRETANT, *nous continuions à nous occuper de notre plaquette* (Fr. de Miomandre).

937 EXCESSIVEMENT. Strictement parlant, cet adverbe signifie « d'une manière excessive », « à un degré qui dépasse la mesure » : *Il est* EXCESSIVEMENT *gros* (Ac.). — *Boire* EXCESSIVEMENT (Id.).

Mais dans l'usage ordinaire (même littéraire), il n'est pas rare qu'*excessivement* soit pris au sens de « très, extrêmement », sans aucune nuance défavorable : *Le cardinal Fesch (...), toujours* EXCESSIVEMENT *pieux* (Stendhal). — *Le talent chez les pornographes est* EXCESSIVEMENT *rare* (R. Kemp).

938 EXPRÈS (formes renforcées : *tout exprès, expressément*) signifie « avec intention formelle » : *Laissez tomber* EXPRÈS *des épis* (Hugo). — *Il est venu* TOUT EXPRÈS *pour me voir* (Ac.).

Archaïsme : *Le disciple direct de Flaubert, Maupassant, a décrit* PAR EXPRÈS *un monde grossier et bas* (A. Thérive).

939 INCESSAMMENT, au sens de « continuellement » est vieilli : *Il travaille* INCESSAMMENT (Ac.). — Dans l'usage ordinaire, il signifie « sans délai, très prochainement » : *Il doit arriver* INCESSAMMENT (Ac.).

940 LÀ CONTRE ou LÀ-CONTRE. Locution ignorée par l'Académie, et cependant courante : *On ne peut pas aller* LÀ CONTRE (Molière). — *Aucune illusion ne tient* LÀ CONTRE (G. Bernanos). — *Tout son être se soulevait* LÀ-CONTRE (M. Genevoix).

941 MOINS (de ~, en ~). *De moins* et *en moins* expriment l'idée de manque ou de diminution : *Il y a dans ce sac dix francs* DE MOINS [= il y manque dix francs] (Littré). — *Il avait un billet* DE MOINS *dans son portefeuille* (Ac.). — *J'ai reçu* EN MOINS *trois francs* (Littré). — *Beau profit, une jambe* EN MOINS ! (É. Henriot.)

942 N.B. 1. Ne dites pas : *Il y a dix francs trop peu* (ou : *de trop peu*).

2. Tour un peu vieilli : *J'ai trouvé cent francs* DE MANQUE *dans ce sac d'écus* (Bescherelle). — *Un grain chromosomique de trop ou* DE MANQUE (J. Rostand).

3. *Moins de, moins que* + nom de nombre. Construction normale : *Cela coûtera* MOINS DE *cent francs* (Ac.). — Avec une valeur plus mathématique : *Il ne m'avait pas fallu* MOINS QUE *ces sept années (...) pour mettre au point cet énorme livre* (F. Gregh).

4. Avec *à demi, à moitié,* etc., on dit, au choix : *Cela est* MOINS D'*à demi fait,* MOINS QU'*à demi fait.*

943 NAGUÈRE / JADIS. Distinguez : *naguère* [= il n'y a guère] signifiant « il y a peu de temps », d'avec *jadis* = « il y a longtemps » : *C'est aux choses de* JADIS *bien plus qu'à celles de* NAGUÈRE *qu'elle* [ma mémoire] *aime d'appliquer sa volonté de résurrection* (G. Duhamel). — *Charlemagne* JADIS *visitait les écoles.*

Exemples à ne pas suivre : *Là fut* NAGUÈRE, *il y a trois siècles, un des plus beaux palais du monde* (J. et J. Tharaud, *Marrakech,* p. 88). — *Comme le fit* NAGUÈRE *la Révolution française* (Ch. de Gaulle, *Discours et Messages,* t. I, p. 314).

944 NE est généralement accompagné d'un élément auxiliaire : *pas, point, guère, plus, rien,* etc.

945 N.B. La restriction marquée par *ne ... que* ne peut pas porter sur un verbe à un mode personnel aux temps simples : impossible, par exemple, de restreindre par *ne ... que* la seconde proposition de la phrase : *Il ne tuera pas le sanglier, il le blessera.* Il faut recourir à *seulement* ou à *ne faire que* : *... il le blessera* SEULEMENT ou : *il* NE FERA QUE *le blesser.* — Aux temps composés, *ne... que* est possible : *Il* NE *l'a* QUE *blessé.* — *Ils* N'*auront* QUE *perdu leur temps* (J. Cocteau).

946 *Ne ... que* se trouve parfois associé à *seulement*, qui renforce l'idée de restriction : *Je* N'*ai* SEULEMENT QU'*à dire ce que vous êtes* (Marivaux). — *Simon* NE *faisait* SEULEMENT QUE *renouer son lacet* (M. Druon).

947 *Ne ... pas que, ne ... point que,* condamnés par Littré et par les puristes, sont incontestablement reçus dans le bon usage : *Il* N'*y avait* PAS QUE *les forêts* (Hugo). — *Il* N'*y a* POINT QUE *le vice à peindre* (Fr. Mauriac). — *L'homme* NE *vit* PAS QUE *dans les forêts* (A. Maurois).

Par un déplacement curieux, certains verbes prennent parfois la négation qui, logiquement, ne porte pas sur eux : *Il* NE *faut* PAS *qu'il périsse* [= il faut qu'il ne périsse pas]. — *Il* NE *veut* PAS *que les petits enfants aient froid* (A. France).

948 Dans les propositions de but avec *pour que,* attention à la place de chacun des deux éléments de la négation composée (qu'il ne faut pas intercaler entre *pour* et *que*) : *Sors, pour qu'on* NE *te voie* PAS.

Constructions populaires : *Sors, pour* NE PAS *qu'on te voie,* ou : *pour* PAS *qu'on te voie.* — *Pour* NE PAS *qu'on le plaigne* (G. Cesbron). — *Il leur avait coupé leurs bretelles pour* PAS *qu'ils se cavalent* (R. Vercel).

949 **NE** s'emploie seul (sans *pas* ni *point*) dans des phrases proverbiales, ou avec *ni* répété, ou après *ce n'est pas que, non (pas) que,* ou après *que* signifiant « pourquoi ? », ou dans une relative au subjonctif après une négative ou une interrogative : *Il* N'*est pire eau que l'eau qui dort.* — *Ni l'or ni la grandeur* NE *nous rendent heureux* (La Font.). — *Ce n'est pas qu'il* NE *faille quelquefois pardonner* (Littré). — *Non qu'il* NE *soit fâcheux de le mécontenter* (Ac.). — *Que* NE *par-*

liez-vous ? — Il n'est pas d'homme, y a-t-il un homme qui NE *désire être heureux ?*

Autres cas (où d'ailleurs *ne pas, ne point* peuvent s'employer si l'on veut renforcer la négation) : *Il* NE *cesse de parler ; il* N'*ose parler ; il* NE *peut parler. Il* NE *sait quoi inventer. Si je* NE *me trompe. Je* N'*ai d'autre désir que de vous être utile. Il y a deux ans que je* NE *l'ai vu. — Ceux qui venaient* NE *daignaient s'asseoir* (Michelet).

950 On veillera à ne pas omettre *n'* après *on* dans des cas comme : *On* N'*est pas plus aimable. — On* N'*a rien sans peine. — Des promesses, on* N'*en a tenu aucune.*

Moyen pratique : substituer à *on* un autre sujet non terminé par *n* (*l'homme, il, je,* etc.) : *L'homme* N'*est pas plus aimable.*

951 NE « explétif ». L'emploi du *ne* dit explétif n'a jamais été bien fixé ; dans l'usage littéraire, cette particule est souvent facultative ; dans la langue parlée, on s'en débarrasse généralement.

Principaux cas :

952 1° Après les ***verbes de crainte,*** employés affirmativement s'il s'agit d'un effet que l'on craint de voir se produire, on met *ne : Je craignis que mes soins* NE *fussent mauvais* (A. France). — *Je crains qu'il* NE *vienne* (Ac.). — *Je tremble qu'il* NE *succombe* (Littré).

S'il s'agit d'un effet que l'on craint de voir ne pas se produire, on met *ne pas : Je tremble qu'il* NE *réussisse* PAS.

Après les verbes de crainte employés négativement, on ne met pas *ne : Je ne crains pas qu'il fasse cette faute* (Littré).

953 2° Après les ***verbes d'empêchement*** ou ***de précaution,*** l'emploi de *ne* est facultatif : *J'empêche qu'il* NE *vienne, qu'il vienne. — Je n'empêche pas qu'il* NE *fasse, qu'il fasse ce qu il voudra. — Évitez qu'il* NE *vous parle* (Ac.). — *La main empêchait qu'on vît la bague* (Colette). — *Tout cela n'empêcha pas que l'erreur ait eu la vie dure* (P. Gaxotte).

À remarquer : *Prenez garde* [= évitez] *qu'on* NE *vous trompe ; prenez garde* [= ayez soin] *qu'on* NE *vous trompe* PAS. — *Prenez garde* [= évitez] *de tomber ; prenez garde* [= ayez soin] *de* NE PAS *tomber.* — *Prenons garde* [= remarquons] *que ce point est important, que ce point* N'*est* PAS *négligeable.*

954 3° Après les ***verbes de doute*** ou ***de négation*** employés affirmativement, on ne met pas *ne* : *Je doute fort que cela soit* (Ac.). — *Il nie qu'il se soit trouvé dans cette maison* (Littré).

Si la phrase est négative ou interrogative, *ne* est facultatif : *Je ne doute pas qu'il* NE *vienne bientôt, qu'il vienne bientôt.* — *Doutez-vous que cela* NE *soit vrai ?* (Littré.) — *Doutez-vous que je sois malade ?* (Ac.) — *Il n'est pas douteux que la règle* NE *doive s'y étendre* (Littré). — *Il n'est pas douteux que les grands États modernes aient fait (...) des efforts ordonnés* (G. Duhamel). — *Je ne nie pas que cela* NE *soit ingénieux, que cela soit ingénieux.* — *Niez-vous que cela* NE *soit beau, que cela soit beau ?*

955 4° Dans les ***propositions comparatives*** (c.-à-d. après *autre que, plus que, mieux que, plutôt que,* etc.), l'emploi de *ne* est facultatif : *Il est autre que je croyais, que je* NE *croyais* (Ac.). — *Il agit autrement qu'il parle* ou *qu'il* NE *parle* (Id.). — *Paris était alors plus aimable qu'il* N'*est aujourd'hui* (A. France). — [La ville] *nous croyait plus nombreux que nous l'étions* (Chateaubriand). — *Il n'est pas plus grand que vous* N'*êtes* (Hugo). — *On ne peut pas être plus heureux que je le suis* (A. Chamson). — *Quel mortel fut jamais plus heureux que vous l'êtes ?* (Voltaire.) — *Est-on plus heureux que vous* NE *l'êtes ?*

N.B. Dans les phrases négatives ou interrogatives où une comparaison d'égalité est marquée par *aussi, si, autant, tant,* on ne met pas *ne* : *Votre mère n'est pas aussi malade que vous croyez* (A. Daudet). — *La vie n'est jamais romanesque autant qu'on l'imagine* (J. de Lacretelle). — *Est-il aussi pauvre qu'on le croit ?*

956 5° ***Locutions conjonctives.***

a) Après ***avant que,*** l'emploi de *ne* est facultatif : *J'irai le voir avant qu'il parte, avant qu'il* NE *parte* (Ac.).

b) Après ***sans que,*** on ne met pas *ne* [selon la « mise en garde » de l'Académie, 17 févr. 1966] : *Je ne puis parler sans* *qu'il m'interrompe* (Ac.). — *La tête tourna sans que le corps remuât* (Hugo).

N.B. Il n'est pas rare qu'après *sans que* les auteurs mettent *ne* lorsque la principale a un sens négatif ou lorsque la subordonnée contient un terme négatif : *Onde sans cesse émue / Où l'on ne jette rien sans que tout* NE *remue* (Hugo). — *La journée s'écoulait sans que personne* NE *vînt* (H. Troyat). — *Elle était grande sans que nul* NE *puisse dire qu'elle l'était trop* (A. Chamson).

c) Après ***à moins que*** on peut omettre *ne*, mais le plus souvent on le met : *Il n'en fera rien, à moins que vous* NE *lui parliez* (Ac.). — *À moins que l'instituteur ait maintenu son refus* (Fr. Mauriac).

d) Après ***que*** mis pour *avant que, sans que, à moins que, de peur que,* on doit employer *ne : Il n'aura point de cesse que vous* NE *lui ayez donné ce qu'il demande* (Ac.). — *Tu ne bougeras pas d'ici que tu* N'*aies demandé pardon* (G. Sand). — *Sortez vite, qu'on* NE *vous voie.*

957 6° Après ***il s'en faut que, peu s'en faut que,*** on met facultativement *ne : Il s'en faut de dix francs que la somme entière y soit* ou N'*y soit.* — *Peu s'en fallut qu'il tombât, qu'il* NE *tombât.*

958 **NON.** On dit : « pourquoi *non ?* » (expression classique) ou bien : « pourquoi *pas ?* » : *Eh bien oui, l'orgueil. Pourquoi* NON ? (R. Martin du Gard.) — *Mon esprit se plie facilement à ce genre de travail : pourquoi* PAS ? (Chateaubriand.)

Semblablement : « moi *non* », « moi *pas* » : *Tu partiras ? Moi* NON ou : *moi* PAS (ou : PAS *moi*).

Dans l'usage contemporain, on emploie couramment un *non* interrogatif équivalant à « n'est-ce pas ? » ou à « n'est-il pas vrai ? » : *Mermoz a tout de même le droit d'avoir une belle bagnole,* NON ? (J. Kessel.) — *C'était gentil,* NON ? (A. Maurois.)

Avec *non seulement... mais...,* attention, pour la bonne symétrie, à la place des termes mis en opposition : *Il perdit* NON SEULEMENT *sa fortune,* MAIS *sa réputation.* — *Il est* NON SEULEMENT *courageux,* MAIS *même téméraire.*

Tours boiteux : *Non seulement il perdit sa fortune, mais sa réputation. — Non seulement il est courageux, mais même téméraire. — L'attente est non seulement bénévole, mais elle est déjà récompensée* (Colette).

959 PAREIL, pris au sens adverbial de « de même, pareillement », est de la langue populaire ou très familière : *Tu fais* PAREIL (J. Giono). — *Nous nous entendions bien, nous pensions* PAREIL (P. Vialar).

960 PARTOUT. *Tout partout* s'employait dans l'ancienne langue : *Le jugement doit* TOUT PAR TOUT *maintenir son droit* (Montaigne). — Ce *tout partout* survit dans l'usage populaire.

961 PAS MAL s'emploie, dans l'usage familier, au sens de « passablement » ou de « beaucoup » ; d'abord associé à *ne,* il s'est affranchi et s'emploie couramment sans cette négation (en particulier quand il est précédé d'une préposition, il n'admet jamais *ne*) : *Il n'y avait* PAS MAL *de curieux à ce spectacle* (Littré). — *Je ne mets* PAS MAL *d'eau dans mon vin* (Hugo). — ‖ ‖ *Nous avons avalé* PAS MAL *de poussière* (A. France). — *J'ai parlé avec* PAS MAL *de gens.*

N.B. Dans les propositions négatives, si le verbe est à un temps composé, *pas mal* se place entre l'auxiliaire et le participe : *Un petit minois qui ne m'a* PAS MAL *coûté de folies* (Marivaux).

962 PEUT-ÊTRE. Des théoriciens ont estimé que c'était une négligence de style que de mettre *peut-être* avec **pouvoir,** spécialement dans l'assemblage « ... peut peut-être ». — Leurs scrupules sont mal fondés : PEUT-ÊTRE *alors* POURRONS-*nous essayer* (A. Daudet). — *Vous* POURRIEZ PEUT-ÊTRE *aussi le convoquer lui-même* (Daniel-Rops). — *On* PEUT PEUT-ÊTRE *le consoler* (M. Druon).

963 PILE se prend adverbialement au sens de « brusquement, net, court » dans la langue populaire ou familière : *Nous devons nous arrêter* PILE (A. Maurois). — *À neuf heures* PILE, *qu'il pleuve, qu'il vente, elle se carapatte* (H. Troyat).

964 **PLEIN.** La langue familière emploie *plein, tout plein,* au sens de « beaucoup » ou de « très » : *Vous avez* TOUT PLEIN *d'amis* (Diderot). — *Il y avait* PLEIN *d'étoiles au ciel sombre* (M. Proust). — *Il y a* TOUT PLEIN *de monde dans les rues* (Ac.). — *Je l'aime déjà* TOUT PLEIN (Th. Gautier). — *Il* [un chien] *est mignon* TOUT PLEIN (J. Romains).

Plein se dit familièrement au sens de « partout sur » : *Il a des flocons* PLEIN *les cheveux* (H. Bazin).

965 **PLUS.** Pour marquer la comparaison au moyen de *plus,* devant un nom de nombre, on emploie normalement *plus de : Il a fait* PLUS DE *deux lieues à pied* (Ac.).

966 **N.B.** 1. *Plus que* a une valeur plutôt mathématique : *Cette lampe éclaire trois fois plus... et même* PLUS QUE *trois autres* (A. Thérive). — *Dix, c'est* PLUS QUE *neuf.*

2. Avec *à demi, à moitié,* etc., on dit, au choix : *plus de, plus que : Cela est* PLUS D'*à demi fait,* PLUS QU'*à demi fait* (Ac.). — *Un problème* PLUS D'*aux trois quarts,* PLUS QU'*aux trois quarts résolu.*

967 **Plus tôt, plutôt.** Distinguez : *plus tôt,* qui s'oppose à « plus tard » — d'avec *plutôt,* qui marque la préférence : *Vous auriez dû arriver* PLUS TÔT. — PLUTÔT *souffrir que mourir* (La Font.).

968 **Ne ... pas plus tôt que.** Telle est, pour cette locution, l'orthographe adoptée par l'Académie, et qui est assez généralement suivie : *Il n'eut pas* PLUS TÔT *aperçu son père qu'il courut à lui.* — *Il ne fut pas* PLUS TÔT *dans son fauteuil qu'il s'endormit* (Aragon).

Il reste pourtant, dans l'usage, de l'indécision, et plus d'un auteur écrit là *plutôt,* en un mot : *Édouard n'eut pas* PLUTÔT *prononcé ces paroles qu'il en sentit l'inconvenance* (A. Gide).

969 **PRESQUE.** Quand les assemblages *presque tout, presque tous, presque chaque, presque aucun, presque chacun,* etc. se trouvent associés à une préposition, *presque* se place généralement entre la préposition et le terme de quantité : *Dans* PRESQUE *toutes les contrées* (Diderot). — *Le ressort de* PRESQUE *tous*

les drames (É. Henriot). — *Sans* PRESQUE *aucun moment de fatigue ou d'ennui* (A. Gide).

Autre construction (non incorrecte) : PRESQUE *pour toutes les femmes* (Diderot). — PRESQUE *à chaque phrase* (J. Green). — *Abandonné* PRESQUE *de tous* (Daniel-Rops).

970 N.B. Tout ce qui vient d'être dit s'applique aussi à *à peu près* : *Dans* À PEU PRÈS *tous les cas*, À PEU PRÈS *dans tous les cas*. À PEU PRÈS *sur toutes les questions*, *sur* À PEU PRÈS *toutes les questions*.

971 **SITÔT, SI TÔT.** L'Académie écrit *sitôt* en un mot, sans faire de distinction ; cela est fondé sur un certain usage : *Quoi donc, elle devait périr* SITÔT ! (Bossuet.) — SITÔT *que de ce jour / La trompette sacrée annonçait le retour* (Racine). — *Toutes fragiles fleurs* SITÔT *mortes que nées* (Hugo). — *Je n'arriverai pas* SITÔT *que vous* (Ac.).

N.B. Il est logique d'écrire *si tôt*, en deux mots chaque fois qu'on exprime le contraire de « si tard » et aussi dans « pas de *si tôt* ». Beaucoup d'auteurs le font : *On ne m'attendait pas* SI TÔT (Colette). — *Il ne se couchera pas de* SI TÔT (J. Cocteau).

972 **TANTÔT,** marquant un moment de la durée, indique soit un futur proche, soit un passé récent : *Il y a assez longtemps que je n'avais lu Thucydide. J'y jetais* TANTÔT *un coup d'œil* (Montherlant). — *Un livre dont je ferai moi-même* TANTÔT *un examen impartial* (G. Duhamel).

973 N.B. 1. Archaïque au sens de « bientôt » : *Il est* TANTÔT *nuit* (Ac.). — *Depuis* TANTÔT *deux ans, il ne lui avait pas écrit* (P. Loti).

2. L'Académie ne donne à *tantôt*, employé avec un futur ou avec un passé, que la signification de « cet après-midi » : *Je l'ai vu ce matin, et je le reverrai encore* TANTÔT (Ac.).

3. Dans plusieurs régions de France, parfois aussi à Paris, on dit : *le tantôt* [= l'après-midi], *ce tantôt, au tantôt, l'autre tantôt*, etc. : *Je viendrai sur* LE TANTÔT (Dict. génér.). — *Le quignon de miche qu'on lui avait passé* LE TANTÔT (A. de Châteaubriant). — *Ils sont restés encore comme* CE TANTÔT, *la bouche pleine, à écouter* (J. Giono).

974 **TOUT À COUP / TOUT D'UN COUP.** Distinguer: *tout à coup* = « soudainement » : *Ce mal l'a pris* TOUT À COUP (Ac.) ; —

d'avec *tout d'un coup* = « tout en une fois » : *Le crédit tomba* TOUT D'UN COUP (Voltaire).

975 **N.B.** 1. Dans l'usage, les deux expressions se confondent souvent, et *tout d'un coup* peut prendre le sens de *tout à coup :* TOUT D'UN COUP, *elle poussa un cri* (J. Green).

2. *Du coup,* expression néologique, a un sens voisin de celui de « du même coup » : *Elle aussi ! cria M. Seguin stupéfait, et* DU COUP *il laissa tomber son écuelle* (A. Daudet).

976 **TRÈS.** On peut dire : ***avoir très faim, très soif, très envie ; faire très plaisir, très attention,*** etc. Semblablement avec *assez, bien, trop, extrêmement, ne ... guère...* Dans ces expressions, l'adverbe de quantité modifie non pas le nom seul, mais toute la locution verbale : *J'ai* TRÈS *faim* (M. Proust). — *Comme j'avais* TRÈS *froid* (A. France). — *Hélène avait* TRÈS *peur* (G. Duhamel). — *C'est* TRÈS *dommage* (J. Giraudoux). — *Antoine n'avait que* TROP *raison* (R. Martin du Gard). — *Avoir* EXTRÊMEMENT *faim* (Ac.).

N.B. Ne pas employer *très* pour modifier un verbe à un temps composé ; ne dites pas : *Un tableau que j'ai très admiré ;* dites : *... que j'ai beaucoup admiré.*

977 **TROP.** On dit, en indiquant la mesure de l'excès : « de trop », parfois « en trop » : *Vous m'avez donné cent francs* DE TROP (Ac.). — *Recevoir dix francs* EN TROP (Grand Larousse encycl.). — *Tu as bu un verre* DE TROP ? (J. Green.)

Sans *de* ni *en : beaucoup trop, un peu trop, bien trop.*

978 **Trop** attribut avec **être.** Distinguer :

a) Pour l'idée d'une présence inopportune ou inutile : *en trop, de trop : Je crois que nous sommes* DE TROP *dans cette petite fête de famille* (Flaubert). — *Il faut retrancher ce qui est* EN TROP (Ac.).

b) Pour l'idée d'une quantité excessive : *trop, de trop : Ils étaient* TROP, *il ne pouvait rien contre eux* (R. Rolland). — *Cinq minutes ne sont pas* DE TROP (R. Bazin).

979 **N.B.** 1. Ne dites pas : « trop de bonne heure » ; dites : *de trop bonne heure.*

2. Ne dites pas: *Il a trop de bon sens* QUE *pour agir ainsi.* En bon français (sans *que*): *Il a trop de bon sens pour agir ainsi* (Ac.). — Même observation pour: *assez que pour, (in)suffisant que pour, (in)suffisamment que pour, trop peu que pour.*

980 **VITE**, adverbe dans l'usage général, s'emploie comme adjectif dans le langage des sports et parfois dans la langue littéraire : *Ces chevaux étaient très* VITES (A. France). — *L'Amérique est le pays le plus* VITE *du monde* (P. Morand). — *Il a le pouls fort* VITE (Ac.).

981 **VOIRE**, au sens de « vraiment » est archaïque ; dans l'usage ordinaire, il signifie « et même » : *L'Académie peut se permettre des hardiesses,* VOIRE *des fantaisies* (H. Bremond).

Voire même, condamné par certains puristes comme pléonastique (mais il ne l'est pas si on prend *voire* dans son sens foncier de « vraiment »), est courant dans la langue littéraire : *Les couteaux et les pipes,* VOIRE MÊME *les chaises, avaient fait leur tapage* (Musset). — *Ce remède est inutile,* VOIRE MÊME *pernicieux* (Ac.).

982 **Y COMPRIS**, dans un usage néologique, se fait parfois suivre d'une préposition, ou d'une conjonction de subordination : *La liberté ne survivrait pour personne dans le monde,* Y COMPRIS *pour les États-Unis* (Ch. de Gaulle). — *Craignons les Grecs,* Y COMPRIS *lorsqu'ils font des offrandes aux dieux.*

CHAPITRE VII

PRÉPOSITIONS

983 Il est fréquent qu'une préposition soit employée comme adverbe : *Les uns attendent les emplois, les autres courent* APRÈS (Ac.). — *Ils avaient moins de patience qu'*AVANT (P. Guth). — *La gloire est soumise à des perspectives. Impossible de tricher* AVEC (J. Cocteau).

La langue littéraire préfère généralement la préposition avec un pronom régime : *J'ai vos lettres ; je voyage* AVEC ELLES (J.-L. Vaudoyer).

984 Ordinairement, *à, de, en* se répètent devant chaque membre du régime : *Il écrit* À *ses parents et* À *son oncle.*

Exemples des principaux cas où ils ne se répètent pas : *École* DES *arts et métiers.* — *Se mettre* À *aller et venir.* — *Adresses* DES *amis et connaissances.* — *Un délai* DE *trois ou quatre mois.*

985 Répétition aussi avec *ni l'un ni l'autre, l'un ou l'autre : Je n'irai ni* CHEZ *l'un ni* CHEZ *l'autre.* — *Il devait combattre* AVEC *l'un ou* AVEC *l'autre* (Fustel de Coulanges).

986 N.B. 1. Avec *l'un et l'autre :* CHEZ *l'un et* CHEZ *l'autre* (A. France). — CHEZ *l'un et l'autre* (P. de La Gorce).

2. Avec *autre, autre chose + que, ce dont... c'est, ce à quoi... c'est, excepté, hormis, sauf, y compris :* répétition facultative : *Je ne puis me montrer* À *d'autres qu'*À *vous* (Voltaire). — *Le miel était mangé, mais* PAR *d'autres que* PAR *elle* (A. Chamson). — *Ce* DONT *elle rêvait, c'était* D'*élégance* (A. Billy). — *Ce* À *quoi je parviens le plus difficilement à croire, c'est* À *ma propre réalité* (A. Gide). — *Abandonné* DE *tous, excepté* DE *sa mère* (Hugo). — *Des hommes libres* DE *tout, sauf* DE *leurs femmes* (Colette). — ‖ ‖ *Ne parlez pas de cela* À *d'autres que vos amis* (Littré). — *Ce* DONT *je suis redevable (...), c'est l'apaisement de notre conscience* (Fr. Mauriac). — *Ce* À *quoi il faut toujours revenir, c'est l'organisation...* (Ch. Du Bos). — *Accorder l'amnistie* AUX *rebelles, excepté les chefs, sauf les chefs, y compris les chefs.*

À

987 *À bas de.* On dit : *sauter* À *bas du lit,* À *bas de son cheval,* — ou, dans le même sens : EN *bas du lit, de son cheval : Il le mit* À *bas de son cheval* (Ac.). — *Jean se jeta* EN *bas de son lit* (M. Prévost).

Ne dites pas : *sauter bas du lit, tomber bas de l'échelle.*

988 *À bicyclette, en bicyclette.* Les deux constructions sont bonnes : *Elle arrive* À *bicyclette* (G. Duhamel). — *Apprendre à monter* À *vélo* (A. Arnoux). — *Un très grand nombre de voyageurs se déplacent* À *motocyclette,* À *vélomoteur ou* À *scooter* (A. Siegfried). — || || *Leur père est passé* EN *bicyclette* (A. Gide). — *Quand je me promenais* EN *motocyclette* (A. Maurois). — *Il était* EN *vélo* (Fr. Mauriac). — *Aller* EN *scooter.*

989 N.B. 1. Avec un article ou ce qui en tient lieu : *Monter* SUR *une bicyclette* (A. Hermant). — *Il partit* SUR *sa bicyclette* (Colette).

2. On dit : *aller* EN *skis* (opinion de Dauzat), ou le plus souvent: « *à* ski(s) » : *Les promenades* À *ski* (H. Troyat). — *Il descendait* À *skis les pentes des Tatras* (M. Blancpain).

990 *À bon marché.* Avec ou sans *à : acheter (à) bon marché : Vendre, acheter* À *bon marché* (Dict. génér.). — *Avoir une chose* À *bon marché* (Ac.). — || || *Il acheta le cheval bon marché* (Voltaire). — *Vendre bon marché* (Littré).

Adjectivement : avec ou sans *à : Avec leurs articles* À *bon marché* (A. Chamson). — || || *Des livres bon marché* (Fr. Mauriac).

991 *Adresses.* Certains aiment à mettre sur l'enveloppe d'une lettre, d'un envoi quelconque : « *À* Monsieur... » Dans l'usage ordinaire, on se passe de la préposition : *Monsieur X...*

992 *D'ici.* Avec ou sans *à : D'ici* À *8 ou 10 jours* (Stendhal). — *Nous verrons bien des choses d'ici* À *ce temps-là* (Ac.). — *D'ici* À *Angkor* (P. Benoit). — *D'ici* À *peu* (A. Hermant). — || || *D'ici quelques mois* (M. Prévost). — *D'ici une heure* (J. Green). — *D'ici peu de temps* (G. Marcel).

Toujours (ou presque toujours) sans *à* : *D'ici là, j'aurai arrangé votre affaire* (Ac.).

D'ici placé après le complément de temps ou de distance : *À quatre pas d'ici* (Corneille).

993 ***Dix à douze personnes ; dix ou douze ~.*** Distinction traditionnelle :

a) Si on peut supposer une quantité intermédiaire : on met *à* ou bien *ou* : *Des groupes de quatre* À *dix hommes* (A. Maurois). — *Vingt* À *trente personnes* (Ac.). — *Je resterai quatre* À *cinq jours* (Mérimée). — ‖ ‖ *Une fillette de sept* OU *huit ans* (Th. Gautier). — *Les murailles délabrées ont ici cinq* OU *six pieds d'épaisseur* (P. Loti).

b) Pas de quantité intermédiaire possible : on met *ou* : *Sept* OU *huit chèvres* (La Font.). — *Il vit cinq* OU *six arbres* (Stendhal). — *Elle a élevé sept* OU *huit petits frères* (A. France).

994 N.B. 1. L'usage des auteurs, en ceci, est assez libre : *Treize* À *quatorze personnages principaux* (Diderot). — *Ils vous tueront sept* À *huit hommes* (Stendhal). — *Il n'y avait là que cinq* À *six personnes* (A. Billy).

2. Dans des cas comme les suivants, où l'évaluation approximative est indiquée au moyen de deux nombres joints par *à,* le premier nombre peut être introduit par *de* (mais souvent on ne met pas *de*) : *Ils étaient* DE *vingt à vingt-cinq* (Ac.). — *Des volumes assez communs coûtaient 7 à 8 francs* (A. Billy).

995 ***Être à lundi.*** Au choix : *être lundi* ou *à lundi* : *On était* AU *samedi* (Flaubert). — *Nous sommes* À *demain* (A. Dumas f.). — *Il lui tardait presque d'être* À *dimanche* (Fr. Mauriac). —‖‖ *Nous étions le 6 mai* (A. France). — *Nous sommes mardi !* (J. Giraudoux.)

996 ***Aller au coiffeur, au médecin,*** etc. Ce tour est surtout de la langue populaire ou familière : *Il vaut mieux aller* AU *boulanger qu'*AU *médecin* (Larousse du XXe s.). — *Maman allait le moins possible* « AU *boucher* » (Fr. Mauriac).

Dans la langue soignée : *Il vaut mieux aller* CHEZ *le boulanger que* CHEZ *le médecin* (Littré). — *Un matin qu'elle devait se rendre* CHEZ *le coiffeur...* (Colette).

Aller À *l'évêque,* AU *ministre* = s'adresser à l'évêque, au ministre.

Aller AU *bois*, À *l'eau*, etc. = aller faire provision de bois, d'eau, etc.

997 ***Se confier à ; ~ en ; ~ dans ; ~ sur.*** Constructions ordinaires : avec *en* ou *à* : *Il s'est confié* EN *ses amis* (Ac.). — *Se confier* EN *ses forces*, EN *la bonté de quelqu'un* (Id.). — *Homme, personne de confiance*, À *qui l'on se confie entièrement* (Littré).

Se confier dans ou *sur* sont plutôt rares.

998 N.B. 1. On dit : « se fier *à* qqn, *à* qq.ch. » ou « *sur* qqn, *sur* qq.ch. » ; — « avoir confiance, mettre sa confiance *en* ou *dans* (parfois *à*) » ; — « prendre confiance *en* » : *Se fier aveuglément* À *quelqu'un* (Ac.). — *Se fier* SUR *ses propres forces* (Id.). — *Avoir confiance, prendre confiance (...)* EN *quelqu'un* (Id.). — *Mettre sa confiance* EN *Dieu* (Id.).

2. *Se fier en* est vieilli.

999 ***À la bouche.*** On dit : « la pipe, la cigarette *à* la bouche » plutôt que « *en* bouche » : *Avec des cigares* À *la bouche* (Flaubert). — *Avec sa pipe* À *la bouche* (M. Bedel). — *Son garçon d'épées, cigarette* À *la bouche* (Montherlant). — ||| *Il fit le geste de la jeter* [une cigarette], *la regarda et la remit* EN *bouche* (A. Thérive). — *Tandis qu'il s'asseyait par terre devant l'âtre, pipe* EN *bouche* (Vercors).

1000 ***À nouveau ; de ~.*** Selon l'Académie : *à nouveau* = de façon complètement différente : *Ce travail est manqué, il faut le refaire* À *nouveau* ; — *de nouveau* = une fois de plus : *On l'a emprisonné* DE *nouveau*.

Les auteurs modernes emploient tout à fait couramment *à nouveau* au sens de « une fois de plus » : *Comme il tournait* À *nouveau le corridor* (A. Gide). — *Il pleuvait* À *nouveau* (Aragon).

1001 ***Hier (au) matin, (au) soir.*** La préposition est facultative : *Hier* AU *matin* (Ac.). — *Torlonia est parti hier* AU *soir* (Chateaubriand). — *Le dimanche* AU *matin* (P. Mac Orlan). —||| *On résolut de partir un mardi matin* (Maupassant). — *Elle est partie et revenue dimanche soir* (Flaubert). — *Hier matin* (Ac.). — *À dix heures, hier soir* (G. Duhamel).

1002 N.B. 1. Obligatoirement avec *au* : *La veille* AU *soir* (Flaubert). — *Le 22 juillet* AU *matin* (P. de La Gorce). — *Même le 22* AU *soir, il était trop tard* (R. Martin du Gard).

2. Singulier ou pluriel, au choix : *Tous les jeudis* MATIN (J. Romains). — *Tous les jeudis* SOIR (A. Thérive). —‖ ‖ *Les dimanches* MATINS (V. Larbaud). — *Tous les samedis* SOIRS (M. Jouhandeau).

3. Avec ou sans *à* : *hier (à) midi, aujourd'hui (à) midi, le lundi (à) midi,* etc.

4. S'il s'agit de l'indication générale du moment de la journée, on dit : *au matin, au soir,* ou : *le matin, le soir* : *La diane* AU *matin fredonnant sa fanfare* (Hugo). — LE *matin, elle fleurissait (...)* ; LE *soir, nous la vîmes séchée* (Bossuet).

1003 ***Avoir affaire à, ~ avec, ~ de.*** [on écrit aussi : *à faire.*] On distingue :

a) avoir affaire à qqn, ou *avec qqn* = avoir à lui parler, à traiter d'affaires avec lui. La seule distinction réelle entre ces deux constructions c'est, selon Littré, que *à* est plus général.

b) avoir affaire de = avoir besoin de : *Qu'ai-je affaire* DE *l'estime de gens que je ne puis estimer ?* (A. Gide.)

1004 ***C'est à moi à, ~ de*** + infin. Pour l'Académie, « c'est à vous *à* parler » = votre tour de parler est venu ; — et « c'est à vous *de* parler » = c'est à vous qu'il convient de parler. — L'usage ne se soucie pas de cette distinction : *C'est au temps* À *aguerrir les troupes* (Voltaire). — *À vous* DE *jouer, capitaine* (A. Daudet).

1005 ***Chaque fois, à chaque fois.*** La préposition est facultative dans *(à) chaque fois, (à) la première fois,* etc. : *Chaque fois qu'on lui parle* (Ac.). — *À chaque fois que l'heure sonne* (Hugo). — *La première fois que je l'ai vu.* — *À la deuxième fois, j'ai laissé mon chien courir sur lui* (M. Arland).

1006 ***Mal à la tête, froid aux pieds,*** etc. N'omettez pas *à* : *Bonsoir, j'ai mal* À *la tête* (A. France).

1007 ***Être (à) court.*** Usage classique, sans *à* : *Être court de mémoire* (Ac.). — *Nous étions courts d'ameublements* (A. Gide).

Dans l'usage moderne : « *à* court » : *Ils étaient* À *court de vivres* (Mérimée). — *Se trouvant* À *court d'argent* (Villiers de l'Isle-Adam). — *Tu n'es jamais* À *court d'arguments* (A. Maurois).

À court employé absolument : *Le page ne semblait jamais* À COURT (La Varende). — *Bédier n'était jamais* À COURT (J. Tharaud).

1008 ***À la perfection; dans la ~ ; en ~.*** Au choix : *Elle danse* À LA *perfection* (Ac.). — *Elle nageait* DANS LA *perfection* (R. Bazin). — *Cet ouvrier travaille* EN *perfection* (Ac.).

1009 ***Être (à) quatre.*** Distinguer : *Nous étions quatre* (on envisage simplement l'aspect numérique du groupe) — d'avec *Nous étions* À *quatre* (on considère un lien de société, une communauté d'intérêts, ou d'efforts, ou de situation, etc.) : *Nous partîmes cinq cents* (Corneille). — *Ils soulevèrent ce fardeau* À *quatre* (Littré). — *Ils fonderaient* À *eux deux une maison de banque* (Balzac). — *De très pauvres gens qui vivent* À *six dans un logement de deux pièces* (G. Duhamel).

1010 ***Au point de vue ; du ~ ; sous le ~.*** Les trois constructions sont bonnes (la 3e un peu vieillie) : *Se mettre* À *un point de vue* (Ac.). — AU *point de vue esthétique, je vote pour le liseron* (G. Duhamel). — *Tout regarder* DU *point de vue moral* (H. Bremond). — *Ayant pris la question* SOUS *ce point de vue* (Baudelaire).

1011 N.B. 1. Archaïque : *Les chrétiens ne le regardent pas* [le mariage] DANS *ce point de vue* (Montesquieu).

2. Après *point de vue* le nom complément s'introduit régulièrement par *de : Au point de vue* DE *la structure* (P. Valéry). — *Revoir sous le point de vue* DU *style un ouvrage* (Flaubert).

Assez courant, sans *de : Au point de vue idées* (O. Mirbeau). — *Du point de vue métier* (H. Bremond).

1012 ***À pied.*** On dit : « aller, venir *à* pied » : *J'aimerais autant aller* À *pied* (G. Sand). — *Il regagnait* À *pied le ministère* (É. Estaunié).

1013 N.B. 1. Archaïque : *Ils s'en allèrent* DE *pied à Turin* (La Varende).
2. *Marcher à pied,* parfois critiqué comme pléonastique, ajoute au simple *marcher,* une certaine précision, un certain pittoresque ; le tour a de bons répondants : *Il fallut qu'Aman marchât* À PIED *devant Mardochée* (Bossuet). — *On marcherait* À PIED *et l'on coucherait sous la tente* (A. Chamson).
Même observation pour *la marche à pied,* expression admise par Dupré *(Encyclop. du bon français).*

1014 ***À terre, par terre.*** Hors le cas de certaines expressions consacrées comme ***aller ventre à terre, mettre pied à terre,*** on emploie librement « *à* terre » ou « *par* terre » : *Se jeter* À *terre,* PAR *terre* (Ac.).—*Il se couchait* À *terre* (R. Rolland).

1015 ***Croire ; croire à ; croire en.*** On peut faire la distinction suivante (mais pour *croire à* et *croire en,* elle est plutôt théorique que pratique : les auteurs ne s'en soucient guère) :
a) Croire qqn ou *qq.ch.,* c'est le tenir pour véridique ou pour véritable : *Croyez-vous cet homme-là ?* (Ac.) — *Il ne croit point les médecins* (Id.). — *Il croit cette histoire* (Id.).
b) Croire à qqn, à qq.ch., c'est avoir foi à sa véracité, à sa puissance, à son existence ; l'expression marque essentiellement une adhésion de l'esprit : *Croire* AUX *astrologues* (Ac.). — *Je ne crois pas* À *la médecine* (Hugo). — *Benjamin Constant ne croit pas* À *Dieu* (A. Suarès).
c) Croire en qqn, c'est avoir une confiance totale en son existence, en sa puissance, en ses paroles ; l'expression marque essentiellement une disposition du cœur : *Croyez-vous* EN *Dieu ?* (G. Bernanos.) — *Il faut arriver à croire* EN *l'homme* (R. Martin du Gard).

1016 ***Se méprendre à ; ~ sur.*** Au choix : *Je ne me méprends pas* À *vos serments d'amour* (Hugo). — *Il ne se méprenait pas* SUR *la tristesse de Margot* (Musset).

1017 ***Mettre à jour ; ~ au jour.*** Traditionnellement on distingue *mettre à jour* = « mettre [sa correspondance, ses comptes, etc.] au courant » ; — d'avec *mettre au jour* = « donner naissance, divulguer, mettre à découvert » : *La terre fouillée pour mettre* AU *jour les ruines de Ninive* (Littré). — *Mettre* AU *jour la perfidie de quelqu'un* (Ac.).

N.B. La distinction serait bonne à observer, mais dans l'usage des auteurs, elle est chancelante : « mettre *à* jour » est souvent employé pour « mettre *au* jour » : *La source dissimulée sous les galets que les travaux ont mis* À *jour* (G. Bernanos). — *Ces égouts mis* À *jour* (P. Morand). — *On vient de mettre* À *jour (à droite) les premiers Sphinx mâles* (J. Cocteau). — *J'admire qu'on n'ait pas plus tôt mis* À *jour l'imposture* (Étiemble).

1018 ***Clef à la porte, sur la porte.*** Au choix : *La clef est* À *la porte, votre belle-mère y est !* (Balzac.) — *La clef était* À *la serrure* (É. Estaunié). —‖‖ *La clef était* SUR *la porte* (G. Duhamel). — *La clef est* SUR *la serrure* (Montherlant).

Parfois : « *dans* la serrure » : *Elle voyait les panneaux de la porte et la clef* DANS *la serrure* (J. Green).

1019 ***À raison de ; en raison de.*** Les deux locutions peuvent l'une et l'autre signifier soit « à proportion de », soit « à cause de, en considération de » : *On paya cet ouvrier* À *raison de l'ouvrage qu'il avait fait* (Ac.). — *Cet employé,* À *raison de ses bons services, vient de recevoir une gratification* (Littré). —‖‖ *Il doit être payé* EN *raison du temps qu'il y a mis* (Id.). — *On s'irrite moins* EN *raison de l'offense reçue qu'*EN *raison de l'idée qu'on s'est formée de soi* (Chateaubriand).

1020 ***Ne servir à rien ; ~ de rien.*** Au choix : *Cela ne sert* À *rien* (Dict. génér.). — *Il ne sert* À *rien de s'emporter* (Ac.). — ‖‖ *Les titres ne servent* DE *rien pour la postérité* (Voltaire).

Pour l'harmonie : « ne servir *à* rien de... » (plutôt que : « ne servir *de* rien *de*... ») — et « ne servir *de* rien à... » (plutôt que : « ne servir *à* rien *à*... »).

1021 ***Rêver à ; ~ de ; ~ sur.*** On distingue :

a) voir en rêve en dormant : « rêver *de* » : *Je n'ai fait que rêver* DE *vous toute la nuit* (Hugo).

b) imaginer, penser vaguement, désirer : « rêver *à* ou *de* » : *Vous rêviez* À *des choses extraordinaires,* À *des voyages interplanétaires* (G. Duhamel). — *J'ai passé une bonne partie de la journée à rêver* DE *toi* (Flaubert). — *Je me prenais à rêver* D'*une vie enfin délivrée d'artifices* (M. Arland).

c) méditer profondément : « rêver *à* ou *sur* » : *J'ai longtemps rêvé* SUR *cette affaire,* À *cette affaire* (Ac.). — *Dans le train, il rêva* SUR *cette rencontre* (É. Henriot).

1022 N.B. 1. Dans les divers sens indiqués ci-dessus, *rêver* s'emploie aussi comme transitif direct : *J'ai rêvé une chute, un incendie* (Ac.). — *Le traité de grammaire que je rêve* (A. Hermant). — *Il faudrait rêver quelque incident pour cela* (Molière).

2. *Rêver de* + infin. : *Renoncer aux belles missions que j'avais rêvé* D'*accomplir* (J. de Lacretelle).

1023 ***Cent km à l'h ; ~ par h.*** Avec *par*, l'expression aurait un caractère purement technique ; dans l'usage courant, c'est « *à* l'heure » qui s'emploie : *Vous vous représentez une véritable voiture (...) qui fait du cent vingt* À *l'heure* (A. Hermant).

1024 N.B. 1. Dans l'usage ordinaire, on dit, sans préposition (et, dans l'écriture, avec un trait d'union) : « à cent kilomètres-heure » : *Les voitures passent à près de cent kilomètres-heure* (G. Duhamel). — *À 60 kilomètres-heure* (P. Daninos).

2. Avec l'article défini, sans *à : Terres à 5 francs l'hectare* (A. Daudet). — *Je payais les enfants un franc l'heure* (V. Larbaud). — *Cette étoffe coûte vingt francs le mètre* (Ac.).

3. Populairement, avec *de* + article défini : *Elle demandait dix sous* DE *l'heure* (G. Duhamel). — *Pour réussir à gagner cent quarante francs* DE *l'heure* (J.-P. Chabrol).

1025 ***Comparer à ; ~ avec.*** On peut, avec Littré, faire la distinction suivante (qui laisse d'ailleurs de la latitude) : *comparer à* se dit plutôt quand on veut trouver un rapport d'égalité : *Corneille comparait Lucain* À *Virgile* (Littré). — *Comparer l'obéissance militaire* À *celle qu'exige l'Église* (A. Gide) ; — et *comparer avec* se dit plutôt quand on fait une confrontation méthodique en vue de trouver les dissemblances et les ressemblances : *Nous comparerons la traduction* AVEC *l'original* (Ac.).

1026 ***Confronter à ; ~ avec.*** Les deux constructions sont bonnes : *Confronter les témoins* À *l'accusé* (Ac.). — *Nous fûmes confrontés* À *de pressants problèmes d'embouteillage* (Vercors). — ‖ ‖ *Confronter deux étoffes l'une* AVEC *l'autre*

(Littré). — *Confronter les témoins* AVEC *l'accusé* (Ac.). — *L'homme qui se cherche et qui se trouve confronté* AVEC *les passions* (P. Gaxotte).

APRÈS

1027 ***Attendre après*** indique le besoin qu'on a de la personne ou de la chose attendue, ou l'impatience : *J'attends* APRÈS *le médecin,* APRÈS *des nouvelles* (Littré). — *Et que je n'attende pas* APRÈS *vous, quand nous serons prêts* (A. Salacrou).

Quand *attendre* signifie « rester en un lieu en comptant que qqn viendra, que qq.ch. sera là où on se trouve », *attendre après* est incorrect. Ne dites pas : *J'attendrai après vous jusqu'à trois heures ; j'attends après mon bus.* — Dites : *Je vous attendrai... ; j'attends mon bus.*

1028 ***Chercher après*** *qqn* ou *qq.ch. :* tour populaire ou familier. — En français soigné : *Je vous cherchais* (Ac.). — *Je cherche ma plume* (Id.).

1029 ***Courir après :*** *On courut inutilement* APRÈS *le voleur* (Ac.). — Au lieu de *il court après moi, après eux,* etc., on dit, familièrement : *il me court après, il leur court après,* etc.

On dit aussi : *courir sus à qqn.*

1030 ***Crier après.*** Tours impliquant l'idée de colère, de gronderie, etc. : *crier, s'emporter, jurer, être furieux,* etc. *après qqn.* [= contre qqn] : *S'emporter* APRÈS *quelqu'un* (Littré). — *Salomé eut beau crier* APRÈS *lui : impossible d'avaler un morceau* (R. Rolland).

1031 ***Demander après.*** Parallèlement à la construction ordinaire *demander qqn* (= le chercher pour le voir, pour lui parler) : *Qui demandez-vous ? — On vous demande,* etc. — on a, dans la langue familière : *demander après qqn : Il entre de nouveau et demande* APRÈS *Gallimard* (P. Léautaud). — *Je me rendis à sa librairie, demandai* APRÈS *lui* (Vercors).

1032 ***Par après.*** Locution déjà vieillie au XVIIe siècle. Aujourd'hui inusitée en France. Restée courante en Belgique. Ne dites pas : *Il est devenu par après un très honnête homme ; — Travaillons d'abord, nous nous amuserons par après ;* — employez là le simple *après,* ou : *ensuite,* ou : *par la suite,* ou : *dans la suite.*

1033 AUSSITÔT, SITÔT s'emploient bien, en dépit des puristes, comme prépositions, au sens de « dès »: AUSSITÔT *le déjeuner, on partit en gondole* (P. Loti). — *Promettant une réponse* AUSSITÔT *mon retour* (P. Arène). — SITÔT *le dessert, elle emmenait Gise dans sa chambre* (R. Martin du Gard).

AVEC

1034 Dans l'emploi adverbial, *avec* ne s'emploie guère qu'en parlant de choses : *Il a pris mon manteau et s'en est allé* AVEC (Ac.).

S'il s'agit de personnes ou d'animaux, la langue soignée met un régime. Ne dites pas : *Nous allons à la ville ; est-ce que vous venez avec ? — Je pars pour Paris ; viens-tu avec ?* — Dites : *... est-ce que vous venez* AVEC NOUS ? *... viens-tu* AVEC MOI ? — *Il y a le petit chien : ils jouent gravement* AVEC LUI (J. Renard).

1035 ***Avec deux* n.** Au choix : *Ce mot s'écrit* AVEC *deux n* ou : PAR *deux n : Il nous faisait écrire notre vieux nom en deux mots,* AVEC *un H majuscule* (G. Duhamel). — *Elle écrit catégorie* PAR *un th* (Flaubert).

1036 ***Causer avec ; ~ à.*** « Causer *à* qqn » [= lui parler] est de la langue populaire ou très familière ; le tour cherche à s'introduire dans la langue littéraire : *On trouve toujours dans cette ville des gens* À *qui causer* (Flaubert). — *Le vin dont nous entendons tout à coup la Vierge se mettre à causer* À *son fils* (P. Claudel).

Dans la langue « soignée » : « causer *avec* qqn » : *Je cause volontiers* AVEC *lui* (Ac.).

1037 ***Communiquer avec ; ~ à.*** On dit indifféremment : « Cette pièce communique *avec* telle autre, *à* telle autre » : *Cette* *porte qui communique* AVEC *votre pièce à vous* (J. Romains). — *Cette chambre communique* AVEC *telle autre par un corridor* (Ac.). — || || *Cette porte communique* À *un corridor* (Littré). — *Un bureau communiquant* AU *salon* (A. Thérive).

1038 ***Dîner avec qq.ch. ; ~ de qq.ch.*** Distinction théorique (Littré) : « déjeuner, dîner, souper *avec* » se disent des personnes avec qui on a mangé, — « déjeuner, dîner, souper *de* », du mets qu'on a mangé : *Dîner* AVEC *des amis ; dîner* D'*un potage et* DE *légumes.*

Usage fréquent, même dans la langue littéraire : « déjeuner, dîner, souper *avec* tel mets » : *Et déjeunions en hâte* AVEC *quelques œufs frais* (Molière). — *Il dînait* AVEC *du pain et des pommes de terre* (Hugo). — *Nous avions déjeuné (...)* AVEC *des sandwiches et des fruits* (P.-H. Simon).

1039 ***Divorce, divorcer (d')avec.*** Au choix : *Ces femmes qui ont divorcé* AVEC *la terre pour s'unir au ciel* (Chateaubriand). — *Ayant enfin divorcé* AVEC *un mari atroce* (P. Loti). — |||| *L'héroïne avait divorcé* D'AVEC *un mari indigne* (R. Rolland). — *Ce divorce* D'AVEC *une ombre* (É. Henriot).

N.B. On trouve aussi « divorcer *de* » et parfois « *se* divorcer » (sens réciproque) : *Elle a divorcé* DE *mon père* (H. Troyat). — *Ces époux* SE *sont divorcés* (Bescherelle).

1040 ***Se fâcher avec ; ~ contre.*** « Se fâcher *avec* qqn », c'est se brouiller avec lui : *Il saisit l'occasion d'une brouille pour se fâcher* AVEC *ses amis* (G. Duhamel). — « Se fâcher *contre* qqn », c'est se mettre en colère contre lui : *Je me suis fâché tout rouge* CONTRE *lui* (Flaubert).

N.B. 1. Germanisme : « se fâcher *sur* qqn ».
2. Populaire ou très familier : « se fâcher *après* qqn » : *Sont-elles fâchées* APRÈS *Cathie ? s'inquiéta le père* (G.-E. Clancier).

1041 ***Faire connaissance avec ; ~ de ; ~ la connaissance de.*** Les trois tours sont corrects : *Il a fait connaissance* AVEC *un tel* (Ac.). — *Je fis connaissance* DE *M. Viennet* (A. Hermant). — *Shelley fit* LA *connaissance de l'institutrice* (A. Maurois).

1042 ***Fiancer, marier avec ; ~ à.*** Les deux constructions sont bonnes : *Fiancé* AVEC *une jeune fille charmante* (E. Jaloux). — *Fiancée* AU *baron de Plane* (P. Bourget). — *Son père l'a marié* À *la fille,* AVEC *la fille d'un de ses amis* (Ac.).

1043 ***Identifier avec ; ~ à.*** Au choix : *Un auteur dramatique doit s'identifier* AVEC *les personnages qu'il fait agir et parler* (Ac.). — ||| *En s'identifiant* AU *héros du roman* (J.-P. Sartre).

1044 **CHEZ** peut signifier : « dans la demeure ou dans le pays de », « dans la personne, dans l'œuvre ou la pensée de, dans la société de » : CHEZ *mes parents. C'est* CHEZ *lui une habitude.* — *J'ai lu* CHEZ *un conteur de fables...* (La Font.).

N.B. *Chez* n'admet pour régime que des noms d'êtres animés ; on ne dirait pas : *Cela ne s'observe pas chez les minéraux.*

DANS, EN

1045 ***Avec noms des saisons.*** On dit : *au printemps, en été* (rare : *à l'été*), *en automne* (parfois : *à l'automne*), *en hiver* (rare : *à l'hiver*). — À noter : EN *plein été,* EN *plein hiver ;* — avec l'article : *dans le printemps, dans l'été,* etc. — Sans préposition : *Ces peuples-là dorment l'hiver, veillent l'été* (H. Bosco).

1046 ***Dans le journal.*** On dit : « *dans* le journal », « *sur* un registre » (parfois : *dans* un registre) : *Il se rappelle avoir lu* DANS *un journal...* (A. France). — *On parlait de lui* DANS *le journal* (Fr. Mauriac). — *Nous inscrivons volontiers notre signature* SUR *les registres des hôtels où nous passons* (É. Henriot). — *Votre nom, que j'ai lu* DANS *les registres de ma paroisse* (J. Green).

N.B. 1. Selon Littré : « lire *sur* un journal, *sur* une page » si l'on a ce journal, cette page étendue devant soi. — Hors ce cas, « j'ai lu cela *sur* le journal » est incorrect.

2. Avec *à : On l'inscrivit* AU *registre de l'église Notre-Dame* (É. Estaunié).

3. Avec *sur : Écrivez cela* SUR *votre agenda* (Littré). — *Il chercha le numéro* SUR *l'annuaire* (G. Bernanos).

1047 ***En enfer.*** On dit : « *au* ciel, *en* enfer, *en* purgatoire (rare : *au* purgatoire), *en* paradis (rare : *au* paradis) ». — Avec une valeur topographique plus concrète : « *dans* le ciel, *dans* l'enfer, *dans* le purgatoire ». — *On entendait aller et venir* DANS *l'enfer* (Hugo).

1048 ***En, dans + noms de pays, de provinces,*** etc.

D'une manière générale, quand il s'agit de marquer la situation ou la direction, on fait les distinctions suivantes :

1° Noms masculins commençant par une consonne : on emploie *au : Être, aller* AU *Pérou,* AU *Canada,* AU *Maroc,* AU *Pakistan.* Avec *Danemark, Luxembourg, Portugal,* on emploie le plus souvent *au,* mais on peut aussi employer *en : Retourner* AU *Danemark* (G. Duhamel). — *Aller* AU *Luxembourg* (A. Maurois). — *Puisque je n'ai pas été* AU *Portugal* (P. Valéry). — ‖ ‖ EN *Danemark* (L. Bloy). — *Il se rendit* EN *Luxembourg* (S. de Beauvoir). — *Se faire roi* EN *Portugal* (Sainte-Beuve).

2° Noms masculins commençant par une voyelle et noms féminins : on emploie *en : Être, aller* EN *Iran,* EN *Uruguay ;* EN *Allemagne,* EN *Espagne,* EN *France,* EN *Chine.*

3° Noms d'îles. Pour les noms féminins de grandes îles : on emploie *en :* EN *Sardaigne,* EN *Sicile,* EN *Nouvelle-Guinée.* — Mais : À *Malte,* À *Chypre,* À *Terre-Neuve,* À *Cuba,* À *Madagascar,* À LA *Martinique,* À LA *Réunion.*

4° Noms de provinces. Pour les anciennes provinces françaises, ou étrangères, on emploie généralement *en :* EN *Picardie,* EN *Normandie,* EN *Berry,* EN *Lorraine,* EN *Brabant,* EN *Lombardie,* EN *Piémont.* — Mais aussi : DANS LE *Berry,* DANS LE *Poitou,* DANS LE *Brabant,* DANS LE *Piémont,* DANS LA *Calabre,* etc.

5° Noms de départements. Pour les noms formés de deux éléments coordonnés par *et,* on emploie *en :* EN *Seine-et-Marne,* EN *Saône-et-Loire.* — Mais : DANS LE *Var,* DANS LES *Vosges,* DANS LE *Gard,* DANS LE *Lot,* DANS LA *Moselle,* DANS LE *Cher,* etc. — À observer que l'usage est assez général d'employer *dans* + article, quel que soit le nom du département.

1049 ***Dans Paris, à ~.*** En disant « *dans* Paris », on envisage un territoire bien circonscrit : *Les taxis roulaient* DANS *Paris* (Aragon). — *L'armée entra ainsi* DANS *Alger* (J. Roy).

« *À* Paris » marque simplement le lieu, par opposition à un autre lieu : *Nous irons* À *Paris tous les deux.*

1050 N.B. 1. On dit normalement : *à Avignon, à Arles,* etc. : *De retour* À *Avignon* (Chateaubriand). — *De quoi aller* À *Avignon* (J. Giono). — *Je vais* À *Aix* (A. Chamson).

En Avignon, en Arles, etc. ont une teinte provençale : EN *Avignon, le pont ne l'avait point frappé* (R. Kemp). — *Son voyage de noces (...) l'avait conduite jusqu'*EN *Alès* (J.-P. Chabrol). — *J'ai été joué à Orange et* EN *Arles* (Montherlant).

2. Quelques auteurs ont tenté de faire reprendre faveur au tour ancien « *en* + nom de ville » avec des noms de villes à initiale vocalique : *Il ne parvint pas,* EN *Alger, à servir autant qu'il le souhaitait* (R. Kemp). — *Rose (...) s'était (...) installée* EN *Amiens* (G. Duhamel).

1051 ***En l', en la*** se trouvent dans certaines locutions toutes faites : *en l'air, en l'état, en l'an..., en la personne de,* etc. — Parfois (en dehors de ces locutions) dans la littérature : *Dîner* EN LA *compagnie des nouveaux venus* (Flaubert). — EN LA *société de ces bergers* (P. Loti).

1052 ***En le, en les*** se rencontrent, mais ils sont vivement critiqués (« fantaisies individuelles, excentricités littéraires », disait Dauzat) : EN LE *présent sujet* (Montherlant). — EN LE *miroir de leur esprit* (A. Gide). — EN LES *jours de deuil* (G. Duhamel). — Construction ordinaire : *dans le, dans les.*

1053 ***Dans la rue.*** *La façon dont il devait se comporter* DANS *la rue* (M. Proust). — *Je ne veux pas qu'on nous voie porter des valises* DANS *la rue* (Montherlant). — *Jouer, courir,* DANS *la rue.* — De même : *Les grands élèves et les gamins éparpillés* DANS *la cour neigeuse* (Alain-Fournier).

1054 N.B. 1. Ne dites ni : « se bien comporter *en* rue » [= archaïsme : Belgique et Suisse] ; — ni « jouer, courir *sur* la rue, *sur* la cour ».

2. On dit : « *en* pleine rue », « de rue *en* rue », « avoir pignon *sur* rue », « avec vue *sur* la rue ».

3. *Jeter, mettre qqn à la rue, dans la rue* = le chasser, le réduire à la misère : *Le père Baptiste, le vieux tourneur, que l'on jette* À *la rue, après l'avoir mis en prison* (A. Billy). — *Quand ils t'auront jeté* DANS *la rue, il ne te restera plus un kopek* (M. Achard).

Être à la rue, dans la rue se disent aussi dans le sens de « être sans logis ».

4. On dit : « demeurer *dans* une rue, *dans* ou *sur* une avenue, *sur* un boulevard, *sur* une place ».

Dans l'indication du domicile ou de l'adresse, ordinairement on supprime la préposition : *Il habite rue Vaneau, boulevard Voltaire.*

1055 ***Dans le but*** [= en vue de, afin de, à dessein de, etc.], condamné par les puristes, a cependant reçu la sanction du bon usage : DANS *le but de rompre une majorité* (Chateaubriand). — *Tu as pris,* DANS *un but sublime, une route hideuse* (Musset). — *Il a dépensé* DANS *ce but des sommes énormes* (G. Bernanos). — *J'aurais honte de m'introduire en secret chez les autres, et* DANS *un but strictement personnel* (M. Pagnol). — *Elle vient de provoquer cette scène* DANS *un double but* (H. Bazin).

1056 ***Dans un fauteuil ; sur ~.*** L'un et l'autre se disent : *Je m'assis* DANS *un fauteuil* (Musset). — *M. Henriot s'asseyait* SUR *un fauteuil de paille* (M. Arland).

N.B. On dit généralement : « *sur* un canapé, *sur* un divan, *sur* un sofa ».

1057 ***En chambre.*** « Un ouvrier *en* chambre » = un ouvrier qui travaille chez lui, et non dans un atelier.

Au lieu de « être, rester en chambre », on dit plutôt : « être *dans* sa chambre, garder la chambre ».

1058 ***En deux heures.*** On dit : « faire un travail *en* deux heures » — et non : « *sur* deux heures » : *J'ai fait le trajet* EN *trois heures et demie* (A. Siegfried).

1059 ***En or.*** On dit : « une montre *d'*or », « une table *de* marbre » — mais on peut dire aussi : « *en* or », « *en* marbre », etc. : *Dans l'armoire* EN *noyer* (Hugo). — *Une comète* EN *fer forgé* (A. France).

Au figuré, toujours avec *de* : *Mon âme* DE *cristal* (Hugo). — *Une santé* DE *fer.*

1060 ***En place ; à sa place.*** On dit : « mettre qq.ch. *en* place » ou « *à* sa place », parfois « *en* sa place » : *Elle remit tout* EN *place* (J.-L. Vaudoyer).

1061 N.B. 1. *Remettre qqn à sa place* = lui faire sentir qu'il s'écarte des convenances : *Elle l'avait remis* À *sa place de son ton le plus sec* (R. Dorgelès).

2. *Être en place* = être dans un emploi, une charge qui donne de l'autorité, de la considération. — Se dit aussi en parlant d'un domestique en service : *Elle prit ses guenilles d'habits (...) et partit* EN PLACE (Ch. Péguy).

1062 ***En semaine*** se dit (par opposition à *dimanche*) d'un jour ouvrable : *Nous sommes* EN *semaine* (A. Daudet). — EN *semaine, il travaille comme quatre* (O. Mirbeau).

1063 ***En tête à tête,*** rejeté par les puristes (qui n'admettent que *tête à tête,* sans *en*), est reçu par le meilleur usage (et s'écrit parfois : *en tête-à-tête*) : *Il les avait laissés* EN *tête-à-tête* (Flaubert). — *Vivre* EN *tête à tête* (A. Thérive).

DE

1064 ***Appréhender*** construit avec *de* l'infinitif complément. Ne dites pas : *Il appréhende vous déplaire;* dites : *Il appréhende* DE *vous déplaire* (Ac.).

1065 ***D'avance ; par ~ ; à l' ~.*** Usage classique ordinaire : *d'avance* ou *par avance : Payer* D'*avance, payer* PAR *avance* (Ac.). — PAR *avance, j'acceptais tout* (G. Duhamel).

Dans l'usage moderne, *à l'avance* (condamné par Littré, ignoré par l'Académie, du moins au mot « avance ») est courant : *M. Mérimée s'y est pris* À L'AVANCE (Sainte-Beuve). — *Un jour fixé* À L'AVANCE (A. Chamson). — *Coup préparé* À L'AVANCE (Ac., au mot *coup*).

1066 ***De par.*** Archaïque, au sens de « de la part de » : DE PAR *le roi des animaux* (La Font.).

Usage moderne : 1° « *de par* le monde » = qq. part dans le monde, dans toute l'étendue de la terre : *Il a* DE PAR *le monde un cousin qui a fait une grande fortune* (Ac.).

2° *de par,* au sens causal : *Il était,* DE PAR *sa complexion, franc du service militaire* (G. Duhamel).

1067 ***De*** (ou ***par***) + complément d'agent.

Il n'y a pas de règle stricte pour l'emploi des prépositions *de* ou *par* introduisant le complément d'agent du verbe passif. Observons, d'une manière générale, que *de* s'emploie surtout quand on exprime l'état — et *par* quand on exprime l'action : *J'étais craint* DE *mes ennemis et aimé* DE *mes sujets* (Fénelon). — *Abandonné* DE *tous, excepté* DE *sa mère* (Hugo). — *La charrue était tirée* PAR *deux bœufs.* — *La peinture m'était enseignée* PAR *ma sœur* (P. Loti).

En outre : *de,* avec des verbes pris au figuré : *Il était accablé* DE *honte ; — par,* avec des verbes pris au sens propre : *Il était accablé* PAR *la charge.*

De avec un complément non accompagné d'un déterminatif : *La place était encombrée* DE *curieux ; — par* avec un complément accompagné de l'article ou d'un mot déterminatif : *La place était encombrée* PAR *les curieux,* PAR *les curieux du voisinage.*

1068 ***Deux jours (de) libres.*** Avec ou sans *de,* mais le tour avec *de* détache l'adjectif et le présente avec une valeur d'attribut : *Il y eut cent hommes* DE *tués* (Littré). — *Encore une journée* DE *perdue* (Fr. Mauriac). — *Un cheval qui n'a que les pattes de devant* DE *mauvaises* (J. Renard). —||| *Il y eut cent hommes tués* (Littré). — *Il n'y a eu que trois élèves admis sur dix* (Ac.). — *J'ai donc une main libre* (G. Duhamel).

1069 ***À travers, au travers de.*** *À travers* ne demande jamais *de ; au travers* veut toujours *de : Il sourit* À TRAVERS *ses larmes* (A. Hermant). — *Il avait longtemps marché* AU TRAVERS DE *la ville* (A. Gide).

1070 ***Qualifier (de) fou.*** Avec ou sans *de : Qualifier quelqu'un* DE *fourbe* (Littré). — *Cette innocence que j'ai qualifiée (...)* DE *fonctionnelle* (P. Valéry). — ||| *Un fait qualifié crime* (Ac.). — *Des froidures qu'il n'est pas exagéré de qualifier sibériennes* (G. Duhamel).

1071 ***De demain en huit.*** L'usage classique demande *de :* DE *mardi en huit* (Ac.). — *Il est probable que* D'*aujourd'hui en quinze j'arriverai à Paris* (Flaubert).

Usage familier, sans *de* : *Elle peut être ici dimanche en huit* (Fr. de Croisset). — *Jeudi en huit* (Martinon).

1072 ***C'est (de) ma faute.*** Sans *de* (tour traditionnel : Littré, Acad., Dict. génér.) : *Est-ce ma faute, à moi ?* (Ac.) — *Si l'entreprise a échoué, ce n'est pas ma faute* (Id.). — *Ce n'est pas ta faute* (Hugo). — *Tout est ma faute* (J. Cocteau).

Avec *de* (tour courant dans l'usage moderne) : *C'était* DE *ma faute* (Diderot). — *Ce n'est pas* DE *ma faute* (A. France). — *C'est* DE *votre faute* (M. Arland). — *Tout est* DE *ma faute* (H. Troyat).

1073 N.B. 1. Avec *il y a,* on doit mettre *de* : *Il y a, il n'y a pas* DE *ma faute.*

2. Le complément de *faute,* dans ces expressions, s'introduit par *de* : *C'est la faute* DE *Bilboquet* (Nerval). — Populairement, par *à* : *C'est la faute* À *Voltaire* (dans Hugo).

1074 ***Le mot (de) gueux.*** Pour présenter « matériellement » un mot (généralement en italique ou entre guillemets), *de* est facultatif : *Le mot* DE *gueux est familier* (Ac.). — *Je ne sais pourquoi je me sers de ce terme maladie* (Nerval).

1075 ***Province de (~ du).*** On constate une certaine tendance à dire ou à écrire : « province *du* Brabant, *du* Hainaut, *du* Limbourg, *du* Luxembourg, *de la* Flandre orientale ». Sans doute un tel usage n'a rien d'antifrançais [puisqu'on peut dire : « province DU Finistère » (Ac.)], mais il conviendrait de s'en tenir au simple *de* : « province DE Brabant, DE Hainaut, DE Limbourg, DE Luxembourg, DE Flandre orientale ». (cf. : « le canton DE Vaud, le royaume DE Belgique »).

1076 ***Comme de juste.*** Cette locution, bannie par les puristes (qui veulent qu'on dise : *comme il est juste*), est maintenant du meilleur usage : *Habillé* COMME DE JUSTE *à l'européenne* (A. Hermant). — COMME DE JUSTE, *la porte était fermée* (J. Romains).

1077 N.B. Populaire ou très familier : *comme de bien entendu* : *Il n'y avait personne,* COMME DE BIEN ENTENDU (J. Giono). [cf. la chanson à succès (Arletty, Michel Simon...) : *Elle était jeune et belle / Comme de bien entendu...*]

1078 ***Si j'étais (de) vous.*** On dit, avec *de : Quand je serais* DE *vous, je ne le ferais pas davantage* (Littré). — *Si j'étais* DE *vous, Madame, j'irais chez M. Guillaumin* (Flaubert). — *Si j'étais* DE *toi,* DE *lui,* D'*elle, je n'agirais pas ainsi.*

N.B. 1. Archaïque : *Voilà un bras que je me ferais couper tout à l'heure, si j'étais* QUE DE *vous* (Molière).
2. *Si j'étais vous* = si j'étais la personne que vous êtes : *Si j'étais vous, (...) je ne sourirais pas* (J. Green).

1079 ***On dirait (d')un fou*** (ou : *on jurerait, on croirait...,* etc.). Avec *de* ou (ce qui est plus courant) sans *de : On dirait* D'*un fou* (Ac.). — *Le vent remue si doucement les feuilles qu'on jurerait* D'*un bruit de pas* (Fr. Mauriac). — *On dirait un fou* (Ac.).

1080 ***(De) crainte de, ~ que.*** On dit : « de crainte de, de crainte que » : DE *crainte d'être surpris* (Ac.). — DE *crainte qu'on ne vous trompe* (Id.).

De peut être ellipsé : *Crainte de malheur* (Ac.). — *Elle n'avait pas montré cette lettre à Mme Dandillot, crainte que celle-ci n'en prît une mauvaise impression* (Montherlant).

1081 ***Aimer mieux souffrir que (de) mourir.*** Après *aimer mieux, il vaut mieux* (comme aussi après *préférer :* n° 1152), *de* est facultatif devant l'infinitif second terme de la comparaison : *Il aime mieux faire cela que* DE *faire autre chose* (Littré). — *Saint Louis aimait mieux mourir que pécher* (Id.).

N.B. 1. Parallèlement à *Il aime mieux souffrir* QUE (DE) *mourir,* on peut avoir : ... PLUTÔT QUE (DE) *mourir.*
2. Bescherelle note que *aimer mieux... que* + inf. indique une préférence de goût : *J'aime mieux danser que chanter ;* — et *aimer mieux que* DE + inf., une préférence de volonté : *J'aime mieux lui pardonner* QUE DE *le réduire au désespoir.*

1082 ***De, particule nobiliaire.*** Cette particule ne se met que pour joindre le nom au prénom, au titre de noblesse, ou aux titres de *monsieur, madame, mademoiselle, monseigneur, maréchal,* etc., ou aux noms de parenté *frère, oncle, tante,* etc. : *C'est Alfred* DE *Musset qui l'a dit ; le comte* DE *Vigny fut élu ; monsieur* DE *Pourceaugnac se fâche.*

Mais sans *de : C'est Musset qui le dit ; Vigny fut élu ; Pourceaugnac se fâche.*

N.B. 1. Selon Littré, on laisse le *de,* même sans prénom, qualification ou titre : 1° devant les noms d'une syllabe ou de deux avec un *e* muet : DE *Thou,* DE *Sèze ;* 2° devant les noms commençant par une voyelle ou un *h* muet : *À moi* D'*Auvergne ; l'« Armorial » de* D'*Hozier.*

Mais l'usage est, en tout cela, assez flottant : ainsi on trouve sans *de* des noms d'une syllabe (ou de deux avec *e* muet) : *À dîner chez* MUN (M. Barrès). — MAISTRE *justifie sans doute l'ordre établi* (A. Camus) ; — et nombre d'auteurs laissent le *de,* sans considérer le nombre de syllabes ou l'initiale du nom : *Voilà* DE *Vigny à l'Académie* (Sainte-Beuve). — *J'ai lu* DE *Bonald* (L. Bloy). — *Les frères* DE *Goncourt* (É. Henriot).

2. Les particules nobiliaires *du* ou *des* ne s'omettent pas : *Les jolis vers de* DU *Bellay* (A. Daudet). — *La terre de* DES *Lourdines* (A. de Châteaubriant).

1083 ***Merci, remercier de ; ~ pour.*** Au choix : *Merci* DE *votre obligeance* (Ac.). — *Je vous remercie* DE *vos bonnes intentions* (Stendhal). — *Mille remerciements* DE *toutes vos bontés* (L. Veuillot). — ‖‖ *Merci* POUR *les fleurs* (M. Arland). — *Soyez remercié* POUR *cette nouvelle* (G. Bernanos).

Avec un infinitif complément, c'est *de* qui s'impose : *Merci* DE *porter cette lettre* (G. Duhamel). — *Je vous remercie* DE *m'avoir fait lire votre bel ouvrage* (M. Barrès).

1084 N.B. Tout cela s'applique aussi à *reconnaissant, reconnaissance, gratitude, rendre grâce(s).*

Savoir gré n'admet que la construction avec *de.*

1085 ***Féliciter de ; ~ pour ; ~ sur.*** On dit : *féliciter de qq.ch.,* parfois *sur qq.ch. : Je l'ai félicité* DE *son discours* (Hugo). — *J'ai raconté l'histoire et l'on m'a félicité* POUR *cette malice* (J. Giono).

Féliciter sur est plutôt vieilli : *Je la félicite* SUR *ses succès* (Diderot). — *Après avoir félicité ses hôtes* SUR *l'excellence de leur café* (A. Billy).

Avec un infinitif complément, on met *de : Je me félicite* D'*avoir fait un si bon choix.*

1086 ***En face, près, proche, vis-à-vis*** + nom de lieu.

Le régime s'introduit ordinairement par *de,* mais cette préposition est assez souvent ellipsée : *En face le pont de la Tournelle* (Flaubert). — *Près l'escalier* (A. Gide). — *Proche la paroisse de Saint-Nicolas* (Sainte-Beuve). — *Francine d'Aubigné (...) demeurait vis-à-vis la maison de Scarron* (A. France).

1087 N.B. 1. Dans la langue de la diplomatie ; *près* (sans *de*) : *Ministre, ambassadeur du roi* PRÈS *la cour de...* (Littré). — *Notre ambassade* PRÈS *le Saint-Siège* (Montherlant).

2. *Vis-à-vis de* peut se dire au sens de « envers, à l'égard de » : *Rien n'égale l'impertinence de cet enfant* VIS-À-VIS DE *ses parents* (Ac.). — Assez rarement en parlant de choses : *N'avoir* VIS-À-VIS DE *l'argent qu'une âpreté simplement aryenne* (Montherlant).

1088 ***Retour de.*** Traditionnellement : « *de* retour de » : *L'abbé de Bonnevie est ici,* DE *retour de Rome* (Chateaubriand).

Dans l'usage moderne, on dit fréquemment « retour de » : *Des officiers anglais,* RETOUR *de Pantellaria, apportent quelques renseignements* (A. Gide). — *Déjeuné avec Gide,* RETOUR *d'Algésiras* (J. Green).

1089 ***Il s'en faut (de).*** Après *il s'en faut, il s'en manque,* le complément indiquant ce qui fait défaut s'introduit généralement par *de* (peu importe qu'il s'agisse d'une différence de qualité ou d'une différence de quantité) : *Il s'en faut* DE *moitié que le vase ne soit plein* (Ac.). — *Il s'en faut* DE *dix francs que la somme entière n'y soit* (Id.). — *Il s'en faut* DE *beaucoup qu'il soit laid* (G. Sand). — *Il ne s'en est pas fallu* DE *l'épaisseur d'un cheveu* (Littré). — *Il ne s'en est fallu que* D'*un moment* (Voltaire). — *Il s'en faut, il s'en manque* DE *peu que le tableau ne soit réussi, que la dette ne soit éteinte.*

Mais on peut omettre *de : Il s'en fallait beaucoup que la ville de Paris fût ce qu'elle est aujourd'hui* (Voltaire). — *Il ne s'en est pas fallu l'épaisseur d'un cheveu* (Id.). — *Il s'en faut cent sous* (Littré). — *Il s'en fallait peu qu'il n'eût achevé* (Ac.). — *Il s'en manque dix francs, peu, beaucoup.*

1090 N.B. 1. Sans *de : Il ne s'en est guère fallu* (Ac.). — *Il s'en faut bien, il s'en manque bien.* — *Peu s'en faut.* — *Tant s'en faut.* — *Bien s'en faut* (Littré).

2. *Loin s'en faut :* locution hasardée par quelques-uns, (influence de *loin de là*), mais qui ne figure dans aucun dictionnaire et dont la structure se justifie mal.

1091 ***Au prix de*** (= en comparaison de) : expression archaïque. Pour Littré, elle ne se dit que des choses ou des personnes qui peuvent se priser, et on dira : *Mes malheurs ne sont rien* AUPRÈS DE *ceux qui m'attendent* — et non : *au prix de...*

Les auteurs ne tiennent guère compte de cette observation : AU PRIX DES *terreurs qu'elle avait ressenties, son inquiétude présente n'était rien* (J. Green). — *Tout cela est peu de chose* AU PRIX DE *la réquisition scandaleuse à laquelle sont soumis les Français...* (Fr. Mauriac).

1092 **DEPUIS.** On dit, en exprimant un rapport de lieu (idée de point de départ) : DE *ma fenêtre, je vois le village.* — *Émission transmise* DE *Paris.*

Dans l'usage d'aujourd'hui, ce *de* est fréquemment remplacé par *depuis : La nuit,* DEPUIS *sa fenêtre, il regardait leur manège* (M. Arland). — DEPUIS *la porte, (...) elle vérifie qu'on ne peut rien voir* (M. Genevoix). — *La collinette forestière qu'elle voyait* DEPUIS *son lit* (Daniel-Rops).

L'Académie, dans une mise en garde du 20 mai 1965, a condamné un tel usage.

1093 **DURANT.** Distinction (à laquelle on ne donnera pas un caractère trop strict) : *durant* implique une idée de durée ; *pendant* suppose une portion limitée de durée : *Annibal, victorieux* DURANT *seize ans* (Bossuet). — *C'était* PENDANT *l'horreur d'une profonde nuit* (Racine).

1094 **ENDÉANS.** Ancienne locution, restée courante en Belgique, notamment dans la langue des affaires ou de l'administration : « Le versement doit être fait *endéans* les cinq jours ».

En français normal : *dans cinq jours, dans le* (ou : *dans un*) *délai de cinq jours.* — *Dans l'intervalle de trois ans* (Code civil).

Vieilli : « *sous* cinq jours » : *L'arrêt est exécutoire* SOUS *trois jours* (Hugo). — *Il me la promet* [une somme] SOUS *huit jours* (Vercors).

1095 ENTRE PARENTHÈSE(S), PAR PARENTHÈSE. Les deux façons de dire sont bonnes : ENTRE *parenthèses, je tiens à signaler que...* (Ac.). — ENTRE *parenthèse, nous pourrions aller faire un tour à la cuisine* (A. Chamson). — ‖ ‖ PAR *parenthèse, j'ajouterai telle chose* (Ac.). — *Voilà* PAR *parenthèse qui constitue un précédent intéressant à considérer* (É. Henriot).

1096 ENVIRON, employé couramment comme préposition à l'époque classique, a gardé, dans l'usage littéraire, quelques positions : ENVIRON *le début du XIXe siècle* (A. Hermant). — ENVIRON *le XVe siècle* (Colette). — *Cette excellente femme était née* ENVIRON *1800* (É. Henriot).

N.B. *Aux environs de,* au sens temporel (emploi critiqué, à tort) : AUX ENVIRONS DE *1900* (A. Maurois). — AUX ENVIRONS DE *1700* (J. Green).

1097 HORS. On dit : *hors de pair* ou *hors pair* : *Ce premier livre est* HORS DE PAIR (É. Henriot). — *Cuénot fut un professeur* HORS PAIR (J. Rostand).

N.B. 1. *Hors* (= excepté), sans « de » : *Nul n'aura de l'esprit,* HORS *nous et nos amis* (Molière). — Si le régime est un infinitif, *de* est facultatif : HORS DE *le battre, il ne pouvait le traiter plus mal* (Ac.). — [Gens] *qui ne savaient rien,* HORS *cultiver les champs* (J. Boulenger).

2. Ne dites pas : « hors cause ». Dites : « hors *de* cause » : *Être hors* DE *cause* (Littré). — *Mettre hors* DE *cause* (Ac.).

1098 JUSQUE se construit avec une préposition (*à, chez, vers, dans, sur, sous,* etc.) : JUSQU'À *la mort,* JUSQUE SUR *le toit,* etc.

Sans préposition, avec les adverbes *ici, là, où, alors, tard,* — et avec certains adverbes d'intensité modifiant un adverbe de temps ou de lieu : *jusqu'ici, jusque-là,* etc. : *Pour faire durer* JUSQU'*assez tard ma soirée* (J. Romains). — JUSQUE *bien avant dans la nuit* (A. Daudet). — JUSQUE *tout récemment* (A. Siegfried).

Ne pas omettre *à* dans : *jusqu'à Paris, jusqu'à deux heures, jusqu'à demain, jusqu'à hier, jusqu'à maintenant, jusqu'à près de dix heures, jusqu'à quand,* etc. : *De Paris jusqu'*À *Rome* (Ac.). — *Jusqu'*À *demain, jusqu'*À *hier* (Littré). — *Depuis le milieu de la nuit jusqu'*À *maintenant* (J. Green). — *Jusqu'*À *près de midi* (A. Gide). — *Jusqu'*À *quand souffrirez-vous que...* (Ac.).

1099 N.B. 1. Parfois sans *à*, dans la langue familière : *Jusqu'hier même* (A. Siegfried). — *Jusqu'hier, jusque demain, jusque maintenant* (dans Martinon, *Comment on parle en fr.*, p. 488, note). — *Jusque Halle* (P. Gaxotte). — *Les Blancs paient ça jusque six cents dollars* (R. Gary).

2. On dit : *jusqu'à aujourd'hui* ou *jusqu'aujourd'hui* : *J'ai différé* JUSQU'AUJOURD'HUI OU JUSQU'À AUJOURD'HUI *à vous donner de mes nouvelles* (Ac.).

3. *Au jour d'aujourd'hui* : pléonasme populaire ; se rencontre aussi dans l'usage littéraire : *Jusqu'au* JOUR D'AUJOURD'HUI (A. Chamson). — AU JOUR D'AUJOURD'HUI (A. Hermant).

4. On écrit parfois *jusques* devant une voyelle, surtout en poésie : *Et les bois étaient noirs* JUSQUES *à l'horizon* (Vigny). — JUSQUES *après Pâques* (Flaubert). — JUSQUES *et y compris la peur* (M. Druon).

5. *Jusqu'à* + compl. d'objet. Phrase équivoque : *Il prête jusqu'à ses valets* (= il prête même ses valets ? ou bien : ... même à ses valets ?). — *Jusqu'à* + un objet indirect est plausible quand la phrase donne clairement à entendre qu'on a bien un objet indirect : *Il fait sa cour à tout le monde,* JUSQU'AU *chien du logis* (Ac.).

1100 **OUTRE** signifie le plus souvent « en plus de ». On dit : OUTRE *cette somme, il a reçu une forte indemnité* (Ac.).

Mais on peut dire aussi, en dépit des puristes : « *en* outre de » : EN OUTRE DE *mes vieilles dettes* (Chateaubriand). — EN OUTRE DU *bon vouloir* (Musset). — EN OUTRE DE *la gloire* (A. France).

Semblablement : « en plus de » : EN PLUS DE *sa mauvaise tête* (J. Romains). — EN PLUS DES *huit heures de travail* (A. Maurois).

1101 PARMI se fait suivre le plus souvent d'un régime pluriel, mais il admet aussi un régime singulier collectif ou impliquant l'idée d'une certaine étendue : PARMI *les douceurs d'un tranquille silence* (Boileau). — *Il se mêla* PARMI *eux* (Ac.). — ||| PARMI *le cortège* (Chateaubriand). — PARMI *la foule* (Ac.). — *Des frémissements* PARMI *l'herbe* (A. Gide).

POUR

1102 ***Parier pour.*** Ne dites pas : « Je parie *pour* cent francs qu'il en est ainsi » ; dites : *Je parie cent francs...* — *Je parie cent contre un que vous vous trompez* (Ac.).

On dit bien : « parier *pour* ou *sur* qqn, *pour* ou *sur* tel cheval » : *La France pariera* POUR *l'homme* (G. Bernanos). — *Parier* SUR *un cheval,* POUR *un cheval* (Ac.).

1103 N.B. Le complément de la personne à qui on propose le pari s'introduit par *contre* ou par *avec : Parier* CONTRE *la personne qui le propose* [le pari] (Ac.). — *Mon oncle avait parié dix mille francs contre un sou* AVEC *sœur Marie-Henriette...* (Fr. Mauriac).

Familièrement : *Je* TE *parie qu'elle va traverser en ligne droite* (A. Dhôtel).

1104 ***Partir pour.*** Avec un complément marquant le but ou le terme du mouvement : « partir *pour* », parfois « partir *vers* » : *Il est parti* POUR *l'Aquitaine* (Hugo). — *Son frère partit* POUR *l'Amérique* (Colette). — *Je partis tout seul* VERS *les collines enchantées* (M. Pagnol).

Les puristes condamnent la construction de *partir* avec *à, en, chez, dans, ailleurs, là,* etc. Cette construction est assez fréquente, même dans l'usage littéraire : *Hippolyte partit* À *Neufchâtel* (Flaubert). — *Cinq sœurs de Saint-Charles partiront* À *Coblence* (M. Barrès). — *Pour cent Vénitiens qui partaient* EN *Asie* (J. Giono). — *Il partait* CHEZ *les ombres* (J. Cocteau). — *Nous partions* DANS *le Midi* (L. Daudet). — *Nous partions* LÀ-BAS (J. et J. Tharaud).

1105 N.B. 1. Ces dernières constructions sont logiques quand *partir* marque le lieu où l'on est arrivé : *Gontran étant parti* AU *Casino* (Maupassant). — *Antonine était, depuis deux mois déjà, repartie* DANS *sa province* (G. Duhamel).

2. On dit, sans nulle incorrection : « partir *en* voyage, *en* vacances, *en* promenade », etc. : *Je pars* EN *voyage* (A. Gide). — *Il fallait bien partir* EN *vacances* (M. Arland). — *Parti* EN *mission* (J. Kessel).

1106 ***Pour cent.*** On dit : « prêter à cinq *pour* cent ».
Populairement : « à cinq *du* cent ».

1107 ***Pour de bon.*** Tour classique : *Parlez-vous* TOUT DE BON ? (Molière.)

À côté du tour classique il faut admettre le tour moderne « *pour* (tout) de bon » : *Y aller* POUR *tout de bon* (Littré). — *Partir* POUR *de bon* (G. Duhamel).

1108 N.B. 1. *Pour de vrai* est familier, mais on le rencontre même dans la langue littéraire : *Ils ne se sont pas demandé si Baudelaire souffrait* POUR *de vrai* (J.-P. Sartre).

2. Populairement: *pour de rire: Un architecte, c'est un type qui construit des maisons. Des vraies, pas* POUR *de rire!* (R. Ikor.)

1109 ***Qu'est-ce là pour un homme ?*** est un germanisme. — Tours français : *Quel homme est-ce là ? — Quel genre d'homme est-ce ?* (A. Billy.) — *Quel homme est-ce ?* (Fr. Jammes.) — *Quelle espèce d'homme est-ce ?* (Th. Gautier.)

1110 ***Raisons, motifs pour, ~ de*** + infin. Les deux tours sont bons : *Je n'avais point eu de motif* POUR *refuser* (B. Constant). — *J'avais d'autres raisons* POUR *lui résister* (Fr. Mauriac). — ‖ ‖ *Vous n'avez pas de raisons* DE *vouloir la mort de cet homme ?* (Hugo.) — *Quand on a des raisons* DE *se méfier* (M. Aymé).

1111 ***Soigner pour.*** On dit : « soigner ou traiter qqn *pour* telle maladie », parfois : « *de* telle maladie »: *Je soignais*, POUR *la même sorte de blessure, un jeune paysan* (G. Duhamel). — *Il soigna sa femme* D'*une horrible petite vérole* (H. de Régnier).

1112 ***Tenir (pour)*** + attribut. On peut dire : « Je le tiens un grand homme, je tiens cela négligeable » — ou : « Je le tiens *pour* un grand homme, je tiens cela *pour* négligeable » : *Je vous tiens de ce jour sujet rebelle et traître* (Hugo). —

Je tiens ces deux opinions également soutenables (Ac.). — ||| *Je tiens* POUR *un malheur public qu'il y ait des grammaires françaises* (A. France). — *Je le tiens* POUR *honnête homme* (Ac.).

1113 ***Train pour Paris, ~ de Paris.*** Théoriquement le train *pour* Paris est celui qui va à Paris, — et le train *de* Paris est celui qui vient de Paris. — Mais, dans la pratique, on ne tient guère compte de cette distinction : « le train *d'*Italie, dit Brunot, c'est aussi bien le train qui se dirige *vers* l'Italie que celui qui provient *de* ce pays ». — *Demain, avant de prendre le train* DE *Paris, je confierai ce manuscrit à la poste* (P.-H. Simon).

1114 PRÈS DE / PRÊT À + infin. Distinguer : *près de* = sur le point de : *Je la vis* PRÈS D'*expirer* (Musset) ; — *prêt à* = disposé à : *La mort ne surprend point le sage : / Il est toujours* PRÊT À *partir* (La Font.).

1115 QUANT À / TANT QU'À. Usage régulier : QUANT À *moi, je partirai.* La langue populaire emploie volontiers *tant qu'à* pour *quant à ;* cela se rencontre parfois dans la langue littéraire : TANT QU'À *toi, il sera beau de t'être fait un parti de toi-même* (Chateaubriand). — TANT QU'À *moi, j'aurais cru que mon arme aurait fait long feu* (A. Chamson).

1116 N.B. *Tant qu'à* + infin. a pris, dans la langue populaire, parfois aussi dans la langue littéraire, le sens de « supposé qu'on pousse les choses jusqu'à » : TANT QU'À *marcher, autant se diriger du côté de la délivrance* (A. Gide). — On rencontre surtout *tant qu'à faire, tant qu'à faire que (de)* + inf. : TANT QU'À FAIRE, *mieux vaut que vous me laissiez vous présenter à ma nièce* (J. Schlumberger). — TANT QU'À FAIRE *que de me dépayser, il vaut mieux y aller bon cœur bon argent* (J. Giono).

À ces constructions on opposera la construction régulière « à tant faire que (de) + inf. » : À TANT FAIRE *que s'offrir au Seigneur, ne faut-il pas se donner tout entier ?* (Daniel-Rops.)

1117 QUITTE À. Si l'on prend *quitte à* comme une locution prépositive, *quitte* est invariable : *Quand l'un d'eux est obligé* *d'abattre une bête mangeable, tous lui en achètent,* QUITTE *à jeter le morceau* (Flaubert).

Si l'on garde à *quitte* sa valeur d'adjectif, il est variable : *Nous devons nous contenter de ce que la vie réelle nous offre,* QUITTES *à la magnifier* (V. Larbaud).

N.B. Le pluriel dans *Nous sommes* QUITTES ; — le singulier dans *Nous sommes* QUITTE À QUITTE.

1118 **SANS** (*n'être pas* ~ + infin.). Bien observer le sens résultant de la connexion des éléments négatifs dans *Vous n'êtes pas sans ignorer...* = vous n'êtes pas non ignorant... (la première négation *ne pas* détruit la seconde *sans* ou *non*) = *vous ignorez...* — *Vous n'êtes pas sans savoir...* = vous n'êtes pas non sachant... = *vous savez...*

1119 **SOUS LE RAPPORT DE** (critiqué par Littré et par les puristes) est reçu dans le bon usage : *Cette voiture est excellente* SOUS LE RAPPORT DE *la commodité, de la vitesse* (Ac.).

1120 N.B. *Rapport à* [= à cause de, au sujet de] est de la langue populaire : *Si madame voulait me donner un congé de huit jours,* RAPPORT À *ma femme qui a le mal du pays* (É. Estaunié).

SUR

1121 ***Aller sur ses dix ans.*** On dit bien : *Cet enfant va* SUR *quatre ans,* SUR *ses quatre ans* (Ac.). — *Elle marchait* SUR *ses vingt ans* (É. Henriot).

Assez rarement : *Frankie marchait* VERS *ses neuf ans* (G. Conchon).

1122 ***D'accord sur ; ~ de ; ~ en ; ~ avec.*** On dit : « d'accord *sur* qq.ch., *de* qq.ch. (vieilli), *en* qq.ch., *avec* qq.ch. » : *Après un échange d'idées* SUR *lesquelles ils étaient tombés d'accord* (R. Martin du Gard). — *Il était d'accord* SUR *tout* (H. Troyat). — *On croira, Madame, que vous êtes d'accord* DE *tout ce qui se passe* (Chateaubriand). — *Quoiqu'ils paraissent n'être d'accord* EN *rien* (Fénelon). — *La forme du corps et le tempérament sont d'accord* AVEC *la nature* (Buffon). — *Rester en accord* AVEC *quelque chose de permanent* (A. Maurois).

Quand le complément désigne une personne, on dit : « d'accord *avec* », « en accord *avec* »: *Je suis d'accord* AVEC *vous*. — *En accord* AVEC *d'autres pays américains* (G. Duhamel).

1123 ***Blaser, blasé.*** On dit : « être blasé, se blaser *sur* qq.ch. ou *de* qq.ch. » : *La mauvaise vie qu'il a menée l'a blasé* SUR *tout* (Ac.). — *Nous commençons par être un peu blasés* SUR *les prouesses de la biologie* (J. Rostand). — ||| *Blasé* DES *danses viles* (P. Verlaine). — DE *rien facilement je ne me blase* (H. Bosco).

N.B. 1. Rarement : *Aussitôt le même bien-être élémentaire l'enveloppait, (...)* CONTRE *lequel elle ne se blasait pas* (M. Genevoix).
2. *Blaser, blasé de* + infin. : *J'étais déjà blasé* DE *piétiner la neige durcie* (A. Hermant).

1124 ***Propre sur soi*** est parfaitement correct : *La santé demande qu'on soit propre* SUR *soi* (Littré). — *Être propre* SUR *soi* (Ac.).

1125 ***Sur la côte.*** On dit « être *sur* la côte », « aller *sur* la côte » : *C'est* SUR *la Côte d'Azur que nous achevâmes de passer l'hiver* (A. Gide). — *Elle aurait pu aller à la montagne, ou plutôt* SUR *la Côte d'Azur* (Montherlant). — *Avec nos vacances* SUR *la Côte basque* (P. Daninos).

1126 N.B. 1. Avec *partir :* « Partir *pour* la côte d'Azur, *vers* la côte d'Azur, *sur* la côte d'Azur ».
2. Rare et désuet : « *à* la côte » : *Pierre (...) se noya* À *la côte d'Afrique* (Chateaubriand). — *Faire naufrage* À *la côte* (Littré).

1127 ***Sur le plan / au plan.*** On dit : « *sur* le plan des principes, *sur* le plan moral » [= au point de vue...] : *Faire son salut* SUR *le plan spirituel* (A. Maurois). — SUR *le plan des idées, ils sont indulgents* (M. Aymé).

N.B. Tour néologique : « *au* plan... » : *La biologie n'est pas seulement,* AU *plan de la science pure, l'étude du progrès de la vie* (P.-H. Simon).

1128 ***Vivre sur ; ~ de.*** En parlant de ce qui fournit les moyens de subsister, on dit : « vivre *sur* » ou « vivre *de* » : *Vivre*

SUR *son revenu* (Dict. génér.). — *Il nous faudra vivre* SUR *notre capital* (Fr. Mauriac). — ‖ *Vivre* DE *son bien,* DE *ses rentes* (Ac.).

N.B. Au figuré, généralement avec *sur : Vivre* SUR *sa réputation* (Littré). — *Il vécut jusqu'à la fin* SUR *un vieux fonds de culture assez sommaire* (H. Bremond).

1129 **VOICI, VOILÀ.** Distinction théorique : *voici* [= vois *ici*] implique l'idée de proximité relative : *Me* VOICI. — VOICI *des fruits, des fleurs, des feuilles et des branches* (Verlaine) ; — *voilà* [= vois *là*] implique l'idée d'éloignement relatif : VOILÀ *tous mes forfaits ; en voici le salaire* (Racine).

1130 N.B. 1. Dans la pratique, cette distinction n'est guère observée, et *voilà* a nettement supplanté *voici :* VOILÀ *l'histoire. Vous savez qui je suis ? rien, une fille du peuple,* etc. (Hugo). — VOILÀ *mon excuse : l'intérêt* (Th. Maulnier). — *Tenez,* VOILÀ *pour vous.*

2. Ne dites pas (tour archaïque) : « le voici, le voilà *qu'il* vient » ; dites : « ... *qui* vient » : *Le voilà* QUI *vient par ici* (J. Giraudoux) ; — ou bien (sans le pronom personnel devant *voici* ou *voilà*) : *Voici, voilà qu'il vient.*

3. On dit, pour présenter ou offrir une chose : *Voulez-vous me donner ce livre ?* — VOICI (ou : VOILÀ), *monsieur.* — Parfois (surtout pour mieux attirer l'attention) : « s'il vous plaît » : *Édouard saisit aussitôt la salière et la tendit à bout de bras, en inclinant le buste.* — S'IL VOUS PLAÎT, *Monsieur* (G. Duhamel, cit. Ph. Baiwir).

CHAPITRE VIII

CONJONCTIONS

1131 **CAR EN EFFET** est généralement redondant ; l'expression (condamnée par l'Académie dans une mise en garde du 13 nov. 1969) se justifie cependant quand *en effet* a son sens fort de « dans la réalité » ou quand il sert à renforcer *car :* CAR EN EFFET, *la seule immensité de cette douleur lui aurait donné le coup de la mort* (Bossuet, cité par R. Le Bidois). — CAR EN EFFET *il n'y a que deux états dans la vie : le célibat et le mariage* (Chateaubriand).

1132 **DEMEURANT** *(au ~)* = au reste, pour le reste. Cette expression a repris faveur dans l'usage littéraire : *Il est un peu vif, mais,* AU DEMEURANT, *bon garçon* (Ac.). — AU DEMEURANT, *forte tête et grande âme* (A. Maurois).

ET

1133 ***Nombres complexes.*** On ne lie pas par *et* deux éléments consécutifs dans les nombres complexes : *Cette poutre a trois mètres vingt centimètres de long. — Un homme de cinq pieds six pouces* (Ac.).

Quand il s'agit d'un nombre d'années + un nombre de mois (+ un nombre de jours), on lie par *et* le dernier élément : *Il y a aujourd'hui trois cent quarante-huit ans six mois* ET *dix-neuf jours* (Hugo). — *Âgé de soixante-dix-huit ans trois mois* ET *vingt-quatre jours* (É. Faguet).

1134 ***Indication d'heure, de mesure.*** Quand la fraction est « demi », on doit mettre *et : Trois heures* ET *demie ; cinq mètres* ET *demi.* — Avec toute autre fraction, on peut mettre *et,* mais le plus souvent on ne le met pas : *Midi* ET *un quart* (Littré).

— *Une aune* ET *un tiers* (Id.). — ‖‖ *Il était midi un quart* (M. Barrès). — *Il est quatre heures trois quarts* (M. Pagnol). — *Un mètre trois quarts* (Ac.).

1135 N.B. 1. S'il n'y a qu'un seul quart, on dit « et quart » (sans *un*) : *Vers onze heures* ET QUART (É. Estaunié). — *Un mètre* ET QUART (Ac.). — Moins souvent : « un quart » : *Vers huit heures* UN QUART (P. Mille). — *Deux heures* UN QUART (Ac.).

S'il y a soustraction, on dit : « moins le quart » : *Après le coup de cloche de midi moins* LE QUART (M. Arland). — *À sept heures moins* LE QUART (J. Cocteau). — Moins souvent : « moins un quart » : *Trois heures moins* UN QUART (Ac.). — *À six heures moins* UN QUART (Chateaubriand).

2. Ne dites pas : *Il est deux heures quart ;* — ni : *le quart pour deux heures.*

3. On dit bien (notamment en parlant d'une sonnerie d'horloge) : « le quart de, la demie de, les trois quarts de », « le quart avant », « le quart, la demie, les trois quarts après » : *L'horloge de Carfax sonna le quart de midi* [= midi et quart] (A. Hermant). — *La demie de minuit* [= minuit et demi] *sonna* (Maupassant). — *Les aiguilles marquaient la demie de onze heures* (A. Arnoux). — *Le quart avant midi sonna* (M. Genevoix). — *La demie après onze heures* (Cl. Farrère). — *Comme les trois quarts après onze heures sonnaient* (Stendhal).

1136 ***Et donc*** « n'est plus usité » déclarait Littré. Il se rencontre encore : *Je sais que les demoiselles sont bien plus à craindre que les dames, étant nécessairement plus spontanées,* ET DONC *plus moqueuses* (P. Valéry). — *Elle devait avoir vingt-deux ans,* ET DONC *elle était majeure* (G. Duhamel).

1137 **ET/OU.** La conjonction double *et/ou* (calquée sur l'anglais *and/or*) marquant possibilité de l'addition ou du choix s'est assez récemment introduite dans la langue de la technique ou des affaires : *Cette machine broie les agglomérés* ET/OU *leurs chutes.* — *Nous attendons monsieur le directeur* ET/OU *son adjoint.*

1138 **NI.** On dit : *Sans force* NI *vertu* (Littré) ; mais on peut dire aussi : *Sans force* ET SANS *vertu* (Littré). — *Je restais sans force* ET SANS *parole* (H. Gide).

On peut avoir « ni sans... ni sans », « ne pas sans... ni sans » : *Le spectacle ne serait ni sans intérêt ni sans charme*

(Hugo). — [Ces vers] *ne sont pas sans tendresse ni sans grâce* (J. Lemaitre).

1139 N.B. *Et ni (même)* se rencontre parfois : ET NI *la jeune femme allaitant son enfant* (Mallarmé). — ET NI *votre air bête* ET NI *ces yeux tard venus* (P. Valéry). — *Je ne parle pas pour toi* ET NI *même pour moi* (G. Duhamel).

QUE et locutions

1140 ***À ce que, de ce que.*** Certains verbes comme *aimer, conclure, consentir, demander, faire attention, prendre garde, s'attendre, tâcher*, etc., se trouvent, non seulement dans la langue parlée, mais aussi chez de bons auteurs, construits avec *à ce que : Il aime* À CE QU'*on le considère comme un bon ouvrier* (J.-J. Gautier). — *L'avocat conclut* À CE QUE... (Ac.). — *Je consens volontiers* À CE QU'*il vienne avec nous* (Mérimée). — *Je demande* À CE QU'*on m'oublie* (Flaubert). — *Elle ne faisait pas toujours attention* À CE QU'*il n'y eût personne dans la chambre voisine* (M. Proust). — *M. de Maupassant prend garde* À CE QUE *son peintre ne soit jamais un héros* (A. France). — *Il s'attend* À CE QUE *je revienne* (Ac.).

Mais on emploie aussi le simple *que : aimer que, consentir que, demander que*, etc.

1141 Semblablement des verbes de sentiment comme *s'affliger, s'étonner, se féliciter, frémir, se glorifier, s'indigner, s'irriter, se plaindre, se réjouir, être heureux (fier, fâché, content...)*, etc. se trouvent construits avec ***de ce que :*** *Je me félicitai d'abord* DE CE QU'*on me laissait en paix* (J. Green). — *Il s'étonne* DE CE QU'*il ne soit pas venu* (Ac.). — *Irrité* DE CE QUE *je sois tourmenté* (M. Prévost). — *La maréchale se plaignait* DE CE QUE *sa robe fût chiffonnée* (A. Maurois).

On emploie aussi le simple *que : s'affliger que, s'étonner que, se plaindre que*, etc.

1142 Dans des phrases comme *Suivez le même chemin que celui que j'ai suivi ; vous aurez les mêmes droits que ceux dont j'ai parlé,* où la comparaison est marquée par *même,* on peut faire l'ellipse de la conjonction *que* et du pronom démonstratif : *Suivez le même chemin que j'ai suivi ; vous aurez les mêmes droits dont j'ai parlé. — On vous fera le même traitement qu'on lui a fait* (Littré).

1143 La syntaxe logique produit parfois la rencontre de deux *que,* amenés l'un par le verbe principal, l'autre par un adverbe ou un terme comparatif : ainsi on aurait théoriquement [construction usitée anciennement] : « J'aime mieux qu'il lise *que qu'*il joue ».

Pour éviter la collision des deux *que,* on peut, selon les cas :

1° remplacer le second *que* par *si : J'aime mieux que vous alliez à Paris que* SI *vous perdiez votre temps chez vous* (Littré). — *Il vaut mieux tuer le diable que* SI *le diable nous tue* (Stendhal).

Archaïque : *Il vaut mieux tuer le diable* QUE NON PAS QUE *le diable vous tue* (Littré).

2° employer un seul *que : Il ne manquait plus* QU'*elle vous vît arriver* (A. Dumas f.). — *Il ne demandait pas mieux* QU'*un de ses fils fût baptisé* (A. Bellessort).

3° recourir à *que de* + inf., ou à *plutôt que de* + inf., ou à *plutôt que* + subj. : *J'aurais mieux aimé que mon frère se fît tuer* QUE DE *se conduire sans bravoure* (M. Barrès). — *J'aimerais mieux qu'il se fasse tuer* PLUTÔT QUE DE *trahir. — J'aime mieux qu'il se fasse tuer* PLUTÔT QU'*il trahisse.*

Parfois après *que de* ou *plutôt que de,* on met *voir* + propos. infin. : *J'aime mieux qu'il se fasse tuer que de le voir* (ou *plutôt que de le voir*) *trahir.*

1144 ***Au début que.*** Ne dites pas : « *Au début que* nous habitions ici » ; dites, par exemple : *Dans les premiers temps où..., dans les premiers temps que...*

1145 ***Autre chose que.*** Dans des propositions négatives ou interrogatives, après *autre, autre chose, rien,* le second terme du rapport s'introduit généralement par *que : Il n'a pas* (ou : *a-t-il... ?*) *d'autres amis* QUE *vous ; il n'entend pas autre chose* QUE *le silence, il n'entend rien* QUE *le silence.*

Il peut aussi s'introduire par *sinon* ou par *si ce n'est : Il n'a pas d'autre ressource* SINON *une petite place* (Littré).

OU : ... SI CE N'EST *une petite place.* — *Il ne me reste plus autre chose à faire,* SINON *de m'écrier avec le prophète...* (Bossuet).

1146 ***Cependant que*** a le même sens que « pendant que », mais il est archaïque et uniquement littéraire : *Mais,* CEPENDANT QU'*il rompait la cire du cachet, il avait remarqué une légère accélération des mouvements de son cœur* (A. Hermant).

1147 ***De façon à ce que, de manière à ce que,*** parallèlement à *de façon que, de manière que* (locutions classiques, plus légères, recommandées dans la langue soignée) sont courants, même dans la langue littéraire : *Il s'arrangea* DE FAÇON À CE QUE *Josiane allât à la baraque Green-Box* (Hugo). — *Remettez-vous vite,* DE FAÇON À CE QUE *nous ne nous irritions pas l'un l'autre* (A. Maurois). — *Un double portique, disposé* DE MANIÈRE À CE QU'*on trouvât de l'ombre à toute heure du jour* (A. France).

1148 ***Informer que,*** et non : *de ce que : J'ai à vous informer* QUE *(...) l'Administration (...) a reçu une forme différente* (Stendhal). — *La Radio informe les habitants* QUE *les fenêtres éclairées font d'excellentes cibles* (F. Gregh).

De même : *avertir que, instruire que, faire part que.*

1149 ***Malgré que.*** On dit bien (avec *en avoir* pris absolument) : *malgré que j'en aie, en dépit que j'en aie, quoi que j'en aie* [= en dépit de moi] : MALGRÉ QU'IL EN AIT, *nous savons son secret* (Ac.). — EN DÉPIT QU'ON EN AIT, *elle se fait aimer* (Molière). — *Revenant toujours,* QUOI QU'IL EN EÛT, *à la rue des Serpents* (Montherlant).

Malgré que, au sens de « bien que » (mais avec idée d'opposition), est condamné par Littré, par les puristes en général, et ignoré par l'Académie ; cela n'empêche pas qu'il a pris dans l'usage, même littéraire, de solides positions : MALGRÉ QUE *Gertrude lui ait déclaré...* (A. Gide). — MALGRÉ QUE *le soir tombe* (J. Romains).

1150 ***Pour autant que*** (ignoré par Littré et par l'Académie) s'emploie bien, au sens restrictif, avec la valeur de « autant que, à proportion que, dans la mesure où » : POUR AUTANT QUE *je le sache, ils étaient d'une très honnête et probablement très loyale piété* (G. Duhamel). — *Je cherche à me représenter tes sentiments,* POUR AUTANT QUE *je puisse* (M. Druon). — POUR AUTANT QUE *je me souvienne* (Vercors).

1151 N.B. 1. *Pour autant,* au sens causal et adversatif, est très vivant dans l'usage actuel : *Le problème de la vie n'est pas résolu* POUR AUTANT (É. Henriot). — *Nous connaissons assez cette pensée, si chère à plusieurs modernes. Mais est-elle vraie* POUR AUTANT ? (J. Guitton.)

2. *D'autant que* se dit bien au sens de « d'autant plus que » : *J'avais un faible pour la psychologie,* D'AUTANT QUE *j'y croyais avoir quelques aptitudes* (A. Hermant).

1152 ***Préférer*** + deux infinitifs (cf. aussi n° 1081).

Usage classique : « préférer souffrir *plutôt que (de) mourir* » : *Il préférait m'admirer* PLUTÔT QUE *m'approuver* (H. Bordeaux). — *Il préférait deviner les êtres* PLUTÔT QUE DE *les interroger* (J. de Lacretelle).

Usage moderne, fréquent chez nombre d'excellents auteurs : « préférer souffrir *que (de)* mourir » : *Il préfère tout louer* QUE DE *faire son choix* (E. Jaloux). — *Elle a préféré mourir* QUE DE *vivre ainsi* (Fr. Mauriac). — *On préférait prévenir* QUE *châtier* (J. Kessel).

1153 N.B. 1. Avec le second infinitif non exprimé : *Il préfère y étaler son intelligence* QUE *ses dons* (M. Achard). — *Je préfère me tromper par l'action* QUE *par l'inertie* (R. Ikor).

2. On trouve parfois *préférer à,* avec deux infinitifs : *J'ai préféré ne pas vous voir* À *vous voir comme cela* (Montherlant).

1154 ***Que du contraire.*** Ne dites pas : « Il n'est pas insensible, *que du contraire* » ; dites : « ... *au contraire, bien au contraire, tout au contraire* ».

1155 ***Se rendre compte que*** est rebuté par certains puristes ; en dépit qu'ils en aient, cette locution est attestée par nombre d'excellents auteurs : *Elle se rendait compte* QU'*elle était ridicule* (R. Rolland). — *Elle se rendit compte* QU'*elle avait été spirituelle et caustique en pure perte* (V. Larbaud).

Se rendre compte de ce que (plus lourd) est beaucoup moins fréquent : *Et non le roi, pensa Mortier, qui tout d'un coup se rendit compte* DE CE QUE *le Duc allait lui rester sur les bras* (Aragon).

1156 ***Surtout que*** [= surtout parce que, d'autant (plus) que], généralement condamné par les puristes, est pourtant, comme dit Thérive, composé « de façon irréprochable ». Il s'implante de plus en plus dans l'usage littéraire : *Ce que vous m'en dites m'agrée en tous points,* SURTOUT QUE *la villa n'est point humide* (Fr. Jammes). — *Édith n'irait pas se vanter d'une chose pareille !* SURTOUT QUE *je sais très bien que tu ne fais rien de mal* (M. Achard). — *Leurs dents étaient blanches et pointues, inquiétantes en quelque sorte,* SURTOUT QU'*ils les montraient en jeunes rongeurs* (J.-P. Chabrol).

1157 ***Tâcher que*** est bien implanté dans l'usage : *Tâchons* QUE *nos âmes ne soient pas englouties devant Dieu* (Hugo). — *Tâchez* QU'*on ne vous voie pas* (A. France).

N.B. *Tâcher à ce que* est rare : *Tâchant* À CE QUE *le contenu en demeurât invisible à la foule, elle ouvrit l'écrin* (O. Mirbeau, cit. Sandfeld).

1158 ***Tant (il) y a que*** se dit familièrement et aussi dans l'usage littéraire au sens de « quoi qu'il en soit, avec tout cela, enfin » : *Jolie enfant ou non,* TANT Y A QUE *c'est une excellente femme* (Diderot). — *Je ne sais pas bien ce qui donna lieu à leur querelle,* TANT IL Y A QU'*ils se battirent* (Ac.).

1159 ***Veiller à ce que.*** Telle est la construction normale : *Le magistrat doit veiller* À CE QUE *l'esclave ait sa nourriture et son vêtement* (Montesquieu). — *Veillez* À CE QUE *toutes les persiennes soient bien closes* (Fr. Mauriac).

Veiller que est assez rare : *Veille* QU'*il* [un secret] *demeure en toi dans sa fraîcheur première* (M. Bedel).

1160 **PAR AILLEURS** peut signifier « par une autre voie » : *Il faut faire venir vos lettres* PAR AILLEURS (Littré).

Il signifie aussi, très fréquemment, « d'autre part, d'un autre point de vue, pour le reste » : *Je l'ai trouvé très irrité et,* PAR AILLEURS, *décidé à se retirer* (Ac.). — *Cela lui était,* PAR AILLEURS, *indifférent* (A. Malraux). — *C'était,* PAR AILLEURS, *un brave homme* (H. Bosco).

1161 PAR CONTRE, rejeté par les puristes, ignoré par l'Académie, est incontestablement reçu par le meilleur usage : PAR CONTRE, *je ne suis plus trop rassuré en face de moi-même* (A. France). — PAR CONTRE, *quand quelqu'un te livrera une de ces impressions obscures, ne la rejette pas* (G. Duhamel). — *Les aliments ne sont touchés qu'avec des gants de caoutchouc.* PAR CONTRE, *à table, on se sert avec les doigts* (P. Morand). — *J'étais malade de honte et prêt à pleurer.* PAR CONTRE, *mon père exultait d'une joie tapageuse* (H. Troyat).

1162 QUOIQUE / QUOI QUE. Distinguer : *quoique* = « bien que » : QUOIQU'*il soit jeune, il est très réfléchi* (Ac.). — *Quoi que* = « quelque chose que » : *Restons fermes,* QUOI QU'*il arrive.*

1163 N.B. 1. *Quoique ça* [= malgré cela] est de la langue populaire : *Mais* QUOIQUE ÇA, *c'est tout de même un collège* (A. Daudet).

2. *Bien que* est parfois employé abusivement pour « quoi que » : *L'âme humaine n'est point partout la même,* BIEN QU'*en dise M. Levallois* (Flaubert). — *Aucune femme,* BIEN QU'*elles prétendent, n'étant indifférente à la beauté physique et à la gloire* (Maupassant).

1164 SOIT. Pour marquer l'alternative, on peut avoir *soit... soit, soit... ou, soit que... soit que, soit que... ou que :* SOIT *raison,* SOIT *caprice, / Rome ne l'attend pas pour son impératrice* (Racine). — SOIT *rapide disparition du mal* OU *sursaut de volonté* (H. Bordeaux). — SOIT QU'*il le fasse,* SOIT QU'*il ne le fasse pas* (Ac.). — SOIT QU'*elle ne comprît pas* OU *qu'elle ne voulût pas comprendre* (Th. Gautier).

1165 N.B. Archaïsme : *Soit en paix* OU SOIT *en guerre* (Ronsard). — *Soit qu'il l'accorde* OU SOIT *qu'il le refuse.* — Pour Littré, *ou* n'est là « qu'un pléonasme qui ne mérite pas condamnation ».

TROISIÈME PARTIE

DANS LES SUBORDONNÉES

DANS LES SUBORDONNÉES

I. EMPLOI DES MODES

PRINCIPES

1166 On emploie :

a) l'**indicatif** quand le procès se place sur le plan de la réalité, située dans l'une des trois époques de la durée.

b) le **conditionnel** lorsqu'on veut marquer un futur hypothétique. Selon la plupart des linguistes modernes, ce mode n'est rien d'autre qu'un secteur du mode indicatif. Ainsi à chaque emploi de l'indicatif répond un emploi du conditionnel quand l'action est située dans le champ du futur hypothétique : *Je crois que tu* RÉUSSIRAS. / *Je crois qu'en changeant de méthode tu* RÉUSSIRAIS.

c) le **subjonctif** lorsqu'on marque que le fait est situé non sur le plan de la réalité, mais dans le champ des choses simplement envisagées, non existantes ou non encore existantes et pensées avec un certain dynamisme de l'âme (volonté, désir, regret, joie, crainte, etc.).

A. PROPOSITIONS SUBSTANTIVES

1167 On emploie le **subjonctif :**

1° après les expressions impersonnelles marquant possibilité, impossibilité, doute, négation, nécessité, approbation, improbation — ou exprimant quelque mouvement de l'âme : *Il est possible, impossible, douteux, nécessaire, important, exclu, bon, juste, urgent que cela se* FASSE. — *Il faut, il importe, il est temps, il vaut mieux qu'on* PARTE.

2° après les verbes d'opinion ou de perception lorsque le fait subordonné est simplement envisagé dans l'esprit (non dans la réalité). C'est le cas après des formes négatives, interrogatives, conditionnelles (introduites par *si*) — ou après des verbes exprimant la négation, le doute, l'incertitude (*nier, douter, contester, démentir,* etc.) : *Je ne crois pas qu'il le* FASSE. *Pensez-vous qu'il le* FASSE ? *Si vous jugez que cela* SOIT *possible... Je nie, je doute, je conteste que cela* SOIT.

3° après les verbes exprimant la volonté, l'ordre, la défense, l'empêchement : *Je veux, j'ordonne, je commande, j'exige, je demande, je défends, je permets, je consens, je souhaite, j'empêche qu'on* FASSE *cela.*

4° après les verbes exprimant un sentiment, un mouvement de l'âme (joie, douleur, crainte, regret, etc.) et après des noms ou des adjectifs du même ordre que ces verbes (*la crainte que, la peur que, heureux que, surpris que,* etc.) : *Je regrette, je m'étonne, je me réjouis, je suis heureux, content qu'il le* FASSE.

Observations particulières

INDICATIF - CONDITIONNEL - SUBJONCTIF - INFINITIF

1168 Après ***il n'est pas douteux*** (*contestable, discutable,* etc.) ***que, il n'y a pas de doute que, il ne fait pas de doute que, il est hors de doute que, sans doute que, nul doute que, c'est dommage que, il est possible que, il est de fait que,*** on emploie l'**indicatif** si le fait subordonné est réel, — et le **conditionnel** si ce fait est hypothétique, éventuel : *Il n'est pas douteux qu'il* VIENDRA, *qu'en insistant il* VIENDRAIT.

1169 Après ***il suffit que,*** on met le **subjonctif,** rarement l'**indicatif** (archaïque) : *Il suffit que vous le* DISIEZ *pour que je le croie* (Littré). — *Il me suffit que vous l'*AIMEZ (Molière).

1170 Après les formes impersonnelles exprimant la certitude, la vraisemblance, le résultat, on met :

a) l'**indicatif** quand ces formes sont employées affirmativement : *Il est certain, sûr, probable, vraisemblable, évident qu'il* VIENDRA. — *Il y a apparence, il me paraît, il* *s'ensuit que cela se* FERA. — *Il y a une chance sur trois qu'il* EST *Italien* (P. Valéry).

Cependant après *il est probable, vraisemblable, exact ; il y a apparence, il y a des chances,* le subjonctif se trouve exceptionnellement : *Il est donc probable (...) qu'il lui* AIT *parlé* (M. Pagnol). — *Il est vraisemblable que (...) cette nécessité-là* SOIT *devenue inutile* (E. Jaloux).

b) le **conditionnel** si le fait subordonné est hypothétique, éventuel : *Il est certain, sûr, évident, probable, vraisemblable qu'en changeant de méthode, il* RÉUSSIRAIT.

c) le **subjonctif** quand ces formes impersonnelles sont employées dans des propositions négatives, interrogatives, conditionnelles — ou plus généralement quand le fait est simplement envisagé dans la pensée : *Il n'est pas certain, sûr, évident, qu'il* VIENNE. — *Est-il vrai, sûr, certain, qu'il* PARTE ? — *Tous ont l'accent de Paris, s'il est vrai que Paris* AIT *un accent* (Fr. Jammes).

Parfois cependant, on a l'**indicatif** : *Il n'est pas sûr que je* PARTIRAI. — *Est-il certain que vous* VIENDREZ ? — *S'il est vrai qu'on ne* PEUT *rien lui reprocher, ne le condamnons pas.*

1171 Après ***il arrive que, il advient que, il se fait que, il se peut que, il se trouve que, il survient que,*** on met le **subjonctif** quand le fait est envisagé dans la pensée (généralement quand ces expressions sont employées dans des propositions négatives, interrogatives, conditionnelles) : *Il n'arrive (n'advient, ne se fait, ne se peut, ne se trouve, ne survient) jamais que cela se* FASSE. — *Arrive-t-il, advient-il, se fait-il, se peut-il, se trouve-t-il, survient-il que cela se* FASSE ? — *S'il arrive (advient, se fait, se peut, se trouve, survient) qu'on* AIT *ce malheur...*

On met l'**indicatif** si le fait subordonné est réel, — le **conditionnel,** s'il est hypothétique, éventuel : *Il arrive (advient, se fait, se peut, se trouve, survient) que l'on* PERDE *tout ce qu'on a, — que l'on* SOUHAITERAIT *changer de situation.*

1172 ***Il semble que*** (avec ou sans régime indirect : *me, te, lui...*).

a) Pris affirmativement : se fait suivre de l'**indicatif** ou du **conditionnel** (fait éventuel), ou du **subjonctif** : *Il (me) semble que vous* AVEZ *raison, que vous* DEVRIEZ *partir, que vous* AYEZ *raison.*

b) Pris négativement ou interrogativement : se fait suivre du **subjonctif** : *Il ne (me) semble pas qu'on* DOIVE *partir. — (Vous) semble-t-il qu'on* PUISSE *partir ?*

c) Suivi d'un adjectif attribut : amène le même mode qu'appellerait l'impersonnel *il est...* formé avec cet adjectif : *Il (me) semble évident que vous* AVEZ *raison, que vous* AURIEZ *raison si... — Il (me) semble douteux que vous* AYEZ *raison.*

1173 N.B. Tout ce qui vient d'être exposé s'applique aussi à *il (me, te...) paraît que* ; une réserve pourtant : prise affirmativement, cette expression n'admet après elle que l'indicatif ou le conditionnel (non le subjonctif) : *Il (me) paraît que vous* AVEZ *raison, que vous* DEVRIEZ *partir.*

1174 Après ***(il) m'est avis que,*** on met l'**indicatif** ou le **conditionnel** (fait éventuel) : *(Il) m'est avis que le temps* VA *changer. — M'est avis que ce* SERAIT *une sage précaution de les avertir* (J. Green).

1175 Après ***il s'agit que*** (construction rare) on met l'**indicatif** ou le **conditionnel** selon qu'on marque la réalité ou l'éventualité ; le **subjonctif** si l'on exprime la nécessité : *Il s'agit que Rome* A *besoin d'un maître* (Voltaire). — *Il s'agit que nous* PÉRIRIONS *si.... — Il s'agit que la participation* DEVIENNE *la règle et le ressort d'une France renouvelée* (Ch. de Gaulle).

1176 Après ***(il) n'empêche que,*** on met l'**indicatif** ou le **conditionnel** (fait éventuel) : *Il n'empêche qu'en la saluant (...) je ne* PUS *me défendre d'un mouvement de retrait* (É. Henriot). — *N'empêche que je* SUIS *un équipage de défaite* (Saint-Exupéry). — *N'empêche que l'entreprise* PÉRICLITERAIT *si...*

Le subjonctif se rencontre parfois : *Il n'empêche (...) que nous* APPROCHIONS *de l'objectif qui est le nôtre* (Ch. de Gaulle). — Cela est abusif.

1177 Après les verbes d'opinion ou de perception, on met, dans la subordonnée introduite par ***que :*** l'**indicatif** si le fait est réel, — le **conditionnel** si le fait est hypothétique, — le **subjonctif** si le fait est simplement envisagé dans la pensée (dans beaucoup de cas : après une principale négative, interrogative, conditionnelle) :

Je crois, j'affirme, je déclare, je vois, je sais, je sens que nous RÉUSSIRONS ; *que nous* RÉUSSIRIONS *en procédant autrement. — Je ne crois pas, je ne vois pas que nous* PUISSIONS *réussir. — Croyez-vous, estimez-vous que nous* PUISSIONS *réussir ? — Si vous croyez, si vous estimez que nous* PUISSIONS *réussir, dites-le.*

1178 Après une principale négative, interrogative ou conditionnelle, un verbe d'opinion ou de perception appelle après lui l'**indicatif** si l'on veut marquer la réalité, — le **conditionnel** si l'on exprime l'éventualité : *Nous ne savions pas que la ville* ÉTAIT *si distante* (A. Gide). — *Croit-on que nous* SOMMES *sur un lit de roses ?* (Colette.) — *Je ne crois même pas que l'on* POURRAIT *lui reprocher une distraction* (G. Duhamel). — *Si je pensais que Guillaume* SERAIT *plus heureux (...), je fuirais avec lui loin de Paris* (A. Maurois).

1179 ***Espérer que, se flatter que,*** pris affirmativement, appellent normalement après eux l'**indicatif** ou le **conditionnel** (fait éventuel) ; parfois aussi ils sont suivis du **subjonctif** (idée de *croire*) : *J'espère qu'il* VIENDRA *bientôt* (Ac.). — *Je me flatte que vous* ÊTES *quitte de votre accès de goutte* (Voltaire). — *J'espère qu'il* POURRAIT *payer un peu mes dettes* (Stendhal). — *Il se flatte qu'avec un peu de chance il* RÉUSSIRAIT. — *Murs d'argile (...), espérant qu'enfin vous* CÉDIEZ, *je vous longe* (A. Gide). — *Je me flattais donc qu'elle* SENTÎT *la disproportion de l'honneur que je lui avais fait* (A. Hermant).

Pris négativement ou interrogativement, ces verbes amènent généralement le **subjonctif,** parfois l'**indicatif** ou le **conditionnel :** *Je n'espère pas que vous le* FASSIEZ (Littré). — *Je ne me flatte pas que ces pages* PUISSENT *avoir beaucoup de* *lecteurs* (É. Henriot). — *Il n'espère pas qu'il* ENTENDRA *de nouveau l'ordre mystérieux* (G. Bernanos). — *On n'espère pas qu'il* MANQUERA *l'œuf* (J. Renard). — *Espérez-vous que je le* FASSE, ou *que je le* FERAI ? (Littré.) — *Espères-tu que je le* FERAIS *sans toi ?*

1180 N.B. Tout ce qui vient d'être dit s'applique aussi à *l'espoir que, l'espérance que.*

1181 ***Ignorer que*** (affirmatif, négatif ou interrogatif) amène souvent le **subjonctif ;** si le fait est réel, on met **l'indicatif ;** s'il est éventuel, le **conditionnel :** *J'ignorais qu'il* FÛT *arrivé* (Ac.). — *Il n'avait pas ignoré que Félicie* EÛT *un amant* (A. France). — *Ignorais-tu qu'il* FÛT *de retour ?* — *Il ignorait que j'*AVAIS *donné ma démission* (Chateaubr.). — *Vous n'ignorez pas qu'elle* EST *riche* (G. Sand). — *Ignorez-vous qu'il* EST *malade ?* (G. Bernanos.) — *Je n'ignore pas qu'il se* TIRERAIT *d'embarras sans moi.*

1182 ***Je ne sache pas que, on ne sache pas que*** exigent le **subjonctif :** *Je ne sache pas que mettre tout en doute, préalablement,* VAILLE *mieux que tout croire* (H. Bosco). — *On ne sache pas qu'elle* AIT *jamais protesté autrement* (A. Billy).

1183 ***Nier que, douter que, contester que, démentir que, disconvenir que, dissimuler que*** se font suivre généralement du **subjonctif ;** c'est le **conditionnel** qui est demandé si l'on exprime un fait éventuel : *Je nie (je ne nie pas, nieras-tu ?), je doute (je ne doute pas, doutes-tu ?), je conteste (je ne conteste pas, contestes-tu ?) qu'il* AIT *raison.* — *Je ne nie pas que la liberté ne* SOIT *pour une nation le premier des biens* (A. France). — *Nierez-vous que notre religion* SOIT *belle ?* (R. Martin du Gard.) — *Doutez-vous que cela ne* SOIT *vrai ?* (Littré.) — *Elle ne doute pas qu'elle* FERAIT *mieux encore* (J. Renard). — *Je doute qu'ils vous* LAISSERAIENT *jouer contre votre propre monnaie* (G. Bernanos).

Pris négativement ou interrogativement, ces verbes se font suivre de l'**indicatif** quand on souligne la réalité du fait : *Je ne doute pas qu'il* FERA *tout ce qu'il pourra* (Littré).

— *Tu ne nieras pas que tu m'*AS *forcé la main* (G. Marcel). — *Je ne me dissimule pas qu'il y* AURA *du tirage !* (H. Bernstein.) — *Douterais-tu que cette main (...)* A *tué Cragnasse ?* (Ch. Silvestre.)

1184 Après ***on dirait que, on aurait dit (on eût dit) que, vous diriez (auriez dit, eussiez dit) que*** (= il semble, il semblait que), on met d'ordinaire l'**indicatif** ou le **conditionnel** (selon qu'on envisage la réalité ou l'éventualité du fait) : *On dirait que son cou* GROSSIT (R. Boylesve). — *On aurait dit que ma présence* ÉTAIT *attendue* (É. Estaunié). — *On eût dit qu'il* S'AGISSAIT *de son propre corps* (P. Valéry). — *On dirait que, sans mon avis, vous n'*OSERIEZ *rien entreprendre.*

Le **subjonctif,** courant à l'époque classique après ces expressions, n'est pas sorti de l'usage : *On dirait qu'il* ROUGISSE *de sa nature secrète* (M. Arland). — *On eût dit que les sons échappés de ce souffle* FUSSENT *émis comme un signal* (H. Bosco).

1185 ***Oublier que,*** se fait suivre de l'**indicatif,** ou du **conditionnel** (fait éventuel), ou du **subjonctif** (seulement dans l'emploi affirmatif : fait envisagé dans la pensée) : *J'ai oublié qu'il* DEVAIT *venir me chercher* (Ac.). — *N'oubliez pas que je vous* ATTENDS (Id.). — *Oubliez-vous qu'elle* DÉPEND *d'une mère vaine et inflexible ?* (G. Sand.) — *Il avait oublié qu'elle* EXISTÂT (J. Kessel). — *J'oublie que vous* PRENDRIEZ *bien un rafraîchissement.* — *N'oubliez pas (oubliez-vous ?) que je* DEVRAIS *partir à dix heures.*

1186 Après ***promettre que*** (= s'engager à faire...), on met l'**indicatif** (un des temps du futur) : *Je vous promets bien que je* FERAI *tout mon possible* (Ac.). — *Je ne vous promets pas (promettez-vous ?) que tout se* PASSERA *bien.*

Au sens d'« affirmer », d'« assurer », ***promettre que*** amène l'**indicatif** ou le **conditionnel,** ou le **subjonctif,** selon la nuance de la pensée : *Je vous promets qu'il* SERA *puni* (Littré). — *Vous me promettez que vous ne vous* BATTEZ *pas aujourd'hui ?* (A. Dumas f.) — *Je vous promets que je ne l'*AI *pas* *épargné* (Deharveng). — *Je vous promets qu'ils* [les pronoms] *ne* SAURAIENT *troubler ma digestion* (A. Hermant). — *Je ne vous promets pas que la balance* SOIT *exacte* (Id.).

1187 Après ***s'attendre que*** pris affirmativement, on met l'**indicatif** ou le **subjonctif,** selon la nuance de la pensée : *Je m'attends que vous* VIENDREZ *demain* (Ac.). — *Je m'attendais qu'il* ALLAIT *m'éviter* (Musset). — *Je m'attendais que M. Lancelot* JETÂT *les hauts cris* (A. Hermant).

Pris négativement ou interrogativement, il se fait suivre du **subjonctif,** rarement de l'**indicatif :** *Ne vous attendez pas que je le* FASSE (Littré). — *Vous attendez-vous que je le* FASSE ? — *On ne s'attend point que les Athéniens (...)* METTRONT *en fuite la nombreuse flotte du grand roi* (Voltaire, cité par Deharveng).

1188 ***S'attendre à ce que,*** d'un emploi très fréquent, gouverne normalement le **subjonctif ;** assez rarement l'**indicatif :** *Il s'attend à ce que je* REVIENNE (Ac.). — *Il ne s'attendait pas à ce que l'incinération* FÛT *si longue* (J. Schlumberger). — *Vous attendez-vous à ce qu'il* PARTE ? — *Je m'attends à ce que Paris* VA *avoir le sort de Varsovie* (Flaubert).

1189 ***Admettre que, mettre que, comprendre que, concevoir que, supposer que.***

a) Pris affirmativement, se font suivre de l'**indicatif** si l'on situe le fait sur le plan des choses réelles, — du **conditionnel** si on le situe sur le plan des choses éventuelles, — du **subjonctif** si on le situe sur le plan du potentiel ou de l'irréel : *J'admets qu'il en* EST *ainsi* (Littré). — *Mettez que je n'*AI *rien dit* (Ac.). — *Vous comprenez que cela* DOIT *m'inquiéter* (Id.). — *Tu peux concevoir que je ne* CÉDERAI *pas.* — *Je suppose que le mage* CROYAIT *en lui-même* (Alain).

Tu admettras qu'un autre plan CONVIENDRAIT *mieux.* — *Mettons qu'avec mon aide il* RÉUSSIRAIT. — *Vous comprendrez qu'en changeant de méthode nous* RÉUSSIRIONS. — *Je conçois qu'il* FAUDRAIT *un peu de relâche.* — *Je suppose que tu* FERAIS *bien ce travail.*

J'admets qu'il y AIT *six mille graines semées qui germent* (Littré). — *Mettons que cela* SOIT *vrai* (Ac.). — *Elle comprendra que nous* SOYONS *restés ici* (M. Genevoix). — *Je conçois qu'il n'*AIT *pas été satisfait de votre conduite* (Ac.). — *Je suppose que vous* FASSIEZ *le voyage de Paris en Bretagne* (Nodier).

b) Pris négativement ou interrogativement, ces verbes demandent le **subjonctif** : *Je n'admets pas, ne mettons pas, je ne comprends pas, je ne conçois pas, ne supposez pas, (admettez-vous... ? mettrons-nous... ? comprends-tu... ? conçois-tu... ? supposes-tu... ?) que cela se* FASSE.

1190 N.B. Après *supposé que, à supposer que* (= dans la supposition que), on met toujours le **subjonctif** : *Supposé que l'inoculation* AIT *été parfaite* (Voltaire).

1191 Certains verbes de décision ou de résolution : ***arrêter, commander, convenir, décider, décréter, établir, exiger, ordonner, prescrire, régler, résoudre,*** construits avec ***que,*** se font suivre de l'**indicatif** si l'on situe le fait sur le plan de la réalité : *J'arrête que l'exécution* AURA *lieu demain* (Hugo). — *Le tribunal a décidé que la donation* ÉTAIT *nulle* (Ac.). — *Les juges ordonneront (...) que les parties intéressées* SERONT *appelées* (Code civ.).

Mais quand ces verbes expriment simplement l'idée générale de « vouloir », ils amènent le **subjonctif** : *Ils convinrent que cela* FÛT *fait* (Littré). — *L'empereur Trajan ordonna que des quintuplés* FUSSENT *élevés aux frais de sa cassette particulière* (J. Rostand).

1192 ***Consentir, dire, écrire, être d'avis, faire savoir, prendre garde, prétendre, signifier...,*** construits avec ***que,*** expriment soit une simple opinion, soit une volonté ; dans le premier cas, ils appellent l'**indicatif** ou le **conditionnel** ; dans le second cas, le **subjonctif** : *Je consens* (= j'accepte comme vrai) *que le haut clergé n'*EST *pas coupable* (A. Gide). — *Je dis qu'il* VIENT, *qu'il* VIENDRAIT *si...* — *Prenez garde* (= remarquez), *monsieur, que vous vous* ADRESSEZ *à un officier ministériel* (M. Donnay). — *Je consens* (= je veux bien) *que vous le* FASSIEZ (Ac.). — *Prenez garde qu'on ne vous* VOIE (Id.).

1193 ***Entendre que,*** au sens de « percevoir par l'ouïe », demande l'**indicatif :** *J'entends qu'on* VIENT. — Au sens de « vouloir », il se fait suivre du **subjonctif :** *J'entends qu'on m'*OBÉISSE (Littré). — Au sens de « avoir comme intention », il est parfois suivi de l'**indicatif :** *J'entends bien que mes trois fils* SERONT *agiles, adroits, robustes, si la vie me prête assistance* (G. Duhamel).

1194 Après ***le Ciel permit que, le malheur veut que, le hasard voulut que, je veux bien que*** (= j'admets que), etc., on met parfois l'**indicatif** ou le **conditionnel** pour exprimer la constatation d'un fait réel ou éventuel : *La légende veut qu'à Bagdad il* RENCONTRA *l'illustre El Ghazali, et qu'en le voyant, celui-ci (...)* AURAIT *dit...* (J. et J. Tharaud). — *Le malheur veut que les spécialistes ne* SAVENT *pas toujours écrire* (J. Green). — *Je veux donc bien que toute règle de justice* EST *vaine si l'on n'aime point* (Alain).

Si *vouloir* traduit vraiment l'idée de volonté, on met le **subjonctif :** *Le ciel voulut que, dans sa route, il* RENCONTRÂT *le médecin du village* (Musset). — *Le sort voulut que ces paroles* FUSSENT *prophétiques* (H. Bordeaux).

1195 Certains verbes de sentiment se construisent avec *que* ou avec *de ce que ;* dans le premier cas, ils appellent le **subjonctif :** *Je me réjouis, je m'étonne, je me plains qu'il* AIT *fait cela.* Dans le second cas, ils se font suivre généralement de l'**indicatif** ou du **conditionnel** (fait éventuel), mais le **subjonctif** n'est pas incorrect : *On s'étonne de ce qu'il n'y* A *presque jamais de changement* (Montesquieu). — *Il (...) se plaignait à d'autres de ce que je ne l'*AIMAIS *pas* (B. Constant). — *Il s'étonne de ce qu'il ne* SOIT *pas venu* (Ac.). — *Madame de la Hotte se réjouissait de ce que sa fille* ÉPOUSÂT *un beau garçon* (R. Boylesve). — *Je vais être obligé de me plaindre de ce que la mariée* SOIT *trop belle* (P.-H. Simon.)

1196 Quand la subordonnée introduite par ***que*** est en inversion, en tête de la phrase. son verbe se met généralement au **subjonctif :** *Qu'on* PUISSE *agir sur lui par cette crainte, Napoléon en est certain* (J. Bainville). — *Qu'il* AIT *refusé les rubans va de soi* (A. Maurois).

Si l'on veut souligner la réalité du fait ou en marquer l'éventualité, on emploie l'**indicatif** ou le **conditionnel :** *Que l'homme* EST *né pour le bonheur, certes toute la nature l'enseigne* (A. Gide). — *Que tu* RÉUSSIRAIS *en changeant de méthode, c'est bien certain.*

1197 Le verbe de la proposition introduite par ***que*** et mise en rapport avec des tours comme ***d'où vient, de là vient, l'important est, l'idée que, le fait que,*** etc., se met à l'**indicatif,** ou au **conditionnel,** ou au **subjonctif,** selon la nuance de la pensée : *D'où vient que le temps de notre petite enfance nous* APPARAÎT *si doux ?* (G. Bernanos.) — *De là vient que la prison* EST *un supplice si horrible* (Pascal). — *L'essentiel est qu'on* VIENT *à votre secours* (R. Rolland). — *L'idée que Poil de Carotte* EST *quelquefois distingué amuse la famille* (J. Renard). — *Le fait que nous* VIVONS *à l'époque industrielle n'empêche pas que...* (Ch. de Gaulle).

D'où vient qu'en réfléchissant tu CHANGERAIS *d'opinion ?* — *L'essentiel est qu'avec votre aide nous* RÉUSSIRIONS. — *Je note le fait que tu* CHANGERAIS *d'opinion si les circonstances se modifiaient.*

D'où vient que je ne SOIS *jamais interrogé sur son âge ?* (M. Arland.) — *Le pire était qu'à rêver sans cesse, il* OUBLIÂT *la moitié du temps de boire et de manger* (M. Aymé). — *L'idée qu'il* PUISSE *risquer sa vie pour moi m'est intolérable* (A. Gide). — *Le fait que Stiopa se* SOIT *déjà remis à écrire (...) est un mauvais signe* (H. Troyat).

1198 Après des expressions comme ***apparemment que, bien sûr que, peut-être que, probablement que, sans doute que,*** etc., on emploie, selon le sens, l'**indicatif** ou le **conditionnel :** *Apparemment qu'il* VIENDRA (Ac.) ou : *qu'il* VIENDRAIT *si...* — *Peut-être qu'il le* DIT (Corneille) ou : *qu'il le* DIRAIT *si... — Probablement que, sans doute que nous le* REVERRONS, ou : *que nous le* REVERRIONS *si...*

1199 Subordonnée infinitive dépendant d'un verbe de perception, ou de FAIRE, ou de LAISSER :

a) Infinitif sans objet direct : *Je* LE *vois, je* LE *regarde, je* L'*entends venir. — Je* LE *ferai, je* LA *ferai, je* LES *ferai venir ; je* LE *laisse, je* LA *laisse, je* LES *laisse partir. — Je vois venir, je fais venir, je laisse venir* MON AMI.

b) Infinitif avec objet direct : *Je* LE *vois* ou *je* LUI *vois planter un arbre ; je* LES *entends* ou *je* LEUR *entends fermer la porte.*

Après *faire* ou *laisser : Je fais, je laisse bâtir ma maison* À (OU PAR) CET ARCHITECTE. *Je* LUI *fais* ou *je* LE *fais bâtir ma maison ; je* LUI *laisse* ou *je* LE *laisse bâtir ma maison.*

B. PROPOSITIONS RELATIVES

1200 *a)* La subordonnée relative a son verbe à l'**indicatif** quand elle exprime un fait certain, réel ; au **conditionnel** quand elle exprime un fait hypothétique, imaginaire : *J'ai trouvé un médecin qui* A *pu me guérir, un conseiller que la raison* CONDUIT. — *Je vois peu d'hommes qui* SONT *contents de leur sort. — Est-il un trésor qui* VAUT *le sommeil ? — Si je retrouve le livre qui vous* A *plu, je vous l'enverrai. — Donnez-moi la liste des livres qui vous* PLAIRAIENT.

b) D'une façon générale, la subordonnée relative a son verbe au **subjonctif** quand on marque un but à atteindre, une intention, une conséquence, ou quand l'idée est teintée d'un certain doute, de quelque incertitude ; en particulier, c'est souvent le cas après une principale négative, interrogative, conditionnelle : *Je cherche un médecin qui* PUISSE *me guérir, un conseiller que la raison* CONDUISE. — *Je vois peu d'hommes qui* SOIENT *contents de leur sort. — Est-il un trésor qui* VAILLE *le sommeil ?* (A. France.) — *S'il rencontre alors un sujet qui l'*ÉMEUVE... (J. Lemaitre).

1201 Après ***le seul, le premier, le dernier, l'unique, le suprême*** et après un superlatif ou une expression de valeur analogue, le verbe de la relative se met à l'**indicatif** si l'on souligne la réalité du fait, si l'on exprime une certitude ; — au **conditionnel** si l'on marque l'éventualité : *C'est le seul poste, l'unique poste que vous* POUVEZ *(que vous* POURRIEZ*) remplir. — Voilà le seul plaisir, le plus grand plaisir que j'*AI *(que j'*AURAIS*) goûté. — C'est une des grandes erreurs qui* SOIENT *parmi les hommes* (Molière).

Mais il se met au **subjonctif** si l'on apporte quelque tempérament à la valeur de l'idée principale, soit qu'on garde dans l'esprit un certain doute, soit qu'on veuille éviter un ton tranchant : *C'est le seul poste, l'unique poste que vous* PUISSIEZ *remplir. — Voilà le seul plaisir, le plus grand plaisir que j'*AIE *goûté.*

1202 On a parfois (mais non obligatoirement) le **subjonctif** dans la relative dépendant d'une principale au subjonctif : *Je doute, je ne crois pas qu'il prenne le remède qui* CONVIENNE (ou, selon le sens : *qui convient, qui conviendrait*). — *Quel que soit le coup que je* REÇOIVE (Musset). — *Rieux n'était pas même sûr que ce fût elle qu'elle* ATTENDÎT (A. Camus).

1203 Quand le verbe de la relative (introduite soit par ***où,*** soit par un pronom relatif précédé d'une préposition) implique l'idée de *pouvoir,* ou de *devoir,* ou de *falloir,* il est parfois à l'**infinitif** : *Il indique l'endroit où* PRATIQUER *la plaie* (J. de Pesquidoux). — *Il cherchait une main à quoi s'*ACCROCHER (Cl. Farrère).

1204 Une proposition relative est parfois associée à une proposition substantive objet : *Une grâce* ‖ *que je crains* ‖ *qu'on ne m'accorde pas* (Montesquieu). — *Le mal* ‖ *que personne ne peut contester* ‖ *qui existe* (É. Faguet). — *Ce démon* ‖ *que tu dis* ‖ *qui t'assiste* (A. Hermant).

Ces constructions peuvent paraître lourdes. Dans l'usage moderne, pour certaines phrases du moins, on leur préfère la construction infinitive ou encore le tour avec ***dont*** (=

au sujet duquel) : *Cet enfant que je dis* AVOIR VU, DONT *je dis que je l'ai vu.* — Dans certains cas, on peut employer une incise : au lieu de *Une feuille* ‖ *qu'on dit* ‖ *qui paraît toutes les semaines* (Voltaire) ou de *D'un mot* ‖ *que je suppose* ‖ *que vous allez comprendre* (A. Camus), on dirait bien : *Une feuille qui paraît,* DIT-ON, *toutes les semaines. D'un mot que,* JE LE SUPPOSE, *vous allez comprendre.*

Parfois la langue littéraire, pour donner à la relative un relief particulier, la place avant l'antécédent : *Elle me montra,* QUI JOUAIT, *dans son jardin, un de ces ânes charmants de Provence, aux longs yeux résignés* (M. Barrès).

C. PROPOSITIONS CIRCONSTANCIELLES

1205 ***Après que*** amène logiquement l'**indicatif** ou le **conditionnel** (fait éventuel) : *On cherche ce qu'il dit après qu'il* A *parlé* (Molière). — *Après que vous* AUREZ *parlé, il parlera* (Ac.). — *Comme un miroir qui garderait l'image après que l'objet* AURAIT *disparu* (Hugo).

Dans l'usage d'aujourd'hui, ***après que*** se fait souvent, mais très fâcheusement, suivre du **subjonctif :** *Longtemps même après qu'elle m'*AIT *quitté* (J.-P. Sartre). — *Une demi-heure après qu'il* AIT *été tué* (Montherlant). — *Peu de temps après que j'*EUSSE *retrouvé la paix* (Fr. Mauriac). — *Trois quarts d'heure après que des coups de feu* AIENT *été tirés* (Ch. de Gaulle).

Mise en garde de l'Académie (19 nov. 1964) : « *Après que* se construit normalement avec l'indicatif. »

1206 ***Aussi loin que, d'aussi*** (ou ***de si***) ***loin que, au*** (ou ***du***) ***plus loin que*** marquent le temps ou le lieu ; ils amènent l'**indicatif,** ou le **conditionnel,** ou le **subjonctif,** selon la nuance de la pensée : *Mes pères, aussi loin que nous* POUVONS *remonter...* (Renan). — *Aussi loin que la vue* ALLAIT, *tout était nu* (Maupassant). — *Du plus loin, d'aussi loin que je l'*AI *aperçu, j'ai couru au-devant de lui* (Ac.). — *Nous n'apprendrions rien là-dessus, aussi loin que nous* REMONTERIONS. —

Du plus loin qu'il me SOUVIENNE, *la chose était ainsi* (Ac.). — *Aussi loin que* PORTÂT *sa vue, elle n'apercevait que la forêt* (J. Green). — *Au plus loin que ma vue* PUISSE *s'étendre, je n'aperçois rien* (Ac.).

1207 ***Loin que, bien loin que*** (= tant s'en faut que) amènent toujours le **subjonctif :** *Et loin qu'à son crédit* NUISE *cette aventure...* (Molière). — *Bien loin qu'il se* REPENTE, *il s'obstine dans sa rébellion* (Ac.).

1208 Après ***jusqu'à ce que,*** on met généralement le **subjonctif :** *Je verrai cet instant jusqu'à ce que je* MEURE (Hugo). — *Il avait combattu jusqu'à ce qu'il* FÛT *tué* (A. Malraux).

Mais on peut avoir l'**indicatif** ou le **conditionnel** suivant qu'on veut souligner la réalité du fait ou en marquer l'éventualité : *Je m'étais fait un grand magasin de ruines, jusqu'à ce qu'enfin (...) je m'*ÉTAIS *trouvé une ruine moi-même* (Musset). — *L'étoile (...) les précédait jusqu'à ce que, venant au-dessus du lieu où était l'enfant, elle s'y* ARRÊTA (A. France). — *N'attendriez-vous pas à employer leur éloquence jusqu'à ce qu'ils* AURAIENT *leur nécessaire ?* (Fénelon.)

Au lieu de ***jusqu'à ce que,*** pour marquer un fait réel, on emploie ordinairement ***jusqu'au moment où,*** avec l'**indicatif :** *Les danseurs frappaient le sol du pied (...) jusqu'au moment où (...) ils* S'ÉCROULAIENT (Y. Gandon).

1209 Le subjonctif ***vienne*** sert parfois à exprimer l'idée de « quand telle chose viendra » ou de « si telle chose arrive » : VIENNE *l'été, le rossignol s'arrête* (G. Duhamel). — VIENNE *la tempête, on double les amarres* (Alain). — VIENNENT *les heures troubles, il s'épuise...* (É. Estaunié).

1210 ***Non que, non pas que, ce n'est pas que, faute que,*** on met normalement le **subjonctif :** *Non qu'il ne* SOIT *fâcheux de le mécontenter* (Ac.). — *Non pas que j'*ADMETTE *la compétence d'un écrivain à juger de son œuvre* (P. Bourget). — *Ce n'est pas que je* CRAIGNE *les hommes* (G. Sand). — *Faute que l'État* MÎT *les choses en ordre, il payait les déficits* (Ch. de Gaulle).

N.B. Ces expressions (à la réserve de *faute que*) se construisent parfois avec l'indicatif (fait réel) ou le conditionnel (fait éventuel) : *Ce n'est pas qu'il* EST *mauvais* (A. France). — *Ce n'est point qu'il* RECHERCHAIT *une intrigue* (J. Giraudoux). — *Ce n'est pas que je n'*AURAIS *rien à dire des grèves en cours* (Fr. Mauriac). — *Non pas que cela* AURAIT *changé quelque chose* (E. Triolet).

1211 ***Du moment que*** (= « puisque », ou : « depuis que ») amène normalement l'**indicatif** ou le **conditionnel :** *Du moment que vous me* CONVENEZ, *(...) il est nécessaire que vous sachiez exactement ce que j'attends de vous* (É. Estaunié). — *Du moment que je l'*AI *connu, je l'ai aimé* (Ac.).

Du moment où est rare : *Du moment où l'archidiacre eut aperçu cet inconnu, son attention sembla se partager entre la danseuse et lui* (Hugo).

1212 ***Pour,*** avec un infinitif passé ou passif (parfois présent), peut marquer la cause, souvent avec une idée conjointe de concession : POUR ÊTRE *plus qu'un roi, tu te crois quelque chose* (Corneille). — POUR DORMIR *dans la rue, on n'offense personne* (Racine). — POUR AVOIR OUBLIÉ *ces choses, l'apprenti sorcier a perdu la tête* (A. Maurois). — *Je recevais maintenant des remontrances* POUR ÊTRE *mal* PEIGNÉ (P. Loti). — POUR ÊTRE *plus lyrique, on finit par ne plus être précis du tout* (A. Gide).

1213 Le rapport de cause peut être rendu par une proposition où un attribut est combiné avec ***que*** ou ***comme :*** *Les assistants,* ÉBLOUIS QU'*ils sont, se regardent furtivement entre eux* (G. Duhamel). — *Vous ne le croiriez peut-être pas, (...)* ENTÊTÉ COMME *vous l'êtes des préjugés de l'Orient* (Montesquieu).

1214 ***Pour,*** suivi d'un infinitif de but, avec insertion d'un nom (ou d'un pronom personnel) sujet forme un tour qui était courant dans la vieille langue et qui se retrouve dans la langue juridique et dans certains dialectes (Wallonie, nord-est de la France, Savoie) : *Le propriétaire peut exiger que les meubles (...) soient vendus, pour le prix en être placé...* (Code civ., art. 603).

1215 Après ***bien que, quoique, encore que,*** on peut avoir un participe présent ou un participe passé avec ***ayant*** ou ***étant :*** *Bien qu'*ÉCRIVANT *un latin très élégant (...), il n'a pas le goût vif des Lettres anciennes* (Sainte-Beuve). — *Quoique* AYANT COMMENCÉ *fort jeune l'étude des langues de l'Orient, je n'en sais que les mots les plus indispensables* (Nerval). — *Bien qu'*ÉTANT REPARTI *vers l'aube* (P. Benoit).

1216 Après ***bien que, quoique, quoi que, encore que, malgré que, pour ... que, si ... que, pour si ... que, pour aussi ... que, quel que, quelque ... que,*** c'est normalement le **subjonctif** qui est demandé : *Bien que je* SACHE, *quoique je* PRENNE, *quoi que tu* DISES, *encore qu'il* VIENNE, *malgré qu'il le* FASSE, *pour grand qu'il* SOIT, *si mince qu'il* SOIT, *quel qu'il* SOIT, *quelque puissant qu'il* PARAISSE. Tel est l'usage général, auquel il convient de se conformer.

Cependant des auteurs emploient parfois, après ces expressions, **l'indicatif** pour souligner la réalité d'un fait, ou le **conditionnel** pour en marquer l'éventualité (exceptionnellement après *quel que* ou *quelque ... que*) : *Bien qu'elles* CRIAIENT (R. Rolland). — *Quoique, pour un musicien, c'*EST *merveilleux* (Fr. Mauriac). — *Encore que précisément ici je ne* VOIS *pas trop...* (A. Gide). — *Pour petite qu'elle* EST, *elle est précieuse* (A. France). — *Bien que sa corruption ne lui* NUIRAIT *point* (Chateaubriand). — *Quoique je* SERAIS *furieux que vous me réveilliez* (M. Proust). — *Encore que j'*AURAIS *droit à des félicitations* (P. Léautaud). — *Quelles que* FURENT *les instances du marquis* (Diderot). — *Quelque harcelé qu'il* SERA (La Varende). — *Quelque désir que j'en* AURAIS (J. Dutourd).

1217 ***Au lieu que*** se construit avec l'**indicatif** ou avec le **conditionnel,** suivant qu'on exprime la réalité d'un fait ou qu'on en marque l'éventualité ; — avec le **subjonctif** si le fait est simplement considéré dans la pensée : *Cet élan des pensées qui semble dépasser le but, au lieu qu'il l'*ATTEINT *à peine* (Alain). — *Il ne songe qu'à ses plaisirs, au lieu qu'il* DEVRAIT *veiller à ses affaires* (Ac.). — *Les Turcs vont de l'abstrait au concret, contrairement à nos races (...) chez qui l'objet évoque, au lieu que l'objet* NAISSE *d'une longue évocation* (J. Cocteau).

1218 Après ***alors (même) que, lorsque, lors (même) que, quand (même), cependant que, tandis que,*** on met l'**indicatif** (fait réel) ou le **conditionnel** (fait éventuel) : *Votre santé est bonne, alors que, lorsque, cependant que, tandis que, quand la mienne ne l'*EST *pas ou du moins* POURRAIT *être meilleure. — Quand tu* SERAIS *sac, je n'approcherais pas* (La Font.).

1219 ***Tout ... que*** adversatif se fait suivre de l'**indicatif,** ou du **conditionnel** (fait éventuel), ou, le plus souvent, dans l'usage moderne, du **subjonctif :** *Tout enfant que j'*ÉTAIS, *le propos de mon père me révoltait* (Chateaubriand). — *Toute mariée que je* SERAIS, *(...) je ne me fierais pas à moi* (Marivaux). — *Tout simple qu'il* SOIT, *il a déjà deviné* (Fr. Mauriac). — *Zéphyrin, tout savetier qu'il* FÛT, *visait au luxe* (Fr. Jammes).

1220 Dans des phrases où la proposition d'opposition ou de supposition est au conditionnel ou au subjonctif imparfait ou plus-que-parfait, la principale est unie par simple juxtaposition ou se trouve précédée de ***que :*** *Le danger serait* (ou *fût-il*) *dix fois plus grand, je l'affronterais* — ou : ... *que je l'affronterais. — Voudrait-il* (ou *il voudrait, voulût-il*) *le faire, il ne le pourrait pas* — ou : ... *qu'il ne le pourrait pas. — Le diable entrerait dans la maison qu'on le laisserait faire* (Hugo).

1221 ***Des fois que, quelquefois que, un coup que*** s'emploient populairement avec le **conditionnel :** *Je reste là un moment, des fois que vous m'*APPELLERIEZ (C. Bourniquel). — *Il faut attendre encore un peu, quelquefois qu'il* IRAIT (dans Brunot).

De même *(une) supposition que* (avec le **conditionnel** ou le **subjonctif**) : *Une supposition qu'une femme* VOUDRAIT *se débarrasser de son mari* (G. de La Fouchardière). — *Supposition que tu* SOIS *en retard* (M. Genevoix). — *Une supposition que ce garçon* AIT EU *l'idée d'écrire tous les jours une petite lettre à son père* (M. Pagnol).

1222 Après ***si*** marquant un fait irréel dans le passé, on peut avoir les quatre combinaisons : *Si j'avais cherché, j'aurais*

trouvé ; si j'eusse cherché, j'eusse trouvé ; si j'avais cherché, j'eusse trouvé ; si j'eusse cherché, j'aurais trouvé.

1223 Après les tours ***si c'était... qui*** (ou ***que***), ***si ç'avait été... qui*** (ou ***que***), ***si ç'eût été... qui*** (ou ***que***), on emploie l'imparfait ou le plus-que-parfait, soit de l'**indicatif**, soit du **subjonctif :** *Si c'était moi qui* AVAIS *fait cela* (Ac.). — *Comme si ç'avait été la roue de la fortune qui* GLISSAIT *sur ces rails* (J. et J. Tharaud). — ‖‖ *Si c'était à sa citadelle qu'on m'*ENVOYÂT (Stendhal). — *Si c'était lui qui* VÎNT *demain ?* (Musset.) — *Si c'était le diable qui* EÛT ÉCRIT *cette phrase généreuse* (É. Henriot).

1224 Le bon langage n'admet pas le **conditionnel** que la langue populaire emploie volontiers après ***si*** ou ***si que,*** dans des phrases comme : *Si tu* VOUDRAIS, *on travaillerait ensemble* (Fr. Carco). — *Si j'*AURAIS *su, j'aurais refusé.* — *Si qu'on* MARCHERAIT *un peu ?*

1225 Dans ***s'il en fut*** (ne pas écrire : *s'il en fût*), on a un passé simple figé : *Campement délicieux s'il en* FUT, *où nous terminons le jour* (P. Loti).

Cependant, le verbe sort parfois de son figement : *Un coquin s'il en* EST (Littré). — *Ordre impératif s'il en* AVAIT *jamais* ÉTÉ (Cl. Farrère).

1226 ***Sinon, si ce n'est*** s'emploient par ellipse pour marquer l'opposition et la négation: *Cette maison est une des plus belles,* SINON *la plus belle,* SI CE N'EST *la plus belle du quartier.* — *Autant de piétons dans les rues,* SINON *davantage* (R. Martin du Gard).

N.B. *Si pas,* dans ces sortes de phrases, est un provincialisme; on le rencontre parfois chez des auteurs français : *Il a au moins vingt-cinq ans* SI PAS *plus* (P. Bourget). — *Il était en passe de devenir bienheureux,* SI PAS *tout à fait saint* (Aragon). — Mieux vaut cependant employer *sinon* ou *si ce n'est.*

1227 ***Si tant est que*** se construit normalement avec le **subjonctif :** *Je ne manquerai pas d'y aller, si tant est que je le* PUISSE

(Ac.). — *Ma dernière explication s'effondrait, si tant est que j'y* EUSSE *jamais cru* (M. Genevoix).

N.B. Il est tout à fait exceptionnel que *si tant est que* soit suivi de l'**indicatif** (la supposition est alors considérée comme ayant toutes les couleurs d'une réalité : *Il n'est pas impossible que ce soient eux qui aient raison, si tant est que c'*EST *avoir raison que de penser comme pensera l'avenir* (J. Rostand).

1228 ***Pour peu que, pour si... que*** se construisent avec le **subjonctif:** *Pour peu que votre image en mon âme* RENAISSE... (Sully Prudhomme, cit. Le Bidois). — *Pour si farceur qu'on* SOIT, *on n'escamote pas une ville* (A. Daudet).

1229 Il peut arriver que ***si*** se fasse suivre d'un **futur** ou d'un **conditionnel** dans des phrases où la supposition porte sur un verbe sous-jacent (*s'il est vrai que, si on admet que, si on met en fait que,* etc.) : *Cela vous fera-t-il, cela ne vous fera-t-il pas plaisir ? Si cela vous* FERA *plaisir, remettons la paysanne en croupe* (Diderot). — *Pardon (...) si je ne puis t'aimer, si je ne t'*AIMERAI *jamais !* (R. Rolland.) — *Si je ne* VOUDRAIS *pas le nier, je crois du moins qu'il en faut rabattre* (F. Brunetière). — *Si jamais batailles* AURAIENT *dû être gagnées, ce sont celles-là* (A. Maurois).

On peut avoir aussi le futur ou le conditionnel après *si* dans des phrases comme : *je veux être pendu si..., du diable si..., comme si... !,* etc., où l'ensemble exprime la pensée avec une force particulière : *Ce que tu es, du diable si je le* SAURAI *jamais* (A. France). — *Du diable si je vous* AURAIS *reconnu* (M. Arland).

1230 Après ***au cas où, dans*** (ou ***pour***) ***le cas où, dans*** (ou ***pour***) ***l'hypothèse où,*** on met le **conditionnel :** *Au cas où une complication se* PRODUIRAIT, *faites-moi venir* (Ac.). — *Dans le cas où quelqu'un se* PRÉSENTERAIT, *téléphonez-moi.*

Rarement le **subjonctif :** *Au cas où il en* SOIT *encore temps* (A. Thérive). — *Au cas où tu* PRENNES *nourriture en forêt* (M. Bedel).

1231 Après ***à (la) condition que, sous (la) condition que,*** on met, selon la nuance de la pensée, l'**indicatif** ou le **subjonctif :** *Je vous donne cet argent à condition que vous* PARTIREZ *demain* ou *que vous* PARTIEZ *demain* (Littré). —

À la condition que vous DÎNEREZ *chez moi ce soir* (Maupassant). — *À condition que ce départ* SOIT *accepté* (M. Prévost).

1232 Dans les propositions conditionnelles commençant par ***n'était, n'étaient, n'eût été, n'eussent été,*** il y a ellipse de ***si ce :*** N'ÉTAIENT *les hirondelles qui chantent, on n'entendrait rien* (P. Loti). — N'EÛT ÉTÉ *sa toilette verte, on l'eût pris pour un magistrat* (A. France).

1233 Les locutions restrictives ***autant que, pour autant que*** se construisent avec l'**indicatif,** ou avec le **conditionnel,** ou avec le **subjonctif,** selon la nuance de la pensée : *Tel est l'âge magique, autant qu'on* PEUT *le décrire* (Alain). — *Pour autant qu'elle se* MÊLAIT *de son métier* (P. Valéry). — ‖ ‖ *Je ne lui conseillerais de rester dans ce gâchis qu'autant que le prince lui* DONNERAIT *une somme énorme* (Stendhal). — ‖ ‖ *Jamais, autant que je* PUISSE *dire, elle n'avait vu de piano* (G. Duhamel). — *Pour autant que j'en* PUISSE *juger, il y a urgence* (H. Bazin).

1234 ***Comme si*** introduisant une proposition conditionnelle se construit avec l'**indicatif** imparfait ou plus-que-parfait, — ou avec le **subjonctif** plus-que-parfait (parfois avec le subjonctif imparfait) : *Comme s'il* VOULAIT *ordonner à son camarade de les faire remplir* [les verres] (M. Prévost). — *Comme si quelque souffle* AVAIT PASSÉ *sur eux* (Hugo). — ‖ ‖ *Tu raisonnes là-dessus (...) comme si tu* EUSSES ÉTUDIÉ *les cours d'amour* (Th. Gautier). — *C'était comme si ce regard (...) la* SUIVÎT *partout* (J. Green).

Comme si sert fréquemment à introduire une proposition exclamative (dans ce cas, il peut être suivi du conditionnel : nº 1229) : *Comme si à vingt ans on n'*ÉTAIT *pas un homme !* (Fr. Mauriac.) — *Comme s'il se* RÉCONCILIERAIT *jamais avant d'avoir vaincu !* (H. Troyat.)

1235 Après une seconde subordonnée conditionnelle coordonnée ou simplement juxtaposée à une première par ***que*** remplaçant ***si, comme si,*** on met ordinairement le **subjonctif :** *Si vous reculez quatre pas et que vous* CREUSIEZ, *vous trou-*

verez un trésor (La Font.). — *Si je vais en Égypte et que j'y* SOIS *tué* (Stendhal). — *Comme s'il était arrivé jusqu'au bord même d'un abîme et qu'il le* TROUVÂT *à ses pieds* (E. Jaloux).

Mais assez souvent aussi, on met l'**indicatif** : *Si nos sens ne s'opposaient pas à la pénitence et que notre corruption ne s'*OPPOSAIT *pas à la pureté de Dieu...* (Pascal). — *Si je n'ai pas eu de sentiments humbles et que j'*AI *élevé mon âme* (Bossuet). — *Si vous arrivez par le fond du vallon et que vous* DÉBOUCHEZ *brusquement dans la cour* (J. Schlumberger). — *Comme si la vie leur était une prison, et que, tout à coup, quelqu'un leur* DÉSIGNAIT *une issue* (Fr. Mauriac).

1236 Après ***comme*** ou après un mot comparatif suivi de *que*, on emploie bien *faire*, verbe substitut d'un verbe d'action qui précède : *Il répondit comme les autres avaient* FAIT (Ac.). — *Oserions-nous renier ces indésirables parents et les immoler, comme nous* FAISONS *les autres bêtes... ?* (J. Rostand.)

N.B. Dans ces sortes de phrases, on peut aussi supprimer le verbe de la proposition comparative : *Nous connaissons nos signaux mieux qu'un prêtre son bréviaire* (A. Chamson) ; — ou encore faire suivre le substitut *faire* d'un complément introduit par *de*, ou *pour*, ou *avec* : *Ma mère me déshabilla (...) comme elle eût fait* D'*un très petit enfant* (G. Duhamel). — *Il l'invita comme il faisait* POUR *ses élèves préférés* (Jér. Tharaud). — *Nous l'examinions* [un grain de maïs] *comme un bijoutier fait* AVEC *une pierre* (P. Gascar).

1237 ***Sans que*** se construit toujours avec le **subjonctif** : *Les dents lui poussèrent sans qu'il* PLEURÂT *une seule fois* (Flaubert).

II. CONCORDANCE DES TEMPS

A. SUBORDONNÉE À L'INDICATIF

1238 *a)* Lorsque le verbe principal est au **présent** ou au **futur,** le verbe subordonné se met au temps demandé par le sens, comme s'il s'agissait d'une proposition indépendante :

J'affirme / *J'affirmerai*
- *qu'il* TRAVAILLE *en ce moment.*
- *qu'il* A TRAVAILLÉ *hier.*
- *qu'il* TRAVAILLAIT *au moment de l'accident.*
- *qu'il* AVAIT TRAVAILLÉ *avant votre arrivée.*
- *qu'il* TRAVAILLA *la semaine dernière.*
- *qu'il* TRAVAILLERA *demain.*
- *qu'il* AURA TRAVAILLÉ *avant deux jours.*

b) Lorsque le verbe principal est au **passé,** le verbe subordonné se met, selon le sens :

à l'*imparfait* / au *passé simple* } si le fait est simultané ;

au *futur du passé* / au *futur antérieur du passé* } si le fait est postérieur ;

au *plus-que-parfait* / au *passé antérieur* } si le fait est antérieur :

Simultanéité : *J'ai affirmé qu'il* TRAVAILLAIT.
Il se fit qu'à ce moment même il ENTRA.
Il courut à moi au moment même où il me VIT.

Postériorité : *J'ai affirmé qu'il* TRAVAILLERAIT *demain.*
J'ai affirmé qu'il AURAIT TRAVAILLÉ *avant deux jours.*

Antériorité : *J'ai affirmé qu'il* AVAIT TRAVAILLÉ.
Dès qu'il EUT PARLÉ, *une clameur s'éleva.*

N.B. 1. Après un *passé* dans la principale, on peut avoir le *présent* de l'indicatif dans la subordonnée lorsque celle-ci exprime un fait vrai dans tous les temps : *La Fontaine a dit que l'absence* EST *le plus grand des maux* (A. Hermant).

2. Après un *passé* dans la principale, on peut aussi avoir dans la subordonnée un temps dont il faut expliquer l'emploi en observant que le fait subordonné est envisagé par rapport au moment de la parole : *Je vous ai promis que je* FERAI *désormais tout mon possible. — Nous disions que vous* ÊTES *l'orateur le plus éminent du diocèse* (A. France). — *On m'a assuré que cette affaire* AURA PRIS *fin avant deux jours. — Il chercha tant qu'il* TROUVA. — *Vous avez tant travaillé que vous* RÉUSSIREZ.

B. SUBORDONNÉE AU SUBJONCTIF

1239 *a)* Lorsque le verbe principal est au **présent** ou au **futur,** le verbe subordonné se met :

1° Au **présent** du subjonctif pour marquer la *simultanéité* ou la *postériorité : Je veux, je voudrai qu'il* ÉCRIVE *sur-le-champ, qu'il* ÉCRIVE *demain.*

2° Au **passé** du subjonctif pour marquer l'*antériorité : Je doute qu'il* AIT ÉCRIT *hier, qu'il* AIT ÉCRIT *avant mon départ.*

b) Lorsque le verbe principal est à un temps du **passé,** le verbe subordonné se met :

1° A l'**imparfait** du subjonctif pour marquer la *simultanéité* ou la *postériorité : Je voulais, j'ai voulu, j'avais voulu qu'il* ÉCRIVÎT *sur-le-champ, qu'il* ÉCRIVÎT *le lendemain.*

2° Au **plus-que-parfait** du subjonctif pour marquer l'*antériorité : Je voulais, j'ai voulu, j'avais voulu qu'il* EÛT ÉCRIT *la veille ; ... qu'il* EÛT ÉCRIT *avant mon départ.*

N.B. 1. Après un *présent* dans la principale, quand le verbe de la subordonnée est au subjonctif, il se met à l'*imparfait* ou au *plus-que-parfait,* selon les cas, si la subordonnée exprime un fait simplement possible ou soumis à une condition énoncée ou non : *En est-il un seul parmi vous qui* CONSENTÎT ? (Ac.) — *On craint que la guerre, si elle éclatait, n'*ENTRAÎNÂT *des maux incalculables* (Littré).

2. Après un *passé* dans la principale, quand le verbe de la subordonnée est au subjonctif, il se met au *présent* si la subordonnée exprime un fait présent ou futur par rapport au moment

où l'on est, ou encore si elle exprime un fait vrai dans tous les temps : *Il m'a rendu trop de services pour que je le* RENVOIE *en ce moment, pour que je le* RENVOIE *demain. — Qui a jamais douté que deux et deux ne* FASSENT *quatre ?*

3. Après un *conditionnel présent* dans la principale, quand le verbe de la subordonnée doit être au subjonctif, il se met au *présent* ou à l'*imparfait : Je voudrais qu'il* VIENNE ou *qu'il* VÎNT (Littré).

4. L'*imparfait* du subjonctif ne s'emploie plus dans la langue parlée, sauf peut-être les deux formes *eût* et *fût.* La langue écrite en conserve ordinairement l'emploi dans les verbes *avoir* et *être* et à la 3ᵉ personne du singulier des autres verbes ; mais, d'une manière générale, elle le remplace fréquemment par le *présent* du subjonctif ; parallèlement, le *plus-que-parfait* du subjonctif est souvent remplacé par le passé du subjonctif : *Elle a exigé que je me* DÉBARRASSE (H. Bordeaux). — *Peu s'en est fallu qu'il ne* SOIT *tué* (Ac.).

1240 CONCORDANCE DES TEMPS : RÉSUMÉ

Verbe principal		Verbe subordonné	
		à l'*Indicatif*	au *Subjonctif*
Présent ou Futur	Simultanéité:	**Présent**	**Présent**
	Postériorité :	**Futur simple**	**Présent**
	Antériorité	**Imparfait** **Passé simple** **Passé composé** **Plus-que-parfait**	**Passé**
Passé	Simultanéité:	**Imparfait** **Passé simple**	**Imparfait**
	Postériorité :	**Fut. du passé** **Fut. ant. du passé**	**Imparfait**
	Antériorité :	**Plus-que-parfait** **Passé antérieur**	**Plus-que-parfait**

TABLE DES MATIÈRES

TROISIÈME PARTIE

DANS LES SUBORDONNÉES

INDEX

A

Les chiffres renvoient aux numéros.

Les chiffres renvoient aux numéros.

Les chiffres renvoient aux numéros.

C

Les chiffres renvoient aux numéros.

D

Les chiffres renvoient aux numéros.

E

F

G

H

I

J K

L

M

Les chiffres renvoient aux numéros.

N

O

P

Les chiffres renvoient aux numéros.

Q

R

Les chiffres renvoient aux numéros.

S

Les chiffres renvoient aux numéros.

Les chiffres renvoient aux numéros.

U

Les chiffres renvoient aux numéros.

V W

Les chiffres renvoient aux numéros.

ADDITION ET CORRECTIONS

Page 76 : *Fondé de pouvoir.* Littré (comme Bescherelle) écrit, au mot *fondé : Un fondé de* POUVOIR, et au mot *pouvoir : Être fondé de* POUVOIR, *de* POUVOIRS. — Pour l'Académie et pour le Grand Larousse encyclopédique : *Un fondé de* POUVOIR, *de* POUVOIRS. — Pour Robert : *Un fondé de* POUVOIR. — Dans la pratique, on peut admettre les deux orthographes.

Page 180, n° 645,2 : *Il a lu* TOUT *Madame* (avec la majuscule) *de Ségur.*

Page 218, n° 767; *Blackboulé* s'écrit en un mot.

MAURICE GREVISSE

LE BON USAGE

GRAMMAIRE FRANÇAISE

avec des Remarques sur
la langue française d'aujourd'hui

9e ÉDITION, REVUE

Un volume relié plein « relon », havane
Impression or au balancier
Sous jaquette deux couleurs
1230 pages au format 14 × 21 cm

LE BON USAGE:
des milliers d'exemples d'auteurs, avec références.

« *La meilleure grammaire française* »
André GIDE